Match aller

Julien
CAPRON

Match aller

ROMAN

À Mehdi Koudjeti,
Pour toutes ces heures
à s'émerveiller des griffures divines
dans les gestes et les fables,
à rire quand cela nous rendait plus proches,
à pleurer quand cela rendait plus chers
Ces temps qui sont notre chance.
Parce que tu fus la force, la bonté, le soutien.
Par amitié.

*« Mais Dieu pourrait-il habiter
avec les hommes sur la terre ? »*

2 Chroniques, chapitre VI, verset 18.

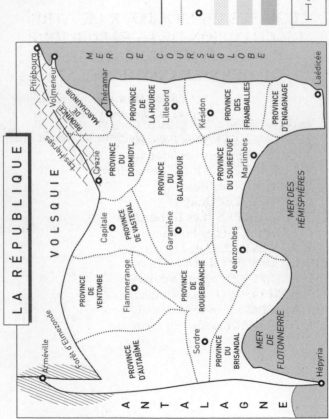

LA RÉPUBLIQUE

VOLSQUIE

MER DES CÉROULÈGLOBE

MER DES HÉMISPHÈRES

MER DE FLOTONNERRE

ANTALAGNE

Pitiébourg
Volmeneur
Théramar
Laédicée
Crazie
Capitale
Lillebord
Késidon
Martimbes
Garamène
Jeanzombes
Flammerange
Sordre
Arméville
Hépyria

PROVINCE DE MARCHAUNOIR
PROVINCE DU DORMIDYL
PROVINCE DE LA HOURDE
PROVINCE DE VASTEVAL
PROVINCE DU GLATAMBOUR
PROVINCE DES FRANBAILLIES
PROVINCE DU SOUREFUGE
PROVINCE D'ENGAGNAGE
PROVINCE DE VENTOMBE
PROVINCE DE ROUGEBRANCHE
PROVINCE D'AUTABIME
PROVINCE DU BRISANDAL

Les Herpès
Forêt d'Eurrazonpe

— Frontière
···· Province
o Ville
Montagne
Forêt
Mer

⊢—⊣ = 40 KMS

ÉQUIPES EN LICE POUR LE TITRE DE CHAMPION DE LA RÉPUBLIQUE CLASSEMENT INDICATIF ISSU DU DERNIER CHAMPIONNAT :

1. GARAMÈNE (Les Semeurs)
2. VOLMENEUR (Les Gardiens)
3. CAPITALE (Les Valeureux)
4. FLAMMERANGE (Les Boutefeux)
5. SORDRE (Les Barons)
6. CRAZIÉ (Les Guides)
7. MARLIMBES (Les Intraitables)
8. LAÉDICÉE (Les Foreurs)
9. ARMÉVILLE (Les Bûcherons)
10. LILLEBORD (Les Cavaliers)
11. JEANZOMBE (Les Orpailleurs)
12. PITIÉBOURG (Les Montagnards)
13. KÉSIDON (Les Sans-Merci) (promu)
14. HÉPYRIA (Les Exilés) (promu)

XV DE VOLMENEUR

DONEC NOX

Samedi 7 octobre

Première journée :
Volmeneur – Laédicée

M

1
pilier
gauche
Vaast
DRAGOULÉMANE

2
talonneur
Baruch
KLÉDINSTEIN

3
pilier
droit
Gabar de
GALFATASSE

Ê

L

4
deuxième
ligne
Jacob
THÉOVITTE

5
deuxième
ligne
Désiré
CALFIN

É

6
troisième
ligne aile
Sixte
DARSSIN

8
troisième
ligne centre
Myrtil
PAHONTAS

7
troisième
ligne aile
Yann
HURLAR

E

C
H
A
R
N
I
È
R
E

9
demi
de mêlée
Félix
VALDAFIN

10
demi
d'ouverture
Abderrahmane
TRINQUETAILLE

T
R
O
I
S
-
Q
U
A
R
T
S

11
ailier
gauche
**Constant
Baptiste**
FAURE

12
centre
Judicaël
GALBOND

13
centre
Malloy
GRUVALD

14
ailier droit
Foulques
BODOMBIN

15
arrière;
capitaine
Athanase
CRAMARIN

REMPLAÇANTS

16. Kétil LAMARSINEINBA

17. Mahmoud MEFULAA

18. Sébald LESCARBORDE

19. Iker DELAVENTIN

20. Corentin DIMBIEL

21. Zachée BARNOLD

22. Nazaire MARLIN

NON de ces terres écrasées de soleil, pressées de moissons et de grappes.

NON un domaine où les appliqués font fructifier le monde.

NON l'abondance, non le confort, non le royaume.

Mais la frontière, mais la limite, le dernier bord où le pied touche.

Mais l'intense repli ourdi le long des siècles, où transite, d'un navire l'autre, ce que le large laisse.

Et, au cœur, dans toutes les têtes et dans tous les regards, dans l'odeur du bitume et du plus secret linge, la mer – cette mauvaise humeur particulière à Dieu.

Catastrophe fluide, railleuse de nos tailles, avec laquelle la langue le prend d'un autre ton.

Plus de noms plantés comme des drapeaux sur le saillant des choses.

Plus de ces boutons impuissants à en fermer pour jarre la force indomptable.

Non.

Mots tout gonflés de houle,

Verbe zébré d'amures,

La voix humaine, la voix, comme un pavois drapé de tumulte et rumeurs.

Volmeneur n'est pas une ville qu'on évoque sans que pince l'émotion des gloires sombres.

Par les jetées et par les docks, par les quais où tant de fantômes apprirent le métier sont venus la légende et la violence, l'épidémie et les coups de canon.

Dessus, silencieuse toujours, la bénédiction à la va-vite, sans garantie, des phares.

Premier port de la République, grouillis de trafics, c'est un sol où les héros aiment chercher la mort.

Honneur du roi, honneur de la patrie, honneur de partager le péril comme un pain sur la table.

Tout cela, maintenant, tombé.

Dans le soupir de valeureux dont le courage eut tort.

Racinées dans leurs corps, les paix, finalement, ont poussé.

Comme un pardon.

Et Volmeneur se dresse, couronné de défaites.

À qui ne connaît pas la ville, à qui ne sait pas ce que signifie ici le rugby, le combat de ce soir peut sembler minuscule. À mille lieues de ces batailles navales, de ces bombardements et émeutes qui firent de Volmeneur la terre promise des hyperboles. Pourtant, au fond du sol où le Stade du Brise-Lames est creusé, dans les tribunes où ils sont quatre-vingt-cinq mille à s'étourdir d'exclamations, on ne prendrait pas bien qu'on relativise.

Dans les nombreux échecs où Volmeneur lit sa trempe, la dixième finale perdue sur dix de son histoire, il y a cinq mois à peine, n'est pas d'un moindre deuil.

Et, promis dans les gros titres, gonflé sur les ondes, mitraillé par les bandes-annonces de la retransmission, ce soir, c'est le rachat.

Le premier match de la saison.

La première journée du championnat de la République.

Les écrans annoncent la trentième minute de la première mi-temps...

Et Volmeneur est mené par 6 à 3.

16

Par une équipe qui était médiocre huitième l'an passé.

Laédicée-la-frêle.

Le demi de mêlée Félix Valdafin hurle sur ses troupes :

— Bon, les gros, c'est quand même le moment de leur péter dans la gueule ! Ils reculent, c'est compris ? Ils reculent ! Jacob, Désiré, maintenant, vous lâchez le frein, parce que c'est pas demain qu'on va pouvoir leur apprendre la politesse. Compris ? Merde !

Puis les avants se lient. La mêlée attend les ordres de l'arbitre. Qui fait claquer dans l'air :

— FLEXION !

Alors, ce sont six hommes qui se regardent, trois de chaque côté, liés à se tordre. Dans leur dos, cinq autres sont calés. Chez les Outrenoirs de Volmeneur, le pilier gauche Dragoulémane fait jaillir d'une grimace de haine :

— À fond. À fond. Gros guignols tout mous. On les massacre.

Et l'arbitre commande :

— TOUCHEZ !

Bien entre ses piliers armés contre lui, tandis que les mains de ses deux compagnons de première ligne effleurent ceux d'en face, le talonneur Baruch Klédinstein marmonne :

— On rentre droit et dur, les mecs, droit et dur !

— STOP !

Ce moment de suspens avant le choc, ce moment où le pilier droit Gabar de Galfatasse refuse la fioriture des défis verbaux. Mais il a les yeux dans ceux de son adversaire. Et il l'a nettement vu frémir. Parce que ses entrées plein crâne ont déjà défoncé deux ou trois sûrs-de-lui. Et il sait très bien avec quel appui il va briser ce spécimen.

— ENTREZ !

17

L'impact alors, comme un coup de feu. Et, juste derrière les piliers de Volmeneur, les deuxième ligne se déplient de toute leur force. Jacob Théovitte crie :

— Allez !

Et Désiré Calfin, l'autre deuxième ligne, martyrisé par la tension, le corps à fendre, se dit que le ballon a été introduit par l'adversaire. Et qu'on vient d'enfoncer leur côté droit.

La balle va quand même sortir pour l'adversaire. Et, sur le côté droit de la mêlée, Yann Hurlar attend de voir comment ils vont attaquer. S'ils essaient de passer de son côté, il se dit qu'il va laisser à l'envahisseur le dessin de son épaule au milieu des gencives.

De l'autre côté, le troisième ligne aile Sixte Darssin remarque que l'ouvreur adverse est avancé. Si leur 9 envoie la balle sur lui, même s'il dégaine en un millième de seconde, il le pète en deux.

Le ballon fuse vers l'ouvreur, qui réussit à taper avant d'être tranché par Darssin jailli de nulle part.

La balle est dans les airs.

Et une moue vaste comme le stade pèse sur l'homme qui, immobile, attend le ballon ; l'homme qui vient de murmurer : « Enfoirés. »

Un coup d'œil.

L'arrière et capitaine de Volmeneur Athanase Cramarin se dit : ils montent à trois, et ils sont en retard.

Une inflexion légère le transforme en vicomte qui arme une révérence.

Il sent le regard de Faure sur lui. Déjà, il sait l'ovale installé dans ses paumes.

— Je prends, onze !

Et il n'y a pas de délai perceptible entre ce moment où ses mains se referment sur le cuir et celui où son pied déchire le gazon. Et ce qui se passe alors, cette surprise qui électrocute tous ceux qui d'un coup hurlent, tous ceux qui chez eux font vibrer les ampoules, c'est, quand l'autour enfin a avoué sa haine, l'homme qui lui réplique les armes à la main.

Car ce dos qui fonce droit sur ses ennemis, cette ruée perdue vers un abîme certain répondent à un outrage.

C'est la quatrième fois depuis une demi-heure que les mecs de Laédicée tapent des chandelles sur Cramarin. Et l'option stratégique a tout du nom d'oiseau. Car ce sont des ballons semblables qu'Athanase n'a pas réussi à réceptionner en finale il y a cinq mois ; sur des ballons semblables que Volmeneur a pris deux essais et vu s'envoler le titre. Et Athanase Cramarin porte depuis la mine de sa faute ; joueur métamorphosé en défaite. Ceux de Laédicée sont au courant de sa faillite. Ils ne se privent pas de la lui rappeler. À grands coups de pompes. Les trois premières fois, Cramarin a dégagé son camp sobrement. Mais monter comme ça sur lui, à trois, c'est trop le mépriser.

Ça signifie qu'on le croit devenu trop nul pour qu'il soit nécessaire de prévoir une défense pour parer ses coups de sang.

Il faut mériter l'arrêt des manigances.

Il faut redonner espoir à une équipe inquiète.

Il faut lever le front et gagner la fournaise.

En le voyant partir à toutes foulées, le demi d'ouverture de Volmeneur Abderrahmane Trinquetaille murmure : « Putain le con. »

S'ils en avaient le temps, nombreux seraient ceux qui hurleraient déjà au crétinisme clinique. L'arrière court en effet droit sur les trois adversaires qui sont montés le prendre et qui se baissent déjà pour le plaquer. Il sait que ça va se passer. Il sait quand ça va se passer. L'ailier Constant-Baptiste Faure repère le point d'impact : au niveau du 13 adverse. Et il décide : crochet droit.

Athanase Cramarin sait que Faure est derrière lui. La mention du numéro de son coéquipier avec un

« Je prends » inutile était faite pour lui dire de l'accompagner. Il accélère, droit devant. Le demi-de-mêlée Valdafin hurle pour ses gros :

— Droite, le pack, droite !

Juste avant que son corps ne soit abattu, dans cette seconde où naît un rythme, l'arrière fait voler la balle vers son partenaire. Tranchant l'offrande, tordant d'un pas sa course, l'ailier se glisse dans la brèche laissée par l'esprit taquin et la grande connerie des trois-quarts de Laédicée.

Faure sait que le type, là-bas, va le descendre et que son équipe n'est pas encore en place. Il n'a pas le choix. Contre tous les grands principes des écoles de rugby, il retient son souffle. Il entend Valdafin hurler :

— Yann, à droite !

Faure s'est retourné. Une seconde après, un coup d'épaule lui hache les reins, puis un autre. Ses pieds décollent, des mains cherchent le vol à l'arraché, mais ce sont maintenant les avants de Volmeneur qui le broient. Équilibre des forces. Son corps est la ligne de front d'une guerre. Il n'arrive plus à respirer. Sortir la balle, vite. L'ouvreur de Volmeneur annonce la stratégie :

— Marchaunoir-foudre !

Faure voit que le cordon d'attaque s'étire enfin jusqu'à la touche. Il laisse tomber le ballon à terre. Il est talonné jusqu'à Valdafin, qui le cueille au sol. Valdafin le fait siffler jusqu'à Trinquetaille. Grande passe qui ignore l'homme d'à côté pour atterrir dans les bras de Gruvald.

Et c'est une vérité qui se faufile, une nouvelle qui retentit de proche en proche et déchire le silence glissé entre toutes chairs. De main en main, musique, de main en main la balle, comme tant de choses ont volé jusqu'à nous, de nuits en nuits ce jour. La langue et la parole. Et notre visage même. Le travail four-millant qui offrit notre monde.

Relevé du plaquage, l'arrière Cramarin fonce vers l'action en se disant qu'il peut conclure.

Le 13 projette d'une gifle le cuir sur le 14.

Et l'arrière Cramarin hurle :

— Balle !

Les yeux sur le défenseur, l'ailier droit Foulques Bodombin envoie sur Judicaël Galbond qui a jailli derrière lui. Et Cramarin répète :

— Balle !

Galbond a entendu son capitaine. Il n'a que trois foulées à faire pour marquer l'essai. Mais Judicaël Galbond sait que c'est Cramarin qui les a réveillés. Alors, c'est cela qui fond dans le silence. Le consentement au noir de ce qui est naissance. Il passe.

Et, fiché dans leur peau à cet instant, il y a le petit garçon qu'ils furent. Qui rêvait de courir comme ils courent. D'être acclamé à la lumière. De se tenir debout au milieu de la colère. Au milieu du danger. Au milieu de la victoire. Et Cramarin plonge. Et quand il relève la tête, il rugit :

— Je vous emmerde !

Et par le poing levé d'Athanase Cramarin, la joie en hurlements s'est ruée dans les gorges.

Par l'essai de son capitaine, le XV de Volmeneur mène par 8 à 6.

*
* *

Un coup de sifflet, et les corps sur le terrain qui se dégonflent.

On en a marqué deux plus quelques pénalités mais Laédicée s'est réveillé et on a souffert.

On a quand même gagné.

Et ce qui se passe à présent ne se voit qu'entre ces hommes. Juste après avoir flatté de bourrades seigneuriales les adversaires, juste après avoir relevé ceux qui, à bout, se sont abîmés dans le gazon, voici les joueurs qui s'arrêtent au bord de la plus grande tribune. Le Baquet. Ce ventre où s'entassent debout les huit mille spectateurs les plus pauvres, avec femmes et enfants. En bas, une cinquantaine de places assises. Réservées aux veuves et orphelins de la mer et de la mine.

— Bien les gars !
— Bravo, Tathanase !
— On t'aime, Athanase !

Voici les joueurs qui se lient pour faire face à ceux qui leur confient, d'année en année, la charge d'être héros. Et après chaque match, à domicile ou à l'extérieur, depuis si longtemps qu'on ne sait plus bien quand ça a commencé, le XV de Volmeneur se recueille auprès de son public.

> Noire, et noire, ô noire,
> Hurlant de toute part,
> La nuit roule et bagarre,
> Ô noire ?
> Ô noire !

L'hymne s'élève, avec sa gravité étrange. Cette tonalité de la mort proche, à l'unisson des vies du large et de la fosse, des obstinés du corps à corps avec ce qui est sourd, avec ce qui est vie, avant, après, sans nous.

> — Vigie, vois-tu le phare,
> Les crêtes du rempart,
> Les feux des promontoires,
> Ô noirs ?
> Ô noirs !

Cérémonial entre durs au mal, sages aux épaules de buffle, oracles de cette vérité que jamais la nature n'aura plis de nos vœux.

> — Je vois le flot braillard
> Tomber comme un poignard,

Je vois la fin pleuvoir,
Ô noire ?
Ô noire !

C'est un moment que les enfants attendent. C'est pour lui que beaucoup viennent au stade.

— Entends-tu s'émouvoir
Les cloches dans le soir,
Les « demain » des guitares,
Ô noirs ?
Ô noirs !

Et ils se reconnaissent dans ce qui surgit des voix, dans cette onde qui frappe à présent le visage des joueurs ; traits comme la paroi harassée par la pioche.

— J'entends l'ancre et l'amarre
Trembler dans les bossoirs,
Et craquer le gaillard,
Ô noir ?
Ô noir !

Et les cœurs se serrent.

Combien dans la mâchoire
Des vagues ont vu, blafard,
Le salaire du devoir,
Ô noir ?
Ô noir !

Et il y en eut bien, des objecteurs aux passions prudentes, il y en eut pour leur dire que ce qu'ils ressentent maintenant est la plèbe des béguins.

Pour asile un brouillard,
Pour tombe nos regards,
Ainsi finit l'histoire
Ô noire ?
Ô noire !

Il y en eut pour tonner que la larme qui les cherche, l'accent qui les cloue à leur sol et leur fait toucher terre fut le moteur des guerres, la pente des préjugés, le fi des injustices.

> Que vaut notre vouloir,
> Que plie notre pouvoir,
> Un grain guérit la gloire,
> Ô noire ?
> Ô noire !

Mais ce n'est pas ça que sentent, ce n'est pas ça qu'entendent les quatre-vingt-cinq mille corps qui se noient dans le vieux chant.

> Le vent sauve et sépare,
> Linceul ou étendard,
> Qu'y claquent nos mémoires,
> Ô noires ?
> Ô noires !

Et, dans cette minute où la pluie les soutient de sa basse, quelque chose les tient, quelque chose qui fait se souvenir de tous ces hommes retournés au silence qui tirèrent des filets, qui volèrent aux tréfonds, qui arrachèrent de la fonte de quoi habiter. Quelque chose qu'ils lisent sur les cartes et les livres, sur le maillot outrenoir et l'emblème de leur XV, sur le phare dessiné au centre des tuniques, sur la devise au bas, la leur, DONEC NOX. Le pays dans un ballon qui vole. Quand les détonations d'images ont donné aux choses cette consistance de sable, morceaux à main la main, saisis par seuls instants.

> Quand viendra la victoire,
> Qu'on touche notre avoir,
> Ce dernier mot : l'espoir,
> Ô noir ?
> Ô noir !

Ce qui vient de chanter, ils l'appellent Volmeneur.

Répercuté dans les ovations qui crépitent pour saluer l'instant.

Répercuté dans les quinze hommes qui escortent maintenant l'adversaire vers la douche.

Répercuté dans ces yeux, répercuté dans ces vies qui sont venues sur les gradins chercher noblesse pour leurs jours. Pour la table, la voiture, le bureau, la corvée. Chacun dans son combat a vu lever un souffle.

Peut-être une parole qui dit qu'il faut tenir, peut-être du bariolé pour enivrer l'ennui.

Plus sûrement ces corps surgis du sol.

Ces gardiens que, depuis des temps immémoriaux, les territoires s'inventent pour donner aux frontières magie sur l'étranger.

Plus sûrement la science des choses proches, la pogne sur l'alentour, ce que, depuis qu'il y a une mémoire, on appelle la force, et qu'on a humilié sous deux ou trois idées à l'ossature de craie, le long de tableaux noirs.

Plus sûrement, ces joies tout à coup déployées par un geste, par un exploit, un oui, comme des bannières violentes sur le monde rêvé.

Et les drapeaux s'agitent pour accompagner les équipes qui sortent.

Bannières qui donnent à tous la texture d'un rire.

Bannières palpitantes, bannières frissonnantes dans la fraîcheur du soir.

Bannières murmurantes, bannières chuchotantes.

Bannières en noir sur noir.

Samedi 7 octobre

Ça aurait fait chier n'importe qui, et il n'y avait vraiment que lui pour se réjouir d'être réquisitionné à onze heures un soir de week-end. De toute urgence mettre l'étui, le pétard sous l'aisselle. De toute urgence dégainer le calepin. Appel à toutes les voitures.

Il s'appelait Fénimore Garamande. Flairant le Mohican, les plus lettrés lui prêtaient des velléités sacrificielles et des combats encore-plus-beaux-lorsqu'ils-sont-inutiles. Certains disaient : « C'est joli, ça vient d'où ? » Et il leur répondait invariablement : « Du mauvais goût de mes parents. » Il avait le genre de gueule qui fait qu'enfant on passe par la gamme complète des surnoms désagréables. Mais que, des années plus tard, pas mal de femmes y lisent l'avenir de l'espèce.

Arrivé dans l'ascenseur, il demanda à la glace de quoi il avait l'air. Elle réagit à sa question en chantonnant comme une gamine qu'il était amoureux. Il tenta bien de lui répliquer que non, qu'il était content seulement parce que c'était la première fois depuis son arrivée à Volmeneur qu'une affaire sérieuse semblait se présenter. Mais les morveux ont une sagesse impénétrable, et ce qu'ils ont vu, aucune excuse ne pourra le déguiser en innocence. Quoi ? Après deux mois à sculpter du trombone et feuilleter du dossier inclassable, il était impossible que son excitation vînt du retour de l'action, plutôt que du plaisir de retrouver sa collègue ?

La porte de l'immeuble claqua sur lui. Un vent venant de la mer donnait à cette nuit la profondeur du froid. Il alluma une cigarette pour occuper son attente au pied du bâtiment neuf de la Zone de la Justice où il habitait. Casilde lui avait dit dans-dix-minutes. Elle s'était offerte pour aller chercher la voiture de service et pour passer le prendre. Casilde avait de ces attentions.

Bientôt, une berline noire fit halte devant lui. Il s'y glissa, et dit trop vite :

— J'étais à cinq minutes de connaître l'assassin !

Fénimore aimait les histoires. Il goûtait surtout la légèreté d'avions en papier qu'y prenaient les soucis et les amours, cette façon qu'y avaient les gens et les problèmes de gagner le devant de la scène, puis, en deux entrechats, de se faire oublier, juste avant de peser lourd. Il s'en était étourdi depuis qu'ici il accueillait chaque heure de temps libre avec embarras.

Dans la consternante « vraie vie », sa réplique, qu'il voulait drôle, avait les arêtes trop dures des choses préparées. Elle fit bizarre. Et Casilde se contenta d'y sourire, avec la conviction qu'on met à applaudir le récital d'un enfant qui commence le violon. Et puis, qu'est-ce qu'il lui prenait de se vanter d'être un samedi soir devant sa télé ? Dissiper.

— Et toi, ça va ? T'en étais où ?

— Dans mes petites affaires.

Bon, étendu pour le compte, ramené à la réserve professionnelle. L'haleine de Casilde épargnait la filature à Fénimore pour déterminer que les « petites affaires » étaient portées sur le vin blanc. Il n'aurait pas non plus été étonné qu'elles gardent au frais un sérieux calibre dans le froc pour la-soirée-en-beauté, les petites affaires.

Ils venaient de déboucher sur la grande avenue qui, après de mauvaises petites rues surplombées par la voie rapide, menait aux quais de la Zone des Pêches. À gauche, à droite, de la viande saoule dégoulinait saignante et en meuglant des satisfactions incompréhensibles. Les Volméens attendaient rarement minuit pour se métamorphoser en cons, et ils n'auraient manqué pour rien au monde la dégueulante du samedi soir. C'était une tradition hebdomadaire beaucoup trop importante pour qu'on ne lui fît pas honneur ; le jour avant aussi ; le jour après souvent. Bon, c'est pas parce que Fénimore n'avait pas trouvé d'excuse pour y participer qu'il allait snober. Avec un peu de chance, il aurait d'ailleurs droit à sa pinte. Si Casilde était d'humeur à conclure la scène de la découverte du corps par celle du piano-bar à bougies. En attendant, se rendre disponible aux trouvailles de la réalité, et se concentrer sur le charme du flic génial, mystérieux devin des noirs desseins du mal.

— Alors, c'est quel genre ?

— Le genre crade et mis en scène. Ton genre.

Casilde n'avait jamais vu à l'œuvre l'Enquêteur débarqué au mois d'août, mais ses diplômes et ses états de service le désignaient comme un amateur du carnage inventif.

— T'as les détails ?

— Non. On m'a juste dit que c'était un homicide aggravé bien bizarre, et qu'il fallait aller au Stade du Brise-Lames. Ça risque d'être l'ambiance.

— Y avait un match ce soir ?

Casilde lâcha un instant la route pour lui décerner un œil rond.

— T'aimes pas le rugby ?

— Euh… J'aimais bien les Trois-Territoires quand j'étais petit.

Encore une déclaration qui surchauffait son sex-appeal.

— Ah.

— Et on est les seuls sur le coup ?

— La Scientifique doit être en route.

— Sinon ?

— Sinon, oui.

— Ça signifie qu'on nous confie l'enquête ?

— Ben, vu qu'on est la seule unité spécialisée, ça n'a rien de magnifique.

Casilde avait l'aménité d'une adolescente qui vient de voir éjecté par un bus le type au crincrin transi sous son balcon. Apparemment, elle avait mieux à faire de cette nuit. Fénimore crut utile d'emmerder l'évidence.

— T'as pas l'air contente... C'est plutôt pas mal d'être enfin sur un coup.

— J'aimerais autant que ça arrive un lundi à 15 heures.

Fénimore ne dit pas : « Les assassins n'ont pas d'heures ouvrables », car il avait beau être conquis jusqu'au bégaiement, il n'avait pas l'humour d'un chef de bureau.

— C'est parti.

La voiture quitta l'avenue pour trouver sur la gauche une longue allée piétonne d'où défluaient les liquides des supporters bourrés. D'un geste qui n'invitait pas à lui demander de précisions, Casilde prit une télécommande au-dessus du tableau de bord et fit disparaître la borne qui leur barrait l'entrée. Quelques centimètres plus loin, un gros tapa contre la vitre.

— À qui ai-je l'honneur ?

— Ça va pas de rentrer en caisse ici ? C'est plein de gens qui marchent !

Dans un soupir, la jeune femme sortit le gyrophare qui dormait sous le frein à main et le colla sur le toit. Puis ils s'engagèrent à scandale de sirène et commencèrent à se frayer un pénible passage au milieu d'une foule majoritairement agitée par le constat bruyant de la victoire. Derrière, on apercevait la grande ceinture de béton noir qui empêchait les poivrots d'aller faire une promenade sur les grandes verrières qui abritaient du vent et de la pluie les gradins en dessous. Répartis autour, des pylônes élancés et élégants retenaient les projecteurs, et se penchaient dangereusement dans le vide pour ne rien rater de ce qui se passait soixante mètres plus bas.

Le stade était creusé dans le sol. Enterré dans un gouffre. Pour rendre un bizarre hommage aux mines des alentours. Volmeneur, embruns et tréfonds, obsédé par la fouille de tout ce qui se refuse. Le public accédait au stade par des escaliers et des ascenseurs qui commençaient au niveau de la rue, derrière l'interminable herse des contrôles. Tout autour de l'immense place qui cernait le trou, des bars faisaient benoîtement le trottoir.

Casilde finit par se retrouver devant une guérite où s'agitait un vigile blafard.

— C'est. C'est vous. Ah. Enfin. Euh. Allez-y. Passez.

Alors s'effacèrent des grilles hautes et lourdes. Et la voiture s'engouffra dans le parking où dormaient solitaires les deux cars des équipes. Mais où attendait aussi, portières grandes ouvertes, l'ambulance des secours.

*
* *

Tandis qu'ils avaient traversé les couloirs aux odeurs masculines, Fénimore s'était servi en saccades des suppositions, dont les plus fantaisistes figuraient l'assassinat d'un joueur sous les coups furibards d'un entraîneur vexé. Mais il avait beau être un rêveur confirmé, il n'avait pas imaginé jusqu'à… ça.

Sur le sol carrelé du vestiaire, sali çà et là de ficelles de terre, un sac de sport ouvert. Dedans, une masse

imprécise, mais certainement un buste ; un bloc de
membres noirs, sans doute carbonisés ; pas de tête ;
des restes, a priori de femme, probablement adulte.
Dehors, on entendait tinter les crampons des joueurs,
qui erraient encore en tenue, interdits de bercail pour
cause d'enquête. Fénimore se retourna vers les
quelques têtes qui attendaient à la porte on ne savait
quoi de lui. Il devait avoir l'air fin avec ses surchaus-
sures bleues et ses gants en plastique réglementaires.
Il décida de donner un tour de vis à son rôle de flic
et se glissa sous le cordon.

— Qui a trouvé... Qui l'a trouvé ?

Un râblé, nettement plus petit que les autres, fut
appelé par ses copains.

— C'est moi.

— Et vous êtes ?

— Le demi-de-mêlée.

Fénimore aurait souri en d'autres circonstances.
Avant qu'il ait pu préciser le sens exact d'une question
qu'il croyait sans malice, une armoire à glace émergea du cheptel :

— Excusez-moi, monsieur, je suis Athanase Cramarin, le capitaine de l'équipe. Je veux rester avec lui.
C'est mon rôle.

— Fénimore Garamande, Enquêteur Provincial.
Dites-moi, pas de problème pour que vous teniez
compagnie à votre copain, surtout s'il est en état de
choc, mais pourriez-vous lui expliquer, dans notre
langue, que son poste m'intéresse moins pour l'instant que son nom ?

Avant que le gaillard se fût remis du choc séman-
tique auquel Fénimore l'avait soumis, l'autre articula
enfin, avec une pointe d'indignation que ce flic ne
l'ait pas reconnu :

— Je m'appelle Félix Valdafin.

Par ce nom, l'Enquêteur Provincial Fénimore
Garamande eut le plaisir de noircir la première page
du calepin qu'il avait acheté il y a huit bonnes

semaines pour accompagner ses enquêtes dans sa nouvelle affectation.

— Bon, et vous êtes demi de mêlée, c'est ça ?

— Oui.

— Bonjour. Éleuthère Sgabardane. Chef-entraîneur. Dites-moi. Ils peuvent rentrer se changer ? Ça fait une demi-heure. Qu'ils attendent.

Le type, un Noir musculeux aux sourcils plus tourmentés que trois taillis de saules, avait surgi et posé sa question, hachée par l'agacement comme un paquet de nerfs par un boucher débutant. Apparemment, les gens regardaient assez la télévision pour respecter une bande de plastique et une scène de crime, pas assez pour chasser l'illusion qu'il suffisait à un spécialiste d'entrer sur les lieux pour s'imprégner de tous les indices et de toutes les empreintes.

— Désolé, monsieur, mais tout doit rester en l'état jusqu'à l'arrivée de la Police Judiciaire Scientifique.

— Et ils vont prendre leur douche où ? Et quand ? Quand est-ce qu'ils vont pouvoir se changer ?

Assez peu sportif de nature, Fénimore prit comme une agression qu'on pût demander à son esprit de s'appliquer à un tel problème.

— J'en sais rien, moi. Vous n'avez pas d'autres vestiaires ?

— Y a l'autre équipe. Dans l'autre vestiaire.

Sans pousser plus loin l'examen, l'Enquêteur diagnostiqua la connerie. Casilde, qui était partie un instant glaner des renseignements, s'interposa.

— Les joueurs de Laédicée demandent s'ils peuvent y aller. Ils ont un avion.

— Dis-leur que c'est bon. T'as pris un téléphone ?

Casilde fit remarquer qu'elle n'était pas sa subalterne en s'éloignant sans mot dire. Fénimore enchaîna, avec le sourire d'un type qui vient de résoudre en une seconde une énigme réputée coriace :

— Eh bien, voilà. Vous pouvez envoyer vos p'tits gars à la douche. Dans l'autre vestiaire.

— Et ils se changent avec quoi ?

L'homme n'était visiblement pas impressionné par l'idée de passer pour un emmerdeur.

— J'ai bien peur d'être impuissant.

Continuant à le fixer, tétanisé d'animosité, l'entraîneur fit plus haut :

— Bon, les mecs, on va chez les visiteurs. Louis va vous apporter des survêts.

Pour l'Enquêteur :

— Et ils pourront récupérer leurs affaires ? Quand ?

— Je l'ignore. Vous verrez ça avec la Police Scientifique.

Puis Fénimore haussa le ton pour freiner la transhumance :

— Une précision, messieurs. Il faut que le demi de mêlée et le capitaine restent avec moi.

Et l'affable coach admit enfin de lever le camp.

— Qu'est-ce qu'on a, Inspecteur ?

Le nouveau venu n'avait pas besoin de dire qu'il était journaliste, son ignorance des grades et son ton goguenard faisaient le boulot.

— Un instant, s'il vous plaît.

L'Enquêteur Garamande gagna le bout du couloir, où deux Agents attendaient on ne sait quoi, après être venus à l'appel des joueurs, après avoir fait appeler le Commissariat Provincial par leurs collègues de faction aux salles de contrôle, et après avoir établi le périmètre selon des consignes qu'ils avaient tenu à prendre sous la dictée, parce que, eux, vous comprenez, ils étaient plutôt « proximité ».

— Dites, messieurs, est-ce que vous pourriez virer tous les journalistes du secteur, et commencer par abattre cet énergumène ? Merci.

En se retournant, il se retrouva nez à nez avec le reporter qui grogna comme de juste :

— Et on peut même pas faire nos interviews ? J'ai un patron, vous savez.

— Et si vous ne voulez pas me montrer que vous avez aussi un avocat, vous aurez l'inspiration de vous barrer.

Il retrouva à l'entrée du vestiaire les deux rugbymen, qui semblaient inquiets de ne pas savoir de quoi au juste ils se sentaient coupables.

— Bon, retour à nous. Alors, comment avez-vous trouvé ce sac ?

— Il était dans mon casier. C'est mon sac, en fait.

— À quoi voyez-vous ça ?

— Y a mon nom dessus.

Bon. Un peu rouillé, Sherlock Holmes.

— Vous l'aviez mis dans le casier ?

— Ben oui. Avant le match. Dès mon arrivée, en fait.

— Il venait tout droit de chez vous ?

— Oui. Y a mon change dedans.

Dans un éclair, Fénimore constata que beaucoup du caractère des hommes se dit dans les étranges relations de cause à effet qu'ils se forgent. Après un temps de surprise minuscule, il poursuivit :

— Vous vous en êtes servi, une fois arrivé au stade ?

— Oui. J'ai pris mon tube de crème avant de me changer, je me souviens.

— Puis, après, vous en avez sorti votre maillot ?.... Votre short ?

— Non. On prend pas ça avec nous. Le maillot, les chaussettes, le short, on nous les distribue.

— Il y avait quoi, dans ce sac, exactement ?

— Mon protège-dents, mes protections, un caleçon, des chaussettes pour après, un déo, mon gel douche, des tubes de crème. Tout ça, quoi.

Fénimore faillit noter « tout ça, quoi ».

— Rien d'autre ?

— Ben non. Le costard, je le porte à l'arrivée. Alors, non.

Fascinant, ces récits de penderie. Mais Fénimore se connaissait, il avait besoin de détails pour sentir une affaire.

— Et alors, racontez-moi comment vous êtes tombés là-dessus ?

— Ben, on est rentrés dans les vestiaires à la fin du match. J'ai ouvert mon casier pour prendre de quoi me laver. Et puis j'ai vu mon sac ouvert. Avec ça dedans.

— Vous dites que vous avez ouvert le casier, il était donc fermé ?

— On n'a pas le droit de le laisser ouvert pendant qu'on est sur le terrain.

— Ça ferme comment ?

— On a un code.

— Et les vestiaires étaient fermés ?

— Toujours.

— Comment, vous savez ?

— C'est aussi un code, mais il n'y a que l'intendant qui l'a. C'est lui qui nous ouvre.

— Le nom de cet intendant ?

— Louis Trabin.

— Est-ce que vous avez ouvert votre sac entre le début de la partie et le moment où vous avez trouvé... où vous vous en êtes aperçu ?

— Non. J'ai même pas rouvert mon casier quand on est revenus à la mi-temps.

— Et vous êtes sûrs que le... le corps ne se trouvait pas dans votre sac avant le début du match ?

— Certain. Je me souviens que j'ai chopé mon protège-dents dedans à la dernière minute. Juste avant de sortir dans le couloir.

— Et à votre connaissance, il y a eu un délai entre votre sortie et le moment où on a fermé la pièce ?

— Non, on se réunit toujours avant de rentrer sur la pelouse. On y va tous ensemble, et les entraîneurs nous attendent dehors pour nous encourager.

— Et l'intendant aussi ?

— Oui.

— Ils auront oublié de faire le code.

— Non. Ça se verrouille quand ça claque. Le code, c'est que pour ouvrir.

— Et vous êtes certain d'avoir entendu la porte claquer ?

— C'est-à-dire…

— C'est-à-dire ?

— C'est-à-dire, il faut un minimum de concentration à cinq minutes d'un match, alors, les portes qui claquent…

Fénimore ne se l'envoya pas dire.

— Bon. Je crois que ce sera tout pour l'instant.

— Dites, monsieur l'Enquêteur, vous soupçonnez Félix, ou pas ?

Le capitaine était décidé à jouer l'interposition fraternelle.

— Disons que je soupçonne tout le monde, mais pas spécialement « Félix ».

— Ah.

— On peut y aller, alors ?

— Attendez. Donnez-moi vos coordonnées.

— Tous les deux ?

Cela réveilla le coin de son cerveau qui n'était pas noyé dans sa prise de notes, et lui fit réaliser l'inutilité de sa demande.

— En fait, non, laissez tomber. On demandera ça à l'administration du club.

Et les collègues d'aller laver à grosses gouttes le long combat et la scène morbide.

— On est là !

Encapuchonnée et immaculée comme une délégation ministérielle en visite dans une laiterie industrielle, c'était la Scientifique.

— Bonsoir, messieurs. Bon, je vous laisse faire.

Et Fénimore, qui avait l'esprit pratique d'un astrologue antique et qu'épuisaient ceux qui se font esclaves des mesquineries de la matière, alla voir où Casilde en était.

— Et ça, c'est pas du vœu pieux ? Je veux dire : vous en êtes certain ?

Fénimore s'était approché jusqu'à entendre.

— Il faudrait peut-être demander à la société de sécurité. Mais, à ma connaissance, c'est comme ça que ça se passe.

— En d'autres termes, impossible de rentrer sans le code ?

— Ben, moi, c'est ce que je dirais.

L'Enquêteur lança un regard interrogateur à sa collègue.

— Louis Trabin, l'intendant du club.

— Ah. Fénimore Garamande. Je suis avec Casilde Binasse sur cette enquête.

L'intendant eut une réaction muette qui remettait distinctement en question l'utilité de ce renseignement.

— T'as quoi, Casilde ?

— Apparemment, tous les joueurs ont un code pour leur casier, la porte des vestiaires ne peut être ouverte que par monsieur, le système est inviolable, et toutes les entrées sont enregistrées par le terminal informatique. Pas d'effractions par le plafond ou les bouches d'aération possibles non plus, la pièce est protégée par des capteurs. La salle des contrôles du stade m'a donné le relevé des entrées : rien de 20 h 54 à 21 h 43, puis à nouveau rien de 21 h 58 à 22 h 56, c'est-à-dire rien pendant le match. D'après les techniciens, les caméras de surveillance montrent que personne n'est entré sur les lieux en dehors des joueurs et de l'encadrement – j'ai demandé les enregistrements, rassure-toi. Bref, soit quarante rugbymen, tout le personnel d'un stade, tous les flics de service couvrent un assassin en faisant semblant de ne pas l'avoir vu, soit le corps est entré dans le sac par télé-pathie.

Fénimore reconnut sur-le-champ à Casilde une efficacité que n'avaient pas trahie les deux mois à s'échanger au bureau des méthodes contre l'ennui. Quelque chose le perturbait, cela dit.

— Dites-moi, monsieur, je ne savais pas qu'un club de sport protégeait son vestiaire comme une tête nucléaire.

— Ben, c'est que les joueurs ont parfois des effets onéreux. Et puis, on tient pas à ce qu'une équipe puisse espionner nos stratégies.

— Je savais pas que le sport se prenait à ce point au sérieux.

— Vous saviez pas grand-chose.

Dis donc, il se croit où ?

— Et vous, vous étiez où pendant le match ?

— À côté de moi.

La voix était impérieuse. Elle mettait en musique un bellâtre grisonnant sorti d'une publicité pour rasoir ; cravate noire, costume noir, chemise blanche de l'uniforme du club. Le genre adolescent de soixante ans qui passe sa vie à soulever des haltères ou à chalouper du club de golf. La couverture du livre : *Mes Recettes contre la mort*.

— Jérémie Chassesplain, président du club.

Et, à peu près, sixième fortune de la République. L'héritier en second de l'empire automobile n'avait pas besoin de carte de visite. Et le savait pertinemment.

— Je vous donne ma parole que Louis ne m'a pas quitté de tout le match. Je veux aussi vous assurer de l'entière disponibilité du club pour aider les forces de l'ordre.

— Fénimore Garamande, Enquêteur Provincial.

— Casilde Binasse, Enquêtrice Provinciale.

— Je peux vous aider en quoi que ce soit ?

— Qu'est-ce que t'en penses, Fénimore ?

— On pourrait peut-être nous faire visiter le stade ? Pour essayer de comprendre comment ce sac a pu arriver là.

— Vous voulez dire maintenant ? Toute l'enceinte ?

Pour affable qu'il fût, le ton de Chassesplain indiquait nettement que la demi-heure nécessaire à faire le tour de la cathédrale rugbystique lui semblait pouvoir être programmée à meilleure heure.

— Non. Nous reviendrons. Mais si nous pouvions quand même jeter un coup d'œil à cet étage...

— Louis, tu leur montres ?

— D'accord, Jérémie.

Il était étonnant de voir ce bon gros type appeler par son prénom un magnat que le Premier ministre ne recevait pas sans avoir répété la scène avec ses conseillers. Fénimore mit ça sur le compte de la fameuse « famille du rugby ». Une mélodie de boîte à musique s'invita au milieu d'eux, comme une poupée-qui-parle à une mise en bière.

— Oui. Allô. Oui, madame la Procureure. Je dirais : « assassinat ».

On attend que la Scientifique ait emporté la dépouille...

« La dépouille ». Casilde avait trouvé le mot.

— On ne sait pas. Les systèmes de surveillance ne nous ont rien dit d'intéressant. Oui. Oui. Ça, et le rapport du Légiste. Quand on l'aura. On vous tient au courant. Très bien. À tout de suite, alors.

Elle se tourna vers Fénimore :

— C'était la Proc. Elle veut s'occuper de la presse. Elle arrive.

— Excellent. Sinon ?

— Ils ouvrent l'instruction et ils veulent une qualification. J'ai dit « assassinat ».

— Ça paraît pertinent.

L'intendant s'impatienta :

— Vous voulez le faire, ce tour ?

— Allez.

À soixante mètres sous le niveau de la mer toute proche, les « installations » étaient impressionnantes. Les longs réseaux de couloirs, la rivière de carrelage net, les portes qui ouvraient sur des vestiaires enveloppés de bois noir et à casiers vitrés surmontés de plaques en fer nominatives tenaient davantage du club-house pour milliardaires que du sang et de la sueur. Derrière ces pièces, des douches traversées de bassins, derrière encore, des salles de massage où des tables de cuir juraient de tenir bon sous le poids des mastards. Revenu dans le grand corridor qui se jetait dans la pelouse, deux ouvertures donnaient chacune sur deux vastes gazons synthétiques, « pour l'échauffement des deux équipes », avait dit l'intendant. Creusé dans le tunnel rutilait aussi une façon de bloc opératoire sous l'écriteau « Soins d'urgence ». Pour faire ligne, tous les murs étaient frisés de noirs, frappés à intervalles réguliers des armes de Volmeneur et de sa devise, qui était aussi celle de son phare principal, le Phare de l'Appel. DONEC NOX. Autrement dit, « tant qu'il fait nuit ». Il fallait que les visiteurs aient à chaque instant en tête la mythologie de ténèbres qui dressait tout un peuple transvasé dans quinze hommes à leur rencontre.

— Tout ce qui est réception, salles d'interview, postes de surveillance et de commandement de Police se trouve en haut.

Cela dit pour qu'on ne minimise pas le caractère pharaonique de ce temple aux biceps.

Mais le plus poignant, c'était le terrain lui-même. Sous les projecteurs encore ouverts éclatait la pelouse, comme une invocation. Barbare est la puissance. Barbare cette émotion qui tint Fénimore en respect quand il sentit vibrer la force qui se dégageait d'ici. Ce que laissent les peuples en ferveur. Il flottait l'invaincu.

Les mâts des poteaux toisaient la bourrasque. Fénimore jeta un coup d'œil vers la ville, dont la pluie assurait qu'elle continuait à vivre, au-dessus. On ne fut pas longtemps à se réfugier dans les entrailles du Stade du Brise-Lames.

Dès qu'ils furent au chaud, l'Officier de Police Scientifique jaillit devant eux, visiblement impatient de leur faire son rapport.

— On a fini.

— Alors ?

Casilde démontra à Fénimore qu'il était enclin à l'étourderie, en demandant précipitamment :

— Monsieur Trabin, s'il vous plaît, pouvez-vous nous laisser ?

Et le bonhomme de s'éloigner. Probablement vexé.

— On a relevé les empreintes dans le vestiaire, mais ça reviendra à faire la liste du XV de Volmeneur, remplaçants et encadrement compris. Sinon, en ce qui concerne – le machin, c'est bien trop endommagé pour faire quoi que ce soit. On n'a plus qu'à prendre le sac et aller au labo.

— D'accord. Sinon, des observations, des remarques, des hypothèses ?

— Ben, à part que la rigolade a vraisemblablement pas eu lieu ici, vu le genre de traces que laisse le découpage, l'évidement et la cuisson d'un maccha-bée, pas grand-chose, non.

— Vous avez dit « macchabée », la victime était donc morte au moment où on lui a donné cette appa-rence ?

— Le tueur n'ayant pas laissé son journal intime dans le sac, j'en sais rien.

— Et vous avez dit « évidement » ?

— Oui, la femme a été éventrée, et on lui a enlevé pas mal de sa boutique. Ça demande à être vérifié,

41

mais je pense qu'on l'a débarrassée de son appareil reproducteur.

C'était Casilde qui avait posé les deux dernières questions. Pour le moment, Fénimore souffrait sans conteste de la comparaison.

— Bon, on a comme qui dirait du travail...

— Allez-y. Vous avez une idée du temps que vous allez mettre pour pondre votre rapport ?

— Pas plus d'un an. Non, sérieusement, laissez-nous mettre le nez là-dedans avant de nous faire jouer aux pronostics.

— Mais vous confirmez qu'il s'agit d'une femme ?

— Sauf si un grand chirurgien s'est donné beaucoup de mal... Disons que ça ne fait que l'ombre d'un doute. Bon, allez.

Et, d'autorité, l'Officier donna l'ordre à ses hommes de le suivre. Ceux-là sortirent alors en portant le sac, chacun par une de ses anses. La scène, qui rappelait l'aide maladroite d'enfants au moment de fermer la maison des vacances, faisait une étrange escorte funèbre. Ils semblaient en avoir conscience. Leurs regards volontairement se coupaient des remarques. Lorsque à l'autre bout du couloir les Policiers de la Scientifique disparurent vers le parking, une voix interrompit la contemplation.

— Pardonnez-moi... Pouvons-nous autoriser les joueurs à partir ?

Jérémie Chassesplain s'était enquis en personne. Fénimore se tourna vers Casilde, qui faisait une moue de qui ne voit pas de raison pour s'opposer. L'enquêteur Garamande prit le dialogue en mains :

— Allez-y.

— Je suppose que vous aurez bientôt besoin de leur parler ?

— Sans doute.

— Vous ne pouvez pas me dire quand ? Vous savez, les emplois du temps d'une équipe professionnelle sont calculés au millimètre...

— On ne peut pas vous dire exactement. Mais ça ne devrait pas tarder.

— Ils sont secoués…

— Ça se comprend.

— Ils seraient soulagés de savoir que vous ne les suspectez pas.

— Soulagement que nous ne pouvons pas leur donner pour l'instant.

— Soit. Je vais leur dire qu'ils peuvent y aller. Vous n'avez plus besoin de rien ?

— Pouvez-vous simplement nous indiquer l'endroit où se réunit la presse ?

— Oui. Vous prenez l'ascenseur, à droite, là, et c'est au quatrième étage, tout de suite.

— Merci.

Et les deux Policiers allèrent à l'endroit indiqué attendre qu'on les enlève de l'impressionnant boyau où un cadavre venait de faire surface. En se retournant, Fénimore vit une armée de survêtements le dépasser en colonne pour gagner le car. Pour se protéger sans doute de ces corps qui pouvaient l'écraser en un souffle, il avait évité tout à l'heure de regarder les joueurs. Mais, comme ils passaient devant eux en les saluant poliment, l'Enquêteur les mesura du regard. Faces violentes, pommettes fortes, nez bosselés, il y avait en eux de ces gueules noires niant du bleu d'un œil la suie qui les enferme. Des figures qui dévisagent l'épreuve, des défis incarnés. Ils passèrent. Laissèrent ce frisson derrière eux sonore que portent ceux qui vivent à la pointe du sort.

*

* *

La quarantaine sublime, la Procureure de la République Caterina Glazère savait art et manière de porter un tailleur. Dans l'antichambre du « Salon Presse », où la foule des échotiers criminels avait remplacé à la dernière minute les commentateurs sportifs, elle maîtrisait aussi la technique pour transformer ses Enquêteurs en subalternes rougissants. Impeccable cahier sur lequel une main baguée prolongée d'une plume notait ce qu'il fallait, jeu de bracelets d'argent tintant sans bave, la patronne du Parquet Provincial du Marchaunoir eût fait passer son Ministre de tutelle pour un hallebardier.

— Et quelles mesures avez-vous prises par rapport à l'équipe ?

— Aucune. Ils restent à disposition.

Casilde répondait de mauvaise grâce. Peut-être pas par jalousie, plutôt pour surjouer un charme chez elle moins clinquant et moins travaillé.

— Et l'intendant qui est le seul à avoir le code, on ne le met pas en garde à vue ?

Fénimore se dévoua :

— Il a un alibi pour le match.

— Et les joueurs ?

— Ils étaient sur le terrain devant des milliers de gens, sans compter des dizaines de caméras. Et de toute façon, nous n'avons rien pour confondre qui que ce soit. Les relevés électroniques et les caméras de surveillance attestent que personne n'est entré dans le vestiaire et le témoignage du demi de mêlée nous dit que la dépouille ne se trouvait pas dans son sac avant que le match commence.

— Une minute. Ce sont leurs témoignages et leurs systèmes de surveillance. Et puis ça ne nous dit pas ce qui s'est passé à la mi-temps.

— Le casier est resté fermé à la mi-temps. Si le code pour l'ouvrir avait été fait, on en aurait la trace sur les relevés.

— Si vous voulez. Je fais quand même placer l'intendant et le demi de mêlée sous surveillance.

— Je serais très étonnée qu'un joueur s'accuse lui-même d'un meurtre en se mettant un cadavre sur le dos. Et pour l'intendant, je ne vois pas non plus pourquoi il se serait débarrassé d'un corps en s'accusant si clairement.

— On en a vu d'autres, Enquêtrice Binasse... Et j'attends quand même mieux de vous qu'une visite du stade, le résumé des bruits de couloir et des calculs de probabilités... Bref. Voilà ce que je vais dire à la presse : un sac contenant des restes humains a été trouvé dans le vestiaire du XV de Volmeneur. L'identité, le sexe, l'âge de la victime restent à déterminer par la Police Judiciaire Scientifique, ainsi que les causes de la mort et sa date. L'aspect sous lequel se présente la dépouille peut laisser présager un meurtre rituel ou symbolique, mais ce n'est pas la peine de titrer sur l'Éventreur de Volmeneur ou d'annoncer le *serial-killer* – bientôt-sur-vos-écrans que j'essaierai de faire prononcer à ces messieurs « meurtrier pluricide », plus élégant et moins connoté. Nous les tiendrons informés dès que des avancées significatives auront eu lieu. En attendant, le premier qui m'appelle ou essaie de vous approcher entendra parler à coups de convocations au Commissariat du Secret de l'Instruction. Je ne ferai aucun autre commentaire. Ça vous va ?

— Très bien.

— Très bien.

— De vous à moi, comment ce sac a-t-il pu se retrouver là ?

— Ce sera le premier mystère à résoudre. Avec l'identité de la victime.

— Et, Enquêtrice Binasse, vous comptez vous y prendre comment pour résoudre ces mystères ?

— Attendre les conclusions de la Scientifique... Interroger l'équipe... Enquêter sur l'environnement...

— Ça ressemble à des chapitres de manuel, ça, pas à un programme d'enquête. Bon, je compte sur vous pour sortir du vague dès demain. De mon côté, je vais redéfinir le mot prioritaire à la Scientifique, et on se revoit pour un plan d'attaque dès qu'on a le rapport. Je vais essayer de vous protéger des projecteurs, mais préparez-vous à n'entendre parler que de ça dès cette nuit. Avec ce que ça suppose de nervosité chez vos futurs contacts. J'y vais. Bon courage.

Et, dans un grand effluve de parfum très cher, et, dans le sillage de sa formidable chevelure rousse, la Procureure de la République Caterina Glarère ouvrit la porte. D'où retentit un froid tonnerre de flashs.

Les deux Enquêteurs échangèrent un regard, où leur pensée s'accorda sur la locution « fait chier ».

— On va boire un verre ?

Casilde émit cette proposition à titre de dédommagement.

Fénimore acquiesça, en réprimant par miracle un hourra déplacé.

*
* *

Ni sièges de cuir, ni la romance qui ausculte à dièses et rondes le rhume fiévreux d'être amoureux. À la place, ils avaient trouvé en face du stade un caboulot décoré dans le style filets de pêche et harpons.

Sa deuxième pinte armée face à lui, Fénimore regardait Casilde confirmer son goût pour le vin en buvant une lampée de son troisième verre.

— Dis donc, t'avais soif.

— Je m'étais prévu une soirée arrosée. Je ne bois pas souvent, mais quand je commence, je fais pas dans la dentelle.

Lui qui aurait cru. Et espéré.

— C'était sympa ta soirée ; avant ?

— Mouais.

— Un rencard ?

— Peu importe. J'ai dû être un peu sèche tout à l'heure. J'étais ailleurs, et pas très contente d'en être réveillée. Désolée.

Avec un empressement couillon, il répliqua :

— Mais non, voyons !

Plus tard, lorsqu'il repenserait à ce dialogue, Fénimore se dirait qu'en effet, il ne l'avait jamais vue de si méchante humeur. Et cela lui avait plu. Car ce qui chez les gens le touchait le mieux, c'était cette dangereuse mobilité de leur être, qui révélait dessous la note têtue de leur vie, la note persistante sous les tremblés de chaque geste et mot. Il était sensible à ces moments où traîne dans un oubli, une colère ce qui n'obéit pas à la volonté. L'incontrôlé et le vif, cette parole inscrite au fond, son nom toujours à prononcer, qui sera défini par deux dates sur la tombe.

Oui, il aimait quand craque le secret en train de tramer un je. Il s'était fait une devise pour y demeurer fidèle. Une injonction qui lui revenait quand sa pensée ne savait plus par où attraper un choix. Ne jamais perdre d'âme.

À 2 heures du matin, quand, rentré chez lui, il alla sur des sites de films à la demande, hésitant entre une série romantique qu'il ne connaissait pas et la nouvelle saison d'un feuilleton policier pour s'aider à dormir, lui demeurait aussi le goût du sourire de Casilde. Il tâcha de la voir en lui et ne sut que la préciser. Géométrie particulière aux gens qui nous plaisent de ne pouvoir nous apparaître en pied, mais en traits, fulgurances, ce qui ne se possède, et qui donne la soif. L'eau rieuse de ses cheveux noirs. Le grain de beauté en bord de lèvre. La voix basse et cassée. Les joues rondes et heureuses. Pourquoi depuis deux mois tout cela le secouait si fort ? Pourquoi l'Enquêteur Provincial Fénimore Garamande était-il certain que cette femme l'atteindrait en plein cœur ? Il ne pensait pas la connaître, et n'imaginait pas la comprendre. Mais il ne s'agit jamais d'effeuiller des qualités, d'un peu à pas du tout, jamais la bonne mère, bonne épouse qu'elle sera. Jamais la gentillesse. Jamais le réconfort. Jamais le « bonheur ». Mais la douleur. Mais l'abîme. Mais se laisser blesser par le mystère d'un autre.

Ils ne s'étaient rien dit d'intéressant ce soir-là. Ni de révélateur.

Ils avaient un peu mâchouillé l'affaire, puis elle lui avait parlé une nouvelle fois de ses parents et de ses cinq frères obsédés par le rugby, de l'impossibilité à Volmeneur d'être tiède sur le sujet. Il avait réussi à la faire rire deux ou trois fois. Elle l'avait raccompagné, gentiment. Ils s'étaient dit : « À-demain-8-heures », cordialement.

Maintenant que Fénimore soignait sa gaieté et son palais irrité par l'alcool et les cigarettes en éclusant de l'eau glacée, des phrases lui revenaient dont il interrogeait l'aveu involontaire, l'avenir qu'elles annonçaient. Il les laissa bientôt s'éteindre sans réponse. Le temps donnerait réplique.

Une gêne fit surface. Il n'avait pas été bon sur la scène de crime. Et son entichement était une cause à craindre.

Fénimore, tu deviens niais.

Ressaisis-toi !

Il alla à sa grande fenêtre, tout en haut de l'immeuble. Au bout du continent, la longue et vieille Zone des Pêches se traînait jusqu'au noir dans sa claudique de vieilles maisons et basses tours. À cette heure, c'était avec le sourire édenté d'une maison allumée sur trente qu'elle avançait. Derrière encore, au loin, le geste brusque du Phare de l'Appel déchirait l'horizon. Rappel hautain de la mer qui conspire. Les arbres en dessous hennirent. Il ne devait pas faire bon sur les chalutiers qui, déjà, devaient sortir du port.

Ce fut à ce moment que le drame le saisit.

Fénimore Garamande avait attendu le ciel de traîne de l'alcool et que la ville à cette heure pleure en lui comme un vin contre un verre pour toucher le mal.

Une vie réduite à l'état de message.

Ne te laisse pas émouvoir. Tu sais très bien que c'est là qu'il t'attend. C'est son jeu. Ne le laisse pas croire qu'il t'impressionne. D'aucune manière. Ne jamais perdre d'âme. Pas même la tienne.

Mais quelque chose appelait dans ce meurtre.

Il en était certain, quelque chose cherchait à se dire dans cette dépouille calcinée, qui allait chercher d'autres corps, d'autres morts où hurler.

Il en était certain, quelqu'un qui se croyait extraordinaire avait gravé son idée fixe sur la peau de cette victime.

Fénimore vida d'un trait la dernière moitié de sa bouteille d'eau.

Il sentit se redresser en lui celui qui ne bredouillait pas, celui qui ne posait pas ses pattes sirupeuses sur la première mignonne venue, celui qui avait refusé une vie douillette d'étude et d'enseignement pour neutraliser les cons dangereux qui martèlent à longueur de faits divers leur dégueulasse vision des choses. Celui qui avait décidé de combattre les adversaires du genre humain, un flingue dans l'étui et la ruse faite aux tours.

Il lui parut clair à cet instant que Casilde n'était rien de plus que la seule jolie fille avec qui il ait eu commerce depuis son arrivée. Quand il y pensait, elle n'avait rien de sidérant. La preuve, il n'arrivait pas à mettre le doigt sur ce qu'il lui trouvait. De toute façon, c'était sa coéquipière, et ils avaient mieux à faire que trouver ce bon moyen de se détester à jamais, qui est de se désirer vraiment une minute.

Ça n'existera pas, Fénimore.

Ça n'existe pas.

Il est temps de revenir. Après tous ces mois de merde. Après la grande mélasse et la fuite.

Tu dois être ce que tu sais être : un flic qui comprend dans quelle langue de cruauté est écrit un crime.

L'Enquêteur Garamande zigzagua jusqu'à sa chambre et enleva ses fringues comme un chien qui s'égoutte à l'échine. De son lit, il opta sur le grand écran pour la série policière. Au diable, les feuilletons sentimentaux.

Quelques minutes après, suivant d'un œil éteint les pérégrinations de Scottson et Stifter autour d'un enfoiré qui hachait fin toutes les aïeules de sa rue, Fénimore vit surgir une idée.

Il se redressa d'un coup, prit une cigarette et laissa s'en consumer les conséquences.

La série continuait à tricoter ses rebondissements en pure perte.

Fénimore avait vu quelque chose.

Puis le sommeil tomba sur lui.

Décomposant en songes la terre obscure qui venait de jaillir.

Deuxième journée :
Lillebord – Volmeneur

M

Ê

L

É

E

1
pilier
gauche
Vaast
DRAGOULÉMANE

2
talonneur
Baruch
KLÉDINSTEIN

3
pilier
droit
Gabar de
GALFATASSE

4
deuxième
ligne
Jacob
THÉOVITTE

5
deuxième
ligne
Sébald
LESCARBORDE

6
troisième
ligne aile
Sixte
DARSSIN

8
troisième
ligne centre
Iker
DELAVENTIN

7
troisième
ligne aile
Yann
HURLAR

CHARNIÈRE

9
demi
de mêlée
Corentin
DIMBIEL

10
demi
d'ouverture
Abderrahmane
TRINQUETAILLE

TROIS-QUARTS

11
ailier
gauche
Constant-Baptiste
FAURE

12
centre
Judicaël
GALBOND

13
centre
Malloy
GRUVALD

14
ailier droit
Foulques
BODOMBIN

15
arrière;
capitaine
Athanase
CRAMARIN

REMPLAÇANTS

16. Kétil LAMARSINEINBA
17. Macaire DAQUIN
18. Désiré CALFIN

19. Myrtil PAHONTAS
20. Félix VALDAFIN
21. Zachée BARNOLD

22. Nazaire MARLIN

SOULIGNÉ DANS LE CALEPIN DE L'ENQUÊTEUR PROVINCIAL
FÉNIMORE GARAMANDE :

IDENTIFIER LA VICTIME

Mardi 10 octobre

Parfois, la vie recommence. Ç'aurait été si anodin à dire. Vérités lumineuses à la chair, engourdies par les ruses du verbe. Mais il était neuf, ce soleil au-dessus de lui, neuf ce repos dont il sentait le remugle dans ses membres. Le café encore vif dans le ventre, la peau encore fraîche de la douche récente, l'Enquêteur Fénimore Garamande marchait dans la rue, réjoui dans l'air marin qui se signalait par cris de mouette, sous le bras un journal net comme une chemise repassée. Il avait vécu une nuit de sommeil profond, peuplé de rêves qui ne lui avaient pas demandé de se tracasser de leurs images. Il avait oublié les répliques désagréables que ses organes commençaient à lui servir dans ses trente-cinq ans. Son corps et lui s'étaient réconciliés. Il était à nouveau prêt à couler des jours dont il ne supposait pas la fin.

Il était exactement les neuf heures requises lorsqu'il fit son entrée dans l'étroit bureau qu'ils occupaient avec Casilde, au dernier étage du Commissariat Provincial de Volmeneur. La porte annonçait « Brigade des Crimes aggravés ». Et cela expliquait l'exiguïté du lieu. Car cette section, comme le titre d'Enquêteur-Provincial, était une nouveauté voulue par le pouvoir pour répondre aux litaniques « mais que fait la Police » quand tombait une affaire où un effort particulier dans l'horreur était salué par l'émoi général. Devant-la-recrudescence-demeurtres-en-série-et-de-carnages-sophistiqués, il avait été décidé de nommer deux spécialistes par Province pour traquer spécifiquement les poètes de la boucherie et les dandys du viol punitif. L'opportunité professionnelle avait servi d'excuse à Fénimore pour demander sa mutation. « L'Enquêteur-Provincial a rang de Commissaire, il ne s'occupe que d'affaires passionnantes, en plus, il ne rend compte qu'au Procureur de la République du coin. » C'est ce que Fénimore s'était plaidé à lui-même. Il y gagna un aller simple pour le Marchaunoir. Il était conscient d'être un fuyard ; mais un fuyard qui, ce matin, reniflait son échappée.

Juste après avoir accroché au perroquet sa veste de cuir et l'étui le reliant à son flingue, l'Enquêteur eut l'œil attiré par une tache pastel sur son ordinateur, qu'il reconnut immédiatement pour un de ces billets autocollants qui avaient plus fait pour féminiser les burlingues que toutes les jupes fendues du monde. Le message acidulé le renseigna sur le sort de Casilde, qui passerait la prochaine heure au stand de tir. Après une brève pointe de culpabilité qu'il chassa en décidant qu'il validerait son propre entraînement hebdomadaire obligatoire pas plus tard que ce soir, il se laissa aller à la jubilation. Il était aux anges d'avoir ce moment pour réfléchir seul. Comme s'il était le chef unique de cette enquête, comme s'il n'était pas troublé par sa charmante coéquipière.

Après avoir pris un café à la machine, Fénimore décida de le boire là où il était le meilleur, à savoir dans la coursive vitrée qui longeait leur repaire. Le fait architectural était célèbre ici sous le sobriquet de « promenade des Veuves. » Il s'agissait de terrasses couvertes qui étaient aménagées au dernier étage d'à peu près toutes les maisons côtières de la Province. On prétendait que c'était là que les femmes de marin lorgnaient tout le jour le retour de leur cher et tendre, les yeux rivés au large et un tricot à la main. Fénimore flairait trop là-dedans le cliché de Pénélope pour ne pas se méfier de cette légende urbaine. L'aménagement n'en existait pas moins. Et ce n'en était pas moins l'endroit idéal pour boire quelque chose de chaud, un carreau ouvert et le visage au soleil, piqueté du vent de ce jour d'octobre. Situé à l'ouest de la presqu'île de Volmeneur, le Commissariat donnait d'un côté sur une avenue de bâtiments officiels, de l'autre sur la jetée qui reliait la Zone de la Justice à celle des Pêches. La « Brigade des crimes aggravés », malignement placée dans un réduit sous les toits, n'en avait donc pas moins le privilège d'avoir pignon sur mer.

Fénimore Garamande ne laissa pas sa paresse le convaincre qu'une seconde cigarette était nécessaire au déploiement complet de ses capacités cérébrales et, résolu, il gagna le grand tableau blanc qui décorait à sa façon leur mur principal. Quelques notations sans importance y restaient des deux jours qui s'étaient écoulés depuis la découverte du corps. Après les avoir effacées, Fénimore eut un regard ironique pour le carré de liège que Casilde avait accroché à côté de son bureau et où elle avait récapitulé les différentes circonstances de l'affaire, sous l'espèce de ses chers papiers fluo, à raison d'un fait pertinent par petite feuille collante ; puis il effaça son espace de ratiocination rupestre personnel d'un coup de brosse. Table rase. Récapituler.

Un flic n'a rien à inventer, il doit comprendre ce qui s'est effectivement passé. Une cause pour chaque effet, et les vaches seront bien gardées. Même les crimes les plus brindezingues sont le fruit d'un auteur, d'un mobile, d'un mode opératoire, ils ont été constatés quelque part et ils ont une ou des victimes. Rien de plus, rien de moins.

Il prit un feutre et inscrivit en gros :

VICTIME
CIRCONSTANCES

MOBILE
MODE OPÉRATOIRE
AUTEUR

Une affaire, c'est toujours une histoire simple. Quand c'est résolu, ça doit pouvoir se raconter en une dizaine de phrases dans un dîner, même s'il en faut des milliers pour arriver à cette synthèse. Il ne faut pas se laisser berner par les fanfreluches sous lesquelles un crime se déguise. Oublie le club, les vestiaires, les shorts et les crampons. Reviens à l'essentiel. Quelque chose est arrivé. Quelque chose qui la joue cache-cache, se fout de ta gueule, et croit possible d'effacer sa trace. Mais ça ne se passera pas comme ça. Pars de la réalité. Fénimore traça sur le tableau :

MODE OPÉRATOIRE : CORPS BRÛLÉ, APRÈS DÉCAPITATION ET ABLATION D'ORGANES – CAUSE DE LA MORT : INCONNUE VICTIME : FEMME – ENTRE QUINZE ET QUARANTE ANS IDENTITÉ : INCONNUE

Voilà. Avant ces conneries de mystère de la porte close, c'est de là qu'il fallait partir. Madame la Procureure Glazère les avait trop fait chier avec ses suspects à brandir pour la presse. Tout dimanche et tout hier passés à entendre l'intendant geindre, le demi de mêlée donner une performance d'abruti à montrer-dans-toutes-les-écoles-de-connerie, deux jours passés à reconstater sur des relevés que personne n'était entré dans les vestiaires et à se faire redire l'infaillibilité du système, à remâcher que ces mêmes relevés assuraient que personne n'avait fait le code ni ouvert le casier du sieur Valdafin entre le début et la fin du match, deux jours passés à regarder les putains d'enregistrements vidéo pour constater que non, décidément, personne n'était entré et que, non, l'intendant n'avait pas bougé de sa place en tribune. Quatre-vingts minutes à regarder une silhouette mal

cadrée par une caméra de surveillance. Merci, Glazère.

CIRCONSTANCES : RESTES PLACÉS DANS UN SAC, DÉPOSÉ
DANS LE CASIER DE FÉLIX VALDAFIN PAR L'OPÉRATION DU
SAINT-ESPRIT

Tant pis pour le blasphème, Fénimore se satisfai-
sait de l'explication pour le moment. On éluciderait
ça plus tard, mais là, bon sang de bonsoir, il ne voulait plus en entendre parler.

Hier soir, la Scientifique s'était décidée à délivrer
ses conclusions. Un morceau de rhétorique hiéro-
glyphique, lardé de « sternum », de « centimètres »,
d'« incision », de « paroi intercostale » et de « bord
inférieur droit ». Ce que l'Enquêteur en avait compris : il s'agissait d'une femme, a priori adulte, de
corpulence moyenne, à qui on avait coupé la tête
sans qu'on sache si ça avait été le geste fatal, à qui
on avait aussi enlevé l'utérus et tout l'appareil à
fabriquer des enfants, qu'on avait imbibée d'essence
probablement *post mortem*, et dont on avait surveillé la cuisson afin que les restes soient carbonisés, mais pas réduits en cendres. Ce qu'on avait fait
des jambes et de la tête, la dépouille ne le racontait
pas ; pas plus qu'elle n'annonçait la date exacte du
décès. En se fondant sur des éléments macabrement
dégueus, notamment des analyses qui révélaient que
la combustion avait eu lieu moins de deux jours
avant que les restes apparaissent dans le casier de
Valdafin, la Scientifique supposait une mort surve-
nue il y a deux semaines au plus tard. On était
quand même parvenu à isoler un A.D.N. ; une histoire de bout de peau intacte sous les aisselles ou de
tissus exploitables à certaines conditions, Fénimore
ne savait plus. Et comme le fichage de la population
en était encore à l'état de débat chiant, comme, en
outre, la victime ne faisait pas partie des individus
fichés, savoir les délinquants sexuels et les récidi-
vistes, cette empreinte génétique ne baptisait pas la

morte, mais aiderait à l'identifier, si on mettait la main sur la famille idoine. Mais pour trouver ladite famille il fallait savoir qui avait été mis dans cet état. La poule et l'œuf, en pas marrant. À part un goût évident du/de la/des tueur/tueuse/tueurs/tueuses pour le cramé, le MODE OPÉRATOIRE ne menait à rien. Les CIRCONSTANCES donnaient encore plus mal au crâne. Et Fénimore confirma une certitude qu'il réchauffait depuis dimanche : la seule façon d'avancer était de se concentrer sur la VICTIME.

Fort de cette révélation, il alla tirer son calepin de la poche de son blouson et y écrivit un « identifier la victime » qu'il souligna trois fois, pour le principe.

Bon, c'était pas le tout, plus facile à dire qu'à faire, ben, alors, là, on est bien avancé. Soupirant, Fénimore revint faire face au tableau, avec une démarche et une expression de regard qui n'étaient pas sans rappeler l'imbibé comateux qui se campe comme il peut devant une jolie femme sur une piste de danse. Il eut encore une ou deux œillades méfiantes, avant de tracer au feutre :

COMMENCER PAR CONSULTER LA LISTE DES PORTÉES DISPARUES DANS LE MARCHAUNOIR CES SIX DERNIERS MOIS

La perspective de s'abîmer dans des centaines de fiches de disparition était bien entendu des plus épatantes. D'autant que l'Enquêteur Garamande ne voyait pas l'une d'elles se mettre à clignoter le nom de la victime et l'adresse de l'assassin. Son grand sens pratique et son ancienneté de deux mois lui interdisaient de savoir où trouver ces passionnants documents. Si seulement Casilde était revenue. Elle n'était jamais là quand on avait besoin d'elle.

*
* *

Bien sa veine, j't'en foutrais, et qu'est-ce-que-j'ai-fait-au-bon-Dieu-pour-un-merdier-pareil. Sur la rive Est de la presqu'île, à l'opposé de Fénimore comme un point sur une droite, le chef-entraîneur Éleuthère Sgabardane faisait face ce mardi matin à ses propres problèmes.

— Vous voulez pas vous y mettre ? D'accord, les gros cons, on reprend le footing pour un petit quart d'heure !

Sans surprise, l'entraîneur des avants Béno Biffin sévissait. Faut dire que ça faisait dix minutes qu'il les traitait de tous les noms. Le chef-entraîneur alla à sa fenêtre et vit d'un bon œil huit colosses vexés s'extraire du joug. Biffin trottinait déjà. À une cadence peu commode.

— Alors, merde, maintenant, vous ramenez vos culs !

Et le pack qui, ce matin-là, devait travailler la mêlée se mit à courir en colonnes avec la tête des mauvais jours. Ce qui était de circonstance. Parce que la séance vidéo, qui avait révélé les abysses de nullité dans lesquelles la performance miraculeusement victorieuse de samedi les avait plongés, aurait déjà suffi à leur mauvaise humeur. Mais avec l'histoire du cadavre en plus, la conjoncture à chier se faisait épaisse.

Comme prévu, ces cons s'étaient laissé défoncer le moral par le hasard qui avait voulu qu'un malade se débarrasse d'un macchabée dans leur vestiaire. Le fait que la presse ne parle que de ça depuis deux jours n'avait rien arrangé. Sentant venir le grain, Sgabardane avait donné la ferme consigne à ses adjoints d'engueuler ses hommes jusqu'à abrutissement complet, histoire que leur imagination quitte la série noire pour retrouver un encéphalogramme rigoureusement rugbystique.

Un carillon, qui avait la propriété incontestable d'accélérer la migraine, indiqua à l'entraîneur qu'il

60

était 10 heures. Dans deux secondes, une foule de mioches s'amuseraient à leur tour avec son crâne. Il avait déjà dit mille fois à ses patrons d'interdire aux mômes d'approcher les installations de l'équipe première. Mais difficile d'empêcher des adolescents dont le seul rêve est de finir professionnels de venir voir à quoi ressemble la vie de ceux qui l'ont réalisé. N'empêche, son bureau serait bientôt paisible comme la caisse d'un tambour. Éleuthère Sgabardane n'était pas homme à affronter stoïquement la catastrophe. Il sortit.

L'Académie de Volmeneur, où le XV outrenoir était installé, se trouvait tout au bout de la Zone de l'Étude, à un jet de pierre de la marina où des centaines de voiliers et de hors-bord attendaient les richards qui ne juraient que par la mer du Courseglobe pour régater et se saisir l'épiderme dessus-dessous. Les côtes de la ville étaient divisées en quatre : la tête de pont de ses immenses docks s'étalait entre deux puissantes bases navales militaires, tandis que le bord ouest de la presqu'île abritait les pêcheurs et l'est les plaisanciers.

Fanion et fierté, le club logeait depuis un bon siècle sur la rive la plus riche et la plus touristique de Volmeneur, à la frontière entre la Zone de l'Étude et celle des Plaisances. Pour respecter la division professionnelle des villes, qui avait été adoptée pour fixer les loyers selon les ressources et abolir les sempiternelles crises immobilières, on n'avait pas le droit de loger à l'année dans la Zone des Plaisances, et seuls pouvaient y séjourner ceux qui y étaient propriétaires d'une maison de villégiature, disposition consciencieusement fraudée par les joueurs du XV, qui y étaient tous installés. On n'avait pas le droit d'y construire d'immeubles, et cette partie minuscule au regard des autres quartiers de la ville n'était que plages, maisons délicieuses et jardins à balancelles.

À la lisière de cette marqueterie de gazons et de toits de tuile rouge s'étendaient donc derrière des grilles de fonte les cinq grands corps de bâtiment de l'Académie de Volmeneur, autour desquelles la brochure dénombrait douze terrains d'entraînement, dix terrains de tennis et trois piscines. Dans ce décor qui annonçait clairement l'intention d'aligner les coupes dans les vitrines, plus de huit cents garçons avaient pour mission principale de retenir la leçon que ne suffit que l'excellence. Une poignée seulement d'entre eux fouleraient un jour un terrain du championnat, d'ailleurs ceux qui en avaient le dessein étaient une minorité. La plupart des élèves étaient tout simplement là pour faire leurs études dans un des plus prestigieux établissements du pays.

Seul un quart des collégiens et lycéens devait acquitter des frais de scolarité, à vrai dire exorbitants. Deux autres quarts étaient sélectionnés au mérite – notes exceptionnelles, talent particulier dans un art quelconque –, le dernier quart était composé de ceux qui avaient manifesté dans les catégories d'enfants des aptitudes remarquables au rugby. À l'époque héroïque où c'était encore un sport d'étudiants, c'était de là qu'avaient jailli des jeunes gens à cols relevés, qui avaient communié avec des pêcheurs et des mineurs en réalisant des matchs où les hommes de peine avaient lu leur trempe, et trouvé pour les décennies à venir où fixer leur enthousiasme. Dans une ville où les misérables, les durs au mal, les capitaines d'industrie roulaient chacun sa planète en traversant les mêmes rues, on connaissait sa chance qu'une communauté naisse même une minute d'un ballon porté. Orgueil éducatif de Volmeneur, l'Académie accueillait aujourd'hui encore le club qui portait son honneur.

D'année en année, bien sûr, le XV était de moins en moins composé d'anciens élèves. Mais le rugby demeurait cependant fondamental à l'Académie.

Outre que tous les élèves aptes devaient s'y adonner trois fois par semaine, la classe la plus prestigieuse restait la fameuse « classe ovale » où vingt élèves par niveau avaient droit de prendre place, celle de dernière année étant constituée de quinze jeunes hommes seulement, un par poste, formant ce qu'on appelait la réserve, c'est-à-dire les aspirants professionnels et le réservoir où puisait le chef-entraîneur pour constituer les formations contre lesquelles l'équipe première s'entraînait. De loin en loin, il en intégrait dans le groupe des remplaçants, ce qui signifiait la possibilité de jouer en Championnat de la République. Même si on avait pour ambition avouée de rejoindre la flotte ou de diriger un service de chirurgie, on rêvait un jour d'être de ceux-là. Dire de quelqu'un qu'il était de la graine d'une réserve était ici l'éloge le plus violent.

Au bout du parc de l'école, derrière une entrée séparée, régnaient les infrastructures de l'équipe première, les deux pelouses d'entraînement, mais surtout le terrain d'honneur, entouré de quatre corps de logis, qui le bordaient comme des gradins. À l'intérieur de ces bâtiments, les bureaux des entraîneurs et des dirigeants, les services de presse et les services commerciaux, les salles de musculation, de massage, d'auscultation, les vestiaires, les douches, les salons de réception, tout ce qui dessinait enfin la puissante entreprise qu'était devenu le XV. Possédé par un consortium de supporters, le club était un des seuls au monde à ne pas être le joyau de la couronne d'une grande entreprise ou d'une grande fortune. Il se payait même le luxe, pour garant, de ne pas avoir de publicité sur le maillot. Être président de Volmeneur était une distinction, pas un titre de propriété. Jérémie Chassesplain, membre de la dynastie automobile du même nom, avait été nommé pour son amour du maillot, ses talents de gestionnaire et sa qualité d'ancien de l'Académie, non pour son compte en banque. C'était du moins ce qu'on voulait croire.

Les murs en briques de la partie professionnelle, barbus de lierre, interdisaient totalement aux gamins la vue du terrain principal. Cela n'empêchait pas les plus intrépides des académiciens de se ruer dessous dès que la récréation sonnait. Et c'est pour éviter les rires gras, les plaisanteries, les cris que le chef-entraîneur laissa derrière lui son bureau au ras du terrain. Il traversa la pelouse pour gagner l'aile opposée des bâtiments. De nouveau à l'intérieur, il dut encore franchir un long couloir où se répercutaient le blason et les trophées du club avant de pouvoir s'asseoir dans une petite bibliothèque gavée de périodiques sportifs. Où il n'avait jamais eu le malheur de tomber sur quiconque.

*
* *

— Alors, ça frétille dans le pantalon ?

La Procureure de la République Caterina Glazère était venue en personne au Commissariat Provincial régler son différend avec le Commissaire Justin Lambertine. Elle avait insisté pour que les Enquêteurs Binasse et Garamande assistent à la scène.

— Le bonjour à vous, madame la Procureure.

— Ça va, Justin, arrête tes âneries. Alors, c'est quoi ton problème ?

— Mon problème ?

— Mon cher, quand le patron d'une Police Provinciale manœuvre pour bloquer une enquête de cet acabit, je ne peux conclure qu'au dédoublement de personnalité.

— Bon, vous allez commencer par tous vous asseoir et je vais ensuite résoudre sous vos yeux cette énigme : à quoi sert un Commissaire ?

— Y en a marre de cette histoire ! Les protestations de votre Syndicat ont été entendues. Maintenant, la Brigade existe. Tu veux qu'on fasse quoi, qu'on fasse grève pour porter le deuil de votre défaite ?

— Ce que je veux, Caterina, ce que je veux, c'est qu'on comprenne que c'est moi qui commande ici, et qu'on ne me traite pas comme une vulgaire machine à signer des autorisations.

— Bloquer l'accès à des archives criminelles, ça s'appelle une obstruction.

— Et mépriser la chaîne de commandement, ça s'appelle le merdier.

— Relis la circulaire : les Enquêteurs Provinciaux ne doivent répondre qu'au Procureur de la République, qui est seul juge des moyens que la Police doit leur fournir.

— Le genre de moyens que tu as réquisitionnés ce week-end en envoyant deux de mes hommes surveiller le pavillon d'une star du rugby ? Arrêtez les rotatives, y a du nouveau : la Police du Marchaunoir doit encore régler deux ou trois babioles comme le maintien de l'ordre dans cette ville minée jusqu'au trognon par les gangs, et elle n'est pas exactement en sureffectif !

— Ce n'est pas une raison pour nous mettre des bâtons dans les roues.

— Une vérité : cette Brigade ne sert qu'à amadouer les électeurs et il est profondément scandaleux de cantonner des Inspecteurs compétents aux chiens écrasés pendant que tes deux zozos assurent le coup marketing. C'est quoi l'idée : y a que les anciens étudiants en lettres qui sont capables de comprendre une mise en scène criminelle ?

— À vérité, vérités ennemies : premièrement, confier à des spécialistes la petite dizaine d'affaires par an qui répondent à une logique particulièrement complexe, ce n'est pas mettre tous les flics de la République au chômage technique ; deuxièmement : on n'est pas dans une de tes réunions du Parti de la Réforme, mais en pleine enquête, et ce n'est pas le moment de faire de l'exégèse gouvernementale orientée.

— Sincèrement, tu crois qu'un flic du rang sait pas comment un pervers fonctionne ?

— Je crois que connaître et comprendre les psychologies criminelles, ça peut servir pour rechercher des indices et résoudre une affaire ; en plus, tu sais très bien que ces postes sont ouverts sur concours à tous les Inspecteurs.

— Ils ont passé un concours, ces deux-là ?

— Les premiers postes ont été pourvus sur dossier.

— Et pourquoi il n'y a que Casilde qui ait été prise sur mes cinq candidats ? Arrête, Caterina, tu sais très bien qu'ils ne veulent que des pseudo-criminologues, comme l'autre, là.

— D'abord, il ne s'appelle pas l'autre. Ensuite, si tes hommes sont si motivés, ils n'ont qu'à se porter candidats. En attendant, tu réserves tes commentaires au Ministre ou à tes copains, et tu donnes aux deux Enquêteurs Provinciaux que voici le code d'accès à la souche électronique des avis de recherche.

Le Commissaire Justin Lambertine ramassa sans conviction un papier devant lui.

— Je ne le répéterai pas : 25 758 R.

— Merci, Justin. Tu seras gentil de m'éviter une nouvelle visite et à ces deux gradés de nouveaux emmerdements.

— À vos ordres, madame la Procureure.

Caterina Glazère ne prit pas la peine de relever. Elle sortit flanquée de ses deux experts, dont le prestige n'avait pas exactement profité de l'explication.

*
* *

Éleuthère Sgabardane avait regardé la fin de l'entraînement des avants, puis il avait déjeuné seul. Il était ensuite parti se promener dans le parc, puis il avait regardé le début de la séance des lignes arrière. Et voici qu'il était de retour dans son bureau. Sans avoir avancé d'un pas.

Le chef-entraîneur avait décidé de frapper un grand coup en donnant dès ce soir l'équipe qui jouerait à Lillebord samedi. Il laisserait les joueurs rentrer chez eux, puis les ferait rappeler au siège à 19 heures. Normalement, c'était le jeudi soir qu'avait lieu la solennelle annonce des vingt-deux joueurs, titulaires et remplaçants, qui joueraient le prochain match ; ainsi, les hommes pouvaient s'adonner en toute quiétude au traditionnel entraînement du capitaine le vendredi, non sans avoir tout donné les jours précédents pour faire partie des élus. Dans un métier où le sort se signale chaque semaine sous les traits de la victoire ou de la défaite, sous la forme des blessures ou des rebonds fatidiques, on ne brisait pas la tradition à la légère, avec l'insulte aux superstitions que cela suppose. La manœuvre de ce soir devait dissiper la torpeur laissée par le cadavre, en disant aux garçons choisis pour retourner au combat après une telle douche froide que la confiance placée en eux était aussi profonde que leur traumatisme.

Ça ne lui disait pas en qui il pouvait effectivement la placer. Sans compter qu'il ne devait pas faire de conneries, vu les deux matchs qui venaient derrière : le grand derby contre Pitiébourg à domicile, et la revanche de la finale face à Garamène à l'extérieur. Chaque fois qu'une décision se faisait compliquée, Éleuthère avait un truc, qui était de ne pas se laisser démoraliser par les détails et de s'en tenir à l'application d'une ou deux règles simples.

Si on peut parfois faire de meilleurs choix en se laissant envoûter par les subtilités, les règles ont l'avantage de s'imposer à tous en trois mouvements ;

parce que leur nature est justement de tenir en trois mouvements. Il soupçonnait d'ailleurs qu'il y a une espèce d'entourloupe des règles, directement issue de leur concision sournoise. Il se doutait que le principe de l'économie d'effort leur assurait une victoire facile sur le talent qu'a l'imagination de faire jaillir à dia les mais et si. But et méthode confondus : être simple, et tout simplifier. Le résultat de samedi dirait s'il avait raison.

Ses adversaires ne connaissaient pas plus que lui les lois qui répondent à tout. On ne jouait pas à qui avait la vérité, mais à qui gagnait à la fin. Et les sports semblaient à Éleuthère Sgabardane avoir été inventés, avec leurs lois tout à fait biscornues et arbitraires, pour qu'existent justement des victoires, quand il n'est au fond que des défaites, tous pris qu'en est dans le jeu sourd et cruel auquel l'univers s'amuse.

Ces pensées qui le frappaient par bribes finirent par se sécher dans le slogan : « Seule la victoire est belle. » Il en conclut qu'il n'avait plus qu'à se formuler ses principes de décision et à s'y tenir. Il tira une feuille du capharnaüm de sa table et griffonna :

ON NE CHANGE PAS UNE ÉQUIPE QUI GAGNE.

REMPLACER NE VEUT PAS DIRE DÉNIGRER.

UNE CHANCE, ÇA NE SE DONNE PAS, ÇA SE PRÊTE.

Dans la grande salle de réception du siège des Outrenoirs, Sgabardane faisait face aux joueurs qui l'écoutaient tête basse, parce que c'était leur attitude quand le coach parlait. Derrière les vitres, la nuit soulignait l'heure grave.

— D'abord : ON NE CHANGE PAS UNE ÉQUIPE QUI GAGNE. Vous connaissez la chanson, je vais l'arranger sous vos yeux. Si vous nous refaites un match comme samedi dernier, je mets les réserves titulaires. Vous croyez quoi ? Vous avez le niveau pour les démolir, et on finit avec deux essais à deux et seulement leurs conneries de fautes pour faire la différence ? C'est quoi, l'idée ? On les plie et on récupère pas les ballons au sol ! C'est quoi, ces conneries ? Je vais vous le dire moi, c'est-quoi-ces-conneries, vous êtes douillets, c'est tout. On joue à quel sport, quelqu'un peut me le dire ? Si vous avez peur de prendre des poings dans la tronche, faut reprendre la danse classique. Vous me les agressez et puis c'est tout ! C'est à vous d'expliquer à l'orgueil d'autrui qu'il s'arrête quand le nôtre commence, putain de merde ! Bon. J'ai flairé l'état d'âme, samedi. C'est la finale de l'an passée qui vous crispe ? Vous pensez que les supporters vous aiment plus ? Mais c'est une nouvelle saison, combien de fois il va falloir qu'on vous le dise ? Si vous voulez vous faire pardonner, faut oublier tout ça, et péter dans le tas. Et puis, vos excuses à la con de faits-divers dans les vestiaires, elles s'appliquent quand même pas à la morne plaine face à Laédicée ! Vous allez pas me faire croire qu'un médium vous avait prévenus avant la fin du match et que Félix ouvre son sac. Moi, j'aimerais bien vous dire que vous avez bien géré le résultat, mais l'essai en fin de partie, mais leur domination pendant les quinze dernières minutes, vous allez pas me raconter que ça avait été scénarisé par Jules César. Gestion, mon cul. Vous étiez cuits comme des entrecôtes après une scène de ménage, et puis c'est tout ! Et arrêtez les « on va monter en puissance ». Avec les stages commandos qu'on s'est envoyés au mois d'août, vous êtes fin prêts. Vous avez quand même pas besoin qu'on vous tire dessus pour commencer à actionner les muscles ! J'ai pas aimé les avants, je vous le dis. Bon. Eu égard aux circonstances tragiques, j'échange pas tout le pack contre le banc pour enfin faire bonne pioche, mais je voulais quand même préciser ma pensée : on change pas une équipe qui gagne, mais là, le tableau d'affichage en notre faveur tient clairement de la prestidigitation. Deuxième principe : REMPLACER NE VEUT PAS DIRE DÉNIGRER. Je tempère donc le principe précédent et choisis de soulager ceux qui me semblent les moins en forme. Vous allez m'éviter le chien qui gémit et la queue basse, parce que vous devez vous reposer. Si être joueur à Volmeneur, ça vous suffit pas pour dépenser votre trop-plein d'énergie, je vous invite à venir nager avec moi cinquante bornes dans la Courseglobe. Bien, j'annonce que ce qui change, ceux à qui je dis rien gardent leur statut de la semaine dernière. Désiré, j'ai pas trouvé que t'avais toujours fait le boulot, Sébald, tu le remplaces samedi prochain avec mission d'être à la hauteur de ta réputation d'assassin. Toi, Désiré, je te mets remplaçant, à toi d'avoir une gentille petite réaction si tu rentres. Myrtil, je t'avais donné le 8 pour faire comprendre à ces cons de journalistes que je ne croyais pas aux responsabilités individuelles dans les faillites collectives. Pendant la finale, tu nous avais présenté tes talents de clown, là, je reconnais que t'as enfin montré que t'avais un ou deux tours de joueur de rugby dans ton sac. Ça fait pas encore de toi le troisième ligne du siècle, mais c'est mieux, et on va te faire bosser parce qu'on croit en toi. Mais, je suis désolé, dans les coups durs, il faut sortir les mascottes. Et on est en plein coup dur. Iker, je compte donc sur toi pour montrer que les légendes ont un fond de vrai, et que je cède pas aux revendications des tribunes mais à la logique sportive en te titularisant en 8. Et je te le dis, je fais un gros effort pour faire abstraction de ta démonstration bidon comme remplaçant samedi. Pour finir ce rapide bilan, je me tourne vers toi, Félix. On va parler tout à l'heure de cette histoire délirante de sac de sport hanté, vous allez saisir que je m'en cogne, mais je pense quand même que la presse va me faire chier tout l'avant-match si je te colle d'entrée sur la pelouse. Alors, je te mets sur le banc, mais tu as bien joué contre Laédicée et, si je te sens, tu rentreras quand même. Voilà. Je vous donne les remplaçants : Kétil, Fulgence, Macaire, Sulpice, Félix, Zacharie,

Nazaire. Les autres chantonneront toute la semaine : « Un jour ton prince viendra », cracheront pas sur le répit et feront pas chier, c'est pour votre bien. Voilà. Troisième et dernière règle qui explique mon choix : UNE CHANCE, ÇA NE SE DONNE PAS, ÇA SE PRÊTE. Ça, vous l'aurez compris, c'est pour pas que vous vous reposiez sur des lauriers fanés. Que ce soit ceux qui joueront à Lillebord, ou ceux qui attendront, dites-vous bien qu'une confiance, il faut se battre pour la mériter. J'ai pas plus de XV type que la liste du paradis, et vous faites tous partie de l'équipe, même la réserve. Le but cette année, c'est le titre. Et je vous jure que je ferai pas dans le gouzi-gouzi pour l'atteindre. Vous êtes bons, vous vous défoncerez la tronche pour nous y mener. Vous êtes moyens, vous aurez besoin de dix minutes pour expliquer à la nana que vous draguez à quoi vous servez au juste dans le XV de Volmeneur. À propos du titre, je voudrais aborder comme promis la rubrique paranormale. On avait la malédiction des finales perdues par le club depuis que le rugby existe, maintenant les cadavres se mettent à pousser dans nos casiers. Y a pas de quoi plaisanter, je sais. Mais je voudrais quand même vous rappeler qu'un champion, ça fait face à l'adversité. Vous roulez bolides et vous habitez de jolies petites maisons dans la Zone des Plaisances parce que vous avez réussi à convaincre l'équipe la plus ambitieuse de la République que vous faisiez pas dans l'imitation. On a assez des adversaires, assez des conditions météo, assez des coups de pas-de-bol et des vingt-six matchs minimum d'une saison pour échauffer le cerveau. Votre boulot, c'est de rester concentré sur votre truc, parce que vous êtes pas flics, vous êtes pas croque-morts et vous êtes pas curés. Cette histoire, vous y pouvez rien. Vous pouvez que prier d'être dans un État où les types capables de faire du grand spectacle dégueulasse à coups de tripes soient vite punis. Plus on aura de joie sur le terrain, plus on pourra tous laisser derrière nous ce qu'on a vu. On a un psychologue qui vient à la demande, appelez-le si vous vous sentez pas bien. Mais, par pitié, ne vous servez pas de ce malheur comme excuse. Essayez de ne plus y penser. Parce que c'est la seule chose à faire. Refoutez-vous la tête là où elle doit être, merde ! Y a pas plus de malédiction des finales, de preuve que les dieux nous en veulent sous forme de sacs de sport, de déveine et de poisse, de guigne et de chat noir que de fantômes dans le lit des vieilles filles. Y a des coups durs. C'est un coup dur. Mais on est forts et c'est pour ça qu'on est le XV de Volmeneur. On va gagner samedi, pour l'honneur. Et ça répondra à tous ceux qui voudraient faire des commentaires de travers comme quoi c'est louche et puisqu'on respecte pas la victime, et patata. Tiens, je rajoute quelques principes à vous coller comme des Post-it dans le cortex : on est des hommes dans une vie d'hommes, les forces supérieures ne sont pas de ce monde, et les pensées, ça tue que les cons. Voilà. Repos, rompez. Et à demain.

*
* *

Sur le tableau, des lettres matérialisaient sept femmes disparues. Et d'un coup c'était moins drôle. Parce que les noms sont exactement des morts. Toute chose en un mot touche au silence.

La comédie de la mauvaise écriture de Fénimore, ses rondes et cursives comme les bulles de propos d'un ivrogne donnaient aussi une émotion étrange à cette liste. C'était un hommage de cancre, mais l'Enquêteur Garamande ne fut pas fâché que, par sa main, à la mémoire de ces évanouies, leurs noms et prénoms pleurent.

— On est sûr de toutes les avoir ?

— Oui. Les six derniers mois.

72

— Je pensais qu'il y en aurait plus...

— Juste pour le Marchaunoir ? Ça fait déjà pas mal.

Ils regardaient tous les deux le tableau, comme une bêtise qu'ils auraient faite.

— Casilde, tu crois qu'il y a une chance pour que... ?

— Honnêtement, je ne peux pas te dire.

— Et tu penses qu'il est possible...

— Je ne peux pas...

— que ces femmes soient toutes retrouvées dans le même état ? Tu crois qu'elles ont été victimes du même tueur ?

— Je ne sais pas.

— Et si la nôtre ne s'y trouve pas ?

— Alors, il faudra rester concentré sur notre enquête.

— Et laisser ces filles retrouver la pile des affaires sans suite ?

— On n'a pas le temps d'avoir des états d'âme.

Fénimore détestait ceux qui méprisaient les états d'âme.

— Combien habitaient Volmeneur avant de disparaître ?

— Toutes.

— Casilde, ça sent de plus en plus le meurtre en série.

Il était tard. Il faudrait attendre demain pour aller voir ce qui se cachait derrière la liste. Après avoir pris sa veste et éteint la lampe de son bureau, Casilde resta un moment recroquevillée dans ses poches.

— Fénimore, est-ce que tu peux me rendre service ?

— Dis toujours...

— Est-ce que tu peux venir boire un verre avec moi ?

Fénimore acquiesça. Il avait besoin de laver son cœur des cris empaillés sur le tableau. La belle renaissance de ce matin avait déjà expiré. Demain on passerait la journée à courir l'A.D.N. Ce qui signifiait extorquer de la salive à sept familles dans l'angoisse, sans pouvoir promettre en retour autre chose qu'un cadavre.

Jeudi 12 octobre

Fénimore n'avait pas besoin de la carte accrochée par Casilde à leur mur et des punaises par lesquelles elle avait matérialisé les domiciles des infortunées pour s'aviser que les sept disparitions maillaient Volmeneur intra-muros. Il s'en était bien aperçu hier quand ils avaient fait leur tournée dans six des douze Zones urbaines. Sa coéquipière avait assuré que ça lui mettrait enfin la ville en tête. Guère doué pour s'orienter et se laissant conduire, il était bien certain pourtant de ne pas avoir profité de la visite. Il s'était surtout dit que ce maillage sentait de plus en plus le programme de maniaque pluricide.

Pour le reste, ils se traînèrent dans un long porteà-porte sordide, accompagnés par un Agent de la Scientifique pour les prélèvements. Derrière les sonneries, ç'avait été les pupilles écarquillées d'espoir ou de peur, puis repliées sur la résignation comme l'éventail devant un amant éconduit. Rayonnages racoleurs, préaux poussiéreux, clôtures battant leur rouille, on était entré dans ces cadres divers avec la démarche des emmerdements, avant de faire assaut d'on-ne-peut-pas-vous-dire.

La séance, déprimante par principe, n'avait pas manqué d'être épuisante. On y avait été, littéralement, du matin jusqu'au soir. Après le traditionnel remontant en compagnie de Casilde, qui devenait une dangereuse habitude pour son foie comme pour son cœur, Fénimore avait mangé-dormi, sans parvenir à se débarrasser de sa fatigue.

Ce matin, de retour à la Brigade, tandis que l'horloge électronique disait déjà 11 heures, il avait l'impression qu'une main ne cessait de le froisser à l'intérieur pendant qu'il reniflait un sac de poussière, symptômes courants chez lui d'un manque de café. Mais, après ce qu'il avait déjà ingurgité, en boire une autre goutte, c'était être certain de voir son rythme cardiaque jouer au trampoline. L'humeur était donc plutôt mauvaise, et on ne dérangeait apparemment pas l'angoisse sans séquelle.

Fénimore jeta sa cigarette par le carreau en espérant, comme d'habitude, qu'un malpoli la prendrait sur la gueule. Plus qu'à continuer à attendre. La Scientifique avait promis les premiers résultats pour le milieu de la matinée. Cinq familles avaient pu donner directement leur A.D.N. On attendrait pour les deux dernières, dont les proches de sang n'habitaient pas la région, que les Commissariats Provinciaux du Dormidyl et de la Hourde aillent leur rendre visite, et envoient l'échantillon aux labos d'ici ; l'affaire d'un ou deux jours.

— Fénimore…

Il regagna l'intérieur, où Casilde cherchait depuis neuf heures un passe-temps sur Internet.

— Oui ?

— On a reçu le premier résultat.

*
* *

Il nous les avait vexés. Et rien ne pouvait lui faire plus plaisir. Les tronches qui émergeaient des regroupements valaient le détour : regards paniqués des piliers remplaçants, masque de courroux à armatures de mâchoires des titulaires, ça devait pas se dire des « après vous » sous la mêlée. Le chef-entraîneur Éleuthère Sgabardane savait que le huit de devant lui adressait un message, et c'était drôle, ce côté naïf chez des athlètes aguerris. Après des années de métier, ils se laissaient encore mettre en rage par des remarques désobligeantes. Mais, sans cet orgueil, qu'est-ce qui leur donnerait envie de se faire si mal ?

Béno ordonna de refaire l'introduction. À leur façon de s'agenouiller, il était clair qu'une des deux phalanges s'en serait volontiers passée. Bon. Comment il roule Dimbiel ? Mouais, rien de bouleversant. Tu feintes, tu passes. Il feinte, il passe. En-avant.

— Dis donc, Judicaël, tu veux aller dans le pack pour comprendre ce que c'est un joueur qui se donne du mal ?

Sa gorge souffrit de son gueuler de métier. Il baissa d'un ton.

— Allez, vous la refaites. Dormidyl bouclier !

Il jeta un regard en l'air pour tromper l'agacement que lui inspirait le peu de conviction avec lequel ses hommes se replaçaient.

— Vous y êtes, oui ?

Toutes les fenêtres autour du terrain d'honneur étaient aveuglées par des volets noirs, pour protéger des regards la très secrète mise en place des combinaisons d'attaque.

Encore un impact qui avait dû faire mal. Au sol. Voilà, prends la balle, Iker. À la percussion. Non, putain de merde !

— Tu tombes la balle, Iker ! Plus vite, Corentin ! Oui. Oui, Abderrahmane ! Sur Judicaël, tout de suite. Tout de suite vers Foulques. T'es en retard, Athanase. Intérieur. Redouble. Oui. Oui ! C'est pas mal.

Bonne séquence, mais l'équipe des remplaçants leur avait pas exactement compliqué la tâche.

— Dites donc, les filles, vous êtes là pour faire signer des autographes ? Au combat, bordel de merde !

La première séquence analysée avait été prélevée sur Mme Thérèse Farladin, mère de la médecin généraliste Héloïse Farladin, et qui avait signalé la disparition de sa fille au Commissariat de la Zone des Particuliers une semaine auparavant. Ça pouvait être leur victime, à condition que l'assassin l'ait exécutée et brulée immédiatement. Et puis il était possible qu'elle ait été enlevée trois jours avant, date de sa dernière conversation téléphonique avec sa mère. « Elle soigne deux gens importants », « Elle est toujours bien habillée », « Elle a un très bel appartement dans la Zone de la Santé », « C'est une très belle femme, vous savez, ma fille, alors, par les temps qui courent, je me suis inquiétée, surtout que c'est pas son genre de partir sans prévenir, le mercredi normalement on se retrouve pour faire ensemble un peu de piscine, vous connaissez peut-être la Piscine des Médecins, c'est très bien là-bas, juste à l'entrée de la Zone de la Santé, mais comme c'est une piscine zonale, il faut avoir de la famille qui travaille à l'hôpital ou être invité, qu'est-ce que je disais, eh bien que ma fille n'est pas venue mercredi dernier, alors je l'ai appelée, rien, je suis allée chez elle, j'ai sonné, j'ai sonné, pas de réponse, et comme ça ne lui ressemble pas, je suis allée au Commissariat de mon quartier et j'ai prévenu, je suis à la retraite maintenant, mais mon pauvre mari était médecin aussi, on m'a relogée aux Particuliers comme les autres retraités depuis sa mort, à Capitale ils disent Inactifs, c'est vraiment inélégant, j'espère qu'il ne lui est rien arrivé, je suis quand même très inquiète, ce ne serait pas une bonne chose que mon A.D.N. serve à l'identifier, n'est-ce pas ? j'aime bien les séries policières, et je sais qu'on n'a besoin de l'A.D.N. que dans certaines circonstances, on peut en avoir besoin si on a retrouvé l'identité d'une amnésique, mais ça n'est que dans les films, non ? et puis vous n'avez pas retrouvé de personne amnésique, si ? »

Non. Et la Scientifique assurait que l'A.D.N. de Mme Thérèse Farladin n'avait avec le buste trouvé au Stade du Brise-Lames aucun lien familial. Ayant perdu au pile ou face, ce fut Casilde qui décrocha le téléphone pour prévenir la dame et plonger en apnée dans les digressions interminables d'icelle, dont elle n'eût pu, pas plus qu'âme qui vive, dire de quel sujet elle s'écartait obstinément.

*
* *

Le résultat de la deuxième séquence A.D.N. tomba dans un autre message électronique, un quart d'heure plus tard. L'empreinte génétique en question venait de M. Louis Varde, un gros, vieux avant l'âge, aux mains modelées par les filets de pêche. Sa fille Juliette avait disparu depuis six mois. « J'essayais bien de lui dire que ça devait pas être pour retrouver du joli qu'elle s'en allait tout le temps comme ça, dans la nuit. » « Pas la mauvaise fille, un peu facile à émerveiller, et un appétit très fort pour plein de choses et, faut bien dire, les hommes. Ça se voyait dans ses yeux. » « Elle a fait serveuse pendant pas mal de temps. ( ) L'école, on lui a pas donné les bons gènes pour ça. ( ) Sa mère en revanche, elle a dû déteindre, parce qu'elle a tout de suite dit que c'était de ma faute cette histoire avec Juliette et elle en a profité pour se barrer avec l'autre Guy Condes. ( ) Pas le premier à qui ça arrive. Plein d'amis comme moi. ( ) Moi, je pense pas qu'il lui soit arrivé grand-chose. Elle a dû suivre un type, dans l'idée que ce sera complètement différent pour eux que la mouise des autres. Elle doit être quelque part dans un Faubourg, affalée dans le canapé, à lui faire des misères pour avoir des choses chères. ( ) Elle était attirée que par des choses chères. Et on essayait de lui faire plaisir. À essayer de lui plaire, on a eu souvent honte. Faut dire, notre seule fille. ( ) Elle doit être dans les Faubourgs. Elle m'aimait pas trop. ( ) Ou pas à l'aise, je sais pas. Ça m'étonne pas qu'elle ait pas voulu m'expliquer. ( ) Vous êtes sûrs que vous voulez pas un verre ? »

Et, en décrochant son téléphone pour annoncer à Louis Varde que sa fille n'avait pas subitement réapparu sous la forme d'un macchabée, Fénimore fut certain qu'il se contenterait d'un digne et triste « Merci ».

*
* *

Le crachin se mit à tomber sur le chef-entraîneur et sur Abderrahmane qui s'entraînait à botter face aux perches. Les volets se relevaient tous ensemble sur les façades. Les autres joueurs étaient sous la douche. Éleuthère Sgabardane se mit à marcher pour ruminer son sort.

La ville n'était pas la seule à avoir besoin du titre pour s'admettre. Lui non plus n'avait jamais remporté le championnat. « C'est pour ça qu'on a pensé à vous. Vous avez faim. Le club aussi. On va se comprendre. »

Joueur admiré à une époque où la République avait pris le satané rôle du perdant magnifique, demi de mêlée d'un club éternel déçu, entraîneur à la dure d'une flopée de petites formations qu'il avait fait monter en division professionnelle avant de s'envoler vers d'autres Cendrillon, il était devenu un type qu'on respecte, mais dont on peut très bien renverser le prestige par la claque d'une seule phrase : « Qu'est-ce qu'il a gagné ? »

Sgabardane savait le prix des choses et la valeur des hommes. Mais il ne connaissait pas l'euphorie. Après le scandale de l'entraîneur Galouazo, qui n'avait même pas accroché les phases finales deux ans avant, Chassesplain l'avait choisi pour dire aux supporters tout-puissants qu'on allait leur donner leur genre de ton.

De fait, l'an passé, Sgabardane avait fait tonner ses sourcils, sa tête de résistant trois fois torturé, sa diplomatie de fusil-mitrailleur. Et il avait perdu. Mais on s'était assez reconnu dans ses coups de gueule et ses ombrages, ses choix à la trique et sa religion du risque pour penser que s'incliner en finale, ce n'est pas être incompétent. On lui avait pardonné cet échec. Mais on attendait de lui qu'il ne se le pardonne pas. Et c'est ce qui le faisait se supplicier aux cent pas et aux mille hypothèses. Tout le jour.

*
* *

Le message électronique qui tomba juste après le déjeuner avait des choses à dire sur l'A.D.N. de Jamila Oulsaïd. Elle était sans nouvelles de sa fille Kamila depuis près de quatre mois. Et elle les avait probablement passés à attendre derrière la porte qu'elle arrive enfin. Elle habitait Zone du Commerce. « J'étais chef d'entreprise. » L'âme de Fénimore devait être meuble des familles qu'il avait déjà vues. En tout cas, il fut ému. Il faut dire qu'on ne le défendrait jamais d'un surcroît d'estime pour ceux qu'il reconnaissait dans cette femme. Noire et musulmane. Même si les choses avaient changé, il postulait qu'il avait fallu beaucoup de souffrances sur lesquelles on n'insiste pas et de volonté sans vengeance pour que cette dame fût assise là, loin des Faubourgs, libérée des jugements tout faits sur le moindre geste. « Ma foi, ma fille, la malheureuse. » Elle avait gardé, au cœur de son bel intérieur et de ses manières, ce parler de son adolescence, ce contraste fidèle dans sa réussite. « Kamila, c'est une fille, vous savez, Enquêteurs, une fille comme Dieu en donne quand on a eu des malheurs. Jamais elle nous a causé un problème à moi et à mon mari, jamais, sur ma parole. Toujours au travail la première, la réussite aux examens, tout. Elle prend soin d'elle, faite pour être une bonne mère, on espère, on verra. Ma foi, ma fille, la malheureuse. Où elle est passée ? Ils m'ont dit, les Policiers, elle doit être partie sans prévenir, mais ce serait pas Kamila, sauf si on l'a droguée, c'est possible. Quand elle était petite, elle avait des problèmes et ils se moquaient d'elle à l'école. Et elle est devenue si belle que les chipies, elles ont fini par avoir honte de l'avoir si mal traitée. Peut-être bien, on nous l'a dit, que si elle est pas mariée à trente ans, c'est qu'elle fait des choses. Mais elle a de l'honneur, à moi sa mère on peut pas dire le contraire. Et une fortune, monsieur, madame, son agence de voyages. Tout très bien. Pourquoi elle serait partie et elle aurait laissé tout ça ? Ma foi, ma fille, la malheureuse. »

Casilde avait eu le geste, une ou deux fois, de lui toucher le bras. L'Enquêtrice Provinciale Binasse montrait rarement son âme, mais ça valait toujours le coup d'avoir attendu quand elle la laissait voir.

Et l'A.D.N. leur avait appris que la malheureuse Kamila n'était pas leur victime.

*
* *

La victoire. Il avait connu des succès. Il n'avait pas connu la victoire. Un vrai grand jour qui change tout. Donne la paix. Quand on dit : « Après, on peut mourir. » Plus profond qu'il n'y paraît.

Il avait rencontré la peur de la mort. Parce qu'un sportif qui s'arrête, c'est d'abord un homme que son corps a laissé tomber, qui dit un jour : tout ce que je faisais, tout ce qui me faisait, je ne le ferai plus. Vieillir veut dire quelque chose de bien précis. Que dans chaque membre l'idée de la mort s'est installée. Puisqu'on n'y peut rien, du moins, il faut, avant, toucher du doigt ce que sa vie valait. Triompher une fois. Avec tous les jours et toutes les fatigues, avec tout ce qui a été pensé, avec tout ce qui a été surmonté. Tenir son prix dans un poing serré de joie.

*
* *

Avant-dernière empreinte, les échantillons jouaient maintenant les aiguilles de compte à rebours. Le verdict concernait la séquence d'Édouard Harlay, sept ans. « Faites ça vite. » Le père, l'air renfrogné, les avait conduits dans une chambre d'enfant où l'Agent Scientifique expliqua au petit qu'il suffisait de mettre le bâton dans la bouche. « Faites ça vite. » Harlay père se refusait à plus de commentaires. Il se tenait comme un reproche et, à le voir, il semblait évident qu'il analysait la disparition de son épouse depuis trois semaines comme un avis de remariage. « Faites ça vite. » La fiche disait que Domeka Harlay était secrétaire de direction aux usines Desmes. D'où ce logement Zone de l'Industrie. À en juger par sa chemise fripée et son bas de survêtement, l'homme devait compter sur sa moitié pour se charger de tout, du compte en banque au temps qu'il fait. L'Agent était agenouillé parmi les petits soldats. L'enfant avait paru amusé qu'un géant en uniforme se mêlât à ses théâtres d'opération miniatures. « Fais : ah – Ah. » « Faites ça vite. » On avait eu l'impression de la lui voler, sa salive, de la plonger, sa baviole faite encore pour buller au bord de lèvres négligentes, dans un flot de mort et de sang. « Faites ça vite. » Le moins qu'en pensa Fénimore fut que le bonheur de cet enfant était suspendu au retour de sa mère. Dont le rapport scientifique disait qu'elle ne dormait pas, du moins, calcinée dans une morgue.

*
* *

Alors, Éleuthère Sgabardane voulait cette année peser son moindre geste à l'aune de son but. Il devait vivre dans la victoire, chaque minute. Cinquante ans de vie lui avaient découvert que ce qui tombe comme ça, sans une détermination forgée à la réplique de tous les trafalgars, cela n'a que le goût du hasard. Même les plus grands succès ne touchent que les autres quand ce n'est pas toute sa force qu'on y récupère. Parce qu'on l'y a jouée.

Lui seul, lui et ses joueurs pouvaient comprendre ce qui se passerait. Lui seul, lui et ses joueurs pouvaient atteindre dans une coupe le sens de leur vie. L'attraper. Le jour se tachait d'encre, la pluie tomba plus fort. Il dit à Abderrahmane de rentrer, et il s'enfouit dans son bureau.

*
* *

Dernier message. Comparaison de l'A.D.N. de Léa Touleb, sœur disparue depuis un mois, avec celui prélevé sur les restes de leur victime. « Un lundi, elle est pas venue à la parfumerie. » « Elle avait rencontré un type, même que je le trouvais beau, ça, c'était le samedi soir, mais je l'ai eue le dimanche pour papoter, elle a dit rien de spécial. » Jolie fille. Mais gâchée par un uniforme d'hôtesse de l'air, et un de ces maquillages qui tiennent du masque mortuaire. Et puis cette voix d'annonce de supermarché. En définitive, sexy comme l'intérieur d'un aérosol ; Fénimore se dit que les physiques qui font vendre sont excitants comme des tickets de caisse.

« Cerise et moi, on a commencé à travailler ici il y a six mois. Moi, c'est plutôt, comment s'appelle, pour l'argent de poche, je fais des études. Cerise, elle, elle veut être comédienne, alors comme elle trouve pas tout le temps, comment s'appelle, de rôles, elle travaille plus que moi. » « Nos parents habitent la côte, à Berlaydin. Ils sont très inquiets. Moi je leur ai dit Cerise, elle est toujours, comment s'appelle, en train de suivre des mouvements, c'est vrai, elle est partie en Volsquie sur un coup de tête et elle l'avait pas dit, alors des fois que sa, comment s'appelle, rencontre soit devenue un partenaire régulier et qu'il l'ait, comment s'appelle, emmenée dans un endroit romantique pour vous voyez – eh ben, c'est possible qu'ils aient décidé de prolonger le séjour et qu'elle donne pas de nouvelles. Elle est tête en l'air, comment s'appelle, impulsive. C'est un peu l'originale de la famille. Je dis ça, parce que je suis la plus jeune et j'ai quand même l'impression d'être l'aînée. En tout cas c'est gentil, comment s'appelle, d'enquêter, mais moi je me fais pas de souci. »

Pour l'heure, Cerise ne serait pas pleurée par sa sœur en plastique. La Police Scientifique n'infirmait pas la thèse de la lune de miel.

Plus qu'à attendre que soient collectés et analysés les A.D.N. des deux disparues dont la famille n'habitait pas Volmeneur.

Gonthilde des Hourdiens, trente ans, danseuse et dont on était sans nouvelles depuis cinq mois.

Thomaide Javorin, trente-cinq ans, professeur de musique, recherchée depuis deux mois.

Sur elles reposaient les espoirs des Enquêteurs Provinciaux Binasse et Garamande. Même s'ils n'auraient pas osé frotter ce mot à l'exploit consistant à mettre un nom sur un cadavre.

Vendredi 13 octobre

Les vitres du car avaient raconté des prairies sans histoire, des troupeaux sans histoire, un peuple sans histoire. La Province de la Hourde était connue pour la qualité de sa viande, la tradition de ses fromages et sa bière qui avait assassiné des générations de dépressifs, c'est dire qu'elle ne s'était jamais relevée des interdictions alimentaires qu'avait connues le pays quarante ans plus tôt, sous la tyrannie de la reine végétarienne Organa. Depuis, la Hourde restait enfoncée dans la crise. De là l'impression que le ciel même ici était un arrêt de mort. De là le sentiment de traverser la terre promise d'une secte qui refuse le monde pour on ne sait quelle interprétation d'un verset oublié.

De loin en loin, tout de même, se dessinait la silhouette d'un homme sur son cheval, messager perdu dans l'automne et qui ne sait plus où on l'a envoyé. Un randonneur, probablement. Comme quasiment toute la République, la Hourde était devenue un grand parc à plaisirs pour riches d'autres régions ou d'autres pays. Les panneaux publicitaires hideux près de Lillebord ne se lassaient pas de le dire : « La Hourde, paradis du cheval. » Éleuthère Sgabardane y entendit que, pour les hommes, c'était un peu moins la cocagne. Situé juste au nord, le Marchaunoir, pourtant bien insulté aussi par les mutations économiques, semblait en comparaison une faille d'échanges survoltés. Après quatre heures de route, l'après-midi touchait à sa fin quand on était arrivé enfin dans le stade scolaire que le XV de Lillebord mettait à la disposition des clubs visiteurs.

Un faux-jeton local, sous prétexte de bienvenue, les surveillait du coin de l'œil quand ils sortirent des vestiaires où on s'était mis dare-dare en tenue. Les gens d'ici avaient des têtes de mourants. Ou on les leur projetait, eu égard à leur état d'esprit de paralytique qui ne se plaint même pas de son sort. Il pleuvait à seaux, comme toujours dans le coin. Mais il faisait moins froid qu'à Volmeneur. Maigre consolation.

— Bon, les gars, venez par ici.

Comme chaque veille de match, c'était l'entraînement du capitaine. Le boulot du chef-entraîneur se limitait d'habitude à dire quelques mots, puis à laisser l'arrière Athanase Cramarin mener une petite heure d'exercices. En attendant que tous ses hommes soient là, Sgabardane jeta un coup d'œil à la petite tribune en bois. Il y aperçut une dizaine de journalistes et trois caméras. Il reconnut la plupart qui travaillaient pour des médias du Marchaunoir. Très peu venaient d'ici. C'était bien normal. On ne peut pas demander à un peuple qui ne s'intéresse plus de suivre l'équipe qui porte son étendard. Les vingt-deux désignés pour jouer contre Lillebord étaient enfin assis autour de lui au centre du terrain. Les autres joueurs de l'effectif, obligés par contrat d'accompagner le déplacement, avaient quartier libre. C'est-à-dire le droit de faire des blagues pourries sous l'averse en regardant les titulaires jouer à la baballe. Debout derrière Sgabardane, Biffin pour les avants, Aurélien Jombes pour les arrières composaient la trinité du staff.

— Je voulais vous dire un petit mot sur l'adversaire avant de laisser Athanase gérer la séance. On l'a vu sur la vidéo hier, Lillebord est toujours pas l'équipe la plus intellectuelle du circuit. Ça joue gras, ça joue débile et ça comprend pas que les sales coups bien méchants suffisent pas à remporter un match. Tout ce qu'ils proposent, c'est un pack de bourrins qui sait plus quoi faire si on refuse le combat de rue pour se mettre au rugby. Ils vont vous faire chier, parce que c'est la seule chose qu'ils ont comprise de la compétition. Vous vous souvenez de votre petit frère ou de votre petit cousin qui connaissait de la communication que répéter ce que vous disiez comme un con, voilà, c'est ça, Lillebord. Alors, y a un moment, si c'est vous les seigneurs, va falloir le montrer. J'attends des avants qu'ils comprennent enfin qu'on n'est pas là pour respecter l'adversaire. Les arrières, j'attends du grand art. Tant pis si le public ici est pas assez cultivé pour comprendre l'intérêt du génie, vous jouez pour les mille mecs qui seront venus pour vous supporter jusqu'à leur stade à la con de trente mille personnes, dans cette ville tellement sans intérêt que la télé a demandé un match l'après-midi rapport aux audiences à chier. On est là pour que la nuance entre les clodos et les princes échappe à personne demain. Je veux une punition. Je veux que vous fassiez une démonstration pour que tout le monde enregistre que les finales perdues, les corps brûlés dans les vestiaires et tout le barzingue, ça n'empêchera jamais une grande équipe d'être une grande équipe. Attendez : ils se sont fait taper par les promus de Késidon 41 à 20 la semaine dernière. Non, mais vous vous rendez compte ? Pas foutus de mettre un essai devant des types qui jouaient en deuxième division y a quatre mois. Ils ont mangé une valise de quarante pions dans la gueule ! Vous allez pas vous laisser faire par ces nuls. C'est des invalides, bon sang de bonsoir ! Ça fait trois ans qu'ils sont dixièmes, c'est même eux qu'ont inspiré l'expression ventre-mou, rapport à leurs joueurs qui sont gaulés comme leurs spectateurs pintés de pisse-dru du matin au soir ! Je sais, c'est déprimant de faire des efforts pour battre si peu. Mais vous vous devez un grand match après ce qui s'est passé. Vous le devez à Félix, qui est quand même en première ligne dans le manque de bol rapport au cadavre, vous le devez à vos supporters, ceux qui ont fait le déplacement comme ceux qui vont vous regarder à la télé. C'est votre premier match à l'extérieur, c'est leur premier chez eux. Ils vont vous dire des saloperies, que vous êtes des crameurs de gonzesse et tutti quanti, mais vous allez leur répondre. Vous allez rappeler à tout le monde que Volmeneur cette année arrive dans les villes pour les razzier et se barrer avec le butin. C'est clair ? On a tous besoin d'un exploit, même contre des gonzesses invalides. Athanase, tu me les fais grimper aux rideaux. Allez, bordel de merde ! Vous vous défoncez les couilles, maintenant !

Et ils s'ébrouèrent en se criant des encouragements. Sgabardane savait qu'il avait injurié toutes les bienséances du rugby : respect de l'adversaire, rejet des phraséologies guerrières, rejet des références anatomiques simplistes, rejet de l'aliénation du beau sexe. Mais ça, c'était pour la presse et les sponsors, et personne ne s'embarrassait de scrupules et chatouilles, même si ces manières de philippiques au pâté se devaient de rester confinées au secret du vestiaire. S'arranger pour que les reporters et la télé n'en perdent pas une miette, parler d'eux comme ça dans un stade qu'ils avaient prêté, c'était donc une déclaration de guerre. Il voyait déjà le titre de demain :

Sgabardane : « Lillebord est une équipe d'invalides. »

Et le chef-entraîneur avait hâte de vérifier son intuition. Parce qu'il ne doutait pas que la victoire est en soi une transgression. Et il était certain que celle qu'il venait de commettre était assez forte pour faire oublier le sortilège des sacs de sport maudits.

*
* *

Fénimore s'en voulait. De ne pas être allé plus tôt à son exercice de tir hebdomadaire, d'avoir laissé Casilde sur un « Bonne soirée », de se retrouver un vendredi soir tout seul dans un sous-sol avec l'unique perspective ensuite d'un plat surgelé et, au mieux, d'oublier son cafard une petite heure s'il se trouvait une série géniale à susciter la perte de sensation. Le vide de ce début de week-end était sans appel. Sa vie était une caricature d'échec généralisé.

Fénimore, le travail !

L'homme se sauve par son travail.

Trouve-toi, en te dépassant.

Ces devises éculées lui donnèrent la force nécessaire pour mettre son casque anti-bruit.

Il tâcha de prendre le temps de sentir la cible au bout du viseur. Il se souvenait de l'Instructeur Pachard : « Si vous n'avez pas l'impression qu'il n'y a plus de distance entre vous et la cible, c'est pas la peine de gâcher une balle. » Puis ce furent les détonations qu'il vécut assourdies. Mais il parvint à y concentrer sa colère. Les dix premiers impacts lui dirent : « Bien joué. » Il était parti pour vider cinq ou six bons chargeurs. Il savait qu'il ne retrouverait pas sa première performance. Parce que, dès qu'il se savait capable de quelque chose, dès qu'il se regardait, l'Enquêteur Provincial Fénimore Garamande avait à cœur de se prouver sa maladresse.

Il y avait des temps morts. Le carton à changer, l'appareil qui se mettait à la distance voulue, les balles à prendre dans la boîte, le flingue à ressaisir dans la paume et le corps à remettre en position. L'Enquêteur était du style à prendre pour des tortures délibérément malveillantes les menus délais des choses. Se connaissant, sachant aussi que, s'il laissait l'énervement poindre, il arroserait ensuite comme une passoire, il tenta de se trouver des pensées ni trop fortes ni trop noires pour patienter. Ainsi, à intervalle, il laissait reprendre le fil de l'enquête.

Finalement, les Commissariats Provinciaux de la Hourde et du Dormidyl avaient fait vite pour envoyer les prélèvements à la Scientifique, qui avait de son côté eu la gentillesse de sortir les résultats en début de soirée. Aucun des A.D.N. ne correspondait. Du coup, ils avaient convenu avec Casilde de prendre leur samedi pour, soi-disant, essayer chacun de son côté de décoincer le point mort par la réflexion. On avait donc pris rendez-vous pour le dimanche. Ça voulait dire qu'il s'emmerderait deux gros soirs et presque deux gros jours. Bref. Concentre-toi sur l'Enquête.

Soit la fille qu'ils avaient retrouvée brûlée avait disparu sans que personne s'en soit plaint, soit elle avait été enlevée dans une autre Province, soit elle avait été séquestrée plus de six mois avant d'être sacrifiée par un grand prêtre qui était bien le seul à comprendre quel dieu il servait. Dans tous les cas, ils devaient maintenant élargir la meule de foin. Il n'y a pas trente-six types d'énigmes. Soit on a la clef et on ne sait pas où se trouve la porte, soit on est devant la porte et on n'a pas la clef. Avec Casilde, ils avaient décidé de commencer par repérer une fois pour toutes où se trouvait cette foutue porte, c'est-à-dire identifier la malchanceuse qui leur était parvenue mutilée dans un sac. Dès dimanche, ils demanderaient les avis de recherche émis dans la République entière depuis un an, et si ça suffisait pas, ils demanderaient ceux de l'année précédente. Il allait pleuvoir des tests génétiques sur tout le pays.

Restait à espérer que quelqu'un ait signalé la disparition de leur victime. Quand bien même. Pour l'Enquêteur Garamande, son métier consistait à croire que toute existence a un prix et que les vivants en sont responsables, même s'il ne reste plus à rembourser qu'une mémoire. Et si ça voulait dire mettre des mois à trouver à quel être on voulait exactement rendre ce service, eh bien, l'Enquêteur Provincial Fénimore Garamande ferait son devoir.

Ce fut après qu'il eut remis son revolver dans l'étui, après qu'il fut sorti du Commissariat que son téléphone portable sonna.

ADÉLAÏDE

Demain sera sans surprise et hier est derrière. La pluie, la nuit sautaient à ses côtés, il n'aurait pu compter combien de fois depuis deux mois, elle l'avait appelé, son angoisse aux abois, depuis cette vie à eux, le silence derrière, dont il ne voulait rien, sinon cendre et fumée, que brûlent ses navires, s'exiler de l'empire : demain sera sans surprise et hier est derrière. Ses pas, ses choix, chaque nouveau matin, il les chargeait de dire que le pardon était trop loin, qu'il ne laisserait jamais reprendre cette histoire, il resterait debout quand longs étaient les soirs, mais jamais, plus jamais, il pourrait écouter le bruit que dans son cœur avait sifflé la lame. Il avait son combat : ne jamais perdre d'âme. Demain sera sans surprise et hier est derrière.

Huit heures moins le quart. Il pressa le pas. S'il voulait attraper un bus qui le conduirait Zone du Commerce avant la fermeture des magasins, il ne fallait pas s'endormir. Si seulement il avait été un peu honnête avec lui-même, il aurait pris du vin dans la commande qu'il s'était fait livrer en début de semaine. Peur de s'avouer sa tendance aux beuveries solitaires. Hypocrisie. Non. Courage. S'en sortir.

Elle était de l'autre côté.

Ils ne se rejoindraient plus.

Maintenant, il voulait donner à une femme meilleure ses indignations et sa pitié, son amour, peut-être bien, si demain venait un jour.

Demain sera sans surprise et hier est derrière.

Dis-toi ça pour le moment. Tu n'es pas prêt. Et si tu as besoin d'un coup de gnôle, prends le coup de gnôle. Les temps sont durs. Comprends-toi toi-même. Réconcilie-toi.

Elle n'avait qu'à pas t'appeler juste quand ça fait mal, à l'entrée de la solitude.

Mais si tout s'emballe en toi chaque fois qu'elle appelle, si ça te met dans cet état, c'est bien que... Et puis si tu te joues en héros de la répudier, c'est bien que ça bat encore.

C'est à elle que la leçon est adressée. Et c'est sous ses yeux que tu voudrais la vaincre.

Tu trouves la fureur merveilleuse quand elle t'appelle. Tu le trouves voluptueux, ton silence.

Mais c'est parce qu'elle lui donne encore la réplique, à ton silence.

Mais, Fénimore, il te faut maintenant accepter l'errance sans spectateur.

Il faut accepter que d'autres te révèlent à toi-même.

Mais tu voudrais qu'elle ait honte de ce que les autres te donneront.

Et sa honte t'intéresse bien plus que le reste, bien plus que le bonheur, comme ils appellent ça.

Il passa une soirée, la tête dans la musique, un verre à la main, pérorant in petto des formules qui la démoliraient d'un souffle. Et il avait la noblesse de la relever. Et il l'accueillait encore, sa justice passée, parce que lui savait aimer, jusque dans les gouffres.

Au bout de la nuit, sans doute à bout de soif par la présence qu'il lui avait imprudemment rendue, Fénimore prit une décision.

Il l'appellerait demain.

*

* *

Les cinq types dégoulinants de pluie avaient la tête qu'on fait dans les films aux paysans qui viennent se plaindre au château.

— Coach, on peut vous parler ?

C'était Baruch qu'ils avaient délégué pour causer, non sans l'épauler de son coreligionnaire Jacob sur le flanc droit, à gauche, Gabar s'apprêtait à laisser sa trogne d'homme de main résumer sa pensée, tandis que les étrangers Vaast et Sébald comptaient appuyer les dires de leur coéquipier d'acquiescements onomatopéiques. Le cinq de devant que Sgabardane avait annoncé pour le lendemain venu sans les avants de la troisième ligne, pour bien marquer qu'on parlait au nom des spécialistes du coup de tronche ; des coriaces en somme.

— D'abord, on dit pas que vous avez pas raison et on veut pas vous dire comment vous devez parler. Mais quand même, parler comme ça de l'adversaire devant les journalistes... On n'aime pas ça. Vous savez que les avants ont leur orgueil, c'est un peu un monde à part, les avants, et nous on ne veut pas aller au combat en marchant sur nos valeurs.

— Baruch, t'étais encore môme que j'avais joué quarante fois pour la République, alors, les avants, j'ai cerné le concept.

— Je ne dis pas le contraire. Mais on est chez eux. C'est important. Ça se respecte, quand même.

— Tu crois pas qu'ils doivent un peu le mériter, le respect ?

— Peut-être. Mais c'est plus le ton. On en a parlé entre nous tout à l'heure et...

— Est-ce qu'au cours de votre petite réunion vous avez aussi évoqué la question de remporter ce putain de championnat ? Parce que, les mecs, c'est sympa la grande famille des gros, l'étiquette non écrite et tout le filet garni, mais il y a des vertus et il y a un sport. Le but de ce sport, c'est de battre l'adversaire. Aucun règlement n'interdit de taper là où ça fait mal pour ça. Moi, je veux bien tout, mais y a quand même un moment où on vient de la ville de la République où le rugby est le plus important, ça fait plus d'un siècle qu'on attend un titre, et c'est pas en restant copains avec les types qu'on affronte qu'on va enfin être à la hauteur. Vous vous arrangez avec vos consciences. Mais voilà la situation : on les a injuriés, maintenant, c'est à vous de les empêcher de répondre.

— Ça va être la guerre, coach. On n'a jamais vu agresser verbalement une équipe comme ça.

— Jacob, si t'étais né à la Guerre des Libérations, tu confondrais pas un hématome et la tuerie générale. En tout cas, vous m'avez entendu. Et si vous êtes pas contents, y a un banc qui vous attend pour écouter vos scrupules. Écoutez, je dis pas qu'ils essaieront pas de vous balancer des pains au nom de leur mère patrie, mais vous savez mettre des coups aussi, non ? Non, Jacob ? Non, Sébald ? On a un titre à remporter. On a une légende à écrire, merde. Alors, les poings dans la gueule et l'épuisement, va falloir s'y préparer. J'ai jamais vu d'exploit sans souffrance, sinon on appellerait pas ça des exploits. Et maintenant, filez à la douche.

Et les cinq hommes s'écrasèrent devant le quinquagénaire qui leur rendait vingt bons centimètres à tous, pour ne rien dire des kilos. Sans lui faire remarquer que, tout coach et héroïque demi de mêlée qu'il fût, il avait dix ans à la fin de la Guerre des Libérations.

Samedi 14 octobre

14 h 54. Les crampons martelaient de plus en plus frénétiquement, et Athanase gueulait de loin en loin des : « On se laisse pas faire, les gars », des : « On va aller la chercher, cette victoire », et des : « La gagne, les mecs, la gagne. » Éleuthère Sgabardane ne parlait pas. Après les avoir farcis de jurons pendant presque une semaine, après les avoir saturés de rage, il savait qu'il fallait laisser les joueurs prendre la minute en main. Il n'avait plus rien à faire ici et le coup d'envoi était dans cinq minutes.

— À vous de jouer.

Et il sortit.

*
* *

Le soleil lui faisait une crasse de venir comme ça le tirer sans ménagement du lit. Fénimore avait oublié de fermer les rideaux. Il s'était effondré à 7 heures du matin. Et il émergeait à presque 15 heures, avec un bûcheron au travail sur le crâne, le bide qui énumère les bières, l'odeur globale d'un pachyderme. Mais cela était d'un moindre désagrément comparé au rêve dont il se réveillait ; et à la résolution qu'il s'était donnée pour lui succéder d'appeler Adélaïde. Il effleura l'idée de n'en rien faire. Mais il savait qu'il devait ses meilleures éclaircies aux inspirations de la nuit. Ce fut la raison qu'il se donna pour se présenter son envie comme une résolution.

*
* *

Encore dans le couloir, Sgabardane prit en pleine figure la clameur du stade. Il en avait entendu des centaines et, s'il s'en laissait encore pincer de temps à autre, on ne pouvait plus dire que ce vacarme l'intimidait. Cette clameur-là était différente cependant. Elle n'était pas peuplée d'exaltations, de résolution ou de rage. Elle était saturée de haine.

*
* *

L'eau chaude coula sur le visage de Fénimore en lui annonçant qu'il aurait pu y trouver un plaisir profond, n'était la violence de la cuite qu'il s'était collée. Il se sentait séparé de tout. Comme s'il survivait sous une carapace de tessons de bouteille.

*
* *

Resté un moment interdit, le chef-entraîneur vit passer les arbitres, et leur rendit leur sourire. Il serra la cravate de sa tenue officielle. La porte à côté de lui s'ouvrit. Celle du vestiaire de Lillebord. Il s'esquiva.

*
* *

Prisonnier de sa douche, Fénimore s'en voulut d'avoir allumé la radio. Le type qui n'en pouvait plus de gueuler que le match Lillebord-Volmeneur allait commencer avait un don indéniable pour exaspérer les gueules de bois.

*
* *

Sgabardane émergea du tunnel, et reçut, comme il s'en doutait, un flot brûlant de sifflets. Broncas. Ses propos avaient été repris à la virgule. Et reçus à leur juste valeur.

*
* *

Fénimore prit soin de se brosser les dents en gardant le nez dans le lavabo. Pour faire comprendre à son miroir que ce n'était pas la peine d'insister sur le sujet.

*
* *

Crispe tes traits. Ne laisse rien paraître. Avoir l'air offensé, ce serait féliciter ces débiles. Le coach de Volmeneur entendit : « Sale nègre. » Pauvre con. Tu ne me dégoûteras pas de ce que je suis.

*
* *

L'Enquêteur Provincial Garamande se versa une tasse de café, et sentit que l'antidote fumait devant lui. Bois d'abord. Tu verras bien après si tu es en état de l'appeler.

*
* *

Il vira d'un coup sec vers l'escalier qui montait aux gradins. En haut, du côté gauche de la tribune de presse, c'était la cabine réservée au chef-entraîneur visiteur. Comme les autres stades d'équipes professionnelles, Lillebord proposait ces postes d'observation où les coachs pouvaient lire de haut l'ensemble du jeu. Son ascension fut saluée par le public comme l'histoire salue rétrospectivement celle des dictateurs.

*
* *

Difficile de se raconter des salades, le café avait fait son effet, et l'honnêteté voulait qu'il se déclare apte à passer le coup de fil. Peut-être encore l'impression de porter des dés en caoutchouc à chaque doigt... Mais ça ne l'exemptait pas. Allez.

*
* *

Tous les journalistes avaient les yeux sur lui. Une caméra de télévision lui boucha d'un coup le champ de vision. Il entendait les commentateurs autour dire en direct : « provocation », « intoxication », « déontologie ». Parvenu à l'entrée de sa cabine, il vit que Kalaar, l'entraîneur de Lillebord, était déjà dans la sienne. Il fallait le saluer. Pas le choix.

*
* *

Une cigarette. Tu as toujours fait ça avant les moments cruciaux. Tu fumes une cigarette, tu te détends, puis tu appelles.

*
* *

Un micro se mit bien en surplomb pour ne rien manquer. D'une voix égale, Éleuthère Sgabardane dit : « Bonne chance », mais son collègue refusa de lui serrer la main. Un « Invalide » sortit en grumeau unique de sa fureur. Sgabardane soupira. Puis tourna les talons.

*
* *

Il regarda un instant son téléphone, comme s'il pouvait en recevoir l'augure de la conversation à venir. Bon. Répertoire. ADÉLAÏDE. Il connaissait son numéro par cœur, mais cela lui faisait un délai. Il mit un doigt sur la touche Appeler. Et fut envahi par le souhait de tomber sur son répondeur.

*
* *

Le chef-entraîneur de Volmeneur était dans sa cage de verre. Le casque vissé sur la tête, le micro qui y était fixé bien en face des lèvres, il demanda à Béno et Aurélien s'ils l'entendaient. Comme ils dirent que oui, il confia au mur derrière lui un peu de son poids.

*
* *

Juste au moment où il allait appuyer, sa sonnerie retentit et son vibreur fit des bonds. CASILDE. Fénimore se dit que le destin n'est pas toujours subtil.

*
* *

Les équipes étaient en place. Elles étaient entrées pendant qu'il s'installait et que le public préférait le

huer plutôt que les accueillir. Tout un programme.
Tout leur programme. On allait leur mettre profond.

*
* *

— Allô ?
— Allô, Fénimore, c'est Casilde. Accroche-toi. On
vient de trouver un corps à l'Académie de Volmeneur.

*
* *

Un coup de sifflet déchira l'air, et les travées se
tournèrent enfin vers le match. Le chef-entraîneur
Sgabardane sentit refluer tout son orgueil blessé. Et
il hurla dans son casque : « Allez, celui-là, on n'a pas
le droit de le perdre ! »

LILLEBORD – VOLMENEUR
25   18
VOLMENEUR EST SIXIÈME DU CHAMPIONNAT

Troisième journée :
Volmeneur – Pitiébourg

M
Ê
L
É
E

1
pilier
gauche
Vaast
DRAGOULÉMANE

2
talonneur
Macaire
DAQUIN

3
pilier
droit
Gabar de
GALFATASSE

4
deuxième
ligne
Jacob
THÉOVITTE

5
deuxième
ligne
Désiré
CALFIN

6
troisième
ligne aile
Sixte
DARSSIN

8
troisième
ligne centre
Myrtil
PAHONTAS

7
troisième
ligne aile
Yann
HURLAR

CHARNIÈRE

9
demi
de mêlée
Félix
VALDAFIN

10
demi
d'ouverture
Abderrahmane
TRINQUETAILLE

TROIS-QUARTS

11
ailier
gauche
Nazaire
MARLIN

12
centre
Judicaël
GALBOND

13
centre
Malloy
GRUVALD

14
ailier droit
**Constant-
Baptiste**
FAURE

15
arrière;
capitaine
Athanase
CRAMARIN

REMPLAÇANTS

16. Kétil LAMARSINEINBA
17. Baruch KLÉDINSTEIN
18. Sébald LESCARBORDE

19. Iker DELAVENTIN
20. Corentin DIMBIEL
21. Pépin PÉRÉGRIN

22. Zacharie HAOUSSELINE

IDENTIFIER LES VICTIMES

Dimanche 15 octobre

Un corps, façon de parler. Plutôt « le vomi d'un dieu qui ne digère plus sa créature », comme avait dit Fénimore. Une tête tranchée net. La bouche en forme d'effroi, les yeux pressés d'horreur ; au-dessus, la coupe de cheveux de Méduse ; au-dessus encore, un trou dans la boîte crânienne.

Grâce aux grains de la barbe, on avait compris dès la découverte de la tête hier qu'on n'était pas devant la suite d'un puzzle dont le buste brûlé eût été la première pièce. Il y avait bel et bien deux morts, un homme et une femme, très probablement victimes d'un même tueur.

Sur le dernier, le rapport envoyé ce soir par la Scientifique précisait : « Individu masculin de race blanche, entre vingt-cinq et quarante ans, mort par décapitation à une date située entre quarante-huit heures et cinq jours ». Mais l'essentiel n'était pas là. Les experts avaient trouvé quelque chose. Le clou du spectacle ourdi par l'assassin. Il s'agissait d'une fiche plastifiée, grande comme quatre timbres réunis en rectangle, et qui avait été enfoncée dans la bouche de la victime. En caractères d'imprimerie, deux phrases écrites en alphabet grec. Sous la première était noté : CN1, 23 février, 23 h 08 ; et CN4, 29 août, 20 h 18 sous la seconde. On avait demandé aux chaînes de télévision d'exhumer de leurs archives le plus vite possible ce qu'elles avaient diffusé sur leurs antennes aux dates et aux heures en question ; en croisant les doigts pour que les extraits apportent des informations intéressantes.

Casilde avait supposé que le tueur leur livrait l'identité des tués, et Fénimore avait lâché un rot d'approbation modérée. Il était absorbé. Les phrases en grec l'avaient tout à fait impressionné. Il était allé vérifier hier soir leur provenance sur Internet, et, depuis, il murmurait en boucle : « Héraclite d'Éphèse » ou « Héraclite l'Obscur », après avoir appris à sa collègue avec un petit ton docte très agaçant que c'était un « penseur présocratique ». Il lui avait aussi dit qu'il allait réfléchir à ces citations et à leur signification dans ce contexte, et qu'il la tiendrait au courant. Casilde n'avait pas aimé l'impression que ça lui avait donnée d'être l'assistante ébahie du professor. Elle savait que l'Enquêteur Garamande avait longtemps dirigé des équipes à Capitale, et qu'il en avait gardé un rapport par défaut aux collègues nettement tutélaire. Elle se promit pour la dixième fois depuis deux mois de le lui faire remarquer, sans savoir comment elle aurait le culot d'inviter une conversation aussi gênante à un moment quelconque de leurs journées.

Et puis Casilde sentait que ses griefs professionnels à l'égard de Fénimore puaient la mauvaise foi. Car ce n'avait pas été quand il avait pris ses grands airs de manitou sur le sentier de l'énigme qu'il l'avait agacée, mais un peu plus tard, quand, complètement fasciné par on ne savait quel film intérieur, il avait refusé de boire un pot à la sortie du bureau. Pour la première fois.

La vieille copine en pyjama-chaussons et en maximes effarouchées se réveilla dans Casilde. Celle qui disait que les sentiments, ça fait souffrir, et que, pour vivre heureux, vivons sous-vide. Celle dont la victoire ultime était de se faire chier. Parce que, soyons sérieux, on était dimanche soir et on se faisait chier. Casilde aurait volontiers défini le dimanche comme le jour qui permet de se faire une idée nulle de sa vie. L'échec, c'était de vivre des dimanches soirs plutôt que d'être en train de préparer gentiment la semaine des petites têtes blondes, avant de détrousser le cafard du temps qui passe en invitant monsieur à mettre les jambes en l'air. À trente ans, elle se retrouvait encore en pleine purée de pois mélancolique chaque fois qu'elle avait à passer une soirée seule chez elle. Seule. C'était bien le mot que ses amies avaient désorcelé, et ça devait être ça qui leur donnait des airs de boulangère la plus riche du pays.

Dans son canapé, sa pensée en saute-mouton bien indemne des images qu'elle faisait défiler devant elle par réflexe de télécommande, l'Enquêtrice Binasse s'avoua que ses amies devenaient franchement moins marrantes. Fallait voir la morale de cheftaine de Béatrice, et la façon qu'elle avait de demander à un inconnu ce qu'il faisait, en filigranant sa question de la pitié sincère que lui inspirait l'infortuné de n'être pas elle ou son mari. Pour ne rien dire des yeux consternés qu'elle faisait à tous ceux qui touchaient à ne serait-ce qu'une cigarette ou un verre d'alcool. Hum, cette histoire avec l'hygiène de vie. Une facile raison d'attraper des mépris quand ses étincelles intellectuelles n'aveuglent personne. Tout ça pour être nickel sous la tutelle d'une vague propagande assénée de journaux en campagnes d'affichage. Vie à chaque jour gagnée en récompense des précautions, vie qui sera bien obligée d'admettre que la mort, finalement, ne nous obéit pas. Et puis maintenant que Béatrice était enceinte, il fallait sans cesse la questionner sur son état. L'idée ne semblait pas l'effleurer que l'aventure était advenue à d'autres, voire qu'elle avait constitué en des temps très anciens une condition commune plutôt qu'une médaille biologique couronnant des années au service des convenances.

Casilde admit sa mauvaise humeur, et tâcha de se persuader qu'il fallait lire dans ces comportements agaçants la grâce qui touchait sa meilleure amie. Qu'il fallait être heureuse pour elle. Tout de même, il y a des gens qui distribuent leur bonheur comme un coup de pied au cul.

Casilde se sentait piégée dans un monde où le gendre idéal était devenu un super-héros. Elle y renâclait d'instinct, et reconnaissait dans cette résistance une part majeure de son identité. Et s'il y avait un homme à qui on n'eût pour rien au monde donné l'emploi de gendre, c'était bien l'Enquêteur Provincial Fénimore Garamande.

Yeux noirs perdus, qui se trouvaient parfois dans une plaisanterie, mèches marron capricieuses, lunettes à la traviole, visage au ciseau où tremblait toujours un sourire de compassion ou dérision, Fénimore semblait tourner autour de la place qu'il cherchait dans ses fringues, sans jamais mettre le doigt dessus. Pas bien grand mais à hauteur d'homme, les gestes dans le brouillard de ses pensées ou jaillis tout à coup précis du tranchant de l'enthousiasme, surtout quand il pérorait sur un livre ou un film, en lesquels il avait le don rafraîchissant de croire plus qu'en la vie, il jetait à tout visage un caractère sautillant, mais sur corde profonde, l'envie évidente et invaincue de goûter les gens, quitte à des pouah tonitruants et drôles, dont il semblait aussitôt se repentir. Un élan, personnage sur la planche, qui annonce que les choses peuvent être jeunes encore, mais qui prouve à lui seul que vivre est épuisant. D'un coup frappé d'ombre, notamment juste après qu'a sonné son portable et qu'il a décliné après un coup d'œil triste sur l'écran. Pour elle, un homme beau et plein, comme relevé d'une épice, mais qui exigeait qu'on aimât qu'un baiser sente la nicotine et, très souvent, la bière. Et puis ce holster en cuir rouge où il aimait tant mettre son « revolver », et qu'elle trouvait d'un ringard impossible. Mais c'était aussi cela qui lui donnait l'air d'un type qui avance, avec soudée au dos la panoplie de chevalier qu'il ne se remet pas d'avoir reçue il y a trente Noël.

Casilde se dit qu'il était temps d'enfouir son spleen sous une rasade de calories. En fouinant dans le réfrigérateur, elle sentit refluer la tonalité prudente à laquelle le jour-le-jour accorde ses silences. Fénimore était son collègue. Ses proches ne lui parleraient plus d'arborer un pareil animal, il traiterait Béatrice de conne à la troisième minute, il ne lui plaisait que parce qu'elle n'avait pas mieux, parce que, malgré les grands chevaux sur lesquels elle s'échappait vers un pays magique où elle eût pu s'admettre en n'étant qu'elle-même, il y avait bien ce poignard dans le cœur, quand on ne caresse pas à même la peau voisine la chance d'être en vie.

Un éclair d'autoanalyse lui suggéra que, de toute façon, dès que se profilait quelque chose d'un peu fort, elle reculait. Qu'une peur au creux d'elle lui interdisait de limiter son monde aux contours de deux bras acceptés.

Mais Casilde, tu fumes, tu bois et tu t'esquintes.

Parce que, Casilde, tu fuis.

Tu supplies la réalité de venir, et tu ne lui ouvres jamais la porte.

Casilde, tu ne respires que dans le rêve et tu es soulagée par le mot « impossible ».

Comme Fénimore.

Ce serait une catastrophe.

Se changer les idées.

Regarde *Laure le trouvera*.

*
* *

L'Enquêteur Provincial Fénimore Garamande se souvint de la vision née de l'alcool qui l'avait saisi le premier soir. La vue de ce buste calciné jeté dans un sac lui avait crié quelque chose. Il lui avait semblé que le tueur voulait ranimer par un sacré d'effroi on ne savait quelle religion morte. Depuis deux semaines, il avait remisé son intuition. Chaque fois qu'il y avait repensé, il avait accusé ses idées fixes d'érudit amateur. Mais il lui semblait bien à présent que les faits lui donnaient raison. Avec ce crissement de reproche qui accompagne toujours les vérités de Cassandre. Il relut la première citation d'Héraclite d'Éphèse que l'assassin avait cru bon de recopier sur une fiche, avant de l'enfoncer dans la bouche de sa deuxième victime.

πυρός τε ἀνταμείβεσθαι πάντα καὶ πῦρ ἁπάντων, ὅκωσπερ χρυσοῦ χρήματα καὶ χρημάτων χρυσός

Sur la page Internet où l'Enquêteur avait retrouvé le fragment, la traduction disait :

CONTRE LE FEU SE CHANGENT TOUTES CHOSES ET CONTRE TOUTES CHOSES LE FEU, COMME LES BIENS CONTRE L'OR ET L'OR CONTRE LES BIENS.

Tout avait disparu pour Fénimore de la macabre mise en scène de la tête tranchée, tout, sinon ces mots hostiles et péremptoires, qui dansaient devant lui en provoquant ce haut-le-cœur des cauchemars qui s'habillent en réalité.

Le recours au grec ancien confirmait le ton des meurtres.

On voulait ressusciter ces vieux démons, ô, ces vieilles figures de l'infatigable insurrection du monde contre les hommes.

Il n'y avait pas trente-six histoires de femmes calcinées dans la mythologie.

Le regard de Fénimore se perdit dans cet abîme antique d'inquiétude, cet effort presque éteint aujourd'hui à faire sourire les terreurs par masques et par histoires.

Sémélé, maîtresse de Zeus, qui veut se persuader que c'est bien le dieu des dieux qu'elle aime, et qui lui demande de paraître dans sa gloire.

Sémélé qui n'aperçoit à quoi un dieu ressemble que pour être réduite en cendres, incendiée d'infini.

Et cela se passait dedans Thèbes-la-noire. Thèbes fondée par ton père Cadmos.

Il cherchait une place où habiter parmi les traces confuses des puissances sans face. Pour remercier Apollon du don de son refuge, Cadmos dit à ses frères d'aller chercher de l'eau pour faire un sacrifice. Mais rien de pris qui ne fut arraché, et un dragon tua les hommes devant la source. Le roi revint seul, terrassa le dragon. Athéna-la-Sagesse dit à Cadmos de planter dans le sol les dents de la créature.

Alors jaillit de l'obscurité où le monde roule ses pensées mauvaises une foule de Semés, de Spartoi, les Spartes.

À peine nés, ils se massacrèrent.

N'en demeurèrent que cinq qui avaient nom Horreur, Obscurité, Carnage, Fils-de-la-Nuit, Terrestre.

Et ce fut avec eux que ton père peupla la cité. On appelait ses habitants issus-de-la-terre-noire, dans leurs veines, par les Spartes, coulait le sang d'un monstre.

Un jour tu fus la fille de la belle Harmonie, la déesse que formèrent la Beauté et la Guerre.

Ton être était hanté du combat que les choses mènent pour devenir tout.

Au creux de toi, la soif.

Tu devais questionner les collines et les bois.

Qu'Écho prononce enfin la déesse dans ton corps.

Tu as deviné les violents décrets enroulés dans les forces qui se cachent et se montrent, murmurant que la langue du monde ne se traduira pas dans les mots qui ici ne recueillent que désir.

À Thèbes tu es née, à Thèbes tu vécus, mais le vent transportait un sanglot inquiétant, ce cri de victoire

112

qui vient du tréfonds même et que poussent les dieux sur ce qui vit et meurt.

Qu'on y fixe une tente ou qu'on y dresse un mur, toute terre est volée ; aux dieux ombrageux qui réclament leurs droits par la foudre et la mort, la nuit et la tempête.

Et Sémélé, un jour, tu croisas cet homme.

Sa vue te traversa comme le glaive d'un prêtre.

Il te dit son nom : « Zeus », et alors tu l'aimas.

Comme une toute jeune fille qui découvre dans l'étreinte la taille de son âme, tu as senti que résistait encore ce tout qui t'affamait.

Tu savais qu'il se pliait pour toi.

Et tu lui demandas de paraître dans sa beauté.

Celle qui ricoche dans chaque étoile et grain.

Tu n'avais plus de vie sinon voir le caché.

Et tu en retournas poussières.

Tu portais un enfant.

Zeus l'extirpa de tes entrailles fumantes et le nourrit dans sa cuisse jusqu'à sa naissance.

Il s'appellerait Dionysos.

Et ce serait le dieu offert à l'humanité calcinée par l'incompréhensible liberté de voir plus qu'elle ne peut et dure.

Sémélé, tu as cru qu'on pouvait joindre.

Tu as cru possible d'habiter sans blasphème.

Fénimore Garamande s'extirpa des images qui roulaient en lui une haleine de cosmos. Il en était certain. Héraclite confirmait la prétention théologique des meurtres, et la symbolique du feu disait que c'était Zeus qu'on avait fait redescendre dans le corps de la victime du sac.

Comme l'Enquêteur avait vu dans Homère les dieux se métamorphoser en hommes pour aider leurs affaires, il était certain que Sémélé était venu habiter la peau de cette fille. Tranchée comme une branche frappée par la foudre.

Deuxième ligne vicieux dans ses jeunes ans, au service exclusif des Mazouteurs de Volmeneur – une équipe de division amateur qui avait défini le mot terreur aux autres formations du Marchaunoir –, jamais flemmard d'une paluche envoyée à l'ennemi ou d'un pied malencontreusement placé sur la couille, Coco Gardel descendait les godets comme un skieur et gueulait toute la journée comme un prince trahi.

Distribuant les claques verbales et les sentences gestuelles sans peur du lendemain, il ne s'en levait pas moins au milieu de la nuit ses six jours sur sept afin d'arracher aux grands fonds des armées de poiscailles. Copain-clopant, badin-buvant, il avait avec cela dans le regard quelque chose qui ne donnait pas envie de le confondre avec un con. On lui prêtait après plus mûr examen du sérieux dans son travail et de la gravité dans son jugement. Collaborateur du site Internet du Baquet, figure tutélaire de ce club de supporters intransigeant du XV de Volmeneur, Coco présidait ce dimanche soir les débats d'après-match, à peine remis de la rouste qu'on avait prise la veille par ces nullos de Cavaliers de Lillebord.

Bon, on avait marqué deux essais et on en avait encaissé un seul. Pourtant, on avait été battu par le ballet de moissonneuses batteuses. Pourquoi ? La table avait un temps agité la théorie de l'indiscipline, mais les fanatiques du Baquet n'avaient à l'endroit d'icelle aucune opposition de principe, et il leur répugnait d'imputer à une valeur affectionnée ce raté de début de saison. Alors quoi ?

— Alors les gros, ils étaient tétanisés, nuls à chier, dépassés, et si Sgabardane leur a dit de disputer les ballons à l'adversaire comme le prétendent les journalistes, il a dû le formuler en morse et sans traducteur. Les arrières ont pas été mal, c'est d'ailleurs pour ça qu'on a mis des essais. Mais valdingués à l'impact et chahutés en mêlée, ça veut dire pénalités. On en a pris cinq, et un drop en prime. C'est ça, l'explication.

L'analyse était signée Coco. Après avoir fait le tour de cette question, on s'était mis d'accord que c'était que le deuxième match de la saison, qu'ils avaient le droit à l'erreur, surtout après l'histoire du cadavre dans le sac, d'autant que, côté macchabées, ça s'annonçait meurtre en série, parce qu'on avait débusqué un autre cané à l'Académie et que, merde, c'était normal que ça refroidisse, qu'il fallait que le seizième homme se réveille pour les soutenir, qu'on allait pas s'en priver, qu'au revoir l'esprit critique et la mauvaise humeur, que bonjour la bannière et l'hymne déployés.

Parce que ce samedi, on recevait Pitiébourg. Pour ceusses qui verraient pas le problème, Pitiébourg, c'était l'ennemi intime, les enfoirés majuscules, ceux dont on ne prononçait jamais le nom sans le faire passer ensuite par une rasade d'injures. Situé au nord de la Province du Marchaunoir, côté montagnes, Pitiébourg était le frère contraire, l'antithèse, avec cette très mauvaise idée fixe de se croire apte à contester la suprématie.

Y avait les conflits sympathiques, comme la question sportive, et puis leur proposition annuelle de déménager la capitale administrative de Province. Y avait aussi les trucs plus sales, toutes ces histoires de guerres civiles, où on s'était battu côte à côte pour les nationalistes, et où les deux villes avaient partagé le sentiment difficilement contestable de s'être fait entuber par le sens de l'Histoire, mais où on avait certes pas reçu la même addition pour la méprise.

Les nationalistes avaient pas été les gentils de la pensée unique. Ils avaient cru que vivre dans son pays, pour son pays, avec l'idée qu'on servait comme ça quelque chose qui dépassait les tracas de son slip, ça pouvait éventuellement être une voie de paix et de grandeur pour les hommes. En face, bien sûr, c'était grand marché libre, bons sentiments et tout le monde est pareil. Coco admettait que les nationalistes avaient été cons, notamment avec les Noirs et les Arabes. Entendu aussi, tout ça avait dégénéré en une lutte de pouvoir bien crade, pas exactement menée dans les règles, avec même des inspirations de coups d'État et de carnages qu'on avait fait payer assez justement aux combattants d'ici.

Le père de Coco avait été repassé par la Ligue des VII-Épées, sa famille avait été ruinée comme tant d'autres par l'Écran-Noir, qui avait mis à terre le pays et assuré la victoire des VII-Épées, il était donc au courant de cette réalité que les gentils et les méchants gagnent plutôt leur label après l'armistice. Il avait huit ans quand la Guerre des Libérations avait pris fin, et, à l'école, on lui avait appris à reconnaître les erreurs de ses aïeux. Mais, quand même, on avait gardé bien chaude l'humiliation d'avoir été désignés comme les seuls salopards d'une période bien atroce.

On avait perdu. On avait vu ses idéaux traités en diaboliques dégueulasseries. Mais on n'avait pas oublié qu'on avait lutté contre des tarés mafieux qui avaient fini par choisir le camp des sympas pour se refaire une image de marque, et surtout pour obtenir le droit de magouiller. Le Marchaunoir avait vu la victoire d'idéaux que les nationalistes avaient arborés à l'envers. Il avait aussi vu grimper sur le piédestal des pourris qui avaient terrorisé les quartiers et volé les honnêtes gens.

Après toute cette histoire de frères d'armes baisés ensemble, Pitiébourg et Volmeneur avaient deux bonnes raisons de se haïr. Eudoxe Guillebon, le chef des nationalistes, le héros de Volmeneur, malgré sa popularité ailleurs de cancer généralisé, avait été buté à Pitiébourg. Et ces enfoirés avaient dépecé son corps pour bien qu'on dise qu'ils étaient d'accord avec les gagnants. Primo. Secundo, on savait que les richards là-bas arrosaient les gangs issus de la guerre pour qu'ils fassent plutôt leurs affaires du côté des docks volméens, il est vrai parfaitement adaptés à l'exercice. Les autres disaient : pas de preuves, légende urbaine, etc. Mais ici, on savait et on ne pardonnait pas.

Comme le XV de ces bandits était spectaculairement nul, la rencontre entre les deux équipes était à Volmeneur un rendez-vous prisé. Et c'était aussi pour dresser des plans contre l'ennemi juré qu'on s'était réuni ce soir en conclave. Coco Gardel se frottait déjà les mains des deux ou trois cris de guerre qu'il avait réussi à faire ajouter à l'habituel rituel de bienvenue.

*

* *

Fénimore réfléchissait au second corps. Une tête. Il n'avait pas tout de suite compris la référence. Il était allé sur un moteur de recherche enfiler des mots-clefs pour voir ce qui mordait. « Tête » et « mythologie » lui avaient parlé de Méduse et de Persée, mais il ne fut pas convaincu par le rapport avec la citation d'Héraclite attribuée au meurtre :

ἀνὴρ νήπιος ἤκουσε πρὸς δαίμονος ὅκωσπερ παῖς πρὸς ἀνδρός.

BENÊT ! L'HOMME S'ENTEND APPELER AINSI PAR LE DÉMON, COMME L'ENFANT PAR L'HOMME.

Il fit plusieurs essais, avec Thèbes, avec Sparte, rien ne vint de probant. Il revint à Sémélé et reparcourut les récits qu'on trouvait à son propos sur la Toile. Il se souvint qu'elle était la mère de Dionysos et ajouta ce critère à sa recherche. Et ce fut là qu'il comprit.

Les dieux n'étaient pas ressuscités par les tueurs. C'étaient eux qui tuaient. Sémélé avait été la victime, certes involontaire, de Zeus, mais la victime tout de même. Et il y avait un mythe où un homme avait été décapité par Dionysos ; enfin, par ses prêtresses, les Ménades. Et cet homme était le plus grand poète de tous les temps, sa majesté Orphée.

Il avait le pouvoir de donner vie aux formes qui attendent qu'un regard les libère du silence.

On disait que sa lyre faisait danser les arbres, que les pierres le suivaient, secouées d'existence, on dit qu'on peut parfois apercevoir au loin un paysage encore fixé dans sa joie.

Orphée a saisi le mystère.

Il est allé chercher avec sa force d'homme ce que les dieux se gardent pour régner.

Orphée a suscité la colère du dieu qui seul peut faire danser les corps au rythme auquel chaque chose à l'univers répond, dieu qui donne dans l'ivresse, l'orgie et ce qui chante la fureur d'être.

Les Ménades sont entrées dans le temple où il chantait.

Puisqu'il avait lié le monde par sa voix, elles le démembrèrent, le réduisirent en morceaux. Pour que leur maître soit le seul à unir.

On dit qu'après encore sa tête a parlé.

Les dieux pour régner ont besoin d'ignorance.

Il faut la frontière, que l'entrée des enfers soit bouchée.

Apollon en pitié vint éteindre la voix. D'un pied, il écrasa la tête du voyant.

Et l'avenir se tut.

La boîte crânienne trouvée à l'Académie avait été, selon la Scientifique, piétinée d'un coup net de talon.

Fénimore essaya de tirer de la contemplation du plafond de sa chambre un peu de calme déductif.

Il en était persuadé, l'assassin avait en ligne de mire ce droit que se donnent les hommes d'exister sous et malgré les dieux. L'assassin entendait servir les vieilles forces de l'Olympe en reproduisant ici et maintenant les meurtres qu'ils avaient commis selon la légende. L'assassin était le serviteur d'un rituel, le prêtre de sacrifices humains trop longtemps attendus là-haut par des divinités mortes.

Avec un tel programme, le malade se fixait une clientèle de jugement dernier. Le seul élément rassurant est qu'il n'avait pas l'éternité pour ça. Le genre de réconfort qui fait froid dans le dos.

Lundi 16 octobre

Par son nom, *Le Privilégié* voulait annoncer nettement la couleur. Il n'y avait pas que le prix délirant
des consommations qui visaient le haut de gamme,
la marchandise non plus ne ciblait pas le camion-
neur. Les filles qui s'enlianaient sur des tubes en fer
au son d'une musique qui ne se cachait pas d'être un
prétexte, sans pour autant se priver d'être à un
volume prohibitif, jouaient la bourgeoise comme
elles pouvaient. Sur le comptoir, sur la piste à
miroirs, sur les tables, des blondes, des rousses, des
brunes se déhanchaient en assumant d'être de vagues
métaphores des bouteilles que chacun de leurs coups
de rein avait mission de vider d'une gorgée. Fénimore
n'aurait pas voulu trop en faire dans la pruderie, et
il avait ses moments dégueus sur Internet à goûter
des spectacles maigrement compatibles avec la
dignité de la femme. Mais, de là, il y avait un monde
à s'interdire un haut-le-cœur devant les trois ou
quatre costards qui baignaient déjà à onze heures du
matin dans l'odeur de vodka-glace et de cosmétiques
qui nimbait les dénudages, sans oublier la sympathique mixture de jus d'aisselle, de précipité de
migraine et de cul de poney qui fait dire aux connaisseurs : « Tiens, ça sent le cigare. » Des hommes qui
prennent un réel plaisir à distribuer les biftons à
l'endroit précis qui s'en était attiré le mérite. Des
hommes en cravates, bien décidés à ressembler à ce

qu'ils comprenaient de l'âge adulte quand ils étaient adolescents, grosse voiture, poitrines idoines, vêtements de prix et totem à la bouche.

En tout cas, sur CN1 le 23 février à 23 h 08 était diffusé un sujet dit de société dans un magazine qui prétendait au même titre à propos de la vogue des boîtes de strip-tease et prenant pour exemple ledit *Privilégié*. Les Enquêteurs avaient échoué ici pour comprendre ce que le tueur sous-entendait par cette référence.

Le bureau où le gérant les avait accompagnés était situé, comme il disait, « *back stage* ». La peau soudée au beau temps perpétuel, le visage à peine fatigué d'un noceur à ses débuts, tout disait chez ce Vasquo Ranarez – nom d'emprunt souhaitable – l'homme que ne tourmentait pas sa dimension éthique. La carte de visite qu'il leur avait tendue indiquait :

Manager du *Privilégié*
— spectacle pour gentlemen et détente.

— Alors, en quoi puis-je vous aider ?
Casilde se dévoua :
— Dans le cadre d'une enquête de première importance, nous sommes tombés sur le nom de votre établissement.
— Ah bon. Qui vous a parlé de nous ?
Le sourire satisfait puait l'envie de payer un verre à qui avait rendu ce service à son club. Fénimore se dit qu'il était temps de ramener ce con sur la planète terre.
— En fait…
Casilde avait senti l'humeur de son collègue, et coupa :
— En fait, il nous est strictement impossible de vous en dire plus. Mais nous voudrions savoir si vous avez remarqué ces derniers temps quelque chose, disons, d'inhabituel.
— L'inhabituel, c'est notre métier.

Il fallait d'urgence amener ce bellâtre à faire la distinction entre deux Enquêteurs Provinciaux en mission et un journaliste adorateur de formules nases.

— L'inhabituel dont nous parlons n'a pas grand-chose à voir avec la vie mouvementée de votre établissement.

— Disons qu'on l'espère pour vous.

Casilde faisait de son mieux pour maintenir le climat dans la zone tempérée, Fénimore s'escrimait de son côté à saboter le thermostat.

— Je ne vois pas de quoi vous parlez.

— Auriez-vous par hasard égaré une serveuse, ou une danseuse dans la nature ?

— Ah. Je vois. Il y a deux semaines, on a en effet perdu la trace d'une de nos artistes.

— Vous pouvez nous expliquer ?

— Ella a arrêté de venir travailler du jour au lendemain, mais je n'en sais pas plus.

— Et vous n'avez prévenu personne ?

— Non. Vous savez, ça arrive et en général, c'est une histoire de copain jaloux qui choisit de mettre sa chérie sous clef. Dans ces cas-là, on est philosophe.

Fénimore n'aima pas qu'une telle bouche roulât une pelle à un tel mot.

— Le nom de la danseuse disparue ?

— Je n'irai pas jusqu'à dire « disparue », mais bon. Elle s'appelle Majda.

— Majda comment ?

— Ça, monsieur l'Inspecteur…

— Enquêteur Provincial Garamande. Laissez-moi deviner : votre gestion du personnel trahit un goût pour les états civils impressionnistes ?

— Mais pas du tout. Je vais vous donner son nom immédiatement.

Le tenancier blond à coupe mousquetaire se leva et dit à la cantonade :

— Tu peux demander à Jenny de descendre la fiche de paye de Majda ?

Et le bougre s'assit, très satisfait de lui-même, sous un bel halogène qui tentait sans succès de faire oublier la lumière du jour dans ce lupanar sans fenêtre. Une ou deux minutes plus tard, une fille au sourire habitué à accompagner un : « À bientôt, j'espère » fit une apparition. Et, sur confirmation que les documents apportés étaient des photocopies, elle s'éclipsa, laissant son patron les tendre à Casilde.

— Voilà. Comme ça, vous avez tous les renseignements que vous cherchez.

— Une question : auriez-vous parmi vos clients des joueurs du XV de Volmeneur ?

— Vous savez... Si je suis pas discret, avec mes V.I.P....

— Ça reste entre nous...

— Puis vous ne voudriez pas qu'on vous repose cette question dans nos locaux...

C'était Casilde qui avait eu l'idée de parler des rugbymen, et Fénimore qui en faisait une excuse pour faire le matamore.

— Oui. On en a.

— Qui ?

— Franchement, je ne les connais pas tous. Mais, vu le nombre certains soirs dans notre salon privé, je dirais que nous avons dû accueillir la quasi-totalité de leur effectif.

— Encore une question, l'encadrement aussi ?

— Je ne crois pas, non.

— Jérémie Chassesplain ?

— Il ne fait malheureusement pas partie de nos clients.

— Bien. On vous recontactera sûrement.

— Avec plaisir.

Et le « manager » escorta les deux Policiers jusqu'à la lumière du jour, et jusqu'à l'impasse chic de la Zone du Commerce qui abritait la boîte, ainsi que deux restaurants, un chausseur et la franchise d'un couturier qui avait réussi à faire croire que l'« effet inabouti » de ses vêtements méritait qu'on y dépense trois semaines de salaire.

— Qu'est-ce qu'on fait, on va jeter un coup d'œil à l'adresse marquée sur la fiche de paye ?

— On fera ça. Et il faudra aussi rechercher sa famille. Mais tu veux pas qu'on aille d'abord voir ce qui se passe dans le rade du Faubourg-de-la-Criée que montre le deuxième extrait ?

D'un hochement de tête, Fénimore se rangea à l'avis de sa collègue.

*

* *

Pour Casilde, être une femme selon son cœur signifiait ne pas avoir peur dans le Faubourg-de-la-Criée. Mais il est entendu que vouloir et pouvoir ne sont pas même affaire et Casilde sentit cruellement la plaie ouverte entre les deux verbes, tandis qu'elle se rapprochait de Fénimore, comme une amourachée qui arrive au bas de l'immeuble où on risque de se dire au revoir.

De dehors, le bar sentait le parloir pour futurs taulards, et personne n'eût pu croire qu'on pouvait aller dans cet endroit pour profiter d'une compagnie, ou même pour boire un café. Il s'agissait, à n'en pas douter, d'une tanière où on venait parler deal et trucide, protégé par le chien méchant et la crasse épaisse. La porte découvrit l'intérieur du débit. Casilde distingua deux ou trois tables occupées.

— On va montrer la photo au patron. Pas besoin de lui dire qu'on a repéré son rade grâce à un sujet télévisé sur les rendez-vous de la drogue à Volmeneur.

Ils entrèrent. Casilde reconnut immédiatement l'odeur. Celle de la bière et de la pauvreté. Celle de ses séjours chez ses grands-parents. Fénimore marcha calmement vers le comptoir. Un gros noir à pull

124

gris rapprocha son visage d'un air mauvais. Casilde se dit qu'un jour elle essaierait de comprendre ce qui rendait les flics si facilement reconnaissables.

— Bonjour, monsieur. Vous connaissez cet homme ?

— Jamais vu.

— Pardonnez-moi, mais pour savoir si vous l'avez vu, ça pourrait être utile de regarder ce que je vous montre.

L'homme dirigea des yeux paresseux sur la photographie.

— Non, désolé.

— Et... Est-ce qu'il y aurait des habitués pour nous renseigner ?

Il fit semblant d'examiner la salle.

— Non. Pas d'habitués.

— Pourtant...

— Pas d'habitués.

Un silence où les Policiers eurent le temps de décréter l'inutilité d'insister, puis :

— Bien. Merci.

Et ils ressortirent dans la rue où la pluie collait comme de la gerbe, la rue cintrée de tours, la rue laide comme du neuf et fatiguée comme du vieux. Elle allait entrer dans la voiture, quand une voix s'érailla derrière eux :

— Si je peux vous aider, vous me filez trente RECS ?

La dentelle des bras et les veines en serpents répondaient à la question de savoir ce qu'il en ferait. Il avait une dégaine de Christ en croix.

— On peut toujours te montrer la photo.

— Et si je sais qui c'est, vous me filez trente RECS ?

Un bref regard les mit d'accord sur ce gaspillage.

— Tiens.

Presque immédiatement :

— Ça, c'est l'Ouvert. Ils lui ont coupé la tête ?

— L'Ouvert ?

— L'Ouvert, Léo Ranin, son surnom, quoi.

— Tu peux nous en dire plus ?

— C'est un pédé qui se fait des ronds avec sa rondelle.

Casilde s'en voulut d'exister pour entendre pareille phrase.

— Pas mal de succès, il paraît. Et prêt à tout faire. C'est pour ça qu'on l'appelle comme ça. Dites, ils lui ont coupé la tête ?

— Rien d'autre ?

— Si. C'est le rejeté de la famille, de la grande famille, si vous voyez ce que je veux dire.

Casilde, qui voyait ce qu'il voulait dire, dissuada Fénimore d'un geste de demander des précisions.

— Je sais pas qui c'est qui lui a coupé la tête, mais vu d'où il venait, le mec va s'en repentir.

— Et tu l'as pas vu depuis quand ?

Casilde avait enchaîné sur cette question pour calmer une fois de plus Fénimore dans ses velléités de comprendre.

— Je dirai – oui –, quatre jours.

— Tu en es sûr ?

— La dernière fois, il était au rade. C'était là qu'il levait. C'était quoi, il y a quatre jours ?

— Jeudi.

— Oui, là, j'en suis sûr, parce que le jeudi c'est quand je dois passer au Centre, et je me souviens bien que la dernière fois que je l'ai croisé, c'était avant d'y aller.

— Et il vivait où ?

— Ça, j'en sais rien. Mais je serais vous, j'irais voir Balloz. C'était son régulier.

— Et on le trouve où, Balloz ?

— Il deale près de la voie rapide. La plupart du temps, il se met à l'embranchement 24.

— C'est précis.

— C'est mon dealer.

— Tiens.

Il fallait dire que l'indic les avait pas volés.

— Dis donc, on pourrait encore avoir besoin de tes lumières. Où on peut te trouver ?

— Le bar, c'est trop exposé. Disons le soir, sous la bretelle onze.

— T'y es tout le temps ?

— J'y habite.

— Bon, on se reverra. Et tu t'appelles comment ?

— Riks.

*
* *

La voie rapide traversait tout le côté ouest de la ville, et consistait en de grandes rampes de béton en hauteur où passaient les camions et les trains qui revenaient des docks, tout au nord. La Zone de la Pêche et l'immense Faubourg-de-la-Criée commençaient de l'autre côté des bretelles. Ce coin de Volmeneur n'était qu'un tissu de mouise qui s'effilochait à mesure qu'on allait au sud. Quand on savait à quel point la Zone de la Pêche était sordide, le fait que le Faubourg pâtisse de la comparaison avait de quoi miner, et l'endroit indiqué par Riks était exactement le pire.

Casilde et Fénimore descendirent de la voiture à bord de laquelle elle l'avait rencardé sur la famille Ranin, chefs héréditaires des gangs qui tenaient les quais, fratrie qui réglait ses affaires à la sulfateuse et se faisait serrer bon an mal an un ou deux des siens par les spécialistes de la lutte contre le crime organisé. Mais la mafia n'était pas leur problème. Leur problème, c'était d'arrêter un prédicateur qui se servait de cadavres pour communiquer avec les dieux de l'Olympe. Fénimore avait expliqué de long en large à Casilde que ce mobile se tenait, que la façon dont les deux corps avaient été arrangés faisait clairement référence aux mythes d'Orphée et de Sémélé. Casilde ne disait pas non, même si elle n'était pas sûre de tout suivre.

Pour l'heure, on était devant un type qu'il avait fallu courser, plaquer, menotter, pour finalement le voir chialer devant l'image de son amant décapité. Avec des formes, nobles ou pas, des esthétiques avouables ou non, l'amour savait visiblement mettre le grappin sur les malfrats des Faubourgs.

Casilde avait senti qu'il fallait lui parler sentiments et vengeance. Ça avait marché. Balloz leur avait parlé.

Léo, comme il l'appelait, habitait avec lui un deux-pièces dans une tour que des bandes du Faubourg-des-Terres essayaient de contester et qu'ils devaient surveiller moyennant bonus. Ranin-dit-l'ouvert avait disparu du jour au lendemain, sans raison ni annonce. Quand on lui avait demandé pourquoi il ne s'était pas inquiété de ne l'avoir pas vu depuis quatre jours, Balloz avait semblé coincé. Sur l'insistance caressante de Casilde, il avoua enfin qu'il avait cru à une rupture, les prostitués pouvant manquer de manières quand ils attrapaient un béguin différent. Il avait remarqué à ce sujet : « Il était si beau. Il fallait bien que ça finisse. »

C'est Fénimore qui posa la question décisive. Il avait demandé si Balloz connaissait le type qui tournait autour de son amant. L'autre était resté silencieux. Puis il avait dit, bien mariné dans la haine : « Une espèce de rugbyman. Réserve de l'Académie ou je sais pas quoi. Léo était très fier de le baiser. »

Ça avait fait son effet. Notamment sur la Procureure Glazère. La Magistrate avait immédiatement ordonné qu'on arrête le briseur de couples en crampons au milieu de la nuit, avec cris, pétards et commando des Forces de Protection de la République, le corps d'élite, les fameux FEPR.

Glazère avait dit qu'on ne pouvait courir le risque de laisser en liberté un suspect dans une affaire pareille, même si la présomption se fondait pour l'instant sur les fantasmes jaloux d'un camé bouleversé. Casilde avait entendu que la Procureure saisissait la première occasion pour balancer de la viande à la presse. Fénimore, lui, était excité, et à tue-tête sur : « J'ai enfin pu rayer un truc dans mon carnet ! » Les victimes, en effet, étaient identifiées.

L'Enquêtrice Binasse se coucha à 11 heures du soir. Dans l'espoir de trouver le sommeil assez tôt pour être capable d'une pensée cohérente quand ils partiraient du Commissariat demain à 6 heures moins le quart, pour surprendre dans son sommeil à la première minute de l'heure légale la réserve de l'Académie Pamphile Zalin.

Mardi 17 octobre

1 h 49

Giflé par le vent qui hurlait dans le noir, Coco Gardel se sentait épuisé d'une façon qui confinait au bizarre. Peut-être l'alcool, le sommeil symbolique, peut-être le stress qu'il s'infligeait quotidiennement pour se convaincre qu'il irait au bout de la journée, il était en tout cas traversé par des pensées bizarres, qui ressemblaient un peu à la boucle d'une mélodie qui reste dans la tête. Dans ce méli-mélo, il revenait sans cesse à l'énervement qu'il réservait aux journalistes de déjà parler de match de la peur, de Volmeneur jamais aussi prenable, sous prétexte de la défaite à Lillebord, et parce que soi-disant Pitiébourg se transcendait toujours pour le grand derby. Ça faisait des lustres qu'on leur apprenait la vie, aux rigolos de là-haut, ils venaient de se prendre deux danses face à des clubs pas franchement prétendants au titre, donc tout ça, c'était que du bavardage mal foutu pour faire croire au suspense et gaspiller du papier.

Interrompant ces convictions venaient les soucis, sa facture de fioul en souffrance, et puis la météo, pas disposée à première vue. Il avait décidé : « Petite sortie. Cinq heures au plus. Pas tenter le Diable. »

Il retrouva finalement sur le quai 12 ses quatre hommes affairés à triturer les chaluts. On avait préparé *La Combinaison* hier. C'était donc du passe-temps. Coco donna l'ordre de se mettre en route sans tarder.

Ils ne furent pas longtemps à sortir du port. Dans la timonerie, les gars se servaient d'une tasse de café comme chauffe-main, pas un mot plus haut que l'autre. À 2 h du matin, la nuit parlait pas de finir bientôt. DONEC NOX. La devise du Phare de l'Appel qu'ils allaient pas tarder à doubler. Celui de la rive ouest. Celui des pêcheurs. Celui du maillot des petits gars, seule tache blanche sur leur belle tunique noire. Coco fut traversé de frissons. Il chantonna :

> Noire, et noire, ô noire,
> Hurlant de toute part,
> La nuit roule et bagarre
> Ô noire ?
> Ô noire !

Les autres le regardèrent, pas franchement enthousiastes. C'était pas de la meilleure superstition de convoquer la « Chanson des naufragés » pendant que la brise en pétard donnait du bégaiement au canot. On annonçait de la bonne grosse mer ce matin, y avait même des patrons qui avaient laissé leurs pêcheurs au lit. Pas Coco. D'abord, parce qu'en avoir dans le froc, c'était sa marque de fabrique. Puis parce que, si on veut être sûr que le destin réponde toujours comme on aimerait à ses questions, faut pas prétendre vivre de lancer des filets. Octobre, c'était toujours un peu viril. Mais, à sa trentième saison, il avait jamais vu que ce soit vraiment vicieux. Suffisait de bien connaître les zones de baston, et de savoir faire demi-tour quand nécessaire.

Quelque chose l'agaça. Un bruit net sous le vrombissement des moteurs. Un boulon desserré quelque part.

— Dis donc, Bernin, tu me le feras mieux que ça tout à l'heure, le tour du bahut.

C'était vraiment pas le moment d'être dilettante. Ça commençait à gîter sérieux.

Quatre heures plus tard, tandis que le jour était encore caché bien loin derrière la nuit, l'Enquêteur Provincial Fénimore Garamande admirait l'allure que donnait à Casilde son gilet pare-balles, d'où émergeait un fin joli pull prolongé d'une chemise blanche. Au rassemblement tout à l'heure, elle avait eu l'air groggy, mais, maintenant, en tête des quatre types des Forces de Protection harnachés en commando, pendant qu'elle attendait que Fénimore lui donne le signal, elle semblait plus que maîtresse d'elle-même, maîtresse d'eux tous. Bizarre qu'elle ne cache pas ses chocottes pour une simple virée dans les Faubourgs et qu'elle paraisse dans son élément pour une arrestation musclée. La montre de Fénimore se décida à lui donner un chiffre rond et il lâcha :

— C'est bon.

Casilde sonna à l'interphone. Ils étaient du côté professionnel de l'Académie, parce que les réserves, à ce qu'on leur avait expliqué, avaient leur dortoir de ce côté-ci de l'établissement. Tout avait l'air de dormir sans reproche. Casilde ne se laissa pas intimider et sonna une bonne quinzaine de fois, avant d'entendre une voix doublement friturée par la fatigue et l'appareil dire :

— Qu'est-ce que c'est ?

— Au nom du Peuple, Justice de la République, Enquêtrice Provinciale Binasse, je vous ordonne de nous ouvrir.

— C'est quoi, ces conneries ? Et qu'est-ce qui me prouve…

Avec un rude agacement, Casilde colla sa carte devant l'œilleton électronique.

— Bon, je vous rejoins dans deux minutes. Je suis pas habillé.

Puis le portail s'ouvrit et les laissa fouler le prestigieux domaine dans un froissis de graviers désapprobateurs. Une minute après, ils étaient devant la porte du concierge. Sous le vent à décorner les bœufs, et sous la pluie bien froide qui tombait par rasades.

3 h 16

On était arrivé sur la zone de pêche.

— On y va, les gars.

Ils avaient pas l'air convaincus.

— Ben quoi ? Allez, au tas, au tas !

La diatribe qui s'en prit aux équipiers Loustaud, Ferlouz et Durtal quand ils sortirent avait de quoi prendre à la gorge. Coco Gardel, patron du chalutier *La Combinaison*, propriété de l'armement Lonce Fréclin, se dit que, décidément, ce matin, il y avait de la mer. Plus ils avaient fait route vers le secteur qu'ils travaillaient en ce moment, plus le vent avait fraîchi. Pas de creux, ni de déferlantes, mais il y avait de la bonne grosse houle. Le radar indiquait qu'ils étaient les seuls dans les parages. L'occasion de se faire de jolies parts. Qui ne tente rien n'a rien. Boulot du patron : être un patron. Sur cette phrase toute bête, Coco laissa son chef mécanicien Bernin surveiller le rafiot et alla voir comment s'y prenaient les trois autres. Une rafale cloua d'entrée son ciré à son torse. Sur le pont, l'hypothèse de la sortie juteuse était moins facile à manier. Les oreilles, à la badine sur les bords et farcies au milieu du persiflage de la brise qui se cachait de moins en moins d'être une tempête, Coco tâcha de gueuler :

— Poussez pas le treuil, faut pas casser !

Mais ses mots lui étaient revenus dans la trachée comme une bouffée de clope. Le chalutier piqua du nez, et il eut peine à croire qu'on sautait comme ça les étapes du scénario. Il n'y avait eu qu'à sortir pour que ça devienne vraiment vilain. Un réflexe l'agrippa juste à temps à la rambarde. Il sut ce que ça voulait dire et repassa tout de suite la porte de la cabine. Après avoir trouvé ce qu'il cherchait là où c'était censé être, il reprit une large respiration avant de rouvrir la lourde. Un instant plus tard, il avançait comme un poivrot au bout du coma éthylique vers la poupe. Il fut bientôt au niveau des hommes. Parler était inutile. Il se contenta de tendre à chacun son gilet de sauvetage, il les savait assez bravaches pour pas les avoir mis. Ferlouz a réussi à lui gueuler dans le tympan :

— Vaudrait mieux pas rentrer ?

S'il avait pensé être entendu, Coco lui aurait répondu qu'on y était, et que, tant qu'à y être, autant tenter de se faire des ronds, qu'il fallait de toute façon pousser les machines pour résister au merdier et que le faire dans un sens ou dans un autre calmerait pas le grain. À la place, il haussa les épaules et fit signe de plutôt regarder si le filin restait bien sage. Puis il fit demi-tour et alla chercher les mousquetons. Les hommes aimaient pas s'accrocher, ils trouvaient que ça empêchait de faire le taf. Un jour, Bernin avait dit : c'est comme jouer du piano avec des moufles. Ils avaient rigolé. Sur ce coup-là, quand Coco revint, ils obtempérèrent. Et le patron de *La Combinaison* prit enfin le temps de s'arrimer à son tour. Il avait décidé de rester dehors, bien contre la lisse. Boulot du patron : être un patron.

Avec son pare-balles qui la malmenait, elle devait ressembler à un tutu passé sous un camion. Pas le moment de penser à ça, Casilde, Fénimore t'a déjà vue sous un meilleur jour et c'est pas l'heure de se demander si une mauvaise performance peut annuler toutes les autres. L'Enquêtrice Binasse se maudit tout de même de ne pas avoir pris son coupe-vent. Sous la pluie qui grondait sans faiblir, ils suivaient maintenant le concierge vers le petit corps de logis où devaient ronfler et puer fermement des pieds les grands cons de la réserve de l'Académie de Volmeneur. Casilde sentit ses baskets se perler d'une douzaine d'angines. Le bas de son jean allait aussi entendre parler du détachant. Rester concentrée.

On était arrivé sous le pâle néon qui signalait l'entrée du bâtiment. Casilde s'arrêta à un ou deux mètres, et chuchota pour le concierge, qui avait achevé son office et indiqué la turne du suspect :

— Merci.

Elle balança le menton pour faire signe aux FEPR de prendre la première ligne. Dans leur habituel style fin du monde, trois d'entre eux soulevèrent leur bouclier et le couronnèrent d'un flingue, derrière eux, le quatrième présenta son bélier comme un fusil prêt à l'inspection. Casilde répéta :

— Deuxième étage, troisième chambre à gauche.

Et, précédés par un glissement de tissu à peine agrémenté de cliquetis, les deux Enquêteurs Provinciaux s'engouffrèrent à la suite des hommes d'élite.

4 h 07

Ça valsait toujours un peu, mais rien à voir avec tout à l'heure. Coco se félicita de l'étoffe de ses tripes, d'abord parce que la mer avait prouvé une fois de plus que ses crises d'hystérie ne durent pas, et puis parce que le chalut qu'on venait de remonter était garni à péter, et que les poissons qui y faisaient des gros yeux bien déçus par la dernière révélation que la vie leur avait réservée étaient dodus à souhait. Les gars avaient tous un bon sourire. La frousse de tantôt était passée par-dessus bord. Coco décida que ce n'était pas la peine d'envoyer un deuxième racle-fonds. On avait ramassé plus que la plupart des matins. On ne savait jamais, le vilain pouvait revenir ; l'affaire avait quand même été chaude. Coco regagna la timonerie, pour se boire une bonne tasse de café, et dire à Bernin de remettre le cap sur Volmeneur.

6 h 07

On avait pris le temps de monter discrètement, marche après marche, l'escalier assez pentu. Puis, on s'était réparti autour de la chambre désignée. Les regards des FEPR qui ressortaient bien de leur cagoule les interrogeaient sans alarme. Pour eux, c'était de la routine bien épaisse. Casilde affermit la prise de ses mains moites sur la crosse et fit un signe de tête. Alors ce fut la porte qui gicle, un mec qui bondit hors de son lit, immédiatement plaqué au sol, immédiatement écrasé torse nu contre le carrelage. Le flingue tendu et tremblotant, Casilde laissa partir :

— Au nom du Peuple, Justice de la République, Monsieur Pamphile Zalin, vous êtes en état d'arrestation pour suspicion de double meurtre aggravé.

— Ça va bien, dehors ?

— Super. On a chargé une chiée. Demi-tour, main-tenant.

Bernin, qui était de la race des mécaniciens qui ne dédaignent pas à tâter de la barre, fut ravi de se charger de la manœuvre. Il laissa donc Coco boire son jus tranquille, et on était plein sud depuis un bon quart d'heure quand il dit :

— Coco, viens voir.

Sur l'écran, un gros ALERTE faisait du théâtre. Le patron de *La Combinaison* ouvrit le message de l'air goguenard du client qui a flairé le camelot. Air qu'il ne tint guère.

CREUX DE 14 MÈTRES/64 NŒUDS/MER ÉNORME ANNON-CÉE

Et, à en croire les calculs des Garde-Côtes, c'était sur eux que la fête faisait route.

Bon, il ne pouvait rien faire d'autre que présenter un front rassurant à son équipage et prier qu'ils voient la terre avant le début des vraies hostilités. De toute façon, *La Combinaison* était récente et on disait qu'elle pouvait tenir n'importe quel temps, Coco bougonna :

— T'en fais pas. On sera rentrés avant qu'elle arrive.

Seulement, le sifflement du vent se changea d'un coup en hurlements de femmes. Seulement, les vagues autour s'affûtèrent en à-pics. Seulement, le navire fut soudainement et violemment drossé sur bâbord.

On pourrait parler du moment où le bateau se retourna pour de bon, on pourrait parler de l'appel de détresse, des deux igloos de survie qui furent lancés sur l'apocalypse, on pourrait parler de leurs souffles grelottants sous la tente, de leur esprit qui ne cessait de tinter de peur que pour penser à Ferlouz qui manquait. On pourrait dire qu'à la radio de secours on leur gueulait de tenir, que leurs mains n'arrêtaient pas de trembler contre la toile glacée. On pourrait raconter tous ces faits, en ordre ou en désordre comme le firent à l'envi les journaux du lendemain. Mais on ne rendrait pas ce qu'ils vécurent.

Ce jour-là, Coco vit. Que les choses qui se taisent sous le labeur, la main, ne font qu'attendre l'heure de se venger. Qu'un jour les dieux se disent. Que le temple où ils apparaissent, ce sont les yeux qui figent à jamais la larme où le pays en reflet s'évapore ; et les siens, et la peau, ô cette peau où on vécut l'abîme, et le plaisir qui tord, l'amour aux plis de mal.

Coco fit tout pour garder son monde en main, malgré les coups de poignard de sa pensée, qui lui disait que ses doigts n'effleureraient plus ces seules consistances que peut trouver une âme.

Tu n'avais pas compris que c'est ainsi que chante l'immense chœur des cieux ?

Tu n'avais pas compris qu'il retentit dans la chair qui verdit, dans la terre qui enfonce ses cornes dans vos villes.

Tu croyais me trouver dans le babil d'un petit, la soie qui tombe et siffle.

Je te hais !

J'existe contre toi !

Je suis là, qui plante mon nom immense par toutes les catastrophes, qui me rappelle à toi dans l'épidémie. Je suis la famine.

Je suis là.

Et ce que tous ont vu quand ils ont vu s'ouvrir le noir fleuve des enfers, parfois je vous l'annonce.

Regardez !

Je secoue les étoiles d'où votre fin s'abat – et vous pensiez qu'y tintait ma bonté sur vos nuits.

Connais-moi.

Je suis ce qui te sépare de ce que tu vois.

Je suis la grande haine qui soulève autour des massifs de déluge, regarde-moi !

Sens-moi briser ta volonté dans ma paume.

Et je t'ai permis de t'imaginer libre.

Me voici, que tu croyais obéissant au profond de la terre, me voici, puisque tu crois pouvoir me convoquer dans tes prières, puisque tu crois que si je te répondais pleuvrait un autre empire que le déchaînement de ma force.

Tout finira en sable dans le vaste néant que cachent les galaxies.

Je te hais !

Et, sur le toit du canot mâché par une meute de vagues, se tordait affolé un petit pavillon.

Et, dans le canot, Coco ne cessait de murmurer : « J'espère. »

« J'espère. »

5 h 15

À la base des Sauveteurs Militaires de Volmeneur, l'œil sur l'anémomètre, le Capitaine de Frégate Eusèbe de Galfatasse regardait sans broncher les valeurs s'affoler. Parés dans leur hélicoptère, les Enseignes de Vaisseau Lachanasse et Capé, ainsi que les deux Majors-Plongeurs Bali et Fargeon, attendaient son ordre pour décoller. Le Capitaine aurait volontiers payé un verre à tous les types qui s'étaient retrouvés dans sa position et à qui on avait reproché plus tard d'avoir fait le bon choix. Pas celui des grands gestes à entrechats de charniers. Non, la raison. Cinq hommes sont condamnés, il faut l'admettre plutôt qu'en tuer d'autres.

Et c'eût été trop simple si cette saloperie d'appareil se contentait de lui répéter qu'il y avait beaucoup trop de brise pour faire voler un hélicoptère. Au lieu de ça, il s'amusait à promettre des conditions favorables une seconde pour se raviser aussitôt et hurler que c'était aujourd'hui que Dieu mettait ses menaces de fin du monde à exécution. À leurs postes, face aux écrans où les radars donnaient leur version des flots, les Quartiers-Maîtres-Radios s'impatientaient. Le Capitaine De Galfatasse allait ordonner qu'on cesse de gaspiller l'argent de l'État en faisant tourner des pales par pur principe quand on lui tendit un téléphone.

— Contre-Amiral Perbère.

— Mon Amiral ?

— On peut savoir ce que vous attendez pour envoyer l'hélicoptère ?

— Les conditions ne sont pas bonnes, mon Amiral.

— Je les reçois comme vous. L'appareil est conçu pour compenser ce genre de variations par gros temps.

— Pas un aussi gros temps, mon Amiral.

Galfatasse respectait la hiérarchie, mais il n'était pas le genre d'officiers à laisser tuer ses hommes avec un s'il vous plaît.

— Bon, puisque vous m'y obligez, c'est un ordre : faites décoller l'appareil.

— Bien, mon Amiral.

Il n'y avait pas mis le ton. Et il ne le mit pas davantage lorsqu'il dit dans son talkie :

— Commandement à Enseignes de Vaisseau, commandement à Enseignes de Vaisseau : ordre de décoller, je répète : ordre de décoller.

— À vos ordres, mon Capitaine.

Ça avait l'air de leur faire plaisir.

5 h 42

Au bout du câble, le Major Fargeon enguirlandait la peur qui sifflait dans son corps. L'hélico au-dessus

140

faisait des embardées dégueulifères et, sous ses pieds, la houle jouait au crocodile. Faire trois brasses là-dedans tenait déjà du jeu vidéo, alors charrier des types... Il y a des vies au bout. C'est ta mission. En espérant que son coéquipier Bali réussirait à éclairer les rouleaux dans la nuit avec le projecteur, Fargeon se laissa tomber dans l'eau glacée. Il fut vite à l'entrée de l'abri flottant déchiré qu'ils avaient repéré en sur-vol. Un coup de lampe de poche révéla un habitacle vide. Merde.

— Y a quelqu'un ? Ohé ? Ohé?! OOOÉÉÉÉ !

Un paquet de mer vint donner un goût salé à ses cris. S'ils ne s'étaient pas réveillés en les entendant arriver, il y avait peu de chance qu'ils le soient par sa voix. Les vagues chahutaient le Major Fargeon sans humour quand il entendit un sale bruit là-haut. Embardée de l'hélicoptère :

— Hervé, va falloir qu'on te remonte !

Bali. Il se mit à faire le tour de l'igloo à la nage.

— Ils ne se sont pas rassemblés à notre arrivée. C'est fini, Hervé.

Une autre voix, sans doute Capré :

— Il fait nuit, t'as rien en visuel avec ta lampe et nous rien avec le projecteur. Alors, tu reviens maintenant !

Il faut dire qu'on avait failli y passer une dizaine de fois sur le trajet, qu'après avoir ratissé la zone pendant presque dix minutes on n'avait trouvé que ce canot de survie, et qu'il n'y avait personne à l'intérieur. Des nageurs professionnels comme lui n'auraient pas tenu plus d'une demi-heure dans de telles conditions, et l'appel avait été lancé il y a plus de deux heures.

— Hervé, putain, c'est fini ! C'est un ordre !

Il s'accrocha, puis se laissa hisser par le treuil, la mort dans l'âme, le corps récalcitrant. On fit bien encore un ou deux tours. Mais le carburant baissait. Alors l'hélicoptère fit demi-tour. Son vrombissement laissa derrière lui la fureur de la mer ressembler à du silence.

6 h 48

Jouissant du chaud et du sec grâce à l'ingrédient du contraste, l'Enquêteur Garamande se la grillait en laissant sa peau tirée et son cerveau gélatineux lui rappeler qu'il avait peu dormi. Les Agents en bas auraient bientôt fini de relever les empreintes digitales et l'A.D.N. de Zalin, on allait pouvoir attaquer l'interrogatoire. Fénimore espéra qu'il pourrait prendre la roue d'une Casilde en forme, parce que, lui, à part « Ça va ? », il était trop épuisé pour savoir quoi demander. Ce fut au moment de quitter la coursive qu'il entendit un boucan à déterrer les morts. Dans le bureau, il demanda à Casilde :

— C'est quoi, ça ?

D'un coup sombre et absorbée, sa collègue répondit :

— Ça, ce sont les églises de la ville qui sonnent le glas.

— Pour qui ?

— C'est la tradition pour les péris en mer. Neuf fois sur dix, c'est pour des pêcheurs.

Et Casilde sortit, laissant Fénimore interdit par la gravité qui venait de la saisir.

Vendredi 20 octobre

On s'était donné rendez-vous ce vendredi soir pour essayer de trouver un début de compréhensible dans cette histoire. L'Enquêteur avait pris soin de s'entraîner au tir la veille. Il se sentait bien. Il était même content de pouvoir un peu travailler, avec au bout le plaisir d'un repos qui ne signifiait pas mesurer la taille exacte de sa solitude. Car, avec Casilde, le pot du soir était devenu systématique. Devinez si ça lui plaisait. Heureux, il s'avisait même de ses travers d'autorité. Il choisit d'avoir le tact de la laisser commencer.

— Allez, Casilde, résumons-nous.

— Pamphile Zalin, d'abord. On a fait durer la garde à vue soixante-douze heures, et tout ce qu'on a ramassé, c'est des commentaires de la presse sportive sur l'acharnement policier. Et dire que c'est les mêmes qui sont pour qu'on bute tous les suspects pour éviter la récidive, bref. On sait maintenant que *Le Privilégié* est le repaire officieux des fins de troisième mi-temps, que Majda était fascinée par les joueurs de rugby, qu'on la soupçonne d'avoir fricoté avec trois d'entre eux : Valdafin, Marlin et Faure. Le fait qu'on ait retrouvé le sac dans le casier de Valdafin signifie peut-être que le tueur connaissait leur liaison.

— Et tu me rappelles pourquoi on ne soupçonne pas Valdafin ?

— On soupçonne Valdafin. Il a très bien pu apporter son sac avec le buste calciné de Majda et puis fait le candide ensuite. Il a aussi pu mettre la tête de Ranin dans la salle vidéo de l'Académie. La salle est restée fermée par une serrure à code du départ des joueurs le vendredi jusqu'à l'heure de la découverte le samedi par des employés du club qui venaient regarder le match. Valdafin a donc pu poser la tête avant de partir pour la Hourde. Mais bon, outre qu'on n'a aucune preuve, sinon les empreintes sur le sac où on a découvert Majda, ce qui est bien normal, vu que c'est le sien, il y a deux problèmes majeurs.

— Vas-y.

— D'abord, on a des raisons de penser que le meurtre de Majda est le premier d'une série. Or un *serial-killer* a un plan et un programme, il ne serait donc pas très logique qu'il s'accuse d'entrée de jeu en se collant un corps sur le dos.

— Ça peut aussi être un alibi au second degré : Valdafin ayant conscience de cette logique s'accuse pour s'excuser. Mais bon, admettons. Le deuxième problème ?

— C'est qu'on ne me fera pas croire que Valdafin maîtrise le grec ancien, pour ne rien dire de ton Héraclite l'obscur d'Éphèse.

— Ne le méprise pas trop.

— Il y a un monde entre mépriser quelqu'un et penser qu'il ne connaît pas Héraclite. Moi, j'en avais jamais entendu parler et je ne me méprise pas pour autant.

— Bon, revenons à la deuxième victime, l'Ouvert, là... ?

— Léo Ranin. D'après le témoignage de Zalin, Ranin et lui se sont rencontrés à l'école primaire, dans le Faubourg-de-la-Criée. Ils se seraient revus il y a deux mois, puis auraient commencé à avoir une liaison. Ça veut dire au moins une chose : Zalin n'est pas qu'un mastard en blazer, et il aime bien fricoter

144

avec le vrai milieu pourri parce que, camarades de classe ou pas, Léo Ranin-dit-l'Ouvert n'est pas une fréquentation anodine. À mon avis, Zalin n'est pas le seul mec du XV à se frotter à la pègre. Ils viennent pas tous de la Zone des Plaisances, c'est le moins qu'on puisse dire, et les fortunes rapides de sportifs en vogue empêchent pas les amitiés qui ont la vie dure. Bon, d'après la Scientifique, la tête a été tranchée un ou deux jours avant qu'on la trouve – ce qui colle avec le témoignage de Balloz, l'amant éconduit. Les témoignages des profs et des surveillants donnent Zalin calme et au lit pendant toute la semaine. Il a accompagné les pros avec les autres réserves à Lillebord de vendredi midi à samedi soir. On a même un plan de lui en tribune pendant la retransmission.

— Qu'est-ce que tu conclus de tout ça ?

— Que Zalin n'est pas notre assassin. Il y a forcément un lien entre les meurtres et l'équipe. Sinon, le tueur cherche visiblement à déstabiliser les joueurs en frappant leurs proches. Ça peut être un type de l'équipe, ou un supporter fou. En tout cas, le plus évident, c'est d'enquêter sur la petite vie du XV. Il y a de bonnes chances pour que le tueur la connaisse et que son premier mobile soit d'y mettre le bordel. Il y a donc aussi de bonnes chances pour que ce soit là qu'on repère sa trace.

— Parfaitement d'accord.

— Tu crois qu'il va y avoir d'autres meurtres ?

— Je le crains.

— Et on fait quoi, on laisse le carnage suivre son cours en espérant que le malade laissera tomber sa carte d'identité ?

— Commençons par essayer de comprendre ce qu'il veut dire. Il prêche. Mais quoi, exactement ? La première citation fait référence à l'or. C'est assez transparent. Cette fille a été brûlée selon l'idée que tu peux tout mettre au feu, tout devient cendres, et le fragment d'Héraclite permet de faire un parallèle avec cette société où tout devient or, même une femme. L'assassin semble dénoncer l'insignifiance de l'humanité dans notre époque mercantile.

— En trucidant des innocents?

— On est d'accord, mais il faut essayer de voir maintenant comment ce dingue se comprend, répéter qu'il est taré nous mènera pas à lui. Alors, deuxième meurtre maintenant. Il fait référence à Orphée. Le tueur veut souligner les limites des facultés humaines, même dans les choses qu'on croit nobles : le chant, la poésie, l'art, tout ça. À mon avis, après avoir posé que le fric règne sur notre pauvre terre, il dit : et voilà tout ce qu'il y a à part ça : des mecs écrasés d'un coup de talon par l'intelligence de là-haut. N'oublions pas aussi, il lie ses actes au club. Alors, je pense qu'il dit aussi : regardez ce qu'il vous reste comme héros, comme manifestation du divin en l'homme : des mecs en short. Résumons-nous. Le rituel meurtrier fait référence à deux mythes : Sémélé et Orphée. Dans les deux cas, ce sont des mortels qui se sont trop approchés du divin. L'une a été cramée, l'autre décapité. Dans les deux cas, en liant ses crimes au XV de Volmeneur, le tueur nous dit : vous remplacez les dieux par des gars qui jouent à la balle, vous croyez être leurs égaux, comme Sémélé et Orphée, mais vous êtes jamais que des nains.

— Mouais, c'est pas d'une hallucinante clarté, mais bon. Et à quoi ça nous avance ?

— À savoir que le tueur s'est donné pour mission de ramener l'humanité à ses dieux.

— Vu qu'ils n'existent pas, ça devrait pas aller bien loin.

— Ne crois pas ça. S'il y croit, ils existent. Tout le monde a la vie de sa foi, qu'elle soit dans l'homme, la vie après la mort, ou le hasard absolu.

— On s'égare. Pourquoi il a choisi ces deux victimes pour faire passer le message ?

— Attends, j'ai oublié de dire que notre dingue a une apparente fascination pour Dionysos : Sémélé était sa mère, et Orphée a été tué par ses prêtresses, les Ménades.

— Et alors ?

— Dionysos, dieu de l'ivresse ; des hommes et des dieux qui ne font plus qu'un dans le délire. Ça colle très bien avec le sport. L'ivresse du spectacle, la foule, le fait qu'il laisse ses cadavres dans l'environnement du club. Disons que ça confirme.

— Si tu le dis. Tout ça ne nous dit pas quel programme on annonce à Glazère pour la semaine prochaine.

— Pour moi, il faut surveiller la boîte de strip. C'est là qu'ils vont après les matchs. C'est là qu'on a des chances de voir des choses.

— Et le Faubourg-de-la-Criée ?

— On a un indic. On ira le trouver dans la semaine.

— Mais si on va au *Privilégié*, ils vont nous reconnaître. Ils nous ont vus là-bas. Sans parler des joueurs...

— C'est le moment de demander à Glazère d'envoyer un flic chanceux dépenser ses frais de mission en gnôles et boudins nus. Je vais lui envoyer un mail.

Une demi-heure plus tard, après avoir reçu une réponse positive de la Procureure de la République, Fénimore et Casilde étaient fins prêts à s'en jeter un petit. Téléphone. Casilde, qui avait décroché et conversé par mots passe-partout, commenta après en avoir fini :

— C'était Jérémie Chassesplain. Il nous invite en personne au match de demain. Pour montrer ses bonnes dispositions à notre égard.

— Ah. Et on fait quoi ?

Le téléphone encore. Casilde, qui s'était à nouveau dévouée, récapitula après avoir raccroché :

— C'était Glazère. Chassesplain est passé par elle pour nous trouver. Elle veut qu'on y aille. L'image, blablabla.

— Soit.

— Et c'est pas tout. Elle nous affecte deux Agents jusqu'à nouvel ordre.

— La famille des Crimes Aggravés s'agrandit, on dirait ?

— On dirait.

— Donc on va envoyer ces Agents au *Privilégié*. Et nous, on fait quoi ?

— On n'a toujours pas visité l'appartement de Majda.

— Ça peut être utile, en effet. Sinon ?

— Sinon, ce serait bien d'aller voir un peu ce qui se passe à l'Académie.

— Eh bien, ça me paraît un bon plan d'attaque. On va se le boire, ce verre ?

— Allez.

Et ils plongèrent le bureau dans le noir.

Samedi 21 octobre

C'était l'heure où les première ligne ne se quittent plus. L'échauffement achevé, dix minutes avant d'entrer sur la pelouse, après s'être étreints, entrechoqués de plus en plus dur, Vaast Dragoulémane, Baruch Klédinstein, Gabar de Galfatasse se tenaient dans un coin du vestiaire où Valdafin guculait : « C'est notre honneur. Ce soir, c'est pour Pamphile, pour les morts, les pêcheurs, pour la ville ! » Les crampons claquaient au sol d'impatience, la peur était absorbée par toutes les tensions de muscles, dominée par tous les assouplissements de corps.

À un moment, Klédinstein fut rejoint par Théovitte et Haousseline. Les juifs avaient leur rituel. Quand ils firent mine de s'éloigner, Dragoulémane se leva :

— Avec toi. Pas séparés. Gabar aussi venir.

Alors, ce beau monde gagna la salle de massage attenante. Et la bulle d'une prière monta par Baruch :

> *Alléluia – la joie d'Elohim – c'est l'appel !*
> *Alléluia – si douce est cette heure où on l'aime !*
> *Ô vous, dont la sueur dressa Jérusalem*
> *Regardez revenir les bannis d'Israël !*

La rencontre d'aujourd'hui avait été annoncée « match de deuil ». Ce qui signifiait que les stadiers avaient ordre d'expulser quiconque ne respectait pas la consigne de silence absolu pendant le jeu. Deux cadavres retrouvés dans l'orbite du club, une arrestation et un chalutier volméen perdu corps et biens, cet hommage très rare semblait aujourd'hui la moindre des choses. Mais Gabar de Galfatasse avait des raisons plus personnelles de sortir ce soir la performance de sa vie.

> *Il connaît la douleur, et seul sait la soigner,*
> *Il connaît chaque étoile, et seul sait la nommer,*
> *Adonaï est immense, sa force est sans mesure,*
> *Ô Adonaï est grand, chantez-le d'un cœur pur !*

Gabar était le dernier représentant de la longue lignée des « aristos de l'Académie », fondateurs du XV de Volmeneur. Issu d'une lignée de seigneurs qui avaient combattu sous la bannière du Marchaunoir de l'âge des glaives à celui des grenades, héritier d'une caste qui avait servi pour ou malgré le roi, il avait, disons, un rang à tenir.

> *Il est le bras qui prend le pauvre et le relève,*
> *Il est le bras qui plie le méchant et l'achève,*
> *Dites votre merci, criez votre plaisir,*
> *Et que vos voix se tissent aux hurlements de lyres !*

Il avait été un enfant gros, lent à la leçon, mutique jusqu'à l'aveu de stupidité.

> *Au ciel les nuages,*
> *À l'hectare l'ondée,*
> *Aux monts le pâturage,*
> *Au corbeau la becquée,*
> *Il donne*

Son père, Eusèbe de Galfatasse, Capitaine de Frégate à la base des Sauveteurs Militaires de Volmeneur, n'avait su lui témoigner son intérêt que par une guerre inlassable contre tout ce qu'il devenait.

> *Et rien ne le rembourse,*
> *Ni le cheval héros,*
> *Ni le vainqueur des courses,*
> *Il veut*

« Patapouf », « Starlette », « Feignasse » avaient été ses sobriquets.

> *Celui qui pleure au plus près de Yahvé*
> *Celui qui est assez fragile pour l'aimer.*

Adoré du public, réputé comme le meilleur joueur en exercice à un poste d'effort sans gratitude et de combat sans bravo, il était, pour sa famille, le raté et le jouisseur.

> *Loue-le, Jérusalem, sur son nom, fais silence,*
> *Redis à Élohim, mont de Sion, ta confiance.*

Gabar sentit sa hargne monter en lui.

> *Par lui ta porte ferme,*
> *Par lui ton enfant vit,*
> *Par lui la graine germe,*
> *La frontière par lui,*
> *Par lui la paix résonne,*
> *Il donne.*

Une ou deux larmes lui vinrent. Comme seuls les hommes forts font sortir de leur roche bosselée la tendresse qui brille avec toute l'ombre, tous les plis qui l'enfantent.

> *Ô sa parole*
> *Sur le sol vibre et vole.*

Mais ce n'était pas maintenant qu'il fallait s'exprimer.

> *Il donne.*

Ce n'était pas maintenant qu'il fallait jeter dehors ce bouleversement qui l'étreignait.

> *La neige attaque en troupes,*
> *Le givre tombe en cendres,*
> *Le froid s'abat et coupe,*
> *Le monde prêt à se fendre,*
> *Il donne –,*

Il sentit nettement la puissance grésiller dans son corps.

> *Mais sa parole rend*
> *La respiration,*
> *Sa parole descend*
> *Toujours en tourbillons,*

L'influx.

> *Car il a dit : « Jacob, je te parle et désire. »*

Pour la première fois, son père allait le voir jouer.

> *Il a dit : « Israël, je t'offre d'obéir. »*

Venu pour être honoré par le club, comme tous ceux qui avaient essayé de sauver les disparus de *La Combinaison*, Eusèbe de Galfatasse allait prendre de plein fouet la grandeur d'un fils.

> *Nous sommes ses choisis dans les nations – Luia.*

À qui il avait refusé obstinément sa curiosité et son affection. La réconciliation de son regard.

> *Alléluia – sa face a paru dans la Loi.*

Parce que cet homme estimait n'avoir reçu de son enfant depuis vingt-neuf ans que de l'embarras.

*
* *

Escortés par un silence complet, à peine souligné par des craquements de fauteuils et par des toux, sous le stade agitant des petits drapeaux noirs, les joueurs entrèrent avec une majesté invraisemblable. Au-dessus des Enquêteurs Binasse et Garamande, Jérémie Chassesplain et l'intendant de l'autre soir étaient assis ; à côté, cinq militaires en grand uniforme. Casilde avait chuchoté qu'il s'agissait des Sauveteurs militaires. Dès les premières minutes du match, Fénimore entendit ce qu'était Volmeneur. Ce qui rendait ses habitants ombrageux quand ils parlaient de leur ville. Chaque respiration, révolte contre la nature. Un peuple, foule d'effort, acolytes des fins ; un peuple aujourd'hui tenant le deuil des siens, tombés selon le risque qui était ici vivre.

*
* *

Lors de la première mêlée, le pilier gauche de Pitiébourg, vis-à-vis de Gabar de Galfatasse, fut le seul à mesurer l'incroyable exploit que réalisa le 3 de Volmeneur. Nié par sa puissance, il en dirait plus tard : « J'avais jamais vu ça. » Il ne sut pas pourtant que ce qui le prit ainsi au collet, ce n'était pas, comme allaient le dire les journaux, un « état de forme et de motivation exceptionnel ». Non, ce qui le trancha, ce fut la beauté, quand elle sort enfin d'un corps vexé.

*
* *

Dans l'impressionnant silence, frappé de matière par tous ces corps qui l'émanaient, le bruit de la pluie trouvait sa tessiture de prière, et les ordres que se lançaient les joueurs prenaient le premier rôle, comme les houspilles de l'arbitre, comme les chocs incroyables.

Fénimore se trouva pris par ce jeu où chaque action tente d'être à la naissance du décisif, où chaque acteur est lié à la balle par une force invisible, nécessaire. Lui, il aimait mieux les buts au football, ces ponctuations solitaires de justice, plus spectaculaires, plus cohérentes aussi avec sa vision du flic, foudre du droit sur un malheur. Tout lui semblait ici mimer la bravoure au jour le jour.

*
* *

Gabar se faisait mal. La tête dans tous les coups fumants, labouré d'impacts, le corps empoisonné d'efforts, le cœur à rompre, les muscles hachés, la vue en brume, il s'envoyait chaque fois qu'il pouvait, chargeant le mur d'en face balle à la main, éjectant son deuxième ligne de tous ses bras en touches, usant, tordant, déchirant qui voulait bien se mettre devant lui. Il avait les épaules en pierre, le dos martyrisé, les mollets à péter. Il voulait cette souffrance. Il tenait cette souffrance. Il connaissait la joie de l'envoyer à l'aventure, de l'oser au plein air. Être lui, enfin être, dans chaque fibre et souffle. Selon sa puissance.

*
* *

Dire qu'on dominait eût été hypocrite, Fénimore n'avait qu'à regarder le tableau d'affichage pour se rendre compte du désastre que vivait Pitiébourg. Deux essais avant la mi-temps, deux juste après, et toujours rien pour les autres, même un non-connaisseur comme lui avait compris. Un fiasco peu mérité eu égard aux consignes de mutisme que ses supporters avaient respectées. À un moment, Pitiébourg changea trois joueurs d'un coup. Jérémie Chassesplain, der-

rière, s'était permis d'interrompre le silence pour dire
à haute voix : « Toute la première ligne… Gabar. » Il
ne dirait que ça de tout le match. Pour faire comprendre au père près de lui, au père qui ne pouvait
saisir l'exploit que signifiait ce remaniement massif,
qu'il y avait un homme désormais dans ce prénom.

*
* *

Fénimore eut du mal à admettre le dernier quart
d'heure. Alors que tout le monde semblait épuisé, que
la chape du silence avait fini d'écraser tous ceux qui
se trouvaient là, que les faces des joueurs étaient cris-
pées de douleur, que les types de Pitiébourg étaient
à peine capables de trottiner la tête basse, le XV de
Volmeneur maintenait sa furie et marqua encore
trois essais. Pourquoi, sûrs de gagner, se faisaient-ils
violence, risquaient-ils la blessure plutôt que prendre
la victoire en se ménageant un après ? Puis lui revint
la phrase pompeuse qu'il avait servie à Casilde.
« Tout le monde a la vie de sa foi. »

Le XV de Volmeneur se battait pour défendre sa foi.
Parce que ce qu'espérait son public, cet honneur qu'il
allait chercher et qu'il demandait qu'on lui rende, cette
équipe le touchait en se convainquant que la terre
noire peut grimacer, se fissurer le masque du monde,
les cadavres pleuvoir en mer, jaillir dans les vestiaires,
les hommes savent empoigner la minute où la mort
laisse la voie libre. C'était la vérité qu'ils se taisaient
pour entendre ici, et que les joueurs mirent toute leur
force à leur dire. Le ciel, comme il s'entend, ouvre le
monde possible.

*
* *

Le coup de sifflet retentit. Gabar sourit à l'adversaire le plus proche, serra une ou deux mains, puis il alla se lier avec les autres face au Baquet. Un chant, puis deux, puis dix, puis le stade entier. Rupture du silence. Ordonnée par la seule tribune qui eût autorité à le faire. Jamais cette musique n'avait battu si fort dans ses veines. Jamais elle n'avait tant révolutionné ses tripes.

> Quand viendra la victoire,
> Qu'on touche notre avoir :
> Ce dernier mot : l'espoir,
> Ô noir ?
> Ô noir !

Et quand se releva le seul son de la pluie, Gabar de Galfatasse pleurait enfin les larmes de son corps.

*
* *

Il fallait se remettre de ses émotions, et pour ce faire, Casilde et Fénimore optèrent pour leur méthode habituelle. Très tard, ils sortirent fins saouls du bar où ils avaient commenté l'événement, l'Enquêteur Garamande faisant comme à son habitude assaut d'hyperboles, et l'Enquêtrice Binasse ayant les yeux qui brillent, certainement à cause du vin, mais aussi parce qu'elle éprouvait un réel plaisir à l'entendre parler comme ses frères. Car cela le posait un peu plus près de sa vie, dans un champ où son désir et les repères apprivoisés de la famille se rejoignaient.

On n'avait pas lésiné et on avait vraiment fini tard. Ce fut sans doute à cause de la cuite qu'à la sortie du taxi Fénimore eut le cran de proposer à Casilde de monter prendre un dernier verre chez lui. Casilde eut l'inconscience d'accepter. Elle s'extirpa de la voiture, puis elle tituba au bras de Fénimore qui torturait ses poches pour en tirer ses clefs. Ce fut à ce moment-là que l'Enquêteur Provincial Garamande vit une forme se dessiner au pied de son immeuble. Et Adélaïde assise sur une valise qui le regardait calmement.

VOLMENEUR – PITIÉBOURG
54   0
VOLMENEUR EST TROISIÈME DU CHAMPIONNAT

Quatrième journée :
Garamène – Volmeneur

M

1
pilier
gauche
Kétil
LAMARSINEINBA

Ê

2
talonneur
Macaire
DAQUIN

3
pilier
droit
Mahmoud
MEFULAA

L

4
deuxième
ligne
Sébald
LESCARBORDE

5
deuxième
ligne
Désiré
CALFIN

É

E

6
troisième
ligne aile
Myrtil
PAHONTAS

8
troisième
ligne centre
Iker
DELAVENTIN

7
troisième
ligne aile
Yann
HURLAR

C
H
A
R
N
I
È
R
E

9
demi
de mêlée
Félix
VALDAFIN

10
demi
d'ouverture
Abderrahmane
TRINQUETAILLE

T
R
O
I
S
-
Q
U
A
R
T
S

11
ailier
gauche
Nazaire
MARLIN

12
centre
Ulysse
NINON

13
centre
Zacharie
HAOUSSELINE

14
ailier droit
Malloy
GRUVALD

15
arrière;
capitaine
Athanase
CRAMARIN

REMPLAÇANTS

16. Gabar de GALFATASSE

17. Baruch KLÉDINSTEIN

18. Pamphile ZALIN

19. Sixte DARSSIN

20. Corentin DIMBIEL

21. Zachée BARNOLD

22. Pépin PÉRÉGRIN

COMPRENDRE LE FONCTIONNEMENT
DU CLUB

Dimanche 22 octobre

Elle était un visage découpé au calvaire. Allégorie des malheurs qui révèlent les contours de la nuit. Eclair qui montre les deux entailles sur le cadran. Cette courte minute que dure une liberté.

— Tiens.

Les fantômes ont plus d'un tour dans leur sac pour qu'on les suive béat jusqu'au précipice, et elle lui tendait une tasse fumante de café.

Fénimore eût été incapable d'enfermer dans adjectif ni injure la gueule de bois sautillant sur grelots qui l'étripa lorsqu'il ouvrit les yeux. Dehors, un maudit soleil annonçait pour ce dimanche une grande parade d'âmes sœurs exhibant en poussette la synthèse de leur union. Son réveil disait midi pile. Il aurait dû être depuis deux bonnes heures avec Casilde à traquer l'assassin.

Adélaïde, les fesses posées au bout du canapé où il avait battu en retraite la nuit dernière, était aux premières loges pour profiter de l'odeur terrifiante qui s'échappait de lui. Un mouvement pour porter la potion suspecte aux lèvres lui révéla que ses lombaires avaient volé en éclats, et qu'on avait creusé une tranchée dans sa nuque. C'était dans cet état qu'elle avait choisi de lui servir la scène du 2.

— Putain, merde, chier, merde, putain, merde, et puis merde, et puis fait chier ! Combien de temps tu vas m'emmerder ? Hein ? Merde ! Je me retrouve comme un con sur mon canapé et je me flingue le dos alors que je dois aller bosser moi, nom de putain de chier ! Tu m'emmerdes, maintenant ! Je peux plus me permettre de pas me reposer. Fait chier. C'est vrai. Quoi. Merde.

Adélaïde vécut sa sortie comme une expulsion purement biologique, la version matinale des promesses d'amour parfumées au tord-boyaux. Mieux, elle fut attendrie de retrouver, même dans cet état dégradé, la faconde survoltée de son Fénimore. Elle fut prise d'un sourire. Et lui passa la main dans les cheveux.

— Mais qu'est-ce que ça veut dire ?

Adélaïde comprit dans ce corps mauvais joueur la bouderie de qui aime trop pour ne pas essayer de faire payer cher le retour.

— Sympa, ta copine Casilde.

Fénimore constata qu'elle n'avait pas perdu son niveau de jeu. Il réprima un : « Je t'emmerde », trouvant plus tonitruant de répliquer par l'abstention.

— Et puis machiavélique l'excuse du coup de fil à passer pour excuser sa présence à 5 heures du matin. C'est vrai qu'elle pouvait passer que par ta ligne fixe pour appeler un taxi alors que vous en aviez pris un pour arriver, et qu'elle a cherché le numéro de la compagnie sur son portable. Méfie-toi, Fénimore, tu n'es pas assez coriace pour des filles aussi malignes !

Fénimore prit la pose d'un esthète qui essaie de reconnaître à la couleur l'arabica dans sa tasse. Sacré Fénimore.

— Bon, je vais pas insister sur le fait que t'es quand même désagréable de me parler comme ça alors que j'ai essayé de t'appeler au moins mille fois depuis trois mois sans que tu daignes décrocher, que je t'ai attendu six heures en bas de chez toi hier, et que tu n'as pas trouvé mieux pour m'accueillir qu'un magnifique : « T'as qu'la ndormir dans ma cambreu. » Je me plains pas d'ailleurs. J'ai retrouvé ton odeur dans le lit. Bon, tu devrais te servir de la bombe que t'a prescrite le podologue, mais sinon, un régal. ( ) Fénimore, pourquoi tu me prives du plaisir d'être à toi ?

Il ne savait pas par où commencer. Il ne commença pas.

— Bon, je te connais le matin – enfin, quand tu te réveilles – et je vais pas avoir la méchanceté d'exiger une longue conversation. Tu le sais, Fénimore, que je ne suis pas méchante ?

Le refus de sa joue fut, déjà, nettement moins énergique.

— Je vais donc me charger de l'essentiel. Tu n'as qu'à m'écouter. Je te connais assez pour savoir que ça fait trois mois que tu te balades dans ta tête, en te convainquant que je suis devenue une sorcière prête à te dévorer aux oignons frits, et que c'est pour ça que tu ne veux pas entendre mes explications. Je sais qu'il faudra que tu tombes sur un film qui raconte une histoire pas trop loin de la nôtre, où le scénariste aura eu le bon sens de donner une minuscule humanité à celle qui joue mon rôle pour que tu reviennes du jour au lendemain en me parlant de la constellation qu'on va baptiser d'après nous, et t'auras appris la guitare pour me dire ta déclaration en chanson, histoire que ça ait de la gueule, parce que Fénimore, tu as pas mal de défauts, mais il faut reconnaître qu'en général, ce que tu fais a de la gueule. Bon, je sais que je n'ai aucune chance d'être comprise, alors devine quoi, Fénimore ? Je vais faire sans. Parce qu'un mec qui aurait jamais voulu me revoir aurait changé de numéro et tenu personne au courant de sa nouvelle affectation. Tu me diras, je t'ai eu par tes parents. Ils m'aiment bien, tes parents. Bon, je vais pas être salope et me servir d'eux. Je vais même pas dire que c'est moche d'effacer sept ans de « vie commune », comme on dit, en se barrant du jour au lendemain, si possible à Volmeneur et son ambiance de veillée funèbre. J'ai beau être le mal incarné à tes yeux, je suis quand même une mère et là, je vais m'offrir le luxe de lâcher devant toi le prénom de ton fils, j'oserai même dire notre fils. Vladimir. Bon, j'évite le refrain : « Tu y as pensé, à lui ? » et tralala. Y a beaucoup plus important. Y a que tu l'aimes comme c'est presque interdit, et qu'il t'aime comme si t'étais le chef des pirates, y a que tu es un bon père, y a que tu es l'homme que je voulais pour vivre. Il faut que t'aies été pris d'une vraie crise de connerie pour laisser tomber tout ça, juste pour aller bouder et dragouiller ta petite collègue en espérant qu'un jour je tomberais sur vous et que ça me détruirait le bide. Mais ça ne me détruit pas le bide. On s'aime beaucoup plus fort que toutes ces erreurs. Tu aimes ton fils. C'est ensemble qu'on sera heureux. J'ai essayé de te prévenir par téléphone, mais bon, tu connais la suite, alors, j'ai préféré débarquer plutôt que pleurnicher dans un mail, en tout cas voilà ma décision. Je veux que tu sois le père de mon fils. Alors, j'ai demandé ma mutation comme Professeur ici et, après enquête, figure-toi qu'il y a des cinémas dans le Marchaunoir, je vais même pouvoir continuer mes piges de critique, formidable, non ? Chut. Tu n'as pas le droit de me dire où habiter. On n'est même pas mariés, souviens-toi. Bref. J'ai rendez-vous avec l'école qu'ils me proposent pour Vladimir et j'ai des visites d'appartement prévues aujourd'hui. Je reviens ce soir. Je t'aurai fait à dîner, tu auras dessaoulé et là, j'aimerais bien entendre ce que tu penses de tout ça. Je dormirai là cette nuit et je partirai demain en fin d'après-midi. Tais-toi. Je refuse de dormir à l'hôtel. Je me suis habituée à ton lit et ce sera à toi de voir si tu restes dans ton canapé ou pas. Bon. J'ai pris tes clefs, donc tu t'assiéras sur le plan porte close. Tu dois avoir un deuxième jeu. Je ne l'ai pas trouvé. Connaissant ta méticulosité, tu n'as aucune idée d'où il est. J'espère pour toi que tu rentreras après moi, sinon ça t'apprendra à hérisser ton bordel pour tenir les autres à distance. Je crois que j'ai tout dit. À ce soir.

Elle l'embrassa sur le front. Il ne bougea pas.

— Ah, j'oubliais… Je t'aime. J'y crois. Et je te demande pas ton avis. Ciao.

Puis la porte claqua. Une grande peur, accompagnée d'un paradoxal sentiment de solitude, se serait sans doute emparée de lui, si presque aussitôt son portable n'avait sonné. Il sauta sur son pantalon et ramassa un morceau de son téléphone. On venait de trouver une nouvelle victime.

*
* *

Il avait commencé à travailler il y a peu de temps pour le traiteur Bilin. En général, il était préposé à décharger la bouffe et la vaisselle et à rester ensuite derrière une table pour remplir des verres. Pas effarant. Hier, il avait été quand même très content, parce qu'on l'avait envoyé bosser à la réception d'après match de Volmeneur – Pitiébourg. Résultat : stars, patrons du coin, filles qui vont avec, de quoi se rincer l'œil et raconter des trucs qui écarquillent celui des autres.

Ç'avait peut-être été l'ambiance, le fait que Valdafin soi-même lui avait souri très grand, en tout cas, il avait voulu emporter un souvenir de la fête. Et, comme le moins qu'on puisse dire c'est qu'il restait du rabe, une de ses chefs lui avait proposé de choper une belle terrine en terre qu'avait même pas été ouverte. Ça devait être de la bouffe qu'on ferait la queue pour la visiter.

Une fois les festivités envolées, il était rentré poser fissa sa prise dans le frigo, et puis était sorti faire son rapport aux copains, en exagérant un brin et en utilisant ce vieux truc pour se faire une intimité d'appeler les titans par leurs prénoms. Il avait même osé au sujet de Chassesplain un « Jérémie » auquel ses potes avaient quand même réagi par un vieux concert de vannes. Il avait eu du succès n'empêche. Il avait même fini la soirée à deux. Du coup, samedi soir au paradis, une histoire à raconter jusqu'à sa vieillesse, mission super accomplie, tout ça.

Il avait attendu son retour chez lui à 11 heures le lendemain matin pour profiter de son butin. Après toutes ces émotions, il avait une dalle de ouf. Il avait acheté du pain. Il était tout joisse. Il était allé chercher le pot, et il l'avait posé sur la table de la cuisine. Et, dès l'ouverture, il avait été surpris par une espèce de carte de visite sous plastique où il y avait écrit des trucs bizarres. Il avait enlevé le machin incompréhensible et avait commencé par plonger le doigt dans le pot. Et quand il examina ce qui était remonté à la surface, il était parti dégueuler direct. Parce qu'on a beau jamais en avoir vu en vrai, il doit y avoir un instinct pour nous dire qu'on est devant du sang humain et de la chair humaine découpée en morceaux.

Ni une, ni deux, il avait appelé les flics. Sans réfléchir. Et il avait pas eu tort de pas réfléchir, parce que, s'il avait commencé à cogiter, il se serait mis à avoir peur qu'on le soupçonne. Heureusement, les kissdés ont pas eu l'air de croire qu'il y était pour quelque chose. Maintenant, il en était comme traumatisé. Ça avait clairement nuancé la réussite de la soirée.

*
* *

πόλεμος πάντων μὲν πατήρ ἐστι, πάντων δὲ βασιλεύς, καὶ τοὺς μὲν θεοὺς ἔδειξε τοὺς δὲ ἀνθρώπους, τοὺς μὲν δούλους ἐποίησε τοὺς δὲ ἐλευθέρους.

LA GUERRE EST LE PÈRE DE TOUTES CHOSES, ET DE TOUTES CHOSES IL EST LE ROI, C'EST LUI QUI FAIT QUE CERTAINS SONT DES DIEUX ET D'AUTRES DES HOMMES, QUE CERTAINS SONT DES ESCLAVES QUAND D'AUTRES SONT LIBRES.

ARÈS SÉCURITÉ VIGILE 2432.

La carte faisait le rapprochement entre le dieu grec de la guerre Arès, ce qu'en pensait Héraclite, et un vigile qui bossait pour une boîte qui s'était donné une image en se choisissant un nom qui chantait aux oreilles le sérieux implacable et la prestation divine.

On avait fait de la chair à pâté de l'employé. Littéralement. Cliché métamorphosé en crime. La Scientifique avait cependant prévenu que le pot ne pouvait contenir l'ensemble du corps. On avait en tout cas extrait un A.D.N., Fénimore ne voulait pas savoir comment. Les Enquêteurs avaient joint le patron volméen de l'entreprise de surveillance pour avoir confirmation que le vigile 2432, Serge Fondre, ne s'était pas présenté à son travail depuis quatre jours.

Une strip-teaseuse, un prostitué, un vigile, on ne pouvait pas dire que le tueur faisait dans le gratin. Il s'était arrangé une fois de plus pour faire apparaître le cadavre dans le sillage du XV. La conversation avec l'employeur avait d'ailleurs permis d'établir un premier lien entre le malheureux découpé en rondelles et le club. Le dénommé Fondre faisait souvent le planton dissuasif à l'entrée des pots qui réunissaient les deux équipes et les huiles des deux villes à l'issue d'un match. Sans savoir qu'un jour il y atterrirait en terrine. Restait à comprendre justement comment un plat rempli de restes humains avait échoué sur le buffet. Ça sentait de plus en plus l'implication du club. Définir une ligne de conduite. Sortir du flou.

— Il faut qu'on comprenne le rapport entre les joueurs et les morts. Il y en a obligatoirement un.

— C'est évident. Et la chose à faire maintenant, c'est d'aller fouiner dans le quotidien de l'équipe.

Ils interrompirent leur déduction à deux voix, gênés au même moment par la même chose. La séance de la veille avait installé un froid entre eux. Casilde se dévoua pour le coup de piolet :

— Je t'ai pas demandé. Ça a fini comment avec... Ça a fini comment ?

— On n'a pas eu le temps de parler. On verra ce soir.

Casilde se chiffonna comme un ticket de caisse pour une bouteille d'eau. Elle en était presque à verdir quand son portable sonna. Elle sauta sur la diversion. Mais elle continua de se décomposer juste après l'allô. À tel point que Fénimore vint la trouver dès qu'elle eut fini, un long moment plus tard, et lui demanda ce qui n'allait pas.

— C'était Glazère. Elle dit que des bus remplis de journalistes nationaux ont mis le cap sur Volmeneur, elle nous promet une apocalypse médiatique pour ce soir, elle hurle qu'elle est contrainte à un « Sans commentaire » qui va lui valoir un bouquet de grenades dégoupillées de la part du Ministère, qu'elle en a marre de casquer pour des incapables comme nous, que, s'il y a un prochain meurtre, elle nous convoque à la conférence de presse pour justifier notre méthode et qu'elle veut nous voir demain dans son bureau dès 7 heures du matin.

Fénimore soupira. Et ce soupir résuma ce qu'il avait à répliquer.

*
* *

— C'est pour toi.

Le petit sourire de La Claque ne lâchait pas Pamphile depuis qu'il lui avait tendu le téléphone.

— C'est Sgabardane. Je t'appelle pour te dire que tu feras tes débuts en première samedi. M. Claquin préviendra tes professeurs que tu manqueras quelques cours. Tu vas suivre tous nos entraînements de la semaine.

— Oui, monsieur le chef-entraîneur. ( ) Promis, monsieur le chef-entraîneur. ( ) Merci, monsieur le chef-entraîneur.

Phildebert Claquin, directeur sportif des réserves et responsable du rugby pour l'ensemble des élèves de l'Académie, commenta à sa façon, épineuse :

— Tu sais, c'est pas un adjudant.

Et il sortit, en laissant le deuxième ligne dans sa chambre, moins que jamais prêt au sommeil.

Depuis qu'il était sorti de garde-à-vue, Pamphile était écrasé par une épaisse déprime. Après le match qu'il avait suivi hier au stade avec les autres réserves, bien obligé de se rendre compte du service d'ordre qui éloignait les caméras qui voulaient filmer le suspect de la semaine, il avait vécu un bon gris dimanche de pensionnaire à l'Académie. On était en semaine bis, c'est-à-dire qu'on devait rester au bahut tout le week-end. Vu ce que l'enquête avait révélé de son temps libre, ça valait d'ailleurs mieux. Ça repoussait le moment où il se confronterait à ses parents. Pamphile les avait à peine aperçus à sa sortie du Commissariat. Claquin, qui était venu le chercher, avait abrégé les retrouvailles. Claquin était un type d'un caractère impossible, mais en qui les parents avaient assez confiance pour le laisser agir quand eux ne comprenaient plus rien.

Le coup de fil changeait tout. Maintenant, peut-être que son père allait laisser tomber sa déception pour se réjouir que le rêve de sa vie se réalise : son

170

fils qui devient un Outrenoir. Et la nuit blanche de Pamphile songea tout haut, criblée de proche en proche d'idées plus noires, d'angoisses d'enfermement futur, auxquelles les trois jours d'interrogatoire avaient donné une texture de réalité moite.

Lundi 23 octobre

— C'est pas pour être désagréable, mais vous pouvez m'expliquer comment vous comptez la manifester, votre qualité de spécialiste ? En attendant que le prochain cadavre tombe du ciel ? En comptant gentiment les morts et en allant là où les messages du tueur vous disent d'aller ? Non, parce que, vous n'avez quand même pas le commencement d'une piste sur comment et par qui les corps ont été déposés dans des endroits soi-disant inviolables, vous êtes incapables de me parler du lien entre les victimes, vous savez à peine qui elles sont, enfin bref, rien de rien, vous n'avez rien. À la place, Dionysos, tout ça, patati Arès et patata Sémélé, et puis on va, et ça va venir, puis pas tarder ! Vous n'êtes pas payés pour écrire le roman de cette affaire, vous êtes payés pour la résoudre, pour récolter des preuves, pour arrêter des suspects. Vous n'êtes pas non plus censés jouer les supporters d'un type qui en est déjà à trois meurtres en trois semaines. Bon sang de bois de sabre de mon père, vous croyez qu'on peut jouer la montre ? On parle de morts, Enquêteurs Provinciaux ! Sortez de vos jolis bouquins pleins d'images et tâtez-moi un peu de cette chair : une femme éviscérée et brûlée à l'essence, un type décapité, un autre découpé en morceaux, on s'en lanlaire que ce soit rapport à je ne sais quel mythe que Mathusalem racontait à ses enfants ! On parle de familles en pleurs, d'un sadique de classe mondiale et d'une République qui repasse le ralenti en boucle. Alors, Enquêteurs Provinciaux, maintenant, vous allez me dire comment vous comptez vous y prendre pour livrer aux Citoyens horrifiés le diable en personne sur le plateau de la guillotine.

Fénimore était occupé à admirer in petto l'art avec lequel Caterina Glazère les faisait voler en miettes sans hausser la voix ; Casilde, plus sensée, s'envoya sur le coup dur :

— On voulait se concentrer cette semaine sur le club et établir des scénarios…

— Et on pourrait aussi envisager du jaune, ça donne de la vie ! Vous vous moquez de moi, Enquêtrice Binasse ?

— On attend le rapport des Agents qui ont passé le week-end à surveiller la boîte de nuit où travaillait Majda Benour, qui est aussi celle où les joueurs finissent leur troisième mi-temps.

— Merci, j'ai lu attentivement cette partie de votre prose. J'avoue l'avoir jouée plus en diagonale sur votre délire cosmico-dieu-en-jupette, Enquêteur Garamande. Sinon, d'autres bonnes idées pour refaire mon salon ?

Silence.

— Écoutez, je veux bien croire que vous êtes en sous-effectif pour cette enquête, c'est pour cela que je vous ai envoyé deux Agents en renfort. Alors, plutôt que leur demander de vérifier si des billets directement issus des impôts, ça se glisse facilement dans un slip, que diriez-vous de les faire un peu travailler ? Ils pourraient, par exemple, fouiller un peu le passé de nos malheureuses victimes ? Hein, et pendant que vous y êtes, pourquoi vous ne vous sépareriez pas pour faire deux équipes constituées d'un Enquêteur et d'un Agent, dispositif classique, certes, mais étrangement affectionné par les Forces de Police depuis l'affaire Adam et Ève ? Maintenant, faisons une minute de silence pour saluer la mémoire de la rigolade, puis donnons-nous rendez-vous vendredi pour des hypothèses, des pistes, et même des preuves, ce qui est un peu moins glamour, j'en conviens, mais bien plus utile dans un prétoire qu'une fiche de lecture sur Homère. D'ici là, je vais tester la résistance de ma frange aux bourrasques médiatiques, mais gardez bien ces mots en tête, mademoiselle, monsieur : il nous faut une victoire !

Le chef-entraîneur Éleuthère Sgabardane avait tenu à leur parler pour commencer la semaine. Il était allé droit à l'essentiel.

— Victoire, victoire, victoire, je ne veux entendre que ça, je veux que vous ne pensiez qu'à ça ! On sait qui on aura en face samedi, on les connaît, les magnifiques, les as des as, le club le plus titré de la République, et toutes ces conneries. Notre rapport à eux, il demande pas d'explications. Ils nous ont battus six fois en finale, six fois, bordel de merde ! Et la saison dernière, contre eux, on a perdu chaque fois qu'on les a joués. Alors, autant vous dire que les mater chez eux, ce serait foutre la frousse aux adversaires, la transe à notre public et se mettre clairement sur les rails pour le titre. Un exploit, c'est de ça dont on a besoin. Alors, cette semaine, on bouffe, on boit, on chie Garamène. Ceux qui se sont pris quarante points l'an dernier en finale devant des millions de téléspectateurs, ceux qu'ont dû surjouer le fair-play à la fin en regardant la coupe, leur coupe, soulevée par ces dégueulasses, eh ben, ils doivent aller y puiser une hargne à déplacer les montagnes. Voilà. C'est à nous d'affirmer qu'on est pas leur perdant héréditaire. Si vous croyez que le match de gala contre Pitiébourg veut dire quelque chose, vous vous gourez. Le silence, le deuil, c'est joli. Mais la fierté de Volmeneur, la vraie, c'est de gagner des matchs durs, de triompher des meilleurs, le reste, c'est du folklore. Si vous voulez vraiment défendre le maillot, la ville et le pays, faut aligner les succès, puis soulever la coupe à la fin pour entrer dans la légende. Là, vous pourrez gueuler DONEC NOX. Ça suffit pas d'être celui qui a attrapé le jambon dans la baston des deux clochers. À ce sujet, il y a de la casse. C'est pour ça que Pamphile nous rejoint en équipe première cette semaine. Les autres, soyez prévenus, les titulaires ont morflé, alors, personne n'est à l'abri de défendre nos couleurs. Déjà, j'annonce que Jacob est *out*, pour le reste on va attendre de voir ce que racontent les examens médicaux de ce matin. C'est une grosse semaine, les gars, tout le monde doit se mettre au niveau. C'est un tournant. Ils sont deuxièmes, on est troisièmes, toutes les télés vont parler que de ça. À ce sujet et une fois de plus, je vous interdis de lire ce qu'on dit sur les meurtres. Faites votre boulot, gagnez, laissez les faits-divers dans la bonne colonne des journaux. Je compte sur vous pour faire péter votre maximum, d'accord ? Maintenant, allez vous faire plaisir avec de la fonte ! On se retrouve cet aprèm pour la vidéo de Pitiébourg. Allez, hein, merde, motivés ! On y va !

— Maintenant ?
— Vos Seigneuries ont peut-être besoin qu'on sonne la trompe ?

Les préjugés neutres des Agents Ferde et Titin à l'endroit de l'Enquêteur Garamande basculèrent d'un coup dans le défavorable. Casilde, plus diplomate :

— On vous écoute.
— On a vu ce qu'on s'attendait à voir. Des types qui viennent boire un verre, souvent en bandes, reluquent les filles et se paient une danse rapprochée en se faisant des vannes. Samedi, vers 2 heures, pas mal de joueurs du XV sont arrivés. Ils ont reluqué les danseuses. Les derniers sont partis à 4 heures. Sinon, y a quand même des gars un peu louches qui rôdent autour des meufs, le genre mac. On peut supposer

175

que les employées la jouent pas uniquement ballerines à poil. Les clients ont peut-être un peu de drogue dans les poches, aussi, mais il n'y a pas de deal
a priori. Dimanche, y a eu un peu moins de monde.
Ça sentait moins la récréation, plus le mec qui sait
plus où... ben, où frotter sa bite et son ennui. Voilà.

Le dénommé Melchior Titin s'était chargé du verbal, le Hubert Ferde se contentait d'acquiescer à
l'économie.

— Fascinant !

— Vous avez la liste des joueurs que vous avez
croisés samedi ?

— Ben quand même.

CALFIN DAQUIN DELAVENTIN DIMBIEL DRAGOULÉMANE
FAURE LAMARSINEINBA MARLIN PAHONTAS

Ni Valdafin, ni Zalin.

— Bon, si on vous suit, vous avez perdu votre
temps ?

— Pas complètement. On a appris que Majda était
très appréciée par les rugbymen, qu'ils la demandaient pour eux tout seuls, y a même une fille qui
nous a dit qu'elle se la jouait parce qu'elle participait
à des soirées privées du XV. Mais la nana avait l'air
d'avoir rien contre la mythomanie. Elle nous a bassiné qu'elle aurait pu être danseuse étoile dans son
pays, ce genre de trucs.

— Bon, rien de brûlant quand même. On se doute
que Majda a dû passer au tutoiement avec eux pour
se retrouver prise dans une série de meurtres qui
visent clairement le club. La question, c'est ce qu'on
pourrait tirer de maintenir une surveillance sur la
boîte.

— Un truc peut toujours se pointer, mais pas
beaucoup plus que si on choisit de se planquer dans
un casier au hasard en espérant que l'assassin refasse
exactement le même coup que la première fois.

Fénimore agrémenta sa réponse d'une touche de soupir :

— Je vois. Bien. On a décidé de se séparer en deux équipes. Au cas où vous seriez tentés de déranger la théorie du complot pour si peu de chose, on a tiré à pile ou face. Je décachette l'enveloppe : Agent Titin, vous épaulerez l'Enquêtrice Binasse, et vous, Agent Ferde, vous me connaîtrez par cœur d'ici une ou deux semaines. Voilà. On a du travail et on commence maintenant. Agent Ferde, on va passer quelques jours dans l'intimité des champions.

— Et nous, Agent Titin, on plonge dans le monde de nos victimes.

— Allez, en route.

— On a du taf.

Mais, rassure-toi, c'est normal. Et puis former des réserves au haut niveau, c'est notre spécialité. Il paraît que t'as de l'endurance et de la caisse, mais pour faire la différence, tu vas devoir gagner en explosivité. Je t'ai concocté un programme très complet. Renforcement du gainage, rachis, lombaires, haut du corps, bas du corps, dynamique fondamentale, y a tout. Tu vas voir, y a tout. Appelle-moi Max. Quand tu monteras d'un cran, tu feras connaissance avec Jean-Louis et Yves.

Le mec dans son short et son petit polo noir du club s'était alors embarqué dans un délire infernal, à base de squat, épaulé-jeté, squat-fente, développé-couché, poulies, arrachés athlétiques, puis « Step », « Step », « Step », comme il énumérait, pendant que lui, Pamphile, il faisait le cabri avec vingt-cinq kilos sur l'épaule.

Le Max lui annonçait sa farandole de supplices comme la bouffe dans un resto chic. Il lui hurlait de « la base », du « quatre-vingts pour cent de ton intensité, tu vas voir », puis du « pectoral renforcé », sans oublier « le lactique, ça se dose, y pas que le lactique, y a l'endurance aérobie, puis la puissance aérobie, puis l'anaérobie lactique, faut qu'on bosse ta vitesse maximale, ça commence par le muscle », une histoire de réservesdans le corps dont le préparateur physique était obsédé, et qui n'empêchait pas Pamphile d'avoir l'impression que ses membres et ses veines allaient éclater comme des pneus sous des tirs de mitrailleuse.

Dans la tête de la réserve Zalin, ça bourdonnait comme un avion de compagnie à bas prix au décollage, il avait même des larmes qui lui sortaient, ce qui l'empêchait pas d'apercevoir de temps à autre les pros sourire, l'air de se foutre quand même franchement de sa gueule.

À chaque fois que, redevenu gentil tout à coup, Max lui disait : « Bon, tu peux souffler. Bois de l'eau, l'eau, c'est important, l'hydratation c'est primordial », cet enfoiré avisait tout de suite sa montre, puis il disait : « Top, récupération terminée. Tu comprends, faut de la rigueur si on veut vraiment faire progresser ton métabolisme, faut du schéma d'effort », ou je sais pas quoi, puis il lui disait : « Viens, on va passer au prochain exercice », et il fallait le suivre dans un autre coin de la grande salle de muscu beaucoup plus clean que celle des réserves, où on lui avait jamais fait faire autant de trucs, et où surtout ça durait pas deux heures de malade.

Rangée de robots aux mécanismes compliqués et puissants, les appareils racontaient en quoi ils entendaient transformer les hommes, qui, dessous se coloraient des liquides et des gaz qu'ils torturaient en eux. L'intendant Louis Trabin ne lâchait pas Garamande et Ferde. Chassesplain avait accueilli assez fraîchement l'arrivée des deux flics dans son quotidien. Il avait fallu expliquer la manœuvre, négocier des limites, palabrer. On était encore en République et la Police pouvait bien se passer de son autorisation, mais on avait fait semblant de se soucier des réticences du sachem pour commencer cette semaine en immersion sur des bonnes grâces. Aujourd'hui, c'était on regarde et on touche qu'avec les yeux, et demain, quand l'Enquêtrice Binasse et l'Agent Titin auraient récolté des photos montrables des victimes auprès des familles, on agrémenterait la visite d'un petit interrogatoire joueur par joueur, version : « Avez-vous déjà vu ce visage? » Pour le moment, l'intendant leur faisait faire le tour. Et il s'arrangeait pour qu'ils en tirent la conclusion qu'ils allaient se faire chier cette semaine en petites coupures de minutes bien longues.

— Voilà. Maintenant, les joueurs vont déjeuner, et ils seront de retour pour la séance vidéo à 14 heures. Vous voulez peut-être manger avec eux à la cantine ?

Vu le ton adopté par le rouquin bedonnant, c'eût été de même goût que s'enquérir des mensurations de sa fille. En fait de repas, ça serait donc sandwich à effluves dans la bagnole, en s'échangeant des monosyllabes avec Ferde sur fond de tubes nuls aléatoires. Casilde manquait profondément à Fénimore.

Comme ils étaient parvenus au bout de l'antre à tortures, l'intendant prit l'air d'un maître d'hôtel qui doit prévenir la cuisine si ces messieurs restent dîner. L'Enquêteur Garamande promena son regard par acquit de conscience sur la grande pièce toute neuve, avec partout aux murs, sur les machines, les survêtements, le phare et le DONEC NOX. Il huma le subtil mélange de transpiration et d'intérieur cuir de voiture juste achetée avant de remercier l'intendant et de partir manger.

Le corps à l'état d'éboulis, Pamphile ne pensait pas qu'on allait lui malmener le cortex en prime. Avec les réserves, ils s'étaient amusés quelquefois à jouer à la vidéo, c'est-à-dire à regarder des extraits de matchs mal cadrés par un père désœuvré à partir desquels

La-Claque leur expliquait des trucs basiques qu'ils auraient très bien compris sans se faire des vannes sur la gueule qu'ils avaient à la télé. Les vraies séances, préparées par des spécialistes, découpées en séquences montées par thèmes, avec des musiques, des slogans et le tintamarre, ça, c'était du bienvenue chez les pros, et Pamphile aurait pensé que ça serait fendard. Mais il comprit qu'après lui avoir fait sentir qu'il était encore un prépubère du sport, on lui suggérait que son cerveau avait encore besoin d'exercice pour tenir une heure de « Vous y êtes pas sur les appuis, voyez, c'est pour ça que vous désaxez », de « Premier rideau, deuxième rideau, si c'est verrouillé, faut jouer dans la défense avec un coup de pied par-dessus, t'as vu, leur troisième rideau, le quatorze, là, il court pas bien en arrière, fallait aller le chercher là », de camemberts à statistiques, de poussées semi-axiales, d'alternance entre nettoyage et écartement dans la zone plaqueur-plaqué.

Quand le chef-entraîneur était passé aux temps forts du dernier match de Garamène, Pamphile avait rien bité non plus à propos d'une histoire de montée axiale à échelons sur le premier rideau sans couverture systématique des intérieurs qu'il leur avait servie et qui concernait surtout les deuxième ligne ; son poste, comme par hasard. À la fin de la séance où il avait lutté contre le sommeil, contre ses courbatures lancinantes et contre l'impression très nette d'être un abruti, Sgabardane les envoya s'entraîner, non sans leur faire l'annonce terrifiante qu'on allait pouvoir mettre ces théories en pratique pas plus tard que tout de suite.

En tenue et crampons, une fois dehors, Pamphile fut malgré tout content de retrouver l'air frais, et quand l'équipe est arrivée derrière lui sur le terrain d'honneur, il fut gonflé d'un coup de fierté, comme un sac. Même que ça le remit d'aplomb. Mais Sgabardane gueulait qu'ils avaient traîné et que c'étaient des gros tas.

L'entraîneur leur avait fait comprendre qu'il n'acceptait qu'ils fassent les cons de flics en impers au bord de la pelouse qu'eu égard à leurs cartes et aux tragiques événements. Pour le reste, ils étaient invités à fermer leur gueule ; quittes pour admirer des gamins surdimensionnés subir un parcours militaire. À un moment, l'intendant est venu se mettre à côté d'eux pour bien leur faire sentir qu'on les avait à l'œil.

Si on n'avait pas compris pourquoi Sgabardane avait été choisi comme chef-entraîneur, se retrouver sous son sifflet, ça faisait une bonne formation accélérée. Ce type était un fondu. Plaquage sur sac de sable, soixante mètres à fond, foulées serrées sur une échelle, talons-fesses sur cinquante mètres, pas chassés sur une autre échelle, replaquage d'un sac de sable, puis trente pompes, recourse, puis quarante abdos, tout ça sous sa cadence de barjo. Une minute de marche, et on recommence. Deux fois. Trois fois. Cinq fois.

Pamphile croyait déjà avoir passé l'arme à gauche que le coach annonçait :

— Bon, maintenant, on applique les schémas de jeu. Les trois-quarts, vous lancez balle en main et les avants, vous plaquez.

Alors, c'était parti pour se concentrer sur le porteur de balle afin de le choper avant qu'il ait pu faire une passe. C'était parti pour la gueule dans la terre, se relever, entendre : « Replace-toi, Pamphile, bordel de merde », ça, dix fois, quinze fois, toujours sous les cris, et avec les trois-quarts par vagues incessantes. Enfin, après deux heures de folie sur la pelouse :

— Allez, les gars, douche et collation. Je compte sur vous pour nous montrer demain que vous savez enfin jouer au rugby. Soyez là à 11 heures. Pour la muscu.

Pas de doute, les rugbymen professionnels étaient une espèce à part. Et Pamphile apprit ce jour-là qu'il n'en faisait pas partie.

Gênée toute l'après-midi par la présence masculine de l'Agent, de retour au Commissariat, Casilde profitait d'un peu de solitude dans la coursive avant de retrouver Fénimore comme convenu ce matin. Et se laissa aller à la morosité inquiète qu'elle traînait depuis samedi.

Qui était cette femme ? Adélaïde de Savennières, comme elle s'était prétentieusement présentée. Qui était-elle pour lui ? Qu'est-ce qui s'était passé entre eux depuis deux nuits ? Ça se trouve, c'était sa sœur qui avait lâché son nom de jeune fille. Mais non. Fénimore était bien trop embarrassé quand il l'avait vue, même que Casilde s'était sentie obligée pour s'esquiver de trouver une excuse consternante. Te raconte pas d'histoire, va. Pourtant, si c'était une ex, Fénimore avait pas l'air ravi de la voir. Alors ?

Casilde n'était pas en position de poser des questions directes à Fénimore et il avait esquivé toutes ses tentatives de biais. Elle n'arrivait à lire en lui rien de précis. Tout au plus avait-elle remarqué qu'il se massait fréquemment la nuque. Elle diagnostiqua le programme libre gymno-plumardien. Avec cette fille qui sentait la conne prise de vertige d'être elle-même. Et la poitrine de Casilde s'étoila de rancœur. Et des larmes lui montèrent aux yeux.

Mercredi 25 octobre

Après une nouvelle journée à se martyriser pour devenir son rêve, Pamphile touchait ce matin-là au cœur, à la maison, la grand-messe : la mêlée. Dès le lever, il avait senti dans ses muscles un début de consentement aux folies du haut niveau. L'idée qu'il en serait capable. Que c'était une question de temps. Montée en puissance.

Sur le terrain d'honneur, Béno Biffin, entraîneur redouté des avants, avait fait disposer deux jougs, ces espèces de butoirs capitonnés qu'on programme pour produire une poussée et une résistance égales au poids de l'équipe à rencontrer. Garamène avait la réputation d'avoir la meilleure mêlée de la République. Biffin le leur avait annoncé d'entrée de jeu avec ce ton que les coachs maîtrisent et qui annonce la fin de la rigolade. On avait mis Pamphile en deuxième ligne droit du pack qui avait Dragoulémane pour pilier gauche, Klédinstein pour talon, Gabar de Galfatasse pour pilier droit et Lescarborde en deuxième ligne gauche. Il aurait été certain d'avoir été mis dans l'effectif des titulaires si la troisième ligne n'avait inclus, outre les légendes Darssin et Delaventin, le vieux Thalalé Jolssin. Il faudrait attendre demain soir et l'annonce du chef-entraîneur pour être fixé sur le statut qu'il aurait samedi. N'empêche, il allait pousser au milieu du gratin mondial.

Juste devant Pamphile, la première ligne se serrait soigneusement, chaque poigne sur le maillot voisin comme la prise méticuleuse d'un alpiniste. Ils étaient silencieux. Ils fermaient même les yeux. Ils avaient l'habitude de se coller les uns aux autres de la meilleure façon, de se trouver. Pamphile savait bien que toute la force d'une mêlée dépend de sa cohésion, qu'il n'y ait aucun jeu entre les corps, pour que rien ne se perde de la poussée. Ce fut au tour de la deuxième ligne de se lier. Son tour de prendre place dans la tortue. Pamphile enfouit sa tête entre Klédinstein et Galfatasse. Il cala son épaule sur la fesse de chacun, saisit de la main droite le short de Galfatasse à la limite des couilles, puis de la main gauche entoura l'épaule de Lescarborde.

— T'es trop haut.

— Plus basse, ton épaule !

Klédinstein, sans aménité. Il sentit à l'arrière Jolssin trouver sa place entre Lescarborde et lui.

— FLEXION !

Ses crampons ne se fichèrent pas en terre comme ils auraient dû.

— STOP !

Trop tard.

— TOUCHEZ ! ENTREZ !

Une seconde après, Pamphile avait la tête dans le gazon et il entendit hurler le talonneur Klédinstein :

— Mais ça se coordonne, une poussée ! Il a failli me pulvériser les cervicales !

C'était bien de lui qu'on parlait. Une immense vexation descendit dans ses membres. Gaz paralysant. Il regarda Galfatasse qui ne dit rien, comme d'habitude, mais son profond soupir cisailla les poumons de Pamphile. En jetant un œil expiatoire à Lescarborde, il vit le célèbre assassin lui sourire en faisant « non » de la tête. Il lut dans ce geste, destiné à remplacer les mots que n'avait pas le Volsquin, un : « Les écoute pas, c'est normal. »

— Attends que la première ligne ait stabilisé l'impact avant de mettre toute la gomme. Progressif, tu vois, progressif.

Ça, c'était Biffin qui l'avait dit. Lui donnant ce dont il avait besoin. Un peu d'encouragement.

Quelque chose qui effleure chez les morts ce qu'ils furent vivants. Casilde ferma les yeux pour écouter en elle ce qu'ils avaient fait pendant deux jours.

Elle était seule. À essayer de faire naître une idée qui en amène une autre. Une piste. Un fil. Une clef ou une porte, comme aurait dit Fénimore. Même une émotion. Parce qu'elle n'était pas seulement excitée par les logiques criminelles, comme son collègue. Elle, elle avait besoin de compatir. Fénimore disait que c'était assurer la victoire des sadiques. Mais sans s'attendrir, qu'est-ce qu'ils pouvaient bien faire d'humain au service des humains ?

Majda. Une fille du Faubourg-du-Bagne qui avait cherché la revanche du fric spectaculaire, les fréquentations, et qui s'était retrouvée danseuse sur bar avec pour aptitude spéciale le Hoola Hoop de nichons. À force de sentir qu'elle existait bien fort dans les slops de ces messieurs, elle avait attrapé la confiance. Elle avait réussi à plaire à des gros pontes, des mecs beaux aussi, du dessus de la chaîne alimentaire, des mecs en photo dans tous les magazines. La prudence qui se relâche, la certitude que le monde entier n'a d'autre mission que de la convaincre qu'elle est une reine, les soirées qui se succèdent, comme le prouvait sa massive collection d'invitations à des sauteries privées. Elle devait les garder pour pouvoir frimer devant des copines qu'elle n'avait plus. Le problème d'arriver dans le milieu qu'on fantasme, c'est que ceux qui peuvent admirer la prouesse, lui donner goût par leur regard deviennent peu à peu des étrangers. Un jour, la monnaie de la pièce. Ceux qui se battent pour y arriver tombent souvent sous leur propre coup, ou sous le surin de qui a vu la faille. P'tite louloute, va.

Casilde, tu es encore à la surface. Mais il y a des chances pour que l'assassin l'ait séduite, soûlée de promesses, avant de refermer le piège. Le tueur doit donc être un sociable. Il faut chercher du côté de la faune des nuits. Pas à pas.

Poussée, forces, clefs de voûte et contreforts, mobile architecture de sang, ouvrage pour chairs et muscles ; mais dedans, une affaire de millimètres.

« Décale ton appui gauche au sol, un tout petit peu, là », Klédinstein qui laisse tomber l'humeur pour lui dire en plein effort : « Un peu plus basse, ton épaule », Gabar qui déverrouille une main avant l'impact pour caler la clavicule de Pamphile contre sa fesse, Biffin qui pose un tee de golf contre sa pompe : « Ça, c'est ton départ », un autre tee : « Tu dois arriver là, si tu le fais tomber, ton pilier morfle, et si t'y es pas exactement, c'est que tu pousses pas droit et que t'es pas efficace. »

Tout ça, Pamphile l'entend. Il essaie même de prendre des repères, comme il l'a entendu dire cent fois, et comme il en comprend enfin le sens. Trouver les gestes exacts, cet équilibre silencieux au cœur de la violence qui lui fait toucher cible.

Mais il y a aussi son être qui vibre, l'incroyable impression qu'il va se déchirer par le milieu comme une feuille de papier. Il n'entend plus. Il est aveugle. Quand la mêlée se relève enfin, Bifin parfois dit : « Vous avez eu le dessus », et parfois non. L'idée que, pendant le match, il faudra repartir ensuite, courir, plaquer, sauter après ça est insoutenable.

Pour les copains de la réserve, à l'Académie, il est un colosse. Ici, il atteint ses limites. Peu à peu, pourtant, il se passe quelque chose qui le marquera, changera sa vie peut-être. Sébald lui crie : « Oullez, oullez », Gabar se retourne de temps à autre pour lui sourire et Klédinstein approuve par des : « C'est mieux. » Il a l'impression que ces types qui paralysent l'ironie l'accueillent. Alors, à un moment, il est dans sa puissance. Il ne souffre plus. Il lui semble détenir enfin cet impossible. Il sent que son effort rejoint celui des autres. Il cesse de vouloir tout renverser en lui, par lui. Il est juste. Le joug recule. Biffin gueule : « Ouais, les gars, ouais, ouais ! ». Puis Gabar rouge-en-nage se relève. Il laisse tomber :

— Il pousse, le petit, quand même.

Alors, Pamphile croit qu'il peut faire partie de cette équipe. Qu'il peut être son rêve.

Dans son corps, Majda avait voulu réussir, dans son corps elle avait succombé. Comme le prostitué Léo Ranin. Plus que probable qu'il ait perdu pied quand il a compris qu'il le prenait avec le mauvais sexe. Casilde croyait savoir que, malgré les bons sentiments qui courent, c'est une épreuve de découvrir qu'on est pédé, puisque ce mot et les injures sont bel et bien portés par ceux qui doivent les entendre sur leur plus intime et leur plus tendre, leur plus sauvage et leur plus pur, cette question de l'amour en laquelle chacun forge son bien et son mal.

Casilde n'imagina pas un fils chassé à coups de pierre d'un village du Marchaunoir, mais elle ne supposa pas les félicitations du jury. La République en général et Volmeneur en particulier, ville de rugby qui aimait bien les entassements masculins, étaient fort rigoureux à cloisonner la sensualité, et n'offraient pas exactement de fleurs à ceux qui suggéraient que le désir peut monter à rebours des applaudissements au pied des mairies, au secret, par le secret. Et puis Léo faisait partie de la famille Ranin, des malfrats sans humour qui dégainent les « pédales » comme une arme fatale à l'orgueil.

Alors, sans doute, comme Majda, l'envie simple de se frotter à la gloire, de se venger de cet opprobre au plus pur. L'obsession de se sentir grand là où on est accusé. En partageant la couche d'un héros, dire qu'on peut être héros. Au fond, la même histoire. Pas de raison de séparer les malédictions. Les soifs. Embrasser Zalin, enculer Zalin, jeune éphèbe de l'Académie, ça ne l'a peut-être pas rendu beau à lui-même, mais ça devait faire chanter ses blessures. Supporter la prostitution, l'enfer des Faubourgs, l'amant dealer. Mais poursuivre partout et sous toutes ses formes le chasseur qui a planté la flèche au flanc. De soi, toujours et inlassablement, se rapprocher.

Ça faisait déjà une demi-heure qu'on jouait le match d'entraînement, une demi-heure pour Pamphile à constater qu'à ce niveau d'engagement, d'impact, de plaquage, de course, ses muscles crachaient du soufre.

On lui gueulait quoi faire, mais il ne comprenait rien. Il ne lui restait de jugeote que pour se rendre compte qu'il était à côté. Que ses espoirs s'envolaient. Il avait pourtant fait un mini-match comme ça avec les pros au début de l'année. Mais ça n'avait rien à voir. Car alors on essayait de s'envoyer pour se faire remarquer par le chef-entraîneur. On jouait pour sa gueule, on se croyait bon. Là, il devait être au niveau des autres, à leur rythme. Et c'était tuant, littéralement.

On s'était rapprochés et liés pour une mêlée, et Pamphile espéra que ce serait la dernière et qu'il retrouverait les repères. Il jetait sa dernière vie dans l'affrontement quand on entendit : « Dis donc, Gabar, t'apprécies qu'une tarlouze te touche les fesses ? »

Alors, il se produisit quelque chose qui anéantit Pamphile. Tout son pack cessa de pousser, et on se retrouva cul par-dessus tête. L'instant d'après, il vit distinctement Gabar de Galfatasse se relever et aller vers Mahmoud Mefulaa, son pilier droit remplaçant, celui qui avait envoyé la mauvaise vanne peut-être pour se venger de se faire avoir depuis le début de l'entraînement en mêlée, plus probablement, parce qu'une bulle de connerie lui était montée au cerveau. En tout cas, Gabar le releva par le cou et lui envoya une droite bien dosée, pas assez puissante pour casser une tronche, mais suffisante pour dire nettement le droit. Gabar a commenté :

— On est forts. On n'a pas le droit de pas être intelligents.

Sgabardane gueula qu'il fallait arrêter ces gamineries, que c'était déjà assez compliqué pour le club en ce moment, puis :

— Allez, douche et collation.

Et heureusement. Parce que Pamphile aurait plus été capable de rien. Pas par épuisement, ni vexation. Mais parce qu'il n'avait jamais été l'objet d'une justice.

Serge Fondre se savourait comme une caricature. Jeté de l'Académie, jeté de l'armée, jeté de la Police, il avait fait vigile. Pourtant, il semblait pleuré. Et pas que par des mecs en marcel qui pompaient du biceps. C'était apparemment le genre de potes mariole, toujours la blague qui déclenche, la boutanche ouverte à la main censée dire « Même pas peur », toujours des gars hilares autour et jamais une fille au bras, trop parleur, trop forcené, trop brutal qui se force à des gestes doux et un ton dégoulinant en face d'une robe. Le stéréotype du vieux jeune de trente-cinq ans, qui s'enverra au mieux une divorcée au bout du rouleau pour être père d'un enfant malgré l'A.D.N. Mon Dieu, Casilde, ta tête est infestée de clichés. Trop de télé, trop de magazines.

Fondre n'avait pas réussi à être joueur, alors il faisait au plus proche. Il s'était arrangé pour bosser pas trop loin du club. Ses potes avaient confirmé à Casilde qu'il travaillait souvent à l'entrée de réceptions du XV. Voilà, il était mastard, construit par muscles, mais il restait à l'entrée, soit la plus inconfortable façon d'être dehors.

Un dernier coup d'œil aux photographies.

Aucune des trois victimes n'avait une gueule ordinaire. Trois corps qui avaient touché sans prendre. Trois êtres finalement punis dans leurs corps. Trop schématique, Casilde.

Jeudi 26 octobre

Le tueur raconte une histoire. Il procède par épisodes. C'est un feuilleton. Il faut l'écouter, puis confronter son discours aux faits, analyser l'ensemble, c'est là que la faille apparaîtra. L'Enquêteur Garamande en était certain, et à l'entraînement au tir, à grands coups de pétard ce matin, il lui semblait expulser sans bavure des vérités sans réplique. Il songea au dernier rébus. Après recherche, il n'avait trouvé qu'un rapprochement possible entre Arès et un corps dans un récipient. Il avait bien d'abord pensé à Pandore, à tous les maux libérés de la boîte par la jolie connasse – traduction rigoureuse d'Hésiode, même si synthétique –, puis à l'Espoir en lambeaux qui reste dedans, mais ça ne tenait pas le coup. Non. Un seul mythe collait. Il s'agissait de la révolte des Aloades contre les dieux.

Les Aloades étaient deux monstres qui grandissaient chaque année et qui avaient fini par faire le siège de l'Olympe en empilant les montagnes les unes sur les autres, quand ils ne les transformaient pas en projectiles. Stratèges, les Aloades avaient d'abord voulu mettre le dieu expert de la chicore, Arès, hors concours. Ils l'enlevèrent et l'enfermèrent dans un vase. Bon, comme ils étaient pas fins fins quand même, leur but ultime était de violer Artémis et Héra. Apollon avait compris leur fixette et avait eu l'idée de les entuber en leur envoyant en guise d'otage la seule

Artémis. C'était, du coup, l'éternel drame de la chandelle, les deux débiles ont commencé à se foutre sur la gueule pour savoir qui pourrait soulager sa crampe en premier, Artémis pas folle s'est changée en biche, ils ont décidé de jouer au premier qui transpercera l'animal pour arrêter l'ordre d'entrée en baise, et comme ils étaient d'ardents compétiteurs passés maîtres dans l'art de la connerie et qu'Artémis savait diriger ses courses, ils ont fini par se transpercer l'un l'autre de leur lance. Les Grecs s'amusaient avec des mythes franchement spéciaux et la leçon de l'histoire était pas aveuglante. En tout cas, Arès a été récupéré et puis rendu à son règne absolu sur les hommes. Dixit Héraclite. Et ça sembla pas bien audacieux à Fénimore de conclure qu'après le corps et la parole le tueur entendait montrer que les pauvres-de-nous ont inventé toute une gamme de maquillages moraux pour ne pas avoir à raconter aux enfants que c'est toujours le plus fort qui fait la loi. Comme pas mal de prêcheurs avant lui, l'assassin croyait mériter l'adoration universelle parce qu'il déballonnait la vie jusqu'au constat. Pas là de quoi, pourtant, être fixé sur la durée de vie du soleil. Malheureusement, pas de quoi localiser non plus la crèche du *serial killer*.

— Pamphile, y a un moment où faudra arrêter de te vautrer dès que tes soutiens te lâchent, compris ?

Le « oui » de la tête noyé dans le traumatisme post-chute ne garantissait pas le résultat. Séance de touches. Pamphile n'avait toujours pas compris quand et comment les deux joueurs qui le tenaient en l'air après son saut le lâchaient, du coup, il tombait par terre et pourrissait le ballon à chaque fois. Pour être peu glorieux, ce festival de gadins était un progrès par rapport au début de la matinée. Il avait commencé par ne rien comprendre aux annonces du demi de mêlée, qui disait par codes au talonneur sur qui il devait envoyer la balle, ça lui avait fait rater un nombre monstrueux de réceptions. Dans la combinaison, la première lettre du deuxième mot indiquait les sauteurs et un nom de Province ou de mer disait après comment ce dernier devait gérer sa prise : la garder à la main pour que le pack se lie, ou éjecter sur le demi de mêlée pour que les trois-quarts déploient. Seulement, comme l'idée était de surprendre l'alignement ennemi et de l'empêcher d'intercepter, pour empêcher qu'ils décryptent ces codes, il fallait changer en cours de partie et les lettres repères du deuxième mot variaient, avec comme début soit A, soit F, soit M, soit R, selon si on était au premier quart ou au deuxième quart du match, et ainsi de suite. En plus, il y avait une autre information dans les deux mots pour les soutiens des sauteurs, mais Pamphile n'avait pas bien compris quoi, malgré des heures ces dernières nuits à potasser les schémas de jeu. Comme Bifin s'amusait à gueuler « deuxième quart de la partie » ou « troisième quart » pour changer la donne et tester leur mémoire, Pamphile avait été très vite dans le cirage. Du coup, il passait pour un con dangereux. Pourtant, il était encore avec de probables titulaires. Mais cette séance avait tout gâché, c'était certain. De toute façon, il n'avait plus à attendre que quelques heures avant le verdict de la liste des vingt-deux.

Le langage du crime, c'est la compassion, mais version prédateur, version regardez-moi être méchant et faites vos gros yeux. L'Enquêteur Garamande pensait qu'on n'était pas sur terre pour suivre ce genre d'invitation, même sous prétexte d'avoir un cœur. À force de se laisser choquer, c'était appels à la sévérité généralisée et lois de plus en plus dures contre des horreurs auxquelles on voulait tellement répondre qu'on leur donnait le premier rôle. On finissait par se demander ce qui restait comme vie intacte après les délires du premier malade venu. Fallait pas déconner non plus. Le mal est le mal. Mais la première façon de lui céder c'est de lui donner le triomphe de nous bouleverser. Fénimore en était persuadé, si on avait choisi d'être flic, si on acceptait d'être payé pour remuer la merde avec une expertise un peu plus fine que celle du civil lambda, il ne fallait pas se laisser avoir.

— En faisant ça, tu fais que perdre de l'influx, tu vois ?

Le ton de Sgabardane n'avait rien de méchant. Mais, vu le nombre de fois qu'il était revenu sur lui au cours de la séance vidéo qui décortiquait les entraînements de la semaine, il parut évident à Pamphile qu'il était en train de lui expliquer en douceur pourquoi il ne ferait partie ni des quinze titulaires, ni des sept remplaçants ; pourquoi il regarderait gentiment le match en tribune, avec le reste des réserves, en se faisant chambrer sur ses prétentions de première. Il vécut donc très mal l'heure devant le grand écran, et écouta à peine ensuite la stratégie que mit en place le coach, images de Garamène à l'appui. Son cœur remuait de la déprime à grumeaux. Il n'avait pas été à la hauteur de sa chance.

Le tueur ne doit pas prendre le pouvoir. Il ne faut pas se laisser valdinguer de corps en corps la larme lourde et selon son scénario. Le malade comptait sur ça. Les émotions, il les maîtrisait comme un comédien qui connaît son métier. Non. Décortiquer la logique et se souvenir de

VICTIME CIRCONSTANCES MOBILE MODE OPÉRATOIRE AUTEUR.

Les mots reprenaient sens. Fénimore se retrouvait. La citation d'Héraclite.

Une idée.

Peut-être même une indication pour attraper quelque chose de concret, enfin. Le tueur a beau se draper dans l'Antiquité, il veut produire un discours sur ici, sur maintenant. Et, aujourd'hui, quel était le visage quotidien de la guerre ?

La concurrence.

Quinze heures. Annonce des joueurs qui iront défendre les couleurs de Volmeneur contre le champion en titre. Sgabardane aux manettes :

— D'abord, j'ai voulu prendre les mecs les plus frais, puis aussi soulager un peu ceux qui ont beaucoup donné pendant les trois premières journées. D'un autre côté, je ne vais pas vous mentir, j'ai envie de montrer à la presse que ces histoires de revanche, j'en veux pas plus que les machins de meurtres autour du club. J'ai envisagé de vous motiver comme ça au début de la semaine. Puis j'ai changé d'avis. Il faut avoir la tête claire et libre de ce genre de conneries pour jouer un match de ce niveau. Alors, c'est simple, pour bousiller les parallèles, j'envoie quasiment que des gars qu'ont pas joué la finale. Les titulaires de la semaine dernière qui ne jouent pas samedi, ne vous prenez pas la tête. Je suis ma logique de dédramatisation, je ne remets pas en cause votre niveau. Ceux qui se disent qu'on les prive d'une des plus belles rencontres du championnat doivent se rappeler qu'il y aura de toute façon un match retour. Je précise que les une ou deux fois où s'applique pas ma règle des non-finalistes dans cette liste, c'est quand j'ai pas eu le choix, faute de banc convaincant. Bon, voilà : numéro 1, pilier gauche : Kétil Lamarsineinba ; numéro 2, talonneur : Macaire Daquin ; numéro 3, pilier droit : Mahmoud Mefulaa.

Pas un de ces joueurs n'avait été dans l'équipe de Pamphile pendant les entraînements. C'était réglé.

— Numéro 4, deuxième ligne : Sébald Lescarborde. Numéro 5, deuxième ligne : Désiré Calfin.

Et voilà. On venait de lui montrer sa place en tribune d'honneur. Il entendit égrener le reste de l'équipe comme un mourant le rosaire après l'extrême-onction, puis Sgabardane articula :

— Remplaçants : numéro 16, pilier droit : Gabar de Galfatasse ; numéro 17, talonneur : Baruch Klédinstein ; numéro 18, deuxième ligne : Pamphile Zalin.

Un grand poing de joie dans le bide. Les types qui avaient joué de son côté cette semaine étaient tournés vers lui. Et applaudissaient. Alors, il rigola. Comme un con.

Vendredi 27 octobre

SGABARDANE ÉVITE LE COMBAT
VOLMENEUR NE SERA PAS AU RENDEZ-VOUS DE LA
REVANCHE, ET JETTE DES RÉSERVES DANS LA GUEULE DU
LION

Dans l'avion privé qui emmenait le club au grand complet vers Garamène, Pamphile feuilletait le quotidien *Compétition*, et n'en tirait qu'aiguillons à son inquiétude.

« Je n'évite rien du tout et nous nous rendons bel et bien dans le Glatambour pour gagner. Mais je ne compose pas mes équipes pour donner du grain à moudre aux journalistes. J'ai tout simplement choisi les hommes les plus frais physiquement et mentalement. Un effectif, c'est fait pour ça. Nous comptons bien prendre notre revanche, mais sur toute la saison, pas seulement sur ce match. »

Tels sont les arguments du chef-entraîneur des Outrenoirs. Mais on entend déjà les excuses d'inexpérience et d'équipe bis se profiler en prélude d'une défaite certaine. Dommage. Tout le monde attendait ces retrouvailles, et Volmeneur refuse le jeu. Le rugby n'en sortira pas grandi.

— Tu devrais pas lire ça.

Pépin Pérégrin, son voisin de siège, avait interrompu sa macération d'idées noires.

— C'est vraiment chaud. C'étaient pas nos potes, mais quand même. Ça fait bizarre. Si ça continue, je vais finir par leur dire ma théorie, aux flics.

Pamphile entendit Trinquetaille tenir ces propos à Valdafin dans la rangée derrière. Le deuxième ligne de dix-neuf ans pensa qu'ils discutaient de l'interrogatoire auquel chacun avait été soumis cette semaine. Sauf lui. La longue garde à vue avait suffi. Il faisait de son mieux pour oublier toutes ces histoires, pour ne pas penser à Léo, pour éviter de penser à la conversation qui s'annonçait avec ses parents. Il enfila ses écouteurs. Afin de se tremper le moral dans un bon rap galvanisant.

Vendredi, 18 heures. La réunion qui devait faire le point à ce stade de l'enquête allait commencer. Les Agents Melchior Titin et Hubert Ferde, les Enquêteurs Provinciaux Casilde Binasse et Fénimore Garamande firent de leur mieux pour enclencher l'ambiance cogitations-décisives. Fénimore lança les débats :

— La mauvaise nouvelle, c'est qu'après plusieurs visites guidées des systèmes de surveillance du stade et du siège du XV à l'Académie, après avoir bassiné l'Expert Informatique Judiciaire, on ne comprend toujours pas comment des dispositifs supposés inviolables ont pu être pénétrés sans qu'il en reste aucune trace, et sans que les vidéos nous racontent rien à ce sujet.

— Il y a forcément une explication.

— Ben, les serveurs ont été piratés.

L'Agent Ferde avait pris le ton du type qui est le seul à voir la lune au bout du doigt.

— On y avait pensé, merci. Mais leur système aurait dû se mettre en alerte à la moindre tentative d'infiltration. Bref, c'est toujours la même chose : ce que la réalité nous raconte, les appareils chargés de la surveiller le contredisent.

— Sauf si les types qui traduisent ce que ces appareils ont à dire mentent, sauf s'il y a un complice qui maquille les informations de l'intérieur.

— Même pour ça, ils m'ont expliqué qu'il y avait une espèce de boîte noire intrafiquable. Le mystère de la chambre close électronique reste entier.

— Et pour la réception ?

— C'est bien sûr un peu moins compliqué de faire entrer un pot fermé plein de restes humains dans un pince-fesses. Mais aucune image et aucun témoignage ne nous disent pour autant qui a fait ça et comment.

— Fénimore, Hubert vous avez tiré quoi de votre semaine en immersion auprès des joueurs ?

— Je me suis un peu emballé sur l'intérêt que ça pouvait avoir. Tout ce que j'ai à dire, c'est qu'ils s'entraînent dur, qu'ils ont un emploi du temps papier à musique, et qu'ils révolutionnent pas le champ cognitif. Ah oui, c'est classe, l'Académie. C'est tout.

— Et les interrogatoires des joueurs, ça a donné quoi ?

— Alors, voilà la bonne nouvelle…

Par le hublot, sous le flot d'une chanson qui promettait aux oreilles de Pamphile la gloire un jour aux morts de faim, s'étendit au sol le dessin de Garamène. Ça faisait déjà un moment que la Province du Glatambour jetait par taches et lignes son paysage saturé de blés ; vieilles demeures ; richesse palpable du plus loin des temps, héréditaire. Garamène, le cœur de la République, comme on l'apprenait aux enfants, en même temps qu'on leur disait qu'elle avait été le siège du vieux Royaume, avant que ses fidélités lui valussent la décapitation et qu'on donne à renfort de hourras révolutionnaires à la grande cité du Vasteval son nom actuel et sans équivoque de Capitale. C'était ici que se tissait la prospérité du pays, dans les longs

199

linéaments et les compliquées arabesques de ces champs brunis d'automne, dans le tapis du long fleuve Mélaine, dans ces veines de rivière, dans ces losanges de villages préparant le contraste avec la grande ville qui se déroulait maintenant. Clochers anciens, calottes des buildings se pressant en faisceaux pour raconter les différentes incarnations de l'or, ce souverain à qui les mortels demandent jour après jour, de chiffres en chiffres, de pièces en pièces de leur donner leur face.

— Tous les joueurs, sans exception, ont reconnu les trois victimes. Certes pas nommément. Mais ils sont tous certains de les avoir vues quelque part. Et ce n'est pas tout. On sait où ils les ont vues. Et ça, c'est quand même plutôt bien, parce que ça veut dire qu'on a établi le lien entre nos malheureux. Et ce lien est, mesdames et messieurs... le resto où dînent toutes les semaines l'avant-veille des matchs les vingt-deux joueurs retenus dans l'équipe. On a en effet appris que Jérémie Chassesplain avait pour tradition de réserver chaque jeudi soir de la saison une salle du très huppé *Valentin*. D'abord, c'est costard, banquet, et « T'as goûté le homard? ». Mais après le digestif, il est d'usage de laisser jeunesse se passer et s'ensuit une soirée privée où les joueurs ont le droit de faire venir quelques amis, préalablement enregistrés sur une liste visée par un videur, qui n'était autre la semaine dernière que...

— Serge Fondre ?

— Bonne réponse. Majda, elle, était venue faire un petit extra en fin de saison passée.

— Et Léo Ranin ? Son lien avec le club, c'est Pamphile, et Pamphile, c'était la première fois hier qu'il était dans les vingt-deux, non ? Même que les journaux en font un foin. Il y a un problème, là.

— Ça vous ferait chier de suivre, Agent Titin ? Souvenez-vous de la garde à vue de Zalin. Lui et

200

Ranin se sont revus au printemps dernier lors de la traditionnelle virée où les anciens bizutent les futures réserves. Après recoupement auprès des joueurs, on a ainsi appris que Léo Ranin a été serveur au *Valentin*. C'est comme ça qu'il a fini par sympathiser avec les stars, jusqu'à être convié à partager leur nouba cette nuit fatidique où il a succombé à l'éphèbe Zalin.

— Soit. Et où ça nous mène ?

— Au fait qu'il est désormais clair que le tueur se cache parmi les participants aux banquets. Il fallait y être pour savoir que Majda, Zalin et Fondre y étaient allés.

— Ce qui nous donne ?

— Les vingt-deux joueurs de chaque match, Chassesplain, le personnel du restaurant et tous les invités des derniers mois. À nous maintenant d'aller chercher leurs noms. Alors, que dit madame l'Enquêtrice du boulot de Garamande et Ferde ?

— Qu'on progresse.

Ils sont couchés, et il devrait dormir. Dans le lit d'à côté, Sébald Lescarborde a sorti les ronflements wagnériens. De loin en loin, un phare de voiture déchire le mur. On entend même des groupes chanter et crier. Pour le reste du monde, c'est vendredi soir. Mais pour Pamphile, c'est la longue veille.

Le réveil sur la table de chevet dit 23 heures, le couvre-feu des veilles de match. Hier, on est sorti tard. Son premier banquet « feuille de match ». Pourtant, malgré la fatigue, malgré les courbatures qu'a réveillées le léger entraînement du capitaine cet après-midi, le jour qui vient à sa rencontre de son pas lent autour du globe est trop important pour qu'il trouve le sommeil. Et il ne cesse de se répéter qu'il doit dormir, et cela l'excite plus que trente cafés.

Il se demande. S'il a le don. Il aura la réponse demain. Ce corps trop grand, trop large, ce corps dont il a honte depuis petit, ce corps qui fait qu'il marche comme s'il voulait disparaître sous la ligne des épaules, ce corps, peut-il porter la victoire ?

Il ne s'agit plus d'espérer. Il s'agit, dans chaque fibre et chaque membre, dans la pulsation et le geste, d'être meilleur que l'adversaire. Comment cette chair qui le dévore trouverait pour lui ouvrir une vie la réplique de l'admiration des autres ?

Demain, il faudra battre le champion chez lui. C'est-à-dire l'humilier.

Demain, il ne faudra plus vouloir la victoire. Il faudra être la victoire.

— Dernière chose : notre indic Risk a encore été bon, il ne faut pas hésiter à faire appel à lui.

À part ça, le compte rendu de Casilde n'avait pas apporté grand-chose, sinon des considérations sentimentales, auxquelles l'Enquêteur Garamande savait sa collègue encline : la famille misérable de celui-ci, l'enfance atroce de celle-là, la carrière catastrophique du dernier. Tous des ratés à la poursuite de leur joie. Rien d'étonnant à ce qu'ils veuillent téter tout ce qui brille ; insectes sur l'ampoule. Fénimore reprit la main :

— Sinon, j'ai réfléchi au symbolisme du dernier meurtre. Je pense que le tueur ne vise pas exactement la guerre. Polémos, ça peut vouloir dire conflit au sens large… Je crois donc que notre assassin veut prêcher contre le règne de la concurrence dans notre société. On voit tout de suite le rapport avec le rugby, qui n'est jamais qu'une lutte entre orgueils plus ou moins civilisés. Il nous annonce peut-être son prochain meurtre, aussi, qui viserait un capitaliste lié au rugby, ce qui signifierait qu'il joue à nous laisser des indices. Sinon, je ne sais pas si ça vous intéresse – moi ça m'aide –, mais je me suis amusé à récapituler le propos des meurtres. Et ça donne :

L'Homme croit toucher, mais se brûle. L'Homme croit dire, mais s'étrangle. L'Homme croit œuvrer

202

pour la paix, mais n'engendre jamais que sa forme de guerre.

— Et c'est censé nous mener où, ce machin grandiloquent ?

— Ça nous dit que le tueur cherche à définir les limites de l'humanité et qu'il veut rappeler la suprématie des dieux oubliés. Ça nous dit que le premier meurtre faisait sans doute référence à Zeus, le deuxième à Dionysos, le troisième à Arès. Chacun a son règne à rappeler. Et aussi son meurtre à commettre. Ce sont les dieux qui tuent.

— Je ne suis pas sûre de trop comprendre, mais admettons. Qu'est-ce qu'on en fait ?

— Il y a douze ou quatorze dieux qui siègent dans l'Olympe, selon les traditions. L'assassin semble vouloir frapper chaque semaine. Il lui reste neuf ou onze meurtres à commettre. Je ne serai pas étonné qu'on nous en annonce un nouveau ce week-end.

— Et qu'est-ce qu'on fait pour l'interrompre ?

— On peut commencer par écumer les bibliothèques pour savoir qui a commandé des livres sur la mythologie, on peut se renseigner auprès des librairies de Volmeneur sur leurs clients fans d'Héraclite, on essaie de comprendre pourquoi il frappe dans cet ordre. Ensuite, on peut utiliser notre imagination pour anticiper son prochain crime, afin d'avoir un coup d'avance et de repérer tout ce qui peut le trahir. Par exemple, je schématise, si on suppose qu'il va encore cramer quelqu'un pour rendre hommage au dieu solaire Apollon, et si on découvre qu'un lance-flammes a été volé, on fait ce qu'on peut pour savoir par qui, et on arrête le coupable avant qu'il nuise.

— Un peu vague, le plan de bataille.

Samedi 28 octobre

Quand il repenserait à cette journée, Pamphile Zalin se souviendrait d'avoir eu peur. Peur pendant la balade du matin dans le parc aux amours inanimées dans la mousse des statues, peur sur le silence des branches, peur sur ce luxe avec lesquels les choses meurent dans octobre ; peur sur toutes les rues de Garamène, le long de ces vieilles maisons à croisillons et tuiles, ramenées à l'enfance par les tours de verre qui çà et là les écrasaient du talon, peur pendant le déjeuner dans le palace boisé, pendant la sieste au sommeil impossible, quand leur car serpenta dans les bouchons du samedi pour gagner le stade, quand ils arrivèrent devant l'édifice d'acier, la grande soucoupe froide où ils s'abîmèrent dans le vestiaire. Peur pendant la remise des maillots, peur à cette seconde-monde où il toucha enfin le sien, dans les odeurs de camphre, quand le masseur le désengourdit sur la table, lorsqu'il banda sa cuisse selon cette technique particulière à son poste que son pansement offre une prise à celui qui le lèverait en touche. Peur pendant les foulées, les pas chassés, les pompes sur l'immense pelouse où grandissait voix à voix la rumeur hostile, peur quand, rentrés dans l'attente, les avants se lièrent, que Gabar le prit fortement, le frappa contre lui, dit seulement : « On est là. » Peur dans la grande colère qui montait sur tous les visages, dans les : « Cette fois, c'est pour nous », les mots du capitaine, dans les passes d'échauffement des trois-quarts, peur dans ces sanglots qui le prenaient soudainement de se rendre compte, peur quand les crampons claquèrent l'entrée, chaque équipe son côté, les Gardiens de Volmeneur en noir et les Semeurs de Garamène en blanc. Peur quand se fit la percée jusqu'à la pelouse, le grand hurlement contre eux, les « Natio-Fachos », les « assassins », les « clodos du Marchaunoir », insultes rituelles des adversaires, pris ce soir en plein bide, en pleines tripes, peur quand il s'assit au premier rang d'une tribune ouverte sur le terrain, juste derrière Bifin qui recevait les ordres de Sgabardane là-haut, dans sa cabine. Peur sur le ballon qui s'envole, sur tous les chocs et sur toutes les tentatives, peur et effondrement quand Garamène les fusilla d'un essai dès la quatrième minute, peur et dégoût quand Volmeneur prit deux pénalités en dix minutes parce que Sébald ne pouvait pas faire mieux que tricher pour tenir, peur quand, fou de rage sans doute à cause des points perdus par la faute du boucher volsquin, Sgabardane donna l'ordre à Bifin de l'appeler.

Max lui fit faire deux-trois sprints, quelques assouplissements, son boulot de préparateur physique. Vingt-neuvième minute. Bifin lui dit :

— Calfin passe à gauche, tu passes à droite. Allez, mon gars, allez.

Max gueula un :

— T'es prêt, t'en fais pas.

Et Sébald, quand il lui toucha la main, lança un :

— Va, va, va.

Et alors il rejoignit les autres pour entrer en mêlée. Ses repères de la semaine s'étaient envolés, il avait le ventre et la tête emprisonnés dans un ralenti.

Quand il y repenserait les jours suivants lui reviendraient seulement cette balle lâchée à la quarantième minute, deux touches sur lui où il n'avait pas vu l'adversaire en avance et s'était fait choper le ballon, un plaquage raté, l'impression à la fin de n'avoir plus de muscles, et que les autres lui servaient de béquilles quand ils allèrent partager leur chant traditionnel après le coup de sifflet final, sous la tribune où leurs compatriotes les noyèrent dans les huées.

Il se souviendrait aussi de Gabar de Galfatasse pendant le match, de Calfin qui lui donnait des tapes d'encouragement, de Valdafin qui lui disait :

— T'es bon, le petit, t'es tout bon, hésite pas, pète-leur dans la gueule.

Il y eut aussi cette seconde où, sortie de nulle part, il fit jaillir de lui une charge qui fit claquer deux gros d'en face comme des volets, cette seconde où il entendit un « Oh », cette seconde où il sentit qu'il avait ouvert une liberté. Qu'il donnait. Où il sut qu'il pouvait être, lui, avec les autres, le XV de Volmeneur. Il dirait plus tard :

— Sgabardane avait bien vu le coup. Il avait raison de vouloir mettre d'autres joueurs pour éviter que la finale perdue nous paralyse. Mais jouer Garamène, à cette époque, c'était se prendre un camion en pleine gueule qui n'en finissait plus. Et ils étaient même pas des escrocs et des ordures. Ça jouait honnête. Juste supérieur, à s'en excuser. Juste atroce.

Ce soir-là, ils avaient tous vécu un petit tête-à-tête avec la défaite. Ils avaient saisi dans leur peau, ils avaient connu, dans le sens biblique, leur infériorité.

Pamphile aurait volontiers comparé cette déroute à une errance sans boussole sur la banquise. Surtout ces quarante dernières minutes où aucun point ne fut marqué, où ce fut défense contre défense, héroïsme contre héroïsme. Dans ce désert crispé, on reçut la nouvelle qu'on n'avait pas le niveau de remporter le championnat et que Garamène incarnait toujours ce que ça voulait dire.

Après le match, Pamphile Zalin était certain que cette inégalité à son but qu'il avait conclue de la soirée, que ce « et pas plus loin » définissait ce qui lui restait comme vie : une lente agonie d'échecs avant le sommeil de résignation.

Et, après le match, Pamphile se souvint qu'il avait aimé l'homme qu'on l'avait soupçonné d'avoir tué. Refoulé dans la possibilité de sa gloire, couvert par l'arrestation et ses tourments, la vision de Léo, la vérité atroce de sa mort se planta finalement dans son cœur. Et, après tant de sanglots cette semaine, pour la première fois, il lui sembla pleurer. Il lui sembla pleurer.

*

* *

— Alors, pour toi, cette Adélaïde, c'est...

— Voilà.

— Et donc ?

— Et donc. ( ) Quoi ?

— Rien. ( ). C'était bon, tu trouves pas ?

— Excellent. Merci de m'avoir amené ici.

— Le plaisir est pour moi. ( ) Ils vont fermer. ( ) Tu... On va se boire un dernier verre ?

— Eh bien...

Le téléphone. Quand elle eut fini :

— Laisse-moi deviner. Notre quatrième corps.

— Un homme. Trouvé dans le car qui ramenait le club de l'aéroport de Volmeneur. Il a été enfermé dans un sac. Mort. Et sans appareil digestif.

GARAMÈNE – VOLMENEUR

20   3

VOLMENEUR EST QUATRIÈME DU CHAMPIONNAT

Cinquième journée :
Volmeneur – Crazié

M

1
pilier
gauche
Kétil
LAMARSINEINBA

2
talonneur
Macaire
DAQUIN

3
pilier
droit
Gabar de
GALFATASSE

Ê

L

4
deuxième
ligne
Sébald
LESCARBORDE

5
deuxième
ligne
Myrtil
PAHONTAS

É

6
troisième
ligne aile
Sixte
DARSSIN

8
troisième
ligne centre
Iker
DELAVENTIN

7
troisième
ligne aile
Yann
HURLAR

E

CHARNIÈRE

9
demi
de mêlée
Félix
VALDAFIN

10
demi
d'ouverture
Abderrahmane
TRINQUETAILLE

TROIS-QUARTS

11
ailier
gauche
Nazaire
MARLIN

12
centre
Judicaël
GALBOND

13
centre
Zacharie
HAOUSSELINE

14
ailier droit
Malloy
GRUVALD

15
arrière;
capitaine
Athanase
CRAMARIN

REMPLAÇANTS

16. Mahmoud MEFULAA
17. Baruch KLÉDINSTEIN
18. Terce HACHETTE

19. Pamphile ZALIN
20. Corentin DIMBIEL
21. Zachée BARNOLD

22. Pépin PÉRÉGRIN

Lundi 30 octobre

La procureure de la République Caterina Glazère aimait cacher son cœur sous un joli corsage frappé de parfum. Elle ne croyait plus trop à l'héroïsme de la loi, mais elle tenait à faire son travail sans faiblir. Elle ne croyait plus trop à l'héroïsme de la loi, mais jamais ne l'avait lâchée cette douleur, la solitude des enfants tristes.

Elle cherchait dans les affaires des gueules où frapper l'injustice. Un peu comme ceux d'ici trouvaient leur fierté dans des mastards en short qui se battent pour planter un ballon en terre. Incarner, quand si peu se donne à palper, à sentir. Ne restaient que des décharges, l'intensité tenant lieu d'évidence, monde en coups de poing. Et c'était aussi cela que cherchaient les toxicos en se vitrifiant l'intérieur. Cette soif que les détonations aillent au bout, qu'on arrive, dans cette humanité à explosion, à toucher un quelque part. Le dossier sur le bureau disait qu'à ce petit jeu un gamin de quinze ans avait résolu la question de son avenir en se plantant une aiguille dans le bras. Hamlet qui a choisi le ne-pas-être. Le genre de cas qui faisait monter les larmes aux yeux de la Procureure comme une moutarde au nez. Rien à faire. Sinon se promettre qu'au prochain coup de filet on soignerait les grossistes de l'électrocution fatale.

La télévision muette disait avec ses détonations d'images l'indignation de la population et les incantations de toutes tessitures pour exiger que cesse l'odieux carnage de Volmeneur. Le tueur réussissait là où la catastrophe quotidienne ne remportait de loin en loin qu'un succès d'estime. Prise au conte de l'assassin, excitée par le chapitrage des meurtres, la presse demandait justice et protection. Mais ce n'était pas parce que l'effroi tournait à plein régime que les Policiers avaient le pouvoir de ralentir sa cadence. Et puis, de quel effroi parlait-on ? Ces mises en scène n'avaient avec le vrai combat à mener contre l'horreur que le rapport qu'entretiennent avec elle les films qui en portent le nom. Et cette hémoglobine n'arrivait pas à la cheville d'un enterrement maladroit d'adolescent dans un funérarium de Faubourg.

On faisait quand même ce qu'on pouvait pour contrer les trouvailles du malade, et on avait tenu secrets la plupart des détails scabreux, notamment la teneur mythologico-philosophique de son délire. On réservait son prétendu message à un public choisi. On n'avait pas insisté sur les liens avec le club après l'inévitable rapprochement du premier meurtre, on s'était arrangés pour que soient inconnus du public les lieux où on avait trouvé les autres victimes, dont on avait bien entendu tu l'identité, et dont les proches avaient été sommés de ne pas parler aux journalistes. On y gagnait pour le moment un festival d'hypothèses où les échotiers du sordide démontraient à longueur de journaux que n'est pas Shéhérazade qui veut.

L'assassin n'en racontait pas moins sa saloperie d'histoire. Que la Procureure Caterina Glazère comptait bien récrire bientôt devant un tribunal, en partant d'une toute nouvelle approche, et avec pour point de départ l'idée que cette femme brûlée et ces types coupés en morceaux étaient des êtres humains.

Cette réflexion fit refluer une méfiance en la Procureure Glazère à l'égard des préjugés de son éducation. Elle n'était que trop fidèle au parti qui portait ses grands principes en bandoulière, au parti qui se méfiait de tout ce qui était cruel, y compris la vérité, le Parti de la Réforme, éternel perdant face à l'implacable majorité, la Coalition de la Loi. Et il n'y a pas de raison d'estimer les charniers de la drogue plus graves que les sanglots hystériques qu'inspiraient les martyrs involontaires de la cause d'un fou. Plus graves, moins graves. Il s'agissait de toute façon d'injustices. Et elle avait prêté serment de lutter contre elles.

Caterina Glazère se disait souvent que son véritable ennemi, l'assassin qu'elle prenait en chasse à peu près tous les jours, c'était le temps lui-même. Du moins la version dilatée qu'en donnait leur époque. Les existences moins menacées de maladie avaient pris de grandes libertés avec la durée, on cherchait encore son rythme de vie et de mort. Où il y a un âge pour être un enfant, un âge pour apprendre, un âge pour aimer, un âge pour réussir, un âge pour transmettre. Et un âge pour accepter son existence, comme une phrase avec début et fin, qui laissera derrière elle ce qu'elle peut.

Aujourd'hui, tout le monde échangeait ses jours contre une minute à tutoyer les dieux du poison dans le bras. Seul le poison variait. On troquait l'idée d'un monde où il y a place pour chacun contre le rapide encaissement d'une position dominante, on ne voulait entendre ni frères, ni foules, ni avant, ni après. Tout ça dans le grand ballet médiatique qui dissipait tout au jour la journée. Toujours surprendre. Au diapason d'une attention d'épileptique. L'État-seconde. La Procureure Glazère avait le sentiment qu'il n'y avait plus que les tribunaux pour croire en l'existence du passé. Pour tenter la conjuration du pire des futurs.

L'enfant de quinze ans dans le dossier ouvert n'entendrait parler ni de centres de désintoxication, ni de programme de rescolarisation, ni d'aucun de ces essais maladroits de sauvetage. C'était un mort de plus dans une catastrophe à débit hebdomadaire. C'était classé. Sans suite. Et personne ne la demandait jamais, la suite. Sauf si on avait le talent de déclencher la méchante petite haleine du feuilleton. Piège de l'événement. Bien la preuve que ce n'est pas la pensée, mais le récit qui gouverne le monde.

*

* *

La guerre chuchotait encore comme une vieille, qui n'a rien oublié, et qui ne pardonnera plus.

Sous la cruauté de sang-froid des schémas qui la racontaient à présent, sous les pyramides des âges, autant de femmes, d'hommes, d'enfants à la vie tranchée nette, êtres finalement à peine points d'encre pour écrire un chiffre, humanité sucée jusqu'au squelette d'un nombre.

Certes, ceux qui avaient vécu les combats dans leur peau avaient désormais le visage ridé et la voix qui ne portait plus. Certes, la Guerre des Libérations n'était plus guère qu'un ensemble de faits enseignés à des adolescents qui adoraient frotter leur sentimentalisme au contact de ces atrocités, et qui aimaient interroger leurs grands-parents sur ce qu'ils faisaient alors, ce qui permettait de loger la légende dans ces mauvaises photos de mariage, dans cet appartement décati, où s'allongeait le malodorant mystère de la vieillesse. Certes, on affirmait chaque année à date consacrée l'union de la République après ses déchirements, aujourd'hui désignés absurdes. Certes, la Guerre des Libérations était devenue une leçon à retenir, qui forçait le respect à l'endroit de tout ce qui l'avait résolue : Doctrine, fonctions, systèmes. Une leçon qui sacralisait sa version du mal et qui frappait d'insignifiance les souffrances à propos desquelles elle n'avait rien à dire. Catéchisme bienveillant qui présentait le défaut des catéchismes : délivrer du danger encore à comprendre, créer de bons élèves, catégorie traditionnellement inapte à dévisager les iniquités encore orphelines de sermons.

Malgré cette pédagogie de la mémoire, la haine était vivante entre Crazié et Volmeneur. Rien à voir avec l'inlassable guerre des boutons, qui avait cours avec les frères ennemis de Pitiébourg, quand bien même aggravée de drames familiaux et de complots politiques à coucher dehors. L'écœurement qu'il y avait toujours à perdre au rugby face aux riches de Garamène était de même léger et rafraîchissant, comparé aux rancœurs qu'avait inspirées à Volmeneur Crazié, la grande ville universitaire de la République, la capitale de la Province du Dormidyl, patrie du grand vainqueur de la Guerre des Libérations, Alcide Grabure soi-même.

Avant même le conflit, les deux cités se toisaient du haut de leurs écoles. L'Université prétendait au pied de la chaîne montagneuse des Herses à une suprématie que lui contestaient l'Académie et les Collèges Supérieurs de Volmeneur, avec l'accent d'anathème que lui prêtait la mer roulant près de ses voûtes. Ce n'étaient alors que de gentilles escarmouches de papier qui se matérialisaient une fois l'an par un match sérieux entre les deux formations étudiantes, bien avant que le Championnat de la République fût créé. Puis Crazié avait eu l'idée de centrer son enseignement sur la technologie, la médecine, la science, l'« innovation ». Certaines que la poussière des humanités s'évaluerait toujours à prix d'or, les écoles volméennes, qui avaient l'oreille fine à écouter les morts, avaient maintenu son culte aux grimoires, et vu peu à peu ses docteurs regardés comme de sympathiques inutiles. Tout cela n'eût bien sûr pas été grand-chose s'il n'y avait eu la Guerre.

Dans Volmeneur, port exposé à la contrebande, cité de militaires et de marins qui croyaient à la générosité des hiérarchies et de l'ordre, le mouvement né de l'Université de Crazié, la Ligue des VII-Épées, n'avait rien laissé debout. Aujourd'hui, on racontait la fin des nationalistes, la victoire du bien sur ces sadiques qui avaient élevé le folklore au rang d'arme de massacre. Mais on ne racontait pas les exécutions sommaires, la drogue distribuée gratuitement aux jeunes pour les soumettre, l'hécatombe de ceux qui avaient combattu au nom du Marchaunoir.

On ne voulait plus entendre que la Ligue, qui avait amené la victoire de Grabure et la naissance de la République, mafia à rang d'armée et qui avait combattu en mafia, avait laissé, après avoir été dissoute, une organisation criminelle en place, qui avait ouvertement lutté dans la Province méridionale du Brisandal pendant quinze ans contre le pouvoir, qui s'était ici fractionnée en gangs maintenant entrés dans l'ombre, mais qui n'en avaient pas moins fait des Faubourgs ces mouroirs à voyous qu'ils étaient aujourd'hui, qui n'en avaient pas moins contaminé les docks, les rues, jusqu'aux institutions d'un cancer de délits, le règne d'une économie du vol et de l'esclavagisme.

La mémoire du Marchaunoir n'était pas une idéologie qui eût pensé avoir capté l'appel du meilleur monde possible. Il s'agissait plutôt de s'accorder des moues, de ne pas mordre à l'idée que leur époque avait domestiqué la nature humaine, qu'elle était la plus juste, tout ça parce qu'était à la mode telle sélection de valeurs essentielles et de conséquences négligeables. Le Marchaunoir n'avait pas oublié comment on avait traité ses convictions. Et ses morts pour la mauvaise cause n'avaient pas laissé moins d'orphelins et de veuves que ceux dont le sacrifice avait réussi à rejoindre le lit de la paix d'aujourd'hui.

On savait ici que les héros manquent souvent de manières.

C'était en souvenir de la soumission du Marchaunoir il y avait des siècles à la suzeraineté du Rougebranche, plus récemment en souvenir de l'humiliation de la Guerre des Libérations, des usines qui avaient fermé, de cette destinée d'anachronique, en souvenir de tout cela qu'on jouait en noir, et qu'on s'était fait une devise qui proclamait sa nuit.

Chaque fois qu'on affrontait Crazié, berceau des VII-Épées, chacun entendait défendre la mémoire des hommes liquidés par la Ligue. Rester humilié, rester en colère, c'était la dernière façon ici de ne pas renoncer à habiter cette terre, de ne pas perdre son âme en admettant qu'elle se dissolve dans la sourde hostilité des autres. Bien sûr, ranimer les rancœurs de la Guerre des Libérations était tabou. C'était même un délit. Injure à l'Unité de la République. Insulte à la Doctrine.

Ça n'empêchait personne à Volmeneur de voir dans le match l'occasion de punir le passé.

*
* *

De quoi y a-t-il quatorze ?

Quatorze jours dans deux semaines, quatorze dieux éligibles à l'Olympe – même si les auteurs en retenaient chacun douze pour faire leur panthéon –, et quatorze équipes dans le Championnat de la République. Le tueur frappait en marge des matchs. Le tueur n'associait pas au pif une divinité à une équipe. Il choisissait le dieu meurtrier en fonction de l'adversaire rencontré par les Outrenoirs le samedi. Arès associé à Pitiébourg, par exemple, ça s'expliquait sans peine, puisque cette ville frontière comptait la plus grosse garnison de l'armée de terre de la République. Il n'y avait rien non plus d'exubérant au dernier couple identifié par l'Enquêteur Garamande : Garamène – Déméter. Le Glatambour était considéré comme le grenier à blé du pays, Garamène était son cœur, la déesse de la terre fertile et de tout ce qui

pousse y était donc chez elle ; d'ailleurs, ses rugbymen étaient surnommés en souvenir de ses premières
phalanges de paysans, les Semeurs. Cette hypothèse
était encore largement confirmée par la symbolique
du meurtre. Après avoir potassé le sujet, Fénimore
avait en effet découvert que Déméter avait puni un
type qui n'avait pas respecté un de ses bosquets
sacrés à souffrir d'une faim perpétuelle, supplice que
l'assassin devait avoir en tête quand il a retiré l'appareil digestif de la dernière victime.

Confirmation aussi du côté de l'identité du malheureux. Le nom de son employeur sur la traditionnelle fiche trouvée dans le corps les avait menés à
Pierre Flaure, un cadre du groupe agro-industriel
Bienmange, qui avait été chargé d'une mission
auprès du XV de Volmeneur la semaine dernière et
qui n'était pas réapparu dans ses locaux de Capitale.

Héraclite persiflait sur l'ensemble :

φύσις κρύπτεθαι φιλεῖ.

En d'autres termes :
LA NATURE AIME SE CACHER.

Plus de doute, le meurtre se plaçait sous l'invocation de Déméter, maîtresse du secret à l'œuvre sous
ce qui pousse.

Bon. Ça se tenait pour Garamène et Pitiébourg, un
peu moins pour Laédicée et Lillebord, vu que Fénimore ne voyait pas trop le rapport entre la pointe
sud-ouest de la République et Zeus d'une part, la cité
des cavaliers et Dionysos d'autre part.

— Donc ?

— Donc, après y avoir réfléchi ce week-end, je suis
pratiquement sûr que le prochain meurtre s'inspirera
d'Athéna.

Hubert Ferde, Melchior Titin et Casilde Binasse
s'unirent dans le sourcil froncé.

— Ben oui, si mon intuition sur la relation entre
les meurtres et les adversaires de Volmeneur est

bonne, c'est évident. Ils rencontrent Crazié samedi, Athéna est la déesse des savoirs et surtout des savoir-faire, ce qui est cohérent avec le fait que Crazié est avant tout un centre de recherches technologiques, vous voyez le rapport ou il faut que je tourne un clip ? Et puis Athéna est l'autre déesse de la guerre. Arès, son truc c'est le sang, la chique et le mollard, la force brute, le déchaînement quoi. Athéna c'est la bataille rangée, menée avec stratégies, la baston version cerveau. Et ce qui oppose Volmeneur et Crazié depuis les Libérations, c'est justement l'impression ici de s'être fait eus sur son palefroi par les gros malins et l'entourloupe.

— Fénimore, est-ce que tu connais l'expression « tiré par les cheveux » ?

— Je me contente de faire mon boulot d'expert en symbolique criminelle. Qui me mène à penser qu'on a affaire à un maniaque qui voit ses divinités partout.

— Je crois qu'on avait compris. Et tu proposes quoi ?

— Rien de précis. Disons que, si Athéna est invoquée au prochain meurtre, ma théorie sera confirmée, et en réfléchissant aux dieux qui peuvent se cacher derrière l'adversaire suivant, on pourra anticiper. Pour l'instant, je propose qu'on garde les équipes de la semaine dernière et qu'une des deux se renseigne sur les cursus latin-grec à Volmeneur, pour recouper la liste des adeptes des humanités avec les grands psychopathes relâchés dernièrement. L'autre équipe pourrait établir l'emploi du temps de la dernière victime. On sait déjà que le malheureux était jeudi au dîner de la feuille de match, ce qui confirme que ces banquets sont le terrain de chasse du tueur. Il faut maintenant essayer de savoir quand il a disparu exactement, histoire de comprendre quand il est tombé sur son assassin.

— Entendu. Fénimore, tu t'occupes des langues mortes avec Melchior, et nous, on fait un vrai boulot loin des contes et légendes avec Hubert.

— On change les équipes de la semaine dernière alors ?

— Ça paraît mieux coller. Ça te dérange, Fénimore ?

— Non.

— On essaie de se faire une réu tout à l'heure ? Dix-neuf heures ?

— Vendu.

*
* *

C'était conçu pour dormir sans faire d'histoires, et pour baiser sans faire de bruit. Affichettes qui indiquaient les menus services proposés via une signalétique infantilisante, mobilier aux couleurs de garderie, laideur à la chaîne d'hôtel franchisé baignée par l'odeur de café-mazout du petit déjeuner, c'était un de ces endroits où on va parce qu'on ne risque pas d'être surpris, ni en bien, ni en mal. De la déprime prêt-à-porter, mais qui n'a pas le mauvais goût de vouloir faire local et de rajouter du dépaysement à l'éreintement des clients visés, ceux qui cherchent désespérément quelque chose de semblable, quelque chose où ils se reconnaissent, de jour en jour à sillonner la République pour gagner leur vie.

Le directeur de l'hôtel avait attrapé par le manteau son réceptionniste, qui avait plutôt mal pris qu'on l'empêche d'aller rejoindre son lit. En voyant la photo, il se souvint immédiatement :

— Oui, il est arrivé jeudi dernier en fin d'après-midi. Une réservation pour une nuit.

L'hôtel donnait sur la place qui entourait la gare, tout au sud de la ville, à l'entrée de la Zone des Particuliers.

— Vous pouvez m'en dire plus ?

Casilde laissait l'Agent Ferde mener l'interrogatoire ; elle avait toujours su déléguer les trucs chiants à crever.

— Il est sorti vers 19 heures et on l'a plus revu.

— Vous n'avez pas prévenu la Police ?

— Non. Des gens qui paient leur chambre et reviennent pas dormir, ça arrive souvent.

— Il avait payé sa chambre ?

— On a l'habitude, justement. On demande de payer dès l'arrivée.

— Il vous a dit quelque chose, je ne sais pas, quoi que ce soit dont vous vous rappelleriez ?

— Je me souviens qu'il a refusé de régler le petit déjeuner. Il m'a dit : « Non, merci. Restons optimistes. » J'ai trouvé ça marrant.

Casilde sentit là-dessous une très nette odeur de femme. Le réceptionniste s'inquiéta d'un coup :

— Dites, il lui est arrivé quelque chose à ce monsieur ?

— On ne peut pas vous en dire plus.

*
* *

Lourde serviette en guise de gravité, cheveu rare et veste qui avait vu défiler révolutions et guerres de cours en leçons, le Professeur Cléanthe Pagnon était loin de ces maîtres à pectoraux que pistent les étudiantes à la sortie des classes. Fénimore reconnut aux plis de la manche droite l'habitude de la relever pour écrire au tableau. L'homme était plutôt souriant, et distribuait par à-coups un œil potache, inanimé dans une jeunesse qui n'en accusait que mieux les rides, Une vie au tracé de marelle, du préau à la chaire.

Le Professeur leur confirma qu'il enseignait le grec ancien, « à une classe fantôme. L'institution, qui paraît avoir à cœur d'adapter l'enseignement à la matière, m'envoie moins d'élèves que n'existent d'êtres vivants parlant la langue que j'enseigne ».

L'intention était cordiale. Le vieux maître confirmait la malice dans ses yeux.

— Professeur Pagnon, connaissez-vous Héraclite d'Éphèse ?

— J'ai peur de l'avoir perdu de vue depuis très longtemps. C'est pour un alibi ?

Quand même pénible, cette obsession de la vanne nulle. Il doit être euphorique que quelqu'un vienne déranger sa momification.

— Non, Professeur, j'ai beau être Policier, il ne m'aura pas échappé que Socrate est un jeunot comparé à notre auteur.

— Je n'irai pas jusque-là. Mais il est vrai qu'on ne l'appelle pas en vain présocratique.

— Puis-je vous demander si vous avez eu un étudiant ou si vous avez parmi vos collègues un Professeur particulièrement versé dans l'étude des fragments d'Héraclite ?

— Ici, au Collège Supérieur ?

— Ou ailleurs.

— Vous voulez dire dans la République ? Il y en a quand même une petite dizaine.

— Non. Je voulais dire à Volmeneur.

— Personnellement, ma prédilection va aux tragiques, mais mon collègue Hirlard de l'Académie a publié un ou deux ouvrages sur Héraclite. Avec le temps, il a fait, je crois, quelques disciples.

— Des disciples ?

— Pour ne rien vous cacher, c'est une véritable secte. Tous les héraclitéens républicains sont passés par l'Académie. Oui, on peut dire que l'Obscur fut littéralement la tocade d'Hirlard.

— « Fut » ?

— Il a pris sa retraite. C'est grand dommage. Les jeunes gens qu'il formait étaient d'une belle trempe. Si vous saviez où nous en sommes…

— Il est vivant ? Je veux dire, nous pourrions le retrouver ?

— Si vous me suivez jusqu'à mon bureau, je vous donnerai son adresse.

Et Fénimore obtempéra dans un sourire à l'invitation du Professeur.

*
* *

— Faites-le entrer.

Caterina Glazère prit soin de ne pas se lever lorsque le magnat apparut, en arborant une mine de roi qui sacrifie à la tradition de descendre parmi ses sujets. La Procureure avait eu soin de revêtir sa robe et ses décorations. Qu'il ne confonde pas son salaire et son rang.

— Bonjour, monsieur Chassesplain. Asseyez-vous.

— Madame la Procureure.

— Je ne vous apprends pas que depuis presque un mois votre club est le cadre d'événements particulièrement graves et qui ont fortement ému l'opinion.

— « Cadre » me semble un mot exagéré.

— Nous ne savons pas en effet jusqu'où le XV de Volmeneur est lié à ces crimes, mais il est indéniable que le tueur utilise la notoriété de votre équipe pour essayer de donner du retentissement à ses actes. Il me paraît donc indispensable de prendre des dispositions.

— Je n'y vois pas d'inconvénient. Mais je ne voudrais pas que mon entreprise pâtisse des agissements d'un fou. Car le XV de Volmeneur est aussi une entreprise florissante, comptant de nombreux salariés et représentant des intérêts non négligeables au niveau de la Province, pour ne rien dire de la ville.

— Monsieur Chassesplain, votre club est à ce jour la seule prise que nous ayons sur cette affaire. Et, à cet égard, nous allons avoir besoin de votre aide.

— Et en quoi consisterait cette aide, exactement ?

— Nous ne vous demandons pas grand-chose. Rien, pour ainsi dire. Nous voudrions simplement affecter une unité des FEPR à la protection de votre équipe, qui monterait la garde pendant les entraînements, les avant-matchs, les matchs...

— Madame la Procureure, vous ne pouvez pas me demander de laisser perturber les entraînements.

— Qui parle de demander ? Au cas où vous l'auriez oublié, nous sommes en République. L'État n'a pas besoin de l'accord d'un particulier pour mettre en œuvre ce qu'elle croit nécessaire à la protection des Citoyens.

— Disons que votre compréhension entraînerait la mienne. Dans le cas contraire...

— Dans le cas contraire ?

— J'essaierai de faire valoir auprès du Ministère...

— Vous ne me ferez pas le coup du bras long.

— J'ai des amis qui m'écoutent.

— Et alors, monsieur Chassesplain ? Vous croyez que les menus désagréments que nous pourrions causer à votre équipe font le poids face à quatre cadavres ? Vous croyez que le Prévôt ou même le Premier-Ministre pourront expliquer aux journaux qu'on aurait peut-être pu éviter un nouveau mort, mais qu'on a préféré ne pas chagriner un propriétaire de club qui se trouve être aussi l'héritier du premier constructeur automobile du pays ? Allons. Et puis, vous pourriez faire un effort à la mémoire de ces gens qui ont été assassinés et que vous avez, me dit-on, croisés au cours de vos soirées.

— Quelle est votre idée, exactement ? Protéger les joueurs ? Ils connaissaient à peine les victimes. Je ne vois donc pas de menaces particulières sur...

— Mon « idée », comme vous dites, est que le tueur tient visiblement à faire surgir ses meurtres dans votre voisinage. Notre dispositif est donc élémentaire : lui barrer la route pour compliquer sa tâche et l'amener à se trahir.

— Comment comptez-vous expliquer ces mesures aux journalistes ? Depuis l'histoire du casier, vous nous avez demandé de ne rien dire à propos des liens entre les meurtres et notre équipe.

— Nous prendrons le prétexte du premier corps trouvé dans votre vestiaire et d'informations concordantes qui laissent à penser que l'équipe pourrait être à nouveau une cible. De toute façon, il faut bien que nous fassions quelque chose pour freiner la cadence effrayante de ces meurtres.

— Cela va encourager tous ceux qui nous traitent d'assassins.

— Encore une fois, regardez la balance : sur un plateau, quatre morts, série en cours ; sur l'autre, de la réputation et des petits gars qui comprendront si on leur explique. Devinez qui gagne.

— Bon. Mais la surveillance de l'Académie doit se limiter à la grille.

— Relayée par deux Agents à l'intérieur, c'est ce que je pensais.

— Les deux Agents sont absolument nécessaires ?

— Absolument.

— Soit. Et pour les matchs ?

— Escorte des FEPR pendant les déplacements, fouille des soutes des cars que vous utilisez, fouille des sacs de vos joueurs, rondes d'Agents autour des vestiaires, sans compter les habituels cordons mis en place pour tous les matchs du championnat.

— Et ça va durer combien de temps ?

— Le temps d'arrêter l'assassin.

— Eh bien, j'espère que, le moment venu, vous ne vous priverez pas de dire que le club a collaboré d'une façon exceptionnelle.

— Il me faudrait encore un effort de votre part pour lâcher cet adjectif au public.

— Vous êtes dure en négociation.

— Peut-être parce qu'il ne s'agit pas d'une négociation, mais d'une réunion de courtoisie entre un représentant de la Justice et un Citoyen soumis aux Lois.

— Ça ne doit pas aller tout seul si vous rebrandissez le Code.

— Je veux que vous suspendiez ce que vous appelez votre dîner de la feuille de match, ou des vingt-deux, je ne sais plus…

— On dit les deux.

— Quoi qu'il en soit, je veux que vous les suspendiez jusqu'à nouvel ordre.

— Mais enfin, madame la Procureure, ce dîner, c'est un élément essentiel de la vie du groupe. Le moment où les joueurs trouvent leur motivation. C'est impossible.

Jérémie Chassesplain ruait d'un coup comme un poulain. Presque touchant.

— Je comprends que vous teniez à vos traditions. Mais le tueur semble faire son marché dans ces banquets. Un instant : nous parlons peut-être de la survie de plusieurs de vos hommes. C'est essentiel, monsieur Chassesplain. Au moins cette semaine. Pour voir si cela ralentira son rythme. Et puis rien ne vous empêche de faire cette petite réception dans les murs de l'Académie, sous la protection des FEPR et en ne faisant pas appel à du personnel extérieur. Si vous vous réunissez en grand secret et qu'un des participants est tué, alors il sera clair que le tueur fait partie de l'entourage direct du club.

— Il est impossible que l'assassin se cache parmi nous.

— Et comment expliquez-vous que toutes les victimes aient participé d'une façon ou d'une autre à vos banquets ?

— Le restaurant établit une liste. Il a pu y avoir des fuites.

— Et c'est justement pour voir ce qui se passera sans fuite possible que je vais prendre ces dispositions.

— Je compte sur vous pour dire à la presse dès ce soir que nous faisons preuve d'un civisme admirable.

— Je trouverai une meilleure formule encore. Ça fait partie de mon métier.

— J'espère que vous nous percevrez désormais comme des alliés, et que vous cesserez de mettre nos joueurs en garde à vue.

— Je vous considère comme des alliés. Quant aux personnes que je fais placer en garde à vue, vous comprendrez que notre bonne intelligence ne fait rien à l'affaire.

*
* *

Tasse de thé à la main, coincés dans des fauteuils antiques et casse-culs, Titin et Garamande écoutaient le vieux Professeur, qui avait l'air, derrière son bureau, d'un sphinx au corps en papier-liasses.

— Vous pardonnerez à Mme Hirlard sa manie d'utiliser la parole pour semer le sommeil, elle tient ça des auteurs latins qu'elle a enseignés toute sa vie.

— Moui, moui, moui. Jamais fastidieux, Thucydide.

— « Tu me demandes, Varconionus, ce qui me fait m'enquérir des affaires de l'État. C'est que, considérant où l'avaient mené de telles pensées, César, étant sur le point de triompher, fut effrayé d'un si grand dessein, non seulement à cause des diversités de la fortune, mais aussi des commentaires de certains de ses amis, parmi lesquels Marcus Veronus Tullor. » Dites-moi, ma douce, en quelle langue pensez-vous avoir traduit cette chose ?

228

— Parce que « la mer vineuse » et « Aklos aux truies fécondes », ça s'emploie à la caisse du super-marché ?

— Monsieur le Professeur, si nous pouvions rester concentrés sur la question...

— Tu vois, René, c'est toi qui divagues !

— Mais vas-tu nous laisser ?

Et l'épouse s'en fut, avec un haussement d'épaules qui ne devait marquer, à la longue, qu'une vexation complice.

— On n'a pas idée, franchement. C'est comme si je vous disais : « Tu me demandes, cher Fénimore, ceux qui, tandis que j'étais en train d'enseigner les usages de la langue grecque, furent marqués par l'œuvre du grand Héraclite d'Éphèse, celui-ci étant souvent placé chez les philosophes grecs parmi les meilleurs. » Voyez ?

— Certes.

— Eh bien, pour te répondre, cher Fénimore, la chose ne me paraît pas telle que la réponse soit aisée, d'une part à cause du grand nombre d'élèves à qui j'ai donné des cours à propos d'Héraclite, d'autre part du fait de la méconnaissance dans laquelle je suis au sujet de ce qu'ils sont devenus, non pas tant à cause de l'indifférence que parce que je me suis retiré il y a longtemps. Il faut avouer l'impuissance et la mémoire ne décide pas son cours. Si, cependant, mes lumières pouvaient t'être utiles, étant considérée ma connaissance des étudiants en grec, j'avouerais que je distinguerais parmi eux, les choses étant considérées par ailleurs, un certain Gaston Numin, qui fut mon élève quand j'étais sur le point d'être dans ma vingtième année d'enseignement.

— Arrête de faire le clown, les Policiers ont mieux à faire que de rire à tes bêtises même pas drôles.

— Fascinante construction... Là où le latiniste passe, l'élégance ne repousse pas.

— Cependant, cher René, pourrais-tu m'indiquer si ton Gaston Numin était versé dans l'art propre aux rugbymen ?

— Si tu me le demandes, j'avouerai, cher Fénimore, mon impuissance, sachant seulement qu'étant à Volmeneur et du temps où il aspirait à être docteur, ce Gaston Numin fit une thèse au sujet d'Héraclite. Son cursus ayant été achevé, il obtint un poste à l'Université de Crazié, où, malgré la préférence affirmée pour les sciences techniques, il demeure quelques classes d'humanités, soit respect d'un passé glorieux, soit volonté de contester la suprématie des Collèges Supérieurs de Volmeneur dans ces domaines. À Crazié, il eut sous sa tutelle un grand nombre de ceux qui, aujourd'hui, dans la République, sont versés dans la compréhension de l'Éphésien. Celui-là pourra peut-être te dire quels habitants de Volmeneur ont plus particulièrement donné récemment de leur intérêt et de leur veille aux écrits du philosophe, dont il connaît aujourd'hui les adeptes mieux que moi. Pendant que tu iras accomplir ces actions, je chercherai dans mes archives, et tâcherai d'établir une liste, soit des brillants élèves, soit de ceux qui ont reçu une note honorable à l'épreuve à laquelle je les soumettais à propos de l'Obscur.

— Ces paroles, cher René, répondent à ma demande. Puisses-tu m'accorder la permission de t'appeler bientôt.

— *Vale*.

Et ils s'en furent, l'Agent Titin étant ahuri.

*
* *

Un champ, un bois, un vieux manoir ; pays réduit à des secousses. Contre sa tempe, le trajet faisait une musique de film lugubre à sa résolution. Elle fut lasse du contact glacé de la vitre, mais elle ne bou-

230

gea pas. Pour se mettre au défi d'être vraiment capable de se trouver dans ce train, à cette heure-ci, en route vers Volmeneur, après avoir laissé une fois de plus Vladimir à ses parents. Jeux avec elle-même. Habitudes tombées des solitudes de l'enfance, des longues après-midi à attendre la prochaine chose qui donnera du plaisir, oui, cette solitude contractée, jamais guérie.

Adélaïde n'était pas assez bête pour mêler l'orgueil à cette affaire. Fénimore n'avait pas su lui dire qu'il tenait encore à elle, mais elle refusait d'écouter cette blessure. Il s'agissait d'autre chose. Elle ne voulait pas perdre une beauté dans sa vie, la beauté dans sa vie. Si elle acceptait de tourner la page, comme on dit, elle en écrirait peut-être une autre. Mais elle accepterait surtout de tuer la femme heureuse qui avait été la maîtresse, la nana de Fénimore, qui avait rêvé avec lui des voyages et de la décoration du futur salon, qui avait mis au monde l'enfance de Vladimir avec lui. Si elle laissait tout cela derrière elle, elle accepterait de se réincarner en une fille peut-être meilleure, peut-être plus calme et plus épanouie, souffrant moins, sans l'ombre d'un doute. Seulement, ce ne serait plus Adélaïde et Fénimore. Et ça suffisait à ce qu'elle ne veuille pas en entendre parler.

Elle lui faisait encore quelque chose, elle en était certaine. Est-ce qu'il l'aimait ? Voilà bien la question dont ses amies auraient voulu qu'elle se torture. Franchement, ce n'était pas sérieux de soumettre une chose aussi importante à une réponse par oui ou par non. Et puis non, ce n'était pas la bonne question. Plutôt : est-ce qu'il verrait que sa vie était avec elle, est-ce qu'il saurait que la meilleure version de l'ennui, de la lassitude, du doute, des engueulades, de la peur, de la maladie, de la jalousie, de l'espoir, du désamour même, de la réconciliation, de la famille, c'était leur version à eux ?

Rien à voir avec le premier verre, la première saoulerie, les premiers fous rires, le premier enfournement maladroit, la première panne, les premiers progrès, rien à voir avec la rencontre. Parce que, maintenant, elle pouvait bien s'extasier de draguer, répéter qu'il n'y a pas mieux que la découverte et les premières semaines, toute la panoplie, ça n'effacerait pas le plus vrai. Et le plus dur. Ce ne serait plus Fénimore qu'elle rencontrerait. Et ce ne serait plus elle qu'il rencontrerait. Alors, il fallait quelqu'un pour arrêter ce massacre aromatisé à la pension alimentaire, à la souffrance d'un fils, à maman qui s'isole parfois parce qu'elle sait bien que cet homme qu'elle trouve gentil n'efface pas le regret. Oui, au fond, elle était une héroïne en mission, la seule à voir la catastrophe arriver, et on commence sur elle dans un bureau où elle explique que la fin du monde approche, et les gens disent que c'est une hurluberlue, et elle finit par avoir raison, et elle sauve l'humanité malgré ses moqueries, et elle a une classe de fille qui porte un blouson en cuir, et elle est décidément sexy sans ses lunettes.

Elle sourit. Comme elle l'aurait fait sourire.

Comprendre pour deux, donner pour deux, ne pas attendre d'encouragements. Elle allait faire comme Fénimore quand il passait son étui à flingue, elle allait rentrer dans la peau du personnage.

Aller dîner seule, dormir seule dans un hôtel froid, se lever seule, aller signer seule pour l'appartement, aller seule à son rendez-vous pour un poste de prof. Ça allait avoir de la gueule et mériter un gros plan sur la noblesse de son visage, la foi dans ses yeux et des jeux d'ombres sur ses gestes de princesse courageuse. S'il ne fallait pas s'isoler pour faire quelque chose de bien, à quoi rimerait la distinction entre la masse et le premier rôle ? D'abord se battre seule. Avant le happy end. Comme dans tous ces films que je t'ai appris à aimer, Fénimore.

*
* *

— Alors, on commence ?

La nuit dehors s'amusait à faire tambouriner la pièce comme une table sous des ongles. Il était un peu plus de dix-neuf heures. Les équipes des Enquêteurs Garamande et Binasse se retrouvaient pour faire le point.

— On a recueilli deux ou trois informations importantes. D'abord, Pierre Flaure n'a pas passé la nuit à son hôtel. Plus intéressant encore, il a évoqué devant le réceptionniste la possibilité de dormir dehors comme une bonne nouvelle…

— Une femme là-dessous.

— On pense en effet que Flaure avait un rendez-vous galant ce soir-là et qu'il espérait, disons, être logé chez l'habitant.

— D'accord. Et il y a un lien avec le dîner de la feuille de match où il devait aller ?

— J'y viens. Comme son téléphone portable a disparu, qu'il avait emporté sa valise avec lui pour sortir – au cas où, justement –, on ne savait pas trop comment faire pour découvrir qui était son mystérieux rencard. On a donc commencé par appeler son entreprise et par demander qui avait des liens assez intimes avec Flaure pour nous renseigner. Là, ils nous ont indiqué un autre chargé de com' itinérant, qu'on n'a pas réussi à joindre tout de suite. En attendant, on a décidé d'aller faire un tour au *Valentin* pour poser quelques questions. On savait que Flaure venait à Volmeneur pour se rendre au dîner, mais on n'a pas vérifié s'il y était vraiment allé. Eh bien, devinez quoi, la liste des invités est formelle : Pierre Flaure ne s'est jamais pointé à la soirée.

— C'est important. S'il a été buté avant d'y arriver, ça signifie que notre assassin ne se contente pas de choisir ses victimes parmi des types qu'il rencontre dans le resto.

— Exactement. Et, à mon avis, il a même une idée très précise de qui il veut tuer. Je suis persuadée qu'il suit une liste.

— Est-ce que Glazère a pris les dispositions qu'on lui a conseillées ?

— Elle les a prises.

— Eh ben, si ce que tu viens de dire est vrai, ça veut dire qu'il choisit ses victimes en dehors du restaurant, et que ça ne sert à rien de demander à l'équipe de faire ses banquets à l'Académie.

Fénimore prit le temps d'une pensée.

— Sinon, vous avez découvert qui est la fille avec qui il avait rendez-vous ?

— Non. On a fini par avoir le pote de Flaure, qui nous a dit qu'il avait rencontré une Volméeenne sur Internet, mais il n'a pas été capable de nous donner son nom. On a demandé à la Judiciaire de Capitale de saisir le disque dur de Flaure et de nous le faire parvenir. On devrait l'avoir en milieu de semaine.

— Eh ben, rien à dire, à part bravo.

— On est content, merci ! Et vous ?

— Les vieux schnoques peuvent être sympa.

— Et à part ça ?

— On a aussi notre petite piste. Un joueur de Volmeneur qui se révèle un véritable fan d'Héraclite.

— Tu déconnes ?

— Apparemment, il y en a qui ont fait des études avant de se spécialiser dans la bidoche à paillettes. Dans le cas de notre joueur, il vient d'arriver ici après être passé par Garamène et Capitale. Et après avoir commencé sa carrière à Crazié avec des horaires aménagés pour suivre des études de philo à l'Université. Avec Héraclite comme auteur de chevet.

— Un joueur de rugby philosophe.

— Ben, si tu peux avoir le fric et la sagesse…

234

— Et qui est l'homme accompli ?

— Un certain Thalalé Jolssin.

— Attends, mais c'est une vraie star ! Qu'est-ce qu'on va faire ?

— Là, ça pardonne pas : on le lâche plus d'une semelle.

Jeudi 2 novembre

Le galop de ses talons sonna la charge. Même pas neuf heures du matin, et c'était la crise.

— Madame la Procureure.

— Trouvez-moi immédiatement Binasse et Garamande. Monsieur le Substitut ?

— On a trouvé de la contrebande dans un bateau de plaisance cette nuit.

— Quel genre ?

— Ordinateurs et télévisions.

— Bon. L'équipage ?

— Aux mains de la Police Militaire Maritime.

— On sait où ils se sont fournis ?

— Ils ont donné le nom du *Thétys*.

— Qui est ?

— Un porte-conteneurs qui doit arriver demain.

— Et qui n'aura en cale que de la jolie petite production taxée. On ne pourra rien prouver, ils le savent très bien, c'est pour ça qu'ils nous ont lâché le morceau. Bon, on les garde à vue, vous promettez l'éponge s'ils nous donnent leurs commanditaires.

— Ils sont très jeunes.

— Vous pouvez préciser ?

— Seize ans. Dix-huit ans pour celui qui conduisait le bateau.

— Ben tiens.

— Et s'ils ne veulent pas nous parler ?

— On les inculpe.

— Il est possible, madame la Procureure, qu'ils ne connaissent que leur intermédiaire.

— Il est certain qu'ils ne connaissent que leur intermédiaire, mais vous savez comment on doit s'y prendre avec les chaînes : maillon après maillon. Vous suivez ça pour moi, Substitut Fantin ?

— Bien, madame.

— Allô. Bonjour, Enquêtrice Binasse, vous avez écouté la radio ce matin ? Non, parce que je ne sais pas qui a bavé chez vous, mais j'aime mieux vous dire qu'il se prépare des mois en infiltration dans une prison haute sécurité. Je sais très bien que ça peut venir de la Scientifique ou du greffe, n'empêche que c'est exécrable, cette fuite. Vous les avez entendus ? « Le tueur de l'Olympe » ! Ils vont nous en faire un péplum, je vous préviens. Ils savent tout, Héraclite, Zeus, un dossier complet ce matin sur Radio République – Marchaunoir. Il n'y a que le rapport au club des derniers meurtres qui leur échappe encore. Préparez-vous à faire des filatures escortés par des car-régies. Je sais que vous n'avez pas que ça à faire, mais il faudrait que vous alliez poser quelques questions à cette journaliste, Ariane Fond-de-teint, quelque chose comme ça. Je ne sais pas, on verra. En tout cas, si ça vient de chez nous, je mets illico la Police des Services sur le coup. C'est ça. J'attends des nouvelles de ses sources avant ce soir. Bien.

— Glazère veut qu'on aille cuisiner la journaliste qui nous a vendus. Hubert, tu peux continuer à fouiller le disque dur pendant que je pars à sa recherche ?

— Ça marche. Je sens qu'il stockait pas que des chants religieux, le père Flaure... On va se marrer.

— C'est ça.

Et Casilde sortit, laissant l'Agent Ferde à son excitation d'ado qui découvre l'écoute aux portes.

Le dos appuyé à la portière, Thalalé fit son rituel geste de la main, mais Junie lui faisait déjà sa tête de cartable, et filait vers la porte de l'école en secouant ses mèches. Sa manifestation d'indépendance prépubère. Comme souvent, cela lui arracha un sourire. Qu'il distribua à la ronde aux gamins et aux mamans qui le fixaient, en admiration.

— Bon, papa, on va être en retard, nous.

Il fit le tour de sa grosse voiture de sportif célèbre et constata que, derrière, Battite et Jérôme étaient calmes. Hagards, comme tous les matins. Il se glissa derrière le volant, et ils se mirent en route. Sans histoire, ils traversèrent la vaste Zone de l'Étude et ses centaines d'écoles primaires, de collèges, de lycées. Eux, ils allaient tout au sud, à l'Académie, où ses deux garçons de neuf et sept ans avaient bien entendu été accueillis ; comme la politique de la fameuse institution était de n'admettre que des garçons, il fallait en revanche faire tous les jours ce détour pour laisser Junie à son collège, alors qu'ils habitaient, comme toutes les familles de joueurs, tout à côté des infrastructures du club.

Thalalé sacrifia de nouveau à la liturgie du baiser et du regard protecteur tandis que ses deux garçons bringuebalaient sous leur carapace de cahiers en franchissant les grilles de l'institution. Il était à une minute en voiture de l'entrée du club. Il avait deux heures devant lui. Il y tenait. C'est pour cela qu'il se dévouait pour conduire les enfants tous les matins. Parfois, il rentrait se poser dans la maison où sa femme ne se trouvait pas ; parfois, comme aujourd'hui, il s'offrait une promenade. Sa façon de se trouver de petits moments à lui dans sa vie de père de famille, et de vedette qui se doit à la politesse de sa notoriété.

Il fit un salut au gardien, puis alla marcher dans le parc. Les chênes étaient à moitié nus, et la pelouse trempée rejetait par bouffées la touffeur de la terre. Il pleuvait. Et cela réjouit particulièrement Thalalé. Parce qu'il aimait le bruit des gouttes sur son blouson, les agaceries de l'eau froide chutant lourde de ses mèches, jusqu'à ses baskets en nage. Il entendait déjà Eudoxie lui dire qu'il faudrait pas s'étonner après ça s'il passait deux semaines au lit. Elle avait raison, bien sûr.

Déjà quatre matches sans jouer, et après la claque qu'on venait de prendre contre Garamène, Thalalé était bien certain qu'on ne courrait pas le risque de l'aligner. Sgabardane l'épargnait. Ce n'était pas méchant. Juste l'égard dû à ses trente-quatre ans, juste la preuve que le vétéran qu'il était avait été engagé pour la galerie ; afin qu'on ne puisse pas dire que le club ne s'ajustait pas à ses ambitions. C'était son agent qui avait approché Chassesplain. Pour faire plaisir à Eudoxie, qui voulait voir ses parents vieillir et parce qu'elle était assez patriote pour prétendre que Volmeneur était l'endroit idéal pour élever des enfants. « La mer, l'Académie, la troisième ville du pays, qu'est-ce que tu veux de plus ? » Il ne voulut rien de plus. Même s'il soupçonnait sa femme de chercher surtout à réincarner son enfance dans sa progéniture, pour faire de sa vie un fil, malgré leurs nombreux déménagements. Lui, il avait changé de ville toute sa jeunesse. Et il avait tendance à dire qu'Eudoxie était son seul pays. Alors, il vivrait toujours là où elle se sentirait bien, ce qui revenait à dire où la famille se sentirait bien. Elle devait être à la banque. Son projet de restaurant. Il respira à cette pensée l'admiration qu'il lui portait. Toujours occupée à être ce qu'elle pouvait le mieux. Libre. Et qui l'avait choisi de toute son indépendance.

C'était la dernière année de sa carrière. Il s'était toujours promis d'enseigner tout de suite après le rugby. Mais à force de se donner le luxe d'être un homme assez riche pour donner toutes les chances à ses enfants pour toujours sans se limiter à n'être qu'un portemanteau pour sponsors, à force de se construire ce personnage façon la-tête-et-les-jambes, il devait bien s'avouer que sa connaissance de Platon avait fané, qu'il ne savait plus de Kant que deux ou trois grandes lignes élémentaires, et que cela faisait cinq ans qu'il ne s'était plus tenu au courant du programme.

Il se promettait à peu près chaque semaine de s'y remettre. Mais il se sentait épuisé. Il avait envie de profiter de sa vie durement gagnée, de ses trois enfants, du quatrième qu'ils voulaient. Mais il savait aussi que s'il se donnait un an ou deux à grossir et rien foutre, il n'aurait ensuite plus la jeunesse de revivre.

Commencer par relire des dialogues. C'est court, ça frappe à l'essentiel. Dès lundi si je joue samedi, dès demain sinon. On verra ce que dit Sgabardane ce soir.

Il laissa une inquiétude effacer ses sensations de gamin, que venaient de réveiller ses manœuvres dans ce qui tache et mouille. Un tueur rôdait tout près. Et on avait appris ce matin qu'il prétendait évoquer à chaque meurtre un dieu de l'Olympe, et qu'il citait Héraclite. Thalalé était certain d'être le seul homme dans l'entourage immédiat de l'équipe à bien connaître le présocratique, sur qui il avait fait son mémoire. Une tocade d'étudiant née à Crazié, qui faisait maintenant de lui un suspect dans une affaire atroce. À la vague angoisse de mettre les siens en danger en jouant dans un club ciblé par un malade s'ajoutait donc la peur de l'erreur judiciaire. Thalalé avait toujours été convaincu que, dès lors qu'on a croisé le soupçon, on le lit sa vie durant dans les regards. On porte la peau d'un coupable. Même si un autre meurtre innocente, même si un autre criminel putatif rencontre plus de succès, on est condamné à la moue des sceptiques de la fumée sans feu.

Il était peut-être parano, mais depuis plusieurs jours, Thalalé avait l'impression d'être suivi ; des petits riens, une même voiture derrière lui pendant tout un trajet, deux silhouettes à l'intérieur d'une voiture garée près de chez lui. Alors, cette révélation à la radio ce matin, ça confirmait sa crainte. Celle d'être précipité dans les enfers judiciaires. Qui pourrait l'anéantir, lui et sa famille, sans raison, et sans recours. Saloperie d'Héraclite. La cloche sonna. Dix heures. La récréation des gamins. Encore une heure avant le prochain entraînement. Un mauvais vent souffla. Allez. Un café à l'intérieur.

— Alors ?

— Alors, il s'est promené dans le parc.

— Hum. Et l'idée, maintenant, c'est qu'on s'emmerde ici jusqu'à ce qu'il ait fini sa journée ?

— Non, on va juste demander aux FEPR de faction de nous prévenir s'il quitte l'Académie.

Ce que firent l'Agent Titin et l'Enquêteur Provincial Fénimore Garamande. Avant de suspendre leur filature jusqu'à ce soir, filature qui n'avait pas présenté jusque-là l'ombre d'un intérêt.

*
* *

À la rédaction – un vieux bâtiment colombages-et-croisillons datant du Royaume –, on avait dit à Casilde que la journaliste qu'elle cherchait couvrait pour la journée une audience au Palais.

Le procès entendait dire la Justice à propos d'une affaire qui avait beaucoup fait parler d'elle il y a un ou deux ans, comme Casilde le constata en avisant la tribune de presse dans la salle d'assises, bourrée à craquer. Elle décida d'attendre une suspension et, tandis qu'un témoin bégayait une confirmation sur la présence d'untel le soir des faits, elle posa une fesse sur le seul bout de banc disponible, le public étant au rendez-vous, par civisme et volonté de réfléchir aux mécanismes du crime, bien entendu, et non pour nourrir ses fantasmes crades, planqués derrière l'indignation comme un magazine porno sous un matelas.

Pour se désennuyer du témoignage, parce qu'elle arrivait au beau milieu et n'arrivait vraiment pas à comprendre ce qui expliquait ces larmes et ces yeux révulsés après les phrases : « Il a toujours aimé le jambon./Un obsédé de la bouffe/Il organisait des barbecues », l'Enquêtrice Binasse zyeuta la tribune afin de deviner qui était l'auteur du scoop de ce matin.

Casilde avait compris qu'il s'agissait d'une femme, et il y en avait six qui s'étaient glissées parmi les gros bides, les cheveux gris et les trois ou quatre mignonnets qui composaient la majorité masculine. Elle repoussa deux pète-sec, cheveux en grains de paille, lunettes de bout de nez, soupirs qui en ont vu d'autres, cinquantaine psychanalytique. Une autre lui parut trop visiblement préoccupée de la probable réunion parents-profs qu'elle avait tout à l'heure pour être jamais capable de contredire un Proc. Une très jeune blondinette, qui bombait innocemment du pare-chocs confirmait que les rédacteurs en chef se fondaient sur des critères scrupuleusement professionnels pour choisir leurs stagiaires. Deux filles se détachaient donc nettement. Elles étaient toutes deux jolies, ce qui était bien le moins puisque, qui que fût le mouchard, il semblait évident qu'il s'était mis à table pour de beaux yeux. Elles frisaient toutes les deux la trentaine, et Casilde n'aurait pas été contre connaître la marque de la veste de l'une, et le prix du petit haut de l'autre. Pour le reste, l'air de la rousse, concentrée à l'écoute, notant les mots triés dans la scène en cours comme des aiguilles chacune au but, tranchait avec les yeux au ciel de la brune, la main nerveuse dans les cheveux, la décharge de gaucherie qui s'échappait d'elle. Pour Casilde, la rousse était trop appliquée pour être vraiment compétente. Elle décida de parier sur la brune.

Enfin, le Président annonça une pause et Casilde put lancer à la cantonade :

— Qui parmi vous est Ariane Bontin ?

— C'est moi.

Et ce fut la brune frénétique qui descendit vers elle avec des yeux soupçonneux. Casilde réprima un sourire de triomphe.

— Peux vous aider ?

— Enquêtrice Provinciale Binasse, j'ai quelques questions à vous poser.

— J'vois. Ça vous dérange pas de venir dehors avec moi ? Besoin d'une clope.

Et elles traversèrent les hautes colonnes, les dalles crasseuses et les boiseries vieillottes des pas perdus pour gagner le perron écartelé de marches lourdes et mousseuses.

— Bon. Le tuyau. Je suppose ?

Elle rejeta cette question avec sa première bouffée et par à coups dans les deux cas. Elle frissonnait.

— Vous auriez dû prendre votre manteau. C'est vrai qu'il pleut.

— Pas grave. Toujours froid de toute façon. Donc ?

— Vous venez de rendre publics des éléments que nous avions pris grand soin de garder secrets, nous voudrions savoir comment vous y avez eu accès.

— Voulez me faire coffrer ? pour violation du Secret de l'Instruction ?

— Pas si vous nous donnez vos sources.

— Les flics et le chantage.

Casilde pensa que le froid n'avait rien à voir avec son tremblement. Elle devait toujours être vibrante de nervosité. Elle lui plut bien.

— Oui, nous avons nos manies. Mais les journalistes ont les leurs. Cette histoire de protection des sources, par exemple.

— Pas une manie. Un fonds de commerce. Pas d'informateurs sans confidentialité.

— D'accord. Mais vous êtes assez fine pour savoir que nous n'allons pas livrer aux autres journaux le nom de votre indic. Nous faisons tout pour que la presse parle le moins possible de cette histoire.

— Intéressant, ça. Vous embête, cette affaire.

— Là aussi, vous comprendrez qu'une série de meurtres, ce n'est pas ce qui fait la joie d'un Commissariat.

— Toute façon, c'est pas la presse qu'ils craignent, les indics. C'est les flics. Justement.

— Mademoiselle…

— Madame…

— Soit. Madame, nous parlons de crimes atroces perpétrés par un dangereux malade. L'information que vous détenez peut nous aider à sauver des vies et…

— Pas dit du tout.

— Mais le contraire non plus. Vous êtes comme tous les journalistes, vous en appelez à la morale et aux grands principes à longueur de journée. Soyez un peu cohérente. Aidez-nous.

— Vous dirai pas exactement qui c'est. Parce que je le sais pas. Si je vous donne ce que vous voulez, vous me promettez d'appeler ? quand vous avez des trucs pour moi ?

— Chacun son chantage, on dirait. Mais soyons honnêtes : je suis Enquêtrice Provinciale. Je travaille uniquement sur cette enquête en ce moment. Je ne risque pas de vous être très utile.

— Je pense à long terme. Marché conclu ?

— Marché conclu. Alors ?

— Alors, ça vient pas de chez vous. J'ai reçu une lettre anonyme avec tous les détails.

— C'est dans votre habitude de balancer le contenu des lettres anonymes à l'antenne ?

— Pas de leçon à recevoir. Puis là, y avait de quoi y croire. Y avait des photos.

Casilde manqua s'étrangler.

— Des meurtres ?

— Des corps.

— On vous a envoyé les clichés de la Scientifique ?

— Non. Les photos montrent les… cadavres. Sur des bâches en plastique. Bien entourées de sang. Juste après qu'ils ont été… arrangés. À mon avis.

— Il me faut ces photos.

— M'en doutais. Heureusement que je les ai scannées.

— Où sont-elles ?

— À l'abri. Chez moi.

— Vous allez m'accompagner.

— Maintenant ?

— Je veux !

— Bon. Peux louper une heure. Il est chiant ce procès. Vais chercher mes affaires.

— Entendu. Dites. Vous savez pourquoi il vous a envoyé ça ? je veux dire, à vous ?

— Peut-être un fan de la radio. Ou un admirateur de mes reportages. Ah, ah. Vous demande pas de me croire. En fait, j'en sais rien.

*
* *

Fénimore sirotait son café dans la coursive quand Casilde surgit.

— C'est l'assassin qui a tuyauté la journaliste.

— Tu en es sûre ?

245

— Certaine. Il lui a envoyé une copie des cartes qu'il laisse avec les victimes et des photos des dépouilles juste après qu'il les a mises en scène.

— Tu les as ?

— Oui.

— Montre.

Lorsqu'ils fondirent dans le bureau, une toute jeune fille passait un sale quart d'heure sur l'écran de l'Agent Ferde.

— Dites, tout va bien pour vous ?

— Je travaille le contexte.

— Bien entendu. Et le fait que ce contexte soit classé porno-hard-dégueulasse vous accable, j'imagine. En passant, vous avez trouvé quelque chose sur le rendez-vous ?

— J'attends que la compagnie de téléphone me rappelle pour me donner la propriétaire d'un numéro que j'ai trouvé dans un mail. Bien salace, d'ailleurs, la correspondance.

— Pas besoin de détails, on en a déjà plein les yeux. D'ailleurs, ça vous ferait rien d'éteindre cette merde ?

L'Agent s'exécuta et les Enquêteurs Binasse et Garamande purent alors s'abîmer dans la contemplation des fameux clichés. Qui ne leur apprirent rien.

— J'ai envoyé les originaux à la Scientifique. Au cas où on pourrait en tirer des empreintes.

— C'est la journaliste qui te les a données ?

Oui absorbé de la tête.

— Et c'est elle qui a trouvé le sobriquet à la con, là, le « tueur de l'Olympe » ?

Autre oui.

— Elle doit en être fière.

— Pas ce genre-là.

— Mais quand même le genre à ventiler ce style de nullité, ça reste dans la ligne, tout ça. Il prêche, il met en scène, il veut que ça se sache. Le tueur narcissique typique.

— Je me demande pourquoi il a contacté cette journaliste-là ?

— Y a peut-être quelque chose à creuser de ce côté, en effet.

Le téléphone. Ferde qui s'arrache de ses indiscrétions baveuses pour répondre.

— Oui. Ah, très bien. Attendez, je prends de quoi noter. Dites. Ah bon ? Non, rien. C'est noté. Merci.

— Alors ?

— Alors, j'ai le nom de la propriétaire du portable. Je pense que ça va vous plaire.

— Dites toujours.

— Eudoxie Jolssin.

La nouvelle fit son effet.

Vendredi 3 novembre

— Fénimore, la réalité ne raconte pas d'histoires aussi simples. Pour le coup, c'est toi qui laisses tes tripes épaissir tes neurones. Réfléchis. On a quoi ? Un rugbyman idéaliste qui a voulu faire des études et s'est entiché d'Héraclite, et une jolie mère de ses enfants qui ne réussit pas toujours à mettre sa culotte au pas et qui s'offre un peu de perversité comme masque à oxygène. Aucun rapport avec un macchabée découpé en dés.

— Lui c'est une star, elle une dynamique maman, du coup ils ne peuvent pas avoir de cadavres dans le placard, c'est le fond de ta pensée ?

— Bien sûr que si, ils en ont. Mais c'est le bout du monde s'il s'agit d'un adultère consommé.

— On a tout : la preuve – Héraclite –, le mobile – la jalousie –, les circonstances –, le rendez-vous des amants et l'interception du séducteur par le colosse bafoué.

— Tu parles d'une preuve... Et puis, tes circonstances et ton mobile ne concernent que le dernier meurtre. Mais j'avoue : le joueur de rugby oppressé par le cirque sportif, qui monte une opération à prétention philosophico-mythologique pour déverser sa colère de penseur exilé chez les pue-la-sueur en butant tout ce qui bouge autour de son club, et qui en profite pour se débarrasser de l'amant de sa

248

femme, le collectionneur appréciera le côté insolite de ton hypothèse.

— Ce n'est pas moi qui suis allé chercher des indices après avoir monté ma théorie, ce sont les indices qui nous ont indiqué les coupables, et le scénario.

— Un élément un peu accusateur, un bon petit mobile bien téléphoné, et on obtient une erreur judiciaire à montrer dans toutes les écoles de connerie.

— Du calme. À toi de regarder les choses sous un autre angle. Tu as de la tendresse pour cette femme ; du moins, tu as de la tendresse pour l'idée que tu t'en es faite. Elle ressemble peut-être à ta mère, à ta cousine, un truc dans le genre.

— Tu arrêtes ça tout de suite !

— Passons. Mais tu l'as quand même à la bonne pour Dieu sait quelle raison, et du coup tu ne veux pas entendre ce que nous disent les faits.

— Je refuse que tu transformes les gens en monstres à partir d'éléments aussi maigres, c'est tout.

— Ça ne nous dit pas ce qu'on fait.

— On a le choix. Moi, je propose qu'on aille rendre visite à Eudoxie Jolssin chez elle pour lui demander des explications, discrètement, sans détruire sa famille pour rien du tout, toi, tu es pour mettre le couple en garde à vue, que les médias aient de la pleine page et que leur vie soit foutue.

— Principe rationnel : il faut opter pour la solution où on a le plus à gagner. Si on les arrête, il est possible qu'on ait des aveux. Ils ne sont pas au courant, eux, du nombre de preuves matérielles qu'il faut dans un procès. Si on bluffe et qu'ils avouent, ils nous mèneront aux preuves qui nous manquent, et si les meurtres s'arrêtent, on a la confirmation dont on a besoin.

— Je ne suis pas devenue flic pour fonder mes enquêtes sur des aveux. C'est donné à tout le monde de parler de l'avenir atroce des enfants ou de raconter l'histoire à sa sauce de façon assez dégueulasse et agressive pour faire craquer quelqu'un ; cinq jours d'insomnie là-dessus et le tour est joué. Merde, je suis pas sur terre pour détruire des gens en espérant que, par coup de bol, ça me permettra aussi d'arrêter un meurtrier.

— Et si on te suit, qui nous dit qu'on n'est pas en train de condamner à mort une prochaine victime innocente ?

— Rien. Je ne te dis pas de les laisser tranquilles, je te dis qu'on n'a pas encore assez d'éléments pour se donner le droit de faire n'importe quoi.

— Et tu crois vraiment que Glazère va être d'accord pour les laisser en liberté ?

— Surprise, mon cher ami : je l'ai appelée tout à l'heure et elle m'a dit qu'elle me faisait confiance.

— En clair, tu m'as doublé, et tu voulais me sermonner en prime.

— En clair, j'ai raison, et comme je suis ta coéquipière, je considère qu'une mise au point était nécessaire. Je suis désolée d'avoir à te le dire, mais je te trouve un peu trop braqué sur tes idées ces derniers temps.

— Ça va, Casilde, n'en rajoute pas.

— Je veux que tu te remettes en question. Pour ton bien.

— Là tu es en train de confondre les genres. On ne s'en sortira pas si tu utilises les enquêtes pour me faire des scènes de ménage.

— Qu'est-ce que tu veux dire ?

— Rien. Écoute, je retourne à la surveillance de monsieur pendant que toi, tu vas voir madame. Fin de discussion.

— Tu m'en veux ?

— J'espère vraiment que je ne viens pas de me rendre complice d'une grosse faute professionnelle parce que je ne veux pas me disputer avec la fille qui m'y a encouragé.

— Alors, comme ça, tu ne veux pas te disputer avec moi ? Intéressant ! Bon, allez, je file.

— C'est ça.

*
* *

Assise dans son salon cousu de bois noir et d'élégantes teintes sombres, Eudoxic Jolssin s'abîma dans la lividité de nuages que la baie vitrée derrière elle envoyait dans la pièce.

— D'abord, madame l'Enquêtrice, monsieur l'Agent, je vous remercie d'être venus me voir et d'avoir évité que... cette histoire n'arrive aux oreilles de mon mari.

Ferde sourit par retour de gratitude, Casilde accueillit avec plus de raideur son charme d'infidèle.

— Cette remarque est déplacée, madame Jolssin. Pourquoi ne vous êtes-vous pas manifestée après avoir appris la mort de votre amant ?

— Vous ne m'avez pas comprie. Pierre et moi n'avons jamais été amants. J'ai fait sa connaissance quand Thalalé jouait à Capitale. Pierre était souvent invité dans la loge présidentielle où je suivais les matchs avec les autres femmes de joueurs. Il était audacieux. Entreprenant. Je m'ennuyais. Cela m'a attirée. Après mon déménagement, nous avons commencé une correspondance par mail. Pierre a réussi à me convaincre de le voir. Il devait venir à Volmeneur. Je lui ai donné mon téléphone pour qu'on puisse se retrouver, c'est pour ça que vous avez vu mon numéro dans son ordinateur. Bien sûr, j'ai hésité jusqu'au dernier moment. Et puis c'est lui qui m'a envoyé un texto du train, vers 16 heures, qui me disait qu'il ne pourrait finalement pas se libérer. Ça m'a soulagée. En tout cas, même si c'est vrai que je me suis un peu prise au jeu, nous n'avons jamais, disons, concrétisé.

— Vous avez gardé ce texto ?

— Non.

— Madame Jolssin, vous devez comprendre que votre version des faits n'est pas très convaincante.

— Je suis désolée, mais c'est la vérité.

— Si c'est la vérité, comment se fait-il que vous n'ayez plus ce texto ?

— Vous savez, je me sentais coupable, j'avais peur que Thalalé découvre quelque chose. J'ai donc fait très attention à effacer tous les messages de Pierre.

— Racontez-nous ce qui s'est passé jeudi dernier.

— J'ai passé la journée à m'occuper du restaurant que je suis en train de monter. J'avais prévenu mon mari que je ne serais pas là le soir, je lui ai dit que je serais avec mon futur cuisinier en train de goûter des plats. Comme il était sûr de ne pas faire partie des vingt-deux et donc sûr de ne pas assister au dîner de la feuille de match, je lui ai demandé de garder les enfants. Finalement, comme je vous ai dit, Pierre a annulé en milieu d'après-midi, et j'ai raconté que mon cuisinier était malade pour expliquer pourquoi je suis restée à la maison finalement. Vous savez tout.

— Votre mari peut donc témoigner qu'il vous a vue à la maison jeudi soir dernier ?

— Oui, mais si vous lui demandez, il va se poser des questions.

— C'est au cas où. Qui d'autre pourrait confirmer son témoignage ?

— Mes enfants.

— Personne d'autre ?

— Non.

Mauvais. Les alibis fournis par mari et enfants n'entrent pas dans la catégorie des preuves infaillibles.

— Rien d'autre qui pourrait nous donner une certitude ? Vous n'avez pas téléphoné, reçu un livreur, vu des voisins, ce genre de chose ?

— Non.

252

— Et votre mari, il était là ce soir-là ?

— Il est passé. Mais, quand il a vu que je restais, il a décidé d'aller boire un verre avec ses coéquipiers qui ne jouaient pas non plus le samedi.

Fénimore, ton scénario ne tient pas, Thalalé Jolssin a un alibi solide. Pour la femme, ça ne s'arrange pas, en revanche.

— Votre mari n'a donc pas passé la soirée avec vous ?

— Non, on s'est vus avant son départ et après son retour.

— À savoir ?

— Avant 21 heures et vers 1 heure du matin.

— D'accord. Madame Jolssin, vous ne m'avez pas répondu tout à l'heure.

— À quoi ?

— Pourquoi n'avoir pas prévenu la Police de la disparition de Flaure ?

— Mais je ne savais pas qu'il avait disparu. Tout ce que je savais, c'est qu'il avait annulé notre rendez-vous.

Logique.

— Bien. Je vous laisse ma carte. Appelez-moi si vous avez n'importe quelle information. Autre chose : si vous quittez la ville sans nous prévenir, vous serez immédiatement recherchée par toutes les Polices de la République, et dès que vous serez arrêtée, j'expliquerai aux journalistes le rapport entre vos pulsions et quatre crimes aggravés.

Une fois sortie, Casilde soupira. On pourrait facilement vérifier pour le mari, mais pour la femme, elle n'avait pas trouvé l'élément qui eût rendu son hypothèse moins théorique que celle de Fénimore. Elle savait l'Enquêteur Garamande capable de prendre pour un mobile le fait que, dixit Eudoxie, Jolssin n'eût pas été sélectionné une seule fois depuis le début de la saison.

Samedi 4 novembre

Stade du Brise-Lames, à domicile. Volmeneur n'envoyait pas l'équipe des parlementaires, et la composition, première ligne en tête, puait la guerre. Thalalé prit place dans la tribune d'honneur à côté des autres « costards » écartés de la pelouse, qui n'en avaient pas moins le devoir d'arborer l'uniforme du club ; à défaut d'être héros, têtes de gondole.

Thalalé s'avoua qu'il était humilié d'être ainsi mis au rang des jeunots encore trop verts et des vétérans franchement trop mûrs. Il savait qu'il serait dans les gradins depuis jeudi, mais ce fut au moment où il s'assit pour faire le spectateur encore une fois qu'il savoura. Une heure et demie à soupeser le poids des regards qui décrétaient sa nouvelle insignifiance. Pourquoi avait-il voulu cette année de plus ? Une belle erreur.

Crazié entrait dans une ambiance d'émeute quand un journaliste escorté de son caméraman fit mine de monter vers lui. Il fit un geste et dit :

— Plus tard.

Thalalé savait très bien ce qu'on attendait de lui. Qu'il dise qu'il était déchiré entre le club de ses débuts et celui où il disait adieu au professionnalisme, qu'il aurait bien aimé jouer ce match mais qu'il avait encore besoin de temps pour revenir à son meilleur niveau. Tout ça. Un tissu de conneries. Il ne connaissait plus personne chez les Guides de Crazié,

Volmeneur n'était pour lui qu'un terminus et non « la ville qui m'a accueilli avec une chaleur que je n'oublierai jamais ». Quant à son « meilleur niveau », ça tenait de l'imitation de signature pour une absence en gym.

Ce fut au tour des Gardiens outrenoirs de surgir des vestiaires, et là, le pire devint sûr.

> Aujourd'hui la Ligue noire
> Vient se livrer à nos coups,
> Ami, verse-nous à boire
> Et la victoire est à nous.

Comme souvent, Volmeneur était à la hauteur de sa réputation de fief des nationalistes nauséabonds, qui ne s'ôtera jamais de la bouche l'aigreur de sa défaite pendant la Guerre des Libérations. Les milliers de voix caverneuses qui chantaient l'hymne anti-VII-Épées des souverainistes faisaient froid dans le dos. Thalalé, dont la femme se prénommait Eudoxie en hommage au général des vaincus, Eudoxe Guillebond, connaissait bien l'histoire. Et avait honte qu'on ait l'impudence d'évoquer pour un match la guerre avec ses morts, ses orphelins et ses veuves. Le carnage jouait l'invité d'honneur. Par la faute de supporters dont il défendait la cause.

> Peut-être au sein de la gloire
> Un foutu morceau de plomb
> M'enverra sur l'onde noire
> Vers ce bougre de Charon,
> Content, je perdrai la vie,
> Je m'en fous, j'aurai vaincu,
> Quand on meurt pour la patrie,
> N'a-t-on pas assez vécu ?

L'arbitre siffla le coup d'envoi. Demain, tous les journaux parleraient du comportement inacceptable du public. Mais ça n'irait pas bien loin parce que, sans le dire trop fort, on comprenait cette colère. La paix avait consisté à laisser une mafia sur les bras de plusieurs villes infortunées, dont Volmeneur. Même si les grands discours sur la lutte acharnée qu'on allait mener contre elle d'ici-tout-de-suite-si-on-est-élu-on-vous-jure étaient tombés à verse depuis quarante ans.

> Tout l'univers nous contemple,
> Amis, frappons-en plus fort
> Au monde, donnons l'exemple,
> Aux brigands, donnons la mort.

Mais ces culs-secs de haine avec couplets et refrains n'avaient rien à voir avec le rugby. À moins que. Les empoignades viriles, l'aspect hécatombe métaphorisée, c'était quand même ce que pas mal de gens goûtaient dans ce jeu.

> Canonniers, brûlez l'amorce,
> Redoublons tous nos efforts,
> Faisons-leur rentrer par force
> La vérité dans le corps.

Et puis, qu'est-ce qui aurait pu porter encore ces passions ? Au-delà même de la rivalité, être ici plutôt que d'ailleurs, puiser dans sa terre une force et même une liberté qui a valu des sacrifices, porté une vision, abrité et contaminé une langue ? Ces équipes. Ce qui reste pour que demeure d'habiter un goût. La fumée d'un plat sur la table.

Cette pensée n'empêcha pas Thalalé de flairer l'entourloupe dès qu'il vit Gabar dégueuler le ballon. Depuis le début, Volmeneur s'était calé sur la musique de fond. Un festival de mauvais coups mal maquillés. Jolssin était certain que son coéquipier avait fait exprès de commettre un en-avant. Pour convoquer une bataille rangée.

> Faisons-leur rentrer par force
> La vérité dans le corps.

De fait, le ballon avait à peine été introduit dans la mêlée que les deux première ligne se relevèrent, et qu'on vit clairement Lamarsineinba bourrer de coups de poings son vis-à-vis. Cela n'eût pas été grand-chose si les autres gros n'étaient venus rendre à tout-va une justice à la Samson. Et puis les trois-quarts ensuite. Thalalé vit Galfatasse, l'arcade fendue, et qui rigolait de nettoyer la peccadille de son sang d'un revers de la main en lançant au type de Crazié qui venait de le frapper un regard plein de promesses. Au bout de quelques secondes, tous les joueurs se foutaient sur la gueule malgré les hurlements de l'arbitre. Et sous les hourras de la foule. Une bonne générale à l'ancienne. Bien grasse. Bien débile. À confier la mémoire et la nation à des sportifs, voilà ce qui arrivait.

Thalalé ferma les yeux. Il avait honte. Non pas de la bagarre, il avait mis le poing dans une bonne cinquantaine. Le problème, c'était décidément le parallèle fait entre des types qui ont été torturés, qui avaient vu leur famille suppliciée, qui avaient été abattus ; et cette chamaillerie pour un score sur le tableau, pour l'euphorie une demi-heure de pauvres bougres qui n'avaient pas l'imagination de chercher leurs exemples et leurs légendes ailleurs. Rapprochement niais. Salissant. Il faut dire. Tant de choses imprimées sur eux. Des publicités. Des causes. Des villes. Hommes-sandwichs. Bannières vivantes. Seules restées debout. Mais lui, qu'est-ce qu'il faisait là ?

Après qu'il leur eut jeté cette pensée, il rouvrit les prunelles. Il avait été malin de refuser l'interview avant le match. Elle allait avoir fière allure, maintenant, sa déclaration d'amour : « À ces deux clubs qui ont marqué ma carrière. Aux deux moments où ça compte le plus, au début et à la fin. » Des bons sentiments. Qui lui laissaient le choix entre deux pelotons d'exécution.

* *

— Tu vois ? Trois heures du matin et toujours pas d'appel. C'est-à-dire toujours pas de cadavre. C'est-à-dire que ma théorie est confirmée !

— Casilde, tu ne manques pas d'air.

— Ben, les Jolssin sont en liberté et personne n'en est mort.

— Ça prouve aussi bien le contraire : si ce sont eux les tueurs, ils vont pas continuer alors qu'ils se savent surveillés. Moi, je suis certain qu'on va regretter de s'être grillés.

— Mais non. Et puis il fallait qu'on en ait le cœur net. On devait interroger Eudoxie Jolssin.

— On en a le cœur net, maintenant ? Mais je suis d'accord, il fallait interroger Eudoxie Jolssin : pendant dix heures d'affilée et avec une lampe dans la gueule.

— Vois le bon côté : on a évité une garde à vue inutile.

— Mais rien ne dit que la garde à vue aurait été inutile !

— Voyons, tu trouves que c'est compatible avec une vie de famille de dépecer des cadavres ? Pense à ça : ils n'ont jamais une minute à eux.

— Pour lui, je veux bien. Mais elle... Qui nous dit qu'au lieu de monter son soi-disant restaurant, elle n'est pas en train de zigouiller des pékins ?

— Genre ! Mais bon, on va la filer maintenant, alors, on va bien voir.

— Justement pas. Elle se doute bien qu'on va la suivre. C'est foutu.

Silence tentant de conjurer le bis polemica.

— En tout cas, si c'est pas eux, le tueur a très clairement essayé de les occuper en tuant Flaure et en

258

choisissant le philosophe préféré de Thalalé pour commenter ses meurtres.

— Tu trouves pas ça un peu tordu cette idée que tous nos soupçons sont des fausses pistes ? Trabin ? Leurre. Valdafin ? Leurre. Zalin ? Leurre. Jolssin ? Leurre ! Il y a plus simple : on est en train de passer à côté d'un éléphant qui porte un tee-shirt : « Je suis coupable. »

— Mais tu veux faire quoi, à la fin ?

— J'aurais voulu qu'ils soient obligés d'admettre qu'ils en savent beaucoup plus. Si je fais un grand effort de naïveté et si j'accepte ton hypothèse d'un génie du mal qui opère par erreurs judiciaires interposées, il y a forcément un rapport entre le couple et le tueur, sinon comment il saurait pour la maîtrise de Jolssin et les tentations de la femme à l'égard de Machin Flaure ? Il y avait forcément un truc à comprendre. Maintenant que tu as fait ta visite de courtoisie, les Jolssin sont prévenus et on ne peut plus rien en tirer. On a agi comme des abrutis.

L'Enquêtrice Binasse n'était pas du tout d'accord avec l'analyse défaitiste de Fénimore mais elle trouva qu'il n'était plus l'heure de débattre, et elle répéta :

— On fait quoi ?

— Je sais plus. Parce que avec nos derniers exploits…

— Je parle pas de ça.

— J'ai besoin de temps.

— Je comprends. Ça ne veut rien dire pour toi ce qui vient de se passer ?

— Si.

— Alors ?

— Alors, maintenant, les choses sont encore plus compliquées. Et il va me falloir encore plus de temps.

— Ah oui ?

Fénimore avait beau penser chaque mot qu'il venait de dire, il avait camouflé son doute sous une taquinerie. Le ton que venait d'employer Casilde indiquait de son côté que les négociations avaient pris fin.

Et Casilde sous les draps faisait tomber sa sentence. Avec une chaleur sans réplique, et sans user d'aucun mot.

VOLMENEUR – CRAZIÉ
12   6
VOLMENEUR EST QUATRIÈME DU CHAMPIONNAT

Samedi 11 novembre

Sixième journée :
Arméville – Volmeneur

M

1
pilier
gauche
Vaast
DRAGOULÉMANE

2
talonneur
Macaire
DAQUIN

3
pilier
droit
Gabar de
GALFATASSE

Ê

4
deuxième
ligne
Sébald
LESCARBORDE

5
deuxième
ligne
Désiré
CALFIN

L

6
troisième
ligne aile
Sixte
DARSSIN

8
troisième
ligne centre
Thalalé
JOLSSIN

7
troisième
ligne aile
Terce
HACHETTE

É

E

C H A R N I È R E

9
demi
de mêlée; capitaine
Félix
VALDAFIN

10
demi
d'ouverture
Abderrahmane
TRINQUETAILLE

T R O I S - Q U A R T S

11
ailier
gauche
Malloy
GRUVALD

12
centre
Judicaël
GALBOND

13
centre
Casimir
ALABADIN

14
ailier droit
Foulques
BODOMBIN

15
arrière
Pépin
PÉRÉGRIN

REMPLAÇANTS

16. Kétil LAMARSINEINBA
17. Mahmoud MEFULAA
18. Myrtil PAHONTAS

19. Yann HURLAR
20. Iker DELAVENTIN
21. Zacharie HAOUSSELINE

22. Athanase CRAMARIN

CHOISIR UNE PISTE

Dimanche 5 novembre – Fénimore

Encore sur la bulle de ses étreintes avec Casilde, Fénimore ne savait au lendemain à quelle émotion se dédier. Après que les corps avaient parlé, il n'y avait plus de musique pour rassembler le capharnaüm sentimental dans un trémolo. Il y avait le silence d'un appartement qu'il avait laissé avec dedans à peu près une vie, saccagée par l'événement. Il y avait l'envie de retrouver ses habitudes, de se raccrocher au personnage qu'il travaillait depuis longtemps, et qu'il venait de rendre invraisemblable. Adélaïde. Casilde. Et comment aurait-il pu faire un choix ? Grinça en lui que ce genre de triangulaire avait fait ses délices avec Adélaïde le long de cent et cent épisodes de séries, où l'impossibilité de trouver un théorème de sortie manigançait des péripéties qui les faisaient japper d'excitation sur le canapé. Ensemble. Avant.

Comment veux-tu, Adélaïde ? Après la trahison, où serait la réconciliation, la fin heureuse, un sourire pour la soif et l'intacte espérance ? Il n'y a pas que la tendresse, Adélaïde, il n'y a pas que ta voix qui sait si bien aller au profond me chercher où je me cache, où je ne joue plus à être insensible aux coups, aux piques et aux baisers. Cette joie qui était nous, crois-tu qu'il me soit facile de la perdre ? Mais crois-tu qu'un jour me laissera cette peine d'avoir découvert que je pouvais encore être seul ? Malgré toi, malgré nous ; seul, même, à cause de toi. Tu m'as fait savoir avec quelle rouerie heureuse tu savais jouir et faire jouir, tu m'as donné la garce, la sœur-épouse et puis la mère, tu m'as mis à moitié de ta peau. Et tu en as fait l'arme d'exacte souffrance. Tu m'as trompé.

On s'est rencontré sur de mêmes histoires, on a été d'accord sur les acteurs et les personnages préférés, et puis, à force, plus l'envie du tout de se quitter, de jour en jour une vie et un enfant, jamais de promesse, puisqu'on n'en a pas besoin. Ça aussi, ça faisait bien dans le scénario. Nous nous négociions les meilleurs prince et princesse dont nous étions capables, et notre amour a eu ses périodes et ses vogues narratives, et ce n'est pas à toi que j'apprendrai notre ère péplum et sa grandiloquence joueuse pour profiter du plaisir de si bien se comprendre. Alors, ce bon vieux nœud, ce tu m'aimes, elle m'aime, je suis dans la merde, la trinité des vies foutues, on en fait quoi ? Tu me sortiras le coup du « Si tu le sais pas, c'est bien la preuve que… » Saloperie d'écrivains qui se démerdent de leurs intrigues à vingt-sept tiroirs par toujours les mêmes dogmes nuls qui s'émiettent au contact des vraies angoisses. Parce que malgré cette tyrannie des évidences, tu es encore ma colère, parce que cela n'empêche pas Casilde de me toucher, et je ne sais pas vers quel satané bonheur, vers quelle fatale déception.

Maintenant, plus rien ne parle, plus rien ne me dit ce que ferait le prince.

Parce que ce serait si simple de ne pas voir ta détermination de belle femme qui connaît le prix du monde, et qui aura le courage de faire ce qu'il faut pour éviter son enlaidissement volontaire. Parce que ce serait aussi trop facile de ne pas voir le visage de Casilde donner vie à chaque minute, d'ignorer qu'elle a commencé à intéresser son âme à cette affaire foireuse.

Ne jamais perdre d'âme.

Et comment voudrais-tu faire, généreux Fénimore, pauvre con ? Il y a forcément un moment où il faut choisir le meurtre le moins grave. Alors, c'est ça, solutions à droite, solutions à gauche, le barème approprié, and the winner is ? Et sur quel critère ? Un mot ou deux où on a entrevu le mystère, le elle seule et pas une autre capable de cette tournure, de cette réflexion bizarroïde sur la viande, de rire à ce moment, se souvenir de cette réplique ? Avec ça, faire un choix, c'est donner une architecture à la pluie.

Et ce serait bien de jouer une de ces scènes où le héros va comparer son univers intérieur aux immensités, d'aller se faire une balade à la pliure mer-terre, par exemple, pour accorder mon vague au bourdon des éléments. C'en serait un chouette moment, et qui mériterait la bande-son. Et puis les cordes qui tombent en arpèges dehors, ça rajouterait quand même de l'expressionnisme, et ce serait bien la preuve que le héros est pas une mauviette puisque ses pensées l'immunisent contre la pneumonie. Seulement, ce genre d'épisodes, ils ne valent rien à vivre sans public, et c'est quand même juste une facilité pour le réalisateur, une façon de dire : « Là il en a gros sur la carafe », sans rentrer dans les embêtements d'expliquer ce qui se passe en lui, le côté chiant de la pensée.

Fénimore aurait été ravi de serrer la main à un type qui tombait sur les choses comme au coin d'une rue, qui était toujours fidèle à ce style western de héros brut lancé dans la merde sans sourciller et qui s'en tirait sans avoir apporté sa contribution au jeu-concours sur la définition du bien et du mal. Mais ces figures n'étaient que du vernis pour faire fonctionner les roulements à billes d'intrigue devant des gogos émerveillés qu'on leur tende des modèles si parfaitement inadaptés à leur tracas, parce que, eux, ils pouvaient pas se coucher satisfaits en se raclant d'un doigt la barbe quand ils avaient agi comme des égoïstes adultères avec abandon de famille, refus du come-back qui ne résolvait rien, paralysie devant l'alignement débonnaire de sa vie sur le sismographe de la connerie humaine.

Il avait essayé de s'en foutre de Vladimir et d'Adélaïde, et de partir brut et dur et sans explication vers la liberté et le déshonneur absolu de les laisser choir, mais, en chemin, il s'était fait avoir par un minois qui avait encore l'accent frais en disant le mot « avenir ».

Ç'aurait été bien, aussi, de ne pas connaître par cœur Adélaïde et de ne pas se douter qu'elle recherchait surtout la nomination dans le rôle de la femme qui a trébuché parce qu'elle a trop d'appétits superbes, mais qui revient avec le môme sous le bras, le front dressé disant la mère éternelle qui a un amour grand comme le globe, et réussit la prouesse de mettre le mors au désir pour prendre son couillon comme il est, elle, pilier indestructible et monstre d'humilité, qui a choisi la fidélité et se tait en regardant couler la rivière. Super silence et grands espaces. Générique et salle médusée par le coup de bonneteau. Il voyait d'ici le jury qui lui décernerait la récompense les yeux fermés : ses amies, sa mère, et, bien entendu, elle-même. Elle ne se priverait pas de remuer la statuette sous son nez sa vie durant, en adoration devant ses sacrifices.

Mais il ne serait pas moins doigts-dans-le-nez d'ignorer le fait qu'Adélaïde était quelqu'un d'effectivement beau.

Fénimore se souvint de la tendresse de Casilde pour Eudoxie Jolssin et il eut un sourire amer.

La sonnette.

Il consulta le judas.

Elle, bien entendu.

Samedi 11 novembre – Thalalé

Arméville, confin ouest de la République, derniers feux dans la large carrière qui éventrait l'immense forêt d'Elmezonde. Rayonnant autour d'elle, distribuées comme des mains aux cartes la Volsquie, l'Antalagne, la République, celle-là ayant subtilisé son jeu par des vagues de colons qui avaient défriché leur logis d'autorité, et reconnu pour leur capitale de Province ce comptoir à bois relié au pays par les rivières affluentes au fleuve Asgarie. On y avait entendu tomber les arbres et scier le bois, avant que l'exploitation commerciale en soit interdite pour respecter le nouveau catéchisme écologique. Alors, Arméville était devenu un gentil petit bled avec beaucoup d'hôtels et de restaurants, où ça parlait « cadre enchanteur, riantes rives, pêche à la ligne et cieux merveilleux », et où on faisait le commerce de la randonnée et de l'air pur, sans déclencher les fortunes vertigineuses qu'amènent seules les matières premières.

On n'en gardait pas moins à Arméville et dans toute la Province d'Autabîme une franche mentalité d'emmerdeurs. Sous prétexte d'avoir créé son pays par le manche et le fer au nord, sous prétexte de larges étendues pierreuses et désolées au sud, on donnait dans le dur à cuire à bras noueux, chemise ouverte, mégot au coin de la bouche, regards tragiques et beauté virile des énergumènes qui se mesurent à la nature. Inutile de dire que c'était une terre d'écrivains laconiques, toujours avec des sentiments immenses résumés par un battement de cil, contes où la belle trouvait l'illumination en la personne d'un bûcheron de peu de mots, en général autour d'un feu et sous les étoiles, un violon raclant pas loin, avec parfois la phrase d'une complainte revenant sur les lèvres paresseuses du héros. Malgré ses légendes et ses auteurs qui ne déplaisaient pas aux filles parce qu'ils avaient haute et large carrure, Arméville n'était guère qu'une ville d'importance moyenne et qui veillait à le demeurer, parce que rares sont les touristes de la nature qui apprécient les mégalopoles. De là un stade assez petit et une équipe qui ne prétendait pas au titre, malgré une tradition rugbystique respectable, les hommes d'ici ayant à cœur d'honorer le défi physique. Ça donnait en général une mi-temps pénible avant que la stratégie et la vitesse mettent au bémol les costauds mélancoliques.

Hier, quand les Outrenoirs s'étaient posés, ç'avait été un enchantement de couleurs et une grande mer fauve tissée dans le fouillis des cimes. L'automne était certainement la meilleure saison pour se cogner les huit cents bornes du déplacement. Le climat était doux ici, mais on savait ce que voulait dire une averse, d'où le cliché un peu excessif qu'il pleuvait ici de la fin novembre au début du mois de mai. Ce matin, c'était un soleil sans brûlure, une impression d'aquarelle et des formes qui s'amusaient un peu partout à la lanterne magique.

Oui, ça avait fait plaisir aux gars, la beauté du lieu, et le calme bruissant de couchant pendant l'entraînement du capitaine. Beaucoup avaient fait des réflexions sur la chasse et leurs rêves de ne plus faire que ça après les crampons. Sgabardane avait gueulé qu'il fallait se concentrer. Thalalé avait été d'accord.

Il se levait ce matin après une bonne nuit, malgré l'enjeu. Et maintenant qu'il regardait le soleil mon-

269

trer ce dont il était capable de l'autre côté de l'horizon, maintenant qu'il profitait du jour à la fenêtre ouverte sur des pelouses grillées d'ombres de branches, maintenant qu'il était huit heures et que les autres allaient se lever, Thalalé essayait de se remplir de l'innocente joie qui à l'entour parlait un langage d'oiseaux. Afin que son premier match comme titulaire à Volmeneur marque la renaissance dont il avait besoin.

Dimanche 5 novembre – Fénimore

— T'es télépathe, ou quelqu'un t'a prévenue ?

— Ça va, mon chou, merci de demander. Prévenue de quoi ?

— Tu ne pouvais pas plus mal tomber.

— Tu sais, Fénimore, ça fait déjà un moment que je tombe toujours mal. Alors, tant qu'à tomber. Bon, qu'est-ce qui s'est passé ?

— Ça s'est passé.

Du silence, des pas qui titubent sous la charge, le corps qui s'abat dans le canapé tout enveloppé dans l'imperméable. Et les pleurs.

— Adélaïde...

La main qui prévient que le moindre contact entraînera hurlements et griffes. Alors il s'assoit sur l'accoudoir.

— Adélaïde, tu sais bien que...

Encore un coup de couteau dans l'air. Elle ne voulait pas être consolée. Elle voulait qu'il profite du spectacle de sa souffrance. Elle voulait qu'il se torture de sa culpabilité.

— Quand ?

Cette manie de poser la question sans importance.

— Hier.

Redoublements. S'il avait dit il y a deux semaines, ça aurait arrangé quelque chose ?

— C'est... C'est dégueulasse... Ne crois pas que tu as des excuses, ça n'a rien à voir avec ce que j'ai fait. Rien à voir ! C'est dégueulasse...

— Adélaïde, c'est toi qui as décidé de venir t'installer ici. Je ne t'ai rien promis.

— Tu te fous de moi ? Est-ce que tu te fous de moi ? Tu sais très bien.

— Quoi ? Qu'est-ce que je sais ? Je t'ai donné des espoirs ? On a refait l'amour ? Rien de tout ça !

— Tu sais très bien. Comme tu m'as embrassée quand je suis partie... Il n'y avait pas besoin que ce soit sur les lèvres. Pas besoin que tu me touches. Tu sais très bien ce que tu m'as dit.

— Tu t'es fait des idées.

— Pas ça ! Pas ça ! Quand on donne quelque chose sans mot, on croit qu'on peut dire que c'est de l'invention. Pas ça !

— Même si c'est vrai, ça change quoi ? Adélaïde, je n'ai jamais dit que je ne voulais plus jamais te revoir, que tu n'étais plus la mère de Vladimir...

— Ne parle pas de lui !

— ... jamais dit qu'il n'y avait plus de tendresse, ni d'amitié. Mais tu croyais quand même pas qu'on se remettrait ensemble ?

— Tu m'as écoutée, l'autre jour ?

— ( )

— Oui, tu m'as écoutée, l'autre jour. Je l'ai vu. Je sais que ça t'a bien fait plaisir ce que je t'ai dit. Ça t'a même excité, tu crois que tu peux me le cacher ?

— Sur le moment...

— Arrête. ( ) ça ne change rien. De toute façon, j'y crois pour deux. Je te demande pas ton avis. Je fais ça pour notre fils et aussi parce que je sais, tu m'entends, je sais que tu ne peux pas plus te passer de moi que moi de toi.

— Vois les choses en face, Adélaïde, tu ne m'as pas demandé si je voulais te retrouver. Si tu me l'avais demandé, tu sais bien ce que j'aurais répondu.

— Connard. Tu joues le type détaché, connard ! Tu te venges avec ta jolie petite collègue... Connard ! Moi, je me suis trompée, je me suis laissé tourner la tête, ça arrive ! Mais je n'ai rien fait, je te jure, je n'ai rien fait.

— Je ne te crois pas. Et puis, ça revient au même.

— Si tu souffrais la moitié de ce que je souffre, tu saurais que ça ne revient pas au même.

Un silence, le temps qu'elle palpe en elle la vérité de ce qu'elle venait de dire, et lui, la profondeur de sa muflerie.

— Cette fille ne veut rien dire. C'est entre toi et moi. Tu me testes. Elle ne veut rien dire. Tôt ou tard, tu reviendras. Au premier type à qui je souris, tu me supplieras. Parce que c'est comme ça. Tu ne peux rien y changer. Ce que tu pourrais faire, c'est être un homme. Tu pourrais éviter de devenir un vrai sale con avant la conclusion inévitable. Tu m'entends ? Inévitable !

Samedi 11 novembre – Thalalé

Il alla dans la salle de bains pour ne pas avoir à parler à Darssin qui partageait sa chambre. L'eau coula sur ce corps dont il ne voulait plus interroger la fatigue. Ils allaient se mesurer tout à l'heure à quinze professionnels sur leur sol. Bien sûr que son ventre était strié de courants nerveux et qu'il se demandait en boucle par quel diable d'orgueil il avait voulu être ce matin à six heures de la souffrance, alors qu'il pourrait gentiment corriger ses premières copies.

Tu as voulu te convaincre que tu es le même homme. Qu'à trente-quatre ans, ta vie n'est pas encore condamnée au constat de ce que tu ne peux plus faire. Tu as raison de lutter pour chaque pouce du terrain. Mais tu n'es pas sûr de pouvoir. Tu l'as bien senti au dernier entraînement. Le doute, la peur, les rouler bien en boule au fond de soi et s'en décharger par la colère. Ce délire de mettre des coups partout, de courir sur chaque ballon, de défoncer le moindre type à portée, comme ça qu'il faut faire, comme ça que tu es devenu toi, parce que quand les autres devenaient verts et ne savaient plus mettre un pas devant l'autre, tu continuais à bien jouer, parce que tu avais le coup de main pour transformer le trac en force, parce que tu savais aussi t'en foutre un peu, il faut bien l'avouer. Tu faisais ton malin avec ta perspective philosophique, Platon dans sa caverne ; détachement et fraîcheur. Tant que tu n'avais pas changé de club, tu pouvais te dire que tu continuais parce qu'on avait besoin de toi, mais là, c'est surtout l'envie d'être ce qu'on n'est plus. Et tu as fait dans la grande gueule : « Je peux encore relever le défi d'une nouvelle équipe, oui, le transfert est important, mais je me sens encore au sommet de ma forme. Je peux rivaliser avec un mec de vingt ans. » Et c'est bien toi cette semaine qui as convaincu Sgabardane. Et tu sais bien pourquoi tu tenais tant à jouer. Ça aussi le rouler en boule, bien le compresser, et t'en servir, le déplier d'un coup sec dans la gueule des autres. En jouant à ce sport, on sait bien qu'on se met sur la route de la rage des autres. Peu importe laquelle. Le boulot, c'est d'y répondre.

Dimanche 5 novembre – Thalalé

— Thalalé.

Le sale temps accroché aux fenêtres, le dégoût d'un match encore passé à regarder les autres jouer, le reproche de n'avoir pas trouvé d'idée pour être une famille cet après-midi, les enfants dans la chambre, la télévision qui fait du remplissage, et Doxie qui prend son ton de grande explication. Fait chier.

— Moui.

— Il faut que je te parle.

— ( )

— Écoute. C'est difficile. Tu… Tu sais le représentant de Bienmange qui a été assassiné ?

— Oui. C'est une histoire affreuse. Tu m'as dit que tu le connaissais ?

— Thalalé, il faut que je te parle.

Ce ton. Des doigts glacés qui se ferment sur lui.

— Tu sais, l'année dernière à Capitale, on a quand même traversé une mauvaise passe. Je n'ai pas voulu t'embêter, tu avais ton championnat, tout ça. Mais je me sentais un peu perdue. Je ne savais plus à quoi je servais. Maintenant que je me suis lancée dans le restaurant, ça va mieux. Mais à l'époque, je me suis sentie perdue.

Elle commence par suggérer que c'est de ma faute. Ça doit pas être marrant ce qu'elle a à me dire.

— Tu aurais dû m'en parler.

— Tu aurais dû t'en rendre compte.

— ( )

— ( ). Je ne t'en veux pas. J'ai fait de mon mieux pour que tu ne voies rien. Mais j'étais paumée. Pierre était souvent dans les loges pendant les matches. Il était très... très avenant. Ça m'a fait du bien qu'il soit attentionné avec moi. Je te l'avais dit que je m'ennuyais pendant les matchs.

— Pierre ?

— Le représentant de Bienmange qui a été assassiné.

— Je sais. Pierre ?

— Bref. On s'appréciait, on discutait. Après le déménagement, on a gardé contact.

Thalalé décida de s'engoncer dans le silence. Il avait compris l'idée. Il était trop abasourdi pour demander grâce et éviter les détails.

— Il ne s'est rien passé. On s'est juste écrit. Des messages un peu... Un peu olé, olé.

Expression comme une balle dans la région du cœur.

— C'était du jeu, c'est tout. Ça n'a jamais été que du jeu. Enfin. Il y a eu un petit écart. Un seul. J'ai accepté l'idée de le rencontrer quand il est venu à Volmeneur. Il y a deux semaines. Mais on ne s'est pas vu finalement. Quand il a été retrouvé mort, la Police a retrouvé notre... notre correspondance. Et ils m'ont interrogée. Je leur ai tout raconté. Au départ, ils avaient l'air de me soupçonner. Mais je crois que ce n'est plus le cas.

— ( )

— Voilà, je voulais te le dire. Parce que je sais que c'est une erreur. Et parce que je ne veux surtout pas que tu croies que ça signifie...

— Quand ?

— Pardon ?

— Quand est-ce qu'ils t'ont interrogée ?

— Qu'est-ce que ça peut faire ?

— Bon Dieu de bon Dieu, j'ai besoin de savoir. Quand ?!

— Calme-toi ! Les enfants...

— C'est toi qui as voulu me le dire maintenant, justement pour que je ne puisse pas crier, alors je m'en fous, quand ?

— Vendredi.

— Le fameux vingtième rendez-vous avec le banquier ? Putain de bordel de putain de menteuse !

Soupir comme le tonnerre sur un autre village.

— Pourquoi vous ne vous êtes pas vus avec ton Pierre ?

— Ce n'est pas mon Pierre.

— Pourquoi, dis-moi pourquoi, putain de bon sang de putain de merde ? C'est toi qui as eu des regrets ou il est mort avant ?

— Il... Il a annulé.

— C'est bon.

— Tu vas où ?

— C'est bon.

La porte où on essaie de faire claquer tout l'écœurement. Gesticulation de fureur. Vouée au seul bruit.

Dimanche 5 novembre – Fénimore

Dehors, le temps qui passe sans se charger de leurs bisbilles ; une toile de fond pour que se détache bien l'idée de leur solitude.

— Et qu'est-ce que tu vas faire de nous ?

— Je ne comprends pas.

— Qu'est-ce que tu vas faire de nous, Fénimore ? Où est-ce que tu vas les ranger, tous ces livres que tu as lus par-dessus mon épaule ? et les chansons, est-ce que tu pourras les lui faire écouter sans te souvenir que c'est sur elles qu'on s'est manqué, sur elles qu'on s'amusait à mal chanter en se brossant les dents et en faisant semblant de s'offrir dessus une première danse qui finit les jambes en l'air ? Et les films, est-ce que tu pourras les revoir sans revivre les moments où on s'est pris la main, où on a fait les fous parce qu'on était surexcités des mêmes choses, où on a ri, où on s'est traité de mauviettes parce qu'on s'est retrouvé à pleurer en même temps ? Qu'est-ce que tu comptes faire de tout ça, Fénimore ? Ou alors, ça te va de ne plus être qu'une rediffusion de nous ?

— C'est du théâtre.

— Fénimore…

— C'est du théâtre ! Est-ce que tu as oublié par hasard ce que tu en as fait de tout ça ? Qui a foutu ça à la poubelle ? Qui m'a raconté la fin pour me gâcher tout mon plaisir ? Si je me souviens bien, une histoire sordide de nibards qui rayent le parquet et de couche-toi-là pour réussir. Tu ne m'en voudras pas de partir au milieu.

— On me voit une fois avec un type, et toi tu en conclus que j'ai couché avec lui ? C'est du délire. J'aime bien ta propension à voir des tragédies grecques dans les queues de supermarché, mais elle m'emmerde un peu quand tu t'en sers pour détruire ma vie et la tienne. Tu te fous de qui ? Qu'est-ce qui te fait penser que j'aie jamais envisagé ce mec ? J'avais besoin qu'il m'aime bien, parce que ça pouvait métamorphoser ma carrière, j'ai été gentille, j'ai accepté une invitation, comme il est connu, un maga-zine a pris une photo dans une soirée de gala et l'a légendée n'importe comment, un point c'est tout. Tu m'entends ? Un point c'est tout !

— Bordel de merde, Adélaïde, j'ai lu ce qu'il a écrit dans ton agenda !

Samedi 11 novembre – Thalalé

— Ça va, Thalalé ? T'as l'air de gamberger.

Gamberger, mode de pensée redouté des sportifs.

Sixte et sa gentillesse. Assassin sur le pré, bon garçon dans la vie.

— Ça va, merci. Je descends.

Esquiver la conversation. Même si elle ne demande pas mieux que faire du bien. Parler, ça ne consiste souvent qu'à donner plus de réalité aux problèmes.

Il fut bientôt dans le jardin. Les arbres s'emballèrent sous le vent. Cette respiration indifférente des choses. L'impression le prit. Une force. Née de cette idée étrangement rassurante que nos drames ne griffent pas la terre, et que pourtant elle tourne, que ce n'est pas un si grand affront que nos manquements, nos peines, notre mort même dans l'ordre des choses. Il reconnut son christianisme à l'inquiétude que fit naître cette pensée.

Où était la consolation ? Chez Héraclite qui ne se lassait pas de décréter le brouillage entre nos vues et la vérité inscrite au cœur secret de la nature ? ou dans cette voix qui donne audience à la moindre bonté, au moindre mal, au tribunal final ? Il se railla. Le rugbyman philosophe, comme disait la presse. Autant dire le tracteur à tutu. C'était bien lui d'aller chercher les ligatures du cosmos pour faire face au trac d'avant match, faire face, aussi, au visage de sa femme qu'a craquelé son fantasme. Malaise, dégoût, s'il avait trouvé le mot pour toucher ce qui ne le quittait plus depuis dimanche, il aurait peut-être du même coup compris ce qu'il pouvait bien faire maintenant. Mais il était justement habité par quelque chose qui flotte entre les mots et les sépare, qui ne se satisfait d'aucun, et qui fait glisser loin de soi sa propre volonté.

Oui, qu'est-ce qu'il pouvait bien faire ? Envoyer à la gueule d'Eudoxie le serment de fidélité pour partir il ne savait où, bagages en main et tête haute, ce qui signifiait priver les enfants de leur enfance, tout ça pour revivre un épisode de célibat avant de reprendre goût à une autre femme ; une autre trahison en suspens ? Mais il doutait que puisse le reprendre cette forme d'amour. Celui qui rend pur tout ce qu'il touche, des miaulements de l'orgasme à la merde dans une couche. Alors, rester ? Caresser une chair qui tombe par lambeaux dans l'amertume, entendre respirer dans son sommeil des désirs ennemis ? Gâcher sa vie. Probablement.

Si seulement quelqu'un avait pu lui promettre que ce n'était pas ce gâchis volontaire qui se cachait dans les fameux hauts et bas du couple, dans le meilleur et dans le pire à oreilles rebattues. Dormir un jour sur deux avec sa négation, se lever le matin en prenant une grande respiration pour trouver la force de ne pas tomber en bris, parce qu'on a choisi une vie à sagesse de mourir. Et pourquoi ? Pourquoi diable accepterait-il cela ? Pour jouer à sa progéniture une jolie petite pièce dont la morale, c'était qu'il fallait être deux jusqu'au bout du bout, malgré la gueule horrible de l'âme sœur, maquillée aux injures indélébiles et aux encouragements cruciaux qui ne seraient jamais donnés ? À quoi bon ? Un jour ou l'autre, les enfants seraient aussi dans un jardin, à être incapables de croire que ça vaut encore quoi que ce soit tout ce qu'ils sont devenus, incapables de respirer leur gloire, tout ça parce que la chérie n'a pas la rigueur du calbute.

Mais difficile de se mentir, ça reviendrait à rouler le tapis qui leur sert de sol, à plier la tente qu'ils prennent pour le ciel. Ça n'était peut-être qu'une fiction cette histoire de papa et maman qui s'aiment et c'est pour ça qu'ils vous ont donné la vie, ça n'en était pas moins leur monde. Pas au sens nul de ce qu'on connaît par cœur, non, cette chance confondue à l'existence, ce qui est offert, ce qu'on ne croit jamais perdre.

Ils apprendraient certes un jour que cela seul est donné qui peut être repris. Qui sera repris. Être une grande personne, être un père, cela signifiait peut-être manigancer pour allonger cette période où la mort n'est pas l'ordre du jour. C'était peut-être cela, cette chose gratuite que chaque homme, chaque femme s'est juré de donner en même temps que la vie. Le sacrifice d'espérer.

— Thalalé ?

Louis-l'intendant.

— Petit déjeuner.

Une brise fit pleuvoir en parfums la joie de ce matin. Il avait pour l'heure un devoir tout trouvé. Doxie lui avait promis que les enfants regarderaient la retransmission. Il allait leur donner de quoi être fiers de leur père.

Dimanche 5 novembre – Fénimore

— Tu as fouillé dans mon agenda ?

— Tu te fous de moi ? J'apprends par le journal
que tu as une liaison avec ton rédacteur en chef, et
tu m'en veux d'avoir essayé de savoir si c'était vrai ?
Tu m'en veux d'avoir eu la faiblesse de vaguement
ouvrir ton sac pour comprendre ? Tu crois que j'ai
ressenti quoi en faisant ça ? de la fierté ? Tu crois que
j'avais envie de te remercier de me donner une occasion de t'espionner ? Tu crois que j'ai aimé imaginer
la mère de mon fils en train de faire la bête à deux
dos avec l'autre connard ?

— Tu arrêtes tout de suite. Je n'ai jamais rien fait
avec lui.

— Ah oui et le « te lécher comme l'autre jour »,
c'était une citation de film ?

— (   )

— Voilà, elle a pris un coup dans l'aile, la mère qui
va chercher son ombrageux de mari par la peau du
cou parce que son amour est invincible et qu'elle se
battra toujours pour le bien de son fils.

— C'est tellement injuste.

Sanglots venus du profond d'elle. Il n'eut pas le
cœur d'y compatir. Il s'acharna au contraire.

— Voilà, tu pleures ! Tu pourrais me répondre
puisque je suis injuste, m'expliquer, mais non, tu
pleures ! Comme ça t'es sûre de garder le bon rôle.

— Quel rôle ? C'est de nous qu'il s'agit. Personne ne nous regarde.

— Et une diversion en prime. Tout, tu m'entends ? Tout plutôt que me dire ce qui s'est passé.

— Tu ne me croirais pas, de toute façon.

— Ben, tiens ! C'est de ma faute si l'évidence plaide contre toi.

— Ça arrive, ça, Fénimore, que l'évidence dise des conneries, que l'explication la moins simple soit la vraie.

— Non mais, sans déconner, tu veux qu'on disserte sur la vraisemblance ?

— Si t'étais pas parti du jour au lendemain sans me laisser une explication, sans même me laisser un mot…

— Qu'est-ce que j'aurais dû faire ? Tu me traitais de raté à demi-mot du matin au soir sous prétexte que je considérais que ma vie pouvait avoir un sens sans que les gens me reconnaissent dans la rue et parce que je ne voulais pas passer toutes mes soirées dans des cocktails à me cogner des nases qui seraient ravis d'être accusés de meurtre si ça leur assurait la une des magazines. Tout ça pour atteindre cette notoriété de merde derrière laquelle y a rien sinon du fric et des culs niais, et pas d'amour, jamais d'amour ! Moi, il y en a de l'amour dans ma vie, moi je fais en sorte de servir mes contemporains grâce à des compétences sérieuses, dans une affaire sérieuse.

— Tu es ridicule ! Tu passes ta vie à regarder des films, tu ne penses qu'en livres et en références, et tu méprises ceux qui les font !

— On s'en fout de ça. Tu t'es mise à me mépriser, tout ça parce que tu passais du statut de femme qui essaie d'assurer la survie de l'humanité civilisée en faisant ton boulot de prof à celui de critique de films qui débite des formules faciles pour montrer qu'elle est plus maligne que ce qu'elle voit.

— Écoute-toi, par pitié, écoute-toi ! Bien sûr que j'étais attirée par Chambert, bien sûr que j'ai été flattée que quelqu'un m'écoute sans menacer de péter des colères effarantes à la moindre phrase malheureuse !

— Voilà ! Enfin ! Tu me trouvais insupportable, je te faisais chier jusqu'au suicide réussi aux médocs, tu as rencontré le brillant patron de presse une coupe de champagne à la main, il s'est démerdé pour te faire croire qu'il comprenait enfin le concept de montage grâce à tes analyses, il en a profité pour te radiographier gentiment la boutique, alors, une chose en amenant une autre et puisqu'est ineffable la communion des âmes d'exception, il t'a défoncé le cul dans un hôtel franchisé !

— Et tu peux m'expliquer pourquoi j'ai démissionné du journal pour me retrouver prof dans le coin le plus lugubre de la République ?

— Probablement par un bon vieux piège du narcissisme qui – après ce moment génial où on se sent vivre parce qu'on s'est donné la permission de faire du mal – sait ménager la surprise d'un remords dégoulinant, qui te laisse le choix entre te réincarner instantanément en ta pire ennemie ou parcourir le monde pour sortir de ta honte. Je suis sûr que Dostoïevski parle d'un truc dans le genre quelque part. Attends deux secondes, ça me revient... Partout !

— Et il est absolument impossible que ce soit par amour pour toi que je sois là ? Impossible que je sois mue par autre chose que mon irrémédiable passion pour mon petit cul ? On tourne autour, mais on va finir par se le prendre, le pot aux roses ! La vérité c'est que tu es incapable d'admettre une fraction de seconde que quelqu'un t'aime. C'est si facile de peaufiner le mal-aimé, de faire beaucoup de mal à celles qui ont eu l'imprudence d'essayer de t'aimer, de tester un peu la sincérité de tes rêves, tout ça pour te réfugier dans la peau du pauvre petit garçon sous la table qui ne veut pas se mesurer au risque d'être déçu. Si je m'en veux d'une chose, c'est de t'avoir fourni sur un plateau la chance de pouvoir valider tes théories foireuses sur la malveillance de la terre entière à ton encontre et, de t'avoir fourni le prétexte pour te déballonner la tête haute et le bilan positif. Je t'ai donné le moyen de me planter en restant une victime. Alors là, oui, j'ai été conne. Mais, merde, maintenant, sois un homme et regarde-moi ! Si tu finis seul, ce sera de ta faute. Parce que tu n'auras pas eu le courage de gagner et de perdre, que tu n'auras pas risqué d'être heureux. Parce que tu n'auras pas eu le courage d'aimer une femme imparfaite, d'aimer l'imparfait, d'aimer en humain. Et puis, merde, adieu les phrases et le sens de la vie, je sais que c'est parce que tu me désires comme ça te panique que tu es parti. Alors, baise-moi, si tu l'oses.

Un regard dans le vague pour faire celui qui n'a pas entendu, quand le couvercle s'agite à l'œil nu sous ce qui mijote à l'intérieur.

— Non, mais, tu as vu le niveau de la photo ! Une expérience ! Approchez-vous, mesdames et messieurs, et vous verrez le spectacle in-nn-nédit de la femme qui débraguette un con d'un simple regard.

Elle rit. Il se lâchait. Et s'il se lâchait, Adélaïde en était sûre, c'est qu'il s'attendrissait. C'est qu'il lui revenait. De toute façon, s'il y avait bien une chose que lui prouvait cette dispute, c'est qu'il avait beau jouer du holster devant l'autre doublure, leur nous vivait encore. C'est donc sûre de son fait qu'elle marcha sur lui et qu'en le voyant coincé contre la fenêtre elle fit de son mieux pour rejouer le fameux regard de la photo. Puis posa sur ses lèvres un sourire renseigné.

Samedi 11 novembre – Thalalé

Cet effort des moments à devenir des choses. Sur le carrelage, des bandages ratés, des chaussettes de ville, une chemise qui n'a pas accroché la patère et, au bout du bras de Félix, capitaine du jour en remplacement d'Athanase, ce maillot blanc frappé du phare noir et du DONEC NOX, ce maillot qui remplace l'outrenoir quand celui de l'adversaire, en l'occurrence vert bouteille, est jugé d'une teinte trop proche, ce maillot avec au dos le numéro 8, le sien.

Thalalé s'en saisit et essaie d'y agripper une force, comme l'odeur de la peluche sortie de la machine, qui donnait dans son enfance de la nouveauté et du recommencement aux jours. Comme s'il s'agissait d'une parcelle de sol, hantée de force où la ville dont il arbore les couleurs lui donnerait sa puissance. Il l'enfile et se lève, puis marche pour revérifier que le kiné a bien placé ses straps, bandes blanches à ses cuisses prévues pour aider ses soutiens à le soulever en touche, minutieux garrots aussi aux endroits stratégiques de ses rouillures, pour éviter que les vieilles blessures ne le séparent en plein match de ses moyens. Il va y penser jusqu'à l'engagement, parce qu'il s'aide en crispant son attente sur ces détails. Il écoute son organisme, tend et détend son cou, surveille ses cervicales. Il n'entend plus les autres. Il sent vaguement une main lui tomber sur l'épaule de temps en temps, parfois Gabar ou un autre avant vient le serrer. Mais ces gestes l'enfoncent seulement dans ce que les préparateurs lui ont appris à appeler sa bulle. Il se répète : franchir. Plaquer. Franchir.

À un moment, il aperçoit Pépin et Casimir côte à côte courber la nuque sous leur musique. Le casque aux oreilles, peut-être que les deux jeunots cherchent à se déménager dans un film, histoire que ce moment où ils abandonnent l'euphorie des rêves pour entrer sans retour dans les passables et ratés du réel soit fidèle à leur scénario vers la gloire. On entend les boumboums miniaturisés jusqu'à la criaillerie qu'éructent leurs écouteurs. Des têtes encore barbouillées d'enfance sur des corps hypertrophiés, le sentiment d'un jeu où il faut accorder un visage à un buste et où ces deux-là seraient deux réponses fausses. Lui, c'est le vétéran qui retrouve le combat eux, les enfants tambours. Ils doivent vaguement craindre Thalalé. Leur fleur de l'âge doit lire en lui le message déprimant de son fatal avenir. Dans un sens, pourtant, c'est aussi son premier match. Alors il va vers eux et leur serre à chacun la main en disant : « T'es prêt, ne t'inquiète pas. Toi aussi, je l'ai bien vu. » Avec un sourire et en recevant la mauvaise articulation du leur.

Thalalé se remet à marcher dans le vestiaire, et s'avoue que Sgabardane dépêche aujourd'hui les sous-fifres. Message clair : vous êtes des brutes inoffensives et je perdrai pas mon souffle à vous envoyer mon équipe type. Certainement sa stratégie de vexer l'adversaire pour qu'il oublie le recul qui fait gagner dans ce sport. Avec trois victoires et deux défaites, sa méthode n'avait pas exactement fait ses preuves pour l'instant.

— Bon, les gars.

Thalalé se met un aller-retour dans la gueule. Il retourne à sa place et met son casque de protection en mousse ; il s'applique une platée de vaseline sur le reste du visage, puis c'est le protège-dents qui lui donne une tête de singe et ce goût de sang dans la bouche. Les vingt-deux se lient et gueulent bien fort :

— Volmeneur !

— DONEC NOX !

Et puis Thalalé sort dans les derniers et entend à peine les copains à la sortie gueuler des : « Allez, les mecs, allez. » Arméville est encore dans son vestiaire. Politesse de laisser les visiteurs se servir de huées en premier.

Mercredi 8 novembre – Melchior

L'Agent Melchior Titin triturait d'un doigt ganté la carte que le tueur avait encordonnée au manche de la hache, comme une promesse de ristourne.

ἕν τὸ σοφὸν μοῦνον λέγεσθαι οὐκ ἐθέλει καὶ ἐθέλει Ζηνὸς ὄνομα.

LE SAVOIR NE CONSISTE QU'EN UNE CHOSE, QUI NE VEUT PAS ET VEUT ÊTRE APPELÉE DU NOM DE ZEUS.

Titin se dit que ça avait un côté sympa de la part du maniaque de se donner la peine de traduire. Garamande avait dit qu'il ne faisait pas ça au début, que c'était la preuve qu'il voulait maintenant donner un maximum de publicité à sa démarche. Oracle de l'Enquêteur-Provincial-pardon-de-te-marcher-dessus-je-regardais-la-stratosphère. Garamande avait aussi prédit que la presse recevrait dans la journée une copie du bristol. N'empêche, Titin avait beau tourner et retourner les mots dans sa tête et le message dans la main, il ne voyait pas où le type voulait en venir.

Si on lui avait demandé son avis, l'Agent aurait fait le rapprochement avec les agendas hors de prix où chaque semaine avait droit à sa citation, sans qu'on voie exactement le rapport entre le 20 mars et « Le temps fuit. C'est bien. » au-dessus d'une signature dont on ne pouvait qu'espérer qu'elle avait mérité ailleurs sa réputation. C'était un genre. Fallait pas chercher plus loin.

— Titin, arrêtez de toucher à ça, vous allez finir par la déplacer.

Toujours Garamande, qui n'avait pas encore compris qu'appeler quelqu'un par son prénom, ça aide à pas s'en faire un ennemi. Et puis, ça voulait dire quoi de le rabrouer comme un gosse ? Il était flic autant que lui, du même âge ou tout comme, alors il avait bien le droit. Franchement, il n'y avait aucun danger qu'il se déloge du crâne, l'article haut de gamme de quincaillerie qui avait fendu bien au milieu la tronche. Titin avait pas besoin d'un Légiste pour conclure que le mec était mort de ça. À cause du chiffonnement de douleur de tout le visage, et des lèvres qui n'en finissaient plus de gueuler post mortem.

L'Enquêteur Garamande avait tout de suite murmuré : « Je l'avais bien dit, Athéna. » Et quand on lui avait demandé le lien, il avait expliqué une histoire de naissance de la déesse par la tête de son père Zeus, qui l'avait mangée par peur de se faire buter par sa petite après un présage, ce qui n'avait pas empêché la maligne de continuer à croître et, une fois prête, de tambouriner aux tympans du papa. Un autre dieu lui avait fendu la tronche pour le soulager de sa migraine, et Titin n'était pas mécontent qu'on ait trouvé l'aspirine comme solution moins radicale aux maux de tête. Du coup, il voyait à peu près ce que Zeus venait faire dans la citation, mais de là à sentir cette histoire de science qui aime et aime pas ses surnoms, fallait pas non plus déconner.

L'Agent Titin se redressa et tâcha de tirer quelque chose d'un coup d'œil sur l'alentour. La bagnole de flic, Ferde qui clopait, Garamande et Binasse en grande discussion comme d'habitude, rien à dire. Pour le reste, c'était du joli voisinage de pétés de thunes, le quartier des joueurs de Volmeneur. L'allée au bout de laquelle « on » avait déposé le corps avait rien de marquant, sauf qu'elle menait à une porte de garage en acier classieux, et que la porte du garage était qu'un médiocre aperçu de l'espèce de château tape-à-l'œil sur trois étages où habitait la famille Jolssin. Comme par hasard, leur système de surveillance électronique était en panne et ils avaient rien vu venir, même que c'était un voisin qu'avait réveillé tout le quartier en beuglant quand il avait vu ça.

« On » avait dû venir là en voiture, tard le soir, dans cette Zone où on se pieutait et réveillait avec les marmots. On avait dû larguer le bonhomme et repartir sans encombre. Titin eut l'idée d'appeler la société de surveillance, parce que les caméras des autres maisons leur donneraient la plaque de la caisse utilisée pour la livraison du cadavre et, à défaut, une idée du trafic dans la rue cette nuit.

Sirènes et gyrophares. Dans leur combinaison et avec attirail, c'était la cavalerie des macchabées. On allait pouvoir laisser la scène de crime à la Scientifique et commencer le porte-à-porte. Sa matière favorite. Non seulement parce que l'Agent Titin aimait bien découvrir toutes ces vies assorties à leurs rideaux, mais aussi parce qu'il ne craignait personne pour le « relationnel ».

Dimanche 5 novembre – Fénimore

— Non.

Il avait extirpé ce coup intact des suffocations qu'elle avait fait naître.

— Non ?

Mais la main d'Adélaïde connaissait trop bien l'endroit où le saisir, trop bien ce que produisaient sur lui un ton joueur et ce souffle au creux des oreilles, trop bien son excitation extrême quand une femme le faisait jouir du bout des doigts et les yeux dans les yeux, tout le visage dans une morgue tendre, femme qui a la générosité de savoir s'y prendre. Elle maîtrisait son grand jeu et plongea dans un sourire.

— Tu enregistreras la protestation du corps diplomatique.

— Ce n'est pas celui-là qui m'intéresse.

Fénimore ne fit rien pour l'empêcher de le toucher à sa fleur de peau, d'imprimer la fièvre, d'imprimer le délire de ses terminaisons au plus secret de lui. Elle savait rappeler la volupté du geste d'une main qui fait pétiller le ventre, d'une respiration renversée sur sa hanche.

Ce fut une évidence de la soulever, une évidence d'aller jusqu'à la chambre, une évidence de la poser sur le lit, une évidence de s'emplir le palais à grandes langues et piqûres de bouche. Il n'eut plus en lui que chaque goutte de parfum sur la jupe, chaque odeur d'elle sur ses collants, il tremblait de la violence de s'enfouir en elle, dans sa paume sa pudeur, sa tendresse qui le déchire, qui le transperce de ce qu'elle est, sa rondeur, toute sa douceur monter en lui et en plein cœur, enfin le goût de vivre, chaque sein qui se pose en gémissant contre son torse. Et ce fut elle qui sut l'aspirer et le contenir. De cette lutte, de cette frénésie, elle sut faire le fil qui va d'une étreinte jusqu'au moment où le nous se fait chair. Ce fut elle qui sut poser sur sa joue une main qui accueillit le rugissement toujours torturé de naître.

Et ce fut elle qui sut lui mettre aux lèvres la cigarette où se métamorphosa tout ce danger en un main-dans-la-main, elle qui sut l'embrasser pour que pût revenir ce qu'ils partageaient chastes. Ce fut elle qui sut rendre ce plaisir amoureux.

Alors, contre elle, après avoir enfin négocié sa mort à bon prix, il ne put tenter comme son pour que la parole renaisse qu'un : « Je t'aime. »

Et ce fut elle, encore qui, doucement, en frottant chaque syllabe à ce doigt qui lui caressait la nuque, en posant un baiser avant que de parler, en prenant un ton de gentillesse tirée des plus sombres contrée où elle avait touché, pour qu'il sache bien qu'elle l'aimait à prendre pour un accident futile son propre bonheur : « Tu me rediras ça lorsque tu iras mieux. »

Mercredi 8 novembre – Thalalé

Thalalé déboula dans le bureau de Sgabardane.

— Vous avez vu ce qui s'est passé ?

— Hum.

— Écoutez, coach, je ne vous demande pas ce que vous pensez du fait qu'on commence à faire pousser des cadavres devant ma maison. Mais je traverse une sacrée mauvaise passe. Je n'ai plus confiance en rien. Vous savez très bien pourquoi je suis venu ici, et vous savez très bien ce que je peux apporter à l'équipe. Alors, coach, d'homme à homme, je sais que c'est vous qui décidez, mais franchement, ce serait vraiment bien pour moi si…

— J'ai déjà prévu de t'aligner samedi, Thal. Je veux profiter du déplacement à Arméville pour lancer des novices dans le grand bain, et ton expérience sera la bienvenue pour les épauler. En revanche, je veux un pack solide, alors prends pas ça comme une nomination dans l'équipe B. Ce sera même quasi la mêlée type, sauf à la troisième ligne où je vais te tester avec Terce. On peut prendre notre première victoire à l'extérieur, et je vis pas les merdeux « bûcherons d'Arméville » comme des tatas du cuir, alors ce sera pas non plus ton jubilé. ( ). Bon, je suis désolé de ce qui t'arrive. Mais je ne compose pas mes feuilles de match à l'état d'âme. T'as pas eu raison de venir me voir. Je ne veux pas que ça se reproduise.

— Compris. Merci, coach.

— Et puis, tu tiens ta langue. Je tiens à mon effet quand j'annonce une équipe.

— Promis. Dites… Pardon, mais vous en pensez quoi, de tout ça ? Cinq meurtres autour du club, ça commence à faire, non ?

— Écoute, dans mon contrat, y a pas : « Si un dézingué fait du prêche antique en écartelant des quidams qui ont croisé la route du club, jouer au spécialiste des assassins psychopathes. » Je peux rien te dire là-dessus. À part te rechanter que la seule chose qu'on puisse faire pour se changer les idées, c'est de défoncer tous les mecs en short sur notre passage et gagner des matchs. Parce que des championnats, j'en ai joué un ou deux et je sais que les baisses de régime sont pas remboursées en fin de saison. Maintenant, si ça te dérange pas…

— D'accord, coach. Désolé d'être venu comme ça. Vraiment.

— Sois pas con non plus.

Samedi 11 novembre – Thalalé

Les Bûcherons d'Arméville sont réputés pour leurs démarrages tonitruants, et ils nous ont pas déçus. Dès le coup d'envoi, perforations, poings qui traînent, plaquages qui visent l'atterrissage assassin. Ils nous engueulent, ils nous forcent la méchanceté. Du coup, Thalalé est déjà dans le rouge. Déjà essoufflé, déjà mal partout. Ça va être dur. Surtout que le jeune Pépin, impressionné par une de leurs charges, a fait un en-avant derrière la ligne de nos vingt-deux mètres. Bilan : mêlée pour eux à cinq mètres de l'en-but de Volmeneur, et le petit qui a perdu sa confiance.

1 pilier gauche	— Merde les gars. On
Vaast DRAGOULÉMANE	prend pas un dès le début !
9 demi de mêlée	— On se réveille, putain
Félix VALDAFIN	de merde !

Thalalé opine. Leurs avants vont sans doute essayer de passer en force. Ce sera à lui d'être le premier sur le gars qu'ils enverront balle en main.
— FLEXION !
Thalalé cale ses épaules entre les culs des deux deuxième-ligne. Pas évidente à jouer, cette mêlée. Si on pousse à fond, on risque de ne pas être sortis pour saisir l'infiltré, et si on ne pousse pas, ils nous feront reculer et ils auront un boulevard pour marquer.

— STOP ! TOUCHEZ !

De deux choses l'une, soit ils prennent le petit côté pour tenter de nous avoir à gauche, soit ils déroulent vers leurs trois-quarts à droite.

— ENTREZ !

Leur demi de mêlée introduit. Thalalé pousse pour le principe, mais son boulot n'est pas là. C'est bon, équilibre des forces. Il lève la tête pour surveiller la sortie de la balle. Leur demi de mêlée tente le trou de souris. Thalalé se détache et envoie sa masse couper le fourbe. Qui s'écrase gentiment sans résistance. Mais le cri du public amorcé pour saluer sa charge assassine est monté sans à-coups jusqu'à la liesse. Quand Thalalé décolle la tronche du thorax de l'adversaire, leur 6 est planté en terre, la balle dans une main et le poing levé dans l'autre. L'arbitre tend bien sèchement son bras et siffle. Essai. Le demi a dû passer la balle avant que tu le touches. Après, les autres ont pas dû le calculer. On joue comme des humanistes. Thalalé va derrière les perches en attendant que leur buteur transforme.

9 demi de mêlée Félix VALDAFIN	— Wo-o-o-o-o-o-oh ! On arrête ça, tout de suite ! Ils veulent du défi physique, on va leur en donner ! Faut être aussi haineux qu'eux, les gros. Faut leur faire mal, sinon ils vont s'amuser à nous hacher jusqu'à la fin de la partie. On est plus forts qu'eux, putain de chier-de-merde !
8 troisième ligne centre Thalalé JOLSSIN	— Allez, faut y aller, maintenant. On est bien meilleurs. Tous.

Et, tandis que de vagues sifflets leur signalent que le buteur a raté son coup, Jolssin met une grande claque dans le dos de Pépin qui se renfrogne à vue d'œil. Puis il va se remettre en place.

Mercredi 8 novembre – Melchior

L'Agent Melchior Titin ne fut pas déçu par la bourgeoise qui vint lui ouvrir. Trente ans au pire, moulée sur une orgie, ce qui n'empêchait ni la jolie tenue, ni la petite touche jamais-de-la-vie. Le genre de fille à qui papa a offert en cadeau de mariage une spacieuse villa où elle peut parfaire à vie sa collection d'objets chers, mari sans doute pas là, selon cette manie qu'ont les belles femmes riches d'épouser des types à situation.

— Je peux vous aider ?

Même pas la voix marinée à la défiance qu'il aurait cru mériter. Voisinage assez sympa pour se permettre de l'être aussi. L'Agent Titin se dit qu'il devrait se mettre à essayer la thune.

— Bonjour, madame. Agent Melchior Titin, Police Provinciale.

— Vous êtes venu pour cette horrible histoire ? Ravie que vous soyez là, Inspecteur.

— Euh… Agent.

Il rougit comme si le faire monter involontairement en grade avait été de la drague.

— Je peux jeter un coup d'œil à votre système de sécurité ? Je voudrais voir si on pourrait tirer des renseignements de ce qu'ont filmé vos caméras.

— Vous êtes en pleine enquête, je comprends. Seulement, monsieur l'Agent, je suis désolée, mais notre

301

système est en panne et, d'après les informations que j'ai collectées, toute la rue est dans le même cas.

Elle avait dit cela à plein sourire. Elle s'amusait comme une petite folle à jouer à la police.

— Et la panne a commencé quand ?

— Hier soir.

Ben tiens.

— Ça vous dérange si je regarde quand même votre boîtier ?

— Au contraire.

Et, dans un élégant soupir de mèches blondes, elle s'écarta de l'embrasure pour découvrir un carrelage qui fait mal aux yeux, de grandes pièces meublées à l'or massif au milieu desquelles l'entrée mettait en valeur un lustre et un escalier torsadé comme une danseuse étoile qui interprète la pâmoison.

— Je vous sers quelque chose ?

Phrase rituelle pour disperser les phéromones qui s'agglutinent chaque fois qu'une femme seule et qu'un intrus se croisent dans un intérieur. Melchior se douta qu'elle se plaisait à interpréter la scène comme elle l'avait vue mille fois, et lui offrit la réplique vue à la télé :

— Non merci, jamais pendant le service.

En fait, l'Agent Titin avait l'impression d'être dans un de ces films qu'il regardait le pantalon aux chevilles et la boîte de mouchoirs à portée. Normalement, la femme ne laissait pas le plombier faire son boulot et ça finissait comme par magie en zoographie. Touchant du doigt sans plaisir les artifices de la fiction, il se contenta néanmoins de contempler un écran éteint, dissimulé derrière un panneau assorti aux lambris. Il lut ARÈS SÉCURITÉ. Ben voyons.

— Bien, madame, je vous remercie beaucoup.

— Vous n'avez pas besoin d'autres renseignements ?

— Vous en avez d'autres ?

— Non. À vrai dire, non.

302

— Je vous laisse ma carte. Vous pouvez m'appeler si vous avez des questions à me poser. Ou des informations à me donner.

Et l'Agent Titin sortit comme on repose un costume essayé par fantaisie, mais hors de portée. En s'en voulant tout de même d'avoir si mal saisi la perche de sa dernière question. Il l'avait braquée en lui demandant comme ça ce qu'elle savait. Piège du réflexe. Le genre de maladresses qui rend si improbable un coup de foudre entre une pleine aux as qui a un faible pour l'uniforme et un représentant de la Force habillé en soldes.

Samedi 11 novembre – Thalalé

Coup pour coup, bourrinage pour bourrinage, on a fini par démontrer la suprématie. Arméville a senti passer le réveil. Touche pour Volmeneur sur leur vingt-deux et une bonne chance de tourner l'ardoise vers la table des Outrenoirs. Le pack s'aligne sans histoire. Thalalé est pris par la soudaine angoisse de ne pas reconnaître la combinaison qui va être annoncée.

9 demi de mêlée Félix VALDAFIN	— Engagnage hache ! Engagnage hache !

Bon. Ballon sur toi et sortie groupée.

2 talonneur Macaire DAQUIN	Lancer au milieu sur le 8 soulevé par les piliers. Attendre qu'ils aient feinté.

Les sept outrenoirs qui attendent le lancer du talonneur changent de place. Esbroufe.

8 troisième ligne centre Thalalé JOLSSIN	Reste au fond tant que Gabar n'est pas en place.
5 deuxième ligne Désiré CALFIN	Passer devant Gabar.
8 troisième ligne centre Thalalé JOLSSIN	J'y vais.

1 première ligne Il est là.
Vaast DRAGOULÉMANE

3 première ligne Je me retourne.
Gabar de GALFATASSE

2 talonneur Lancer.
Macaire DAQUIN

Thalalé saute, et son impulsion prend l'envergure des deux hommes qui le jettent à plein corps.

8 troisième ligne centre — J'ai.
Thalalé JOLSSIN

À peine frôle-t-il le sol que de chaque côté de sa hanche Vaast et Gabar l'enfoncent dans la ligne adverse. L'arbitre crie : — Maul !

8 troisième ligne centre Les deuxième-ligne se
Thalalé JOLSSIN sont liés. On avance bien. Il faut que Gabar attrape le ballon.

9 demi de mêlée — Allez les gars, on la
Félix VALDAFIN porte, on la porte !

8 troisième ligne centre Ça laboure sec derrière.
Thalalé JOLSSIN Ils vont pas tarder à me l'arracher. La main de Gabar. C'est bon, je peux lâcher.

Et Thalalé est éjecté du regroupement par le changement d'axe de la poussée. C'est maintenant Galfatasse qui est en proue sous les hurlements du stade qui n'aime pas trop le reculons de son équipe.

9 demi de mêlée — Comme ça ! Porté ! Porté !
Félix VALDAFIN On progresse ! On progresse !

Thalalé a couru reprendre sa place et il a mis la tête au cul de la tortue qui avance toujours.

3 première ligne Gabar de GALFATASSE	Si l'autre con continue à m'envoyer des gnons, je lâche la balle pour me le faire.
9 demi de mêlée Félix VALDAFIN	— Au sol ! Au sol !
3 première ligne Gabar de GALFATASSE	À tes ordres. Voilà. Maintenant à nous. Tu veux du jeu viril, je vais t'en donner. Alors, un, et puis deux dans ta tronche. Ça t'a plu, pauvre con ?
8 troisième ligne centre Thalalé JOLSSIN	J'ai la balle dans les pieds. Je vois la ligne. C'est maintenant.

C'est alors qu'après avoir ramassé le ballon, Thalalé fait un pas pour jaillir en dehors du maul, puis se lance droit entre deux joueurs d'Arméville. Et c'est un grand rugissement. Car il y a mis toute sa force et il a ouvert les défenseurs comme des portes de saloon. Ensuite, il se lance et il plonge, puis des gravats s'effondrent. On le griffe. On le frappe. Mais il garde bien serré le cuir qu'il a planté dans l'herbe. Et il entend l'arbitre siffler. Et des mains l'agrippent qui le redressent. Et il sent retentir sur son épaule la vigoureuse claque de félicitations que lui assène Gabar. Il la lui rend. Parce que cet essai est au pack qui a laminé l'ennemi. Il a une pensée pour les petits cris que doivent pousser les enfants à la maison. Alors il a ce geste inutile et dont il aura honte plus tard. Il tend un poing serré. Il faut bien attraper, parfois, l'eau de sa joie.

Mercredi 8 novembre – Melchior

Déjà à la limite du désagréable depuis lundi, l'Enquêteur Provincial Fénimore Garamande atteignait les sommets de la bizarrerie. Prostré depuis des heures devant son tableau, il marmonnait à la caverne ces phrases qu'il avait écrites de sa graphie en fumée de cigarettes :

L'HOMME CROIT TOUCHER, MAIS SE BRÛLE. L'HOMME CROIT DIRE, MAIS S'ÉTRANGLE. L'HOMME CROIT ŒUVRER POUR LA PAIX, MAIS N'ENGENDRE JAMAIS QUE SA FORME DE GUERRE. L'HOMME CROIT SE NOURRIR, MAIS SE CREUSE. L'HOMME CROIT PRIER, MAIS IL SANCTIFIE SON IGNORANCE.

Melchior Titin trouva que le beau milieu d'un quintuple meurtre, ce n'était pas le bon moment pour se la péter shaman en charades.

— Enquêteur Garamande ?

— On va laisser tomber ces conneries de protocole et s'appeler par nos prénoms. Je sens bien que vous serez plus à l'aise.

— Si vous voulez. Je viens d'avoir ARÈS SÉCURITÉ.

— Oui ?

— Ils confirment que la rue a été déconnectée hier, vers 18 heures. Ils ont envoyé tout de suite le dépannage, mais leurs gars sont tombés de haut. Non seulement notre zèbre avait coupé les fils, mais il avait emporté tout le boîtier de raccordement. Du coup, il faut refaire tout le terminal, et ils auront réparé que ce soir, au mieux.

— Il était dans quoi-ce boîtier ?

— Enfermé dans le local électro-téléphonique de la rue.

— Il faut s'y connaître pour désactiver ce genre de système. Il va falloir se pencher sur la vie des employés ou anciens employés d'Arès.

— Sinon, Enquêteur...

— Oui, Hubert ?

— Melchior. On vient de recevoir un coup de fil du Commissariat du Faubourg-des-Terres. Ils ont répondu à notre appel à témoin sur le cadavre. Ils l'ont identifié comme un petit épicier de leur quartier. Sans histoire, apparemment.

Samedi 11 novembre – Thalalé

Début de deuxième mi-temps. Ils lancent des offensives sans imagination et ils n'arrivent pas à perforer notre défense. Tout va bien. On est en place. À tout casser, tu joues encore vingt minutes avant que Sgabardane te remplace comme convenu. Faudrait quand même pas s'endormir, on ne mène pas de beaucoup. En plus, il y a une mêlée pas si loin de notre ligne. Cette fois, va falloir muscler les barbelés.

Le ballon introduit et le coup classique du troisième ligne centre d'Arméville qui essaie de passer en force. C'est à Thalalé de l'arrêter. Il le prend juste au niveau des bras pour l'empêcher de passer. Il fait basculer son vis-à-vis sans problème. Mais, une fois au sol, c'est comme si sa colonne vertébrale venait de se rompre. Thalalé enfonce le visage dans la terre pour gueuler sa souffrance. L'attaquant est envoyé en touche et, voyant que Thalalé ne se relève pas, l'arbitre fait appeler le soigneur. Quand Jolssin fait l'effort de se mettre sur le dos en jurant, c'est le kiné qu'il voit penché sur lui.

— Remue le pied. Bon. T'as mal où ?

— Au, au dos... Au dos !

— Là ? là ? là ?

— Aïe, putain.

— D'accord. On va te sortir. T'as besoin d'une civière ?

Thalalé devine la caméra qui doit zoomer sur lui. Les enfants doivent être inquiets. Et puis, il faut épargner le moral de l'équipe. Alors, il se lève en poussant un rugissement, et titube vers le bord du terrain. Il parvient même à taper dans la main d'Iker, qui rentre à sa place. Il lui semble que ce geste l'a scié de part en part.

— Par ici.

Le tunnel avale le joueur et le médecin du club. Ce sera plus tard, quand il lâchera quelques larmes de douleur couché dans la petite antenne médicale du stade, que le Doc lui dira, après quelques palpations :

— Bon, on verra ce que dit le scanner, mais ça m'a tout l'air d'une hernie discale.

— Et... Et alors ?

— Alors, je te cache pas que tu risques d'être opéré. Et de rester indisponible pas mal de temps.

— Combien de temps ?

— Écoute, on ne va pas s'enflammer.

— Combien ?

— Autour de trois mois.

Ce n'est pas sa première blessure. Il connaît le calvaire de la rééducation. C'est peu dire qu'il trouve le sort un peu obsédé.

À cette minute, après une semaine en enfer tandis que le médecin le rassure de la main, Thalalé Jolssin sait que sa carrière vient de prendre fin. Dans ce match sans relief et sans vrai enjeu. Contre cette équipe médiocre. Dans cette salle banale. Sans compassion pour son chagrin.

Dimanche 5 novembre – Fénimore

— Fénimore, est-ce que tu peux encore m'aimer ?

— Je ne veux pas répondre à cette question.

— T'as trouvé ça tout seul ? Et qu'est-ce que je fais, moi, sans la réponse ?

— Écoute… Je ne sais pas… Je suis perdu.

— T'avais pas l'air perdu tout à l'heure…

Adélaïde se lève et commence à rassembler ses vêtements.

— Au fait, j'étais venue te dire que j'ai trouvé un poste et que j'ai signé hier pour un appartement. Je déménage dans deux semaines.

— ( )

— Qu'est-ce que t'en penses ?

— C'est ta décision.

— Elle te rend heureux ?

— Adélaïde…

— Tu vas pouvoir t'occuper de ton fils.

— J'aimerais autant qu'on ne parle pas de lui maintenant.

— Fénimore, tu crois que tu as des sentiments pour cette fille ?

— Je… je ne sais pas.

— Dis-moi. Sincèrement.

— Sincèrement… C'est probable.

— Et pour moi ?

— C'est probable.

Et, tout près de lui, elle fait de cette main qu'elle retire le verdict prêt à tomber de son absence.

— Je veux une réponse claire, Fénimore. Je veux une réponse claire, maintenant. Si maintenant, je te demande si tu m'aimes, tu réponds quoi ?

— ( )

— Oui ou non, Fénimore ?

— Non.

— Très bien. Je conduirai Vladimir en bas de chez toi tous les vendredis soir à vingt heures. Tu as intérêt à être là. Mais n'essaie pas de me voir. Surtout, bordel de merde, n'essaie pas de me voir. Ou je te brise.

C'est dans un silence qui pleure sur lui comme le givre sur une vitre qu'elle ferme sa chemise, qu'elle s'assied au bord du lit et qu'elle remet ses bottes. Puis elle se lève et sort. Et il y a un instant où elle doit être en train de prendre son manteau, un moment où elle pourrait revenir, un moment où il pourrait courir et lui demander d'attendre, où il pourrait lui dire que son écartèlement soudain entre deux possibles tue en lui la liberté d'un choix, qu'il lui faut un peu de temps pour répondre, corps et âme. Il aimerait, avant de se prononcer vers une vie ou une autre, pouvoir, par exemple, changer les draps de ce lit où il reste immobile et où il a baisé avec deux femmes différentes en deux jours.

Mais il se laisse aller sur l'oreiller où se mélangeaient encore les deux parfums. Aspiré par son vide. Et quand le bruit renaît, c'est une porte qui se ferme.

ARMÉVILLE – VOLMENEUR
14   21
VOLMENEUR EST DEUXIÈME DU CHAMPIONNAT

Septième journée :
Volmeneur – Hépyria

M
Ê
L
É
E

1
pilier
gauche
Kétil
LAMARSINEINBA

2
talonneur
Baruch
KLÉDINSTEIN

3
pilier
droit
Mahmoud
MEFULAA

4
deuxième
ligne
Myrtil
PAHONTAS

5
deuxième
ligne
Désiré
CALFIN

6
troisième
ligne aile
Terce
HACHETTE

8
troisième
ligne centre
Iker
DELAVENTIN

7
troisième
ligne aile
Yann
HURLAR

CHARNIÈRE

9
demi
de mêlée
Félix
VALDAFIN

10
demi
d'ouverture
Abderrahmane
TRINQUETAILLE

TROIS-QUARTS

11
ailier
gauche
**Constant-
Baptiste**
FAURE

12
centre
Malloy
GRUVALD

13
centre
Zacharie
HAOUSSELINE

14
ailier droit
Foulques
BODOMBIN

15
arrière;
capitaine
Athanase
CRAMARIN

REMPLAÇANTS

16. Vaast DRAGOULÉMANE
17. Gabar de GALFATASSE
18. Sébald LESCARBORDE

19. Myrtil PAHONTAS
20. Corentin DIMBIEL
21. Judicaël GALBOND

22. Casimir ALABADIN

Dimanche 12 novembre

Casilde avait trouvé les messages à son réveil, après une nuit noyée dans la fatigue profonde. Verdict du matin : Fénimor, après une semaine dans les vapes, avait décidé de partir bouder à Capitale, et on avait trouvé un sixième corps. Elle songea à ce qu'elle aurait ressenti deux mois plus tôt, au plaisir qu'elle aurait éprouvé à ne pas avoir de collègue dans les pattes. Cela lui fit mesurer la catastrophe de sa situation. Cette certitude froide sous son attitude fuyante. Enfer du taire.

Pourquoi avait-elle voulu précipiter les choses ?

Elle savait bien, pourtant, qu'on est certaine de fasciner un homme tant qu'on lui refuse le toucher.

Réfléchis. Ce n'est qu'un hasard. Le retour de son ex-femme, ou tout comme. Ce n'est que de la malchance. Il est perturbé. C'est normal. Il a raison de reprendre son souffle. Il reviendra. Il ira mieux. Tu pourras à nouveau espérer. Patience. Courage.

Et puis, tu as une enquête à mener et ça devrait suffire à faire diversion.

Par quel miracle, quand même, par quel miracle je pourrais retrouver l'envie de me lever, d'aller me doucher, de m'habiller ? Comment je pourrais sortir par ce temps d'infections pour aller rencontrer un cadavre certainement découpé en rondelles, avec le petit mode d'emploi accroché comme d'habitude qui donne sa touche à la charpie ?

Il commence à faire chier, le tueur.

Oui, tu nous fais chier.

Ça ne m'impressionne pas, ton trip mythologique. C'est même carrément ridicule. Et y a que les très mauvais scénaristes pour épater le chaland avec ce genre de conneries.

Il faut que je me grouille. Le message de la Proc date d'il y a vingt minutes, et si je veux pas marquer dans mon rapport « vu la victime dans les journaux », faudrait quand même que j'arrive là-bas dans un quart d'heure à tout péter, et ça c'est pas fait d'avance, parce que, cette fois-ci, il paraît que t'as raffiné ta géographie et que tu l'as balancé Faubourg-du-Bagne. Rien que trouver le site une fois dans le coin, ça risque de me prendre une heure.

Voilà, je me lève. J'y vais, à la douche.

T'es fier de toi ? T'as gagné quoi, à les aligner comme au musée, tes proies ? C'est l'esprit festival, la suite dans les idées ? Et au nom de quoi ta vision débile deviendrait intéressante sous prétexte que t'es allé chercher un dieu antique et que t'as déniché une citation bizarroïde pour faire genre moi je vois clair dans le jeu de l'univers ? Maintenant, ça va, on a compris. Tu veux faire fouetter le collectionneur de faits-divers devant le génie du mal. Génie, mon cul. Tout le monde est capable de faire preuve de constance dans la maniaco-dépression, ça fait pas de toi un type exceptionnel, et des guignols qui jouent les tueurs en série, y en a plusieurs par lustre, et ça finit toujours pareil, au mieux une balle dans la tête pour parachever l'œuvre au suicide.

Et qu'est-ce que c'est que cette histoire que ça existe, des mecs comme toi ? Elle est où, l'erreur ? Comment on a fait notre compte pour que tu aies ne serait-ce que l'idée de buter pour dire un truc ? Comment ça se fait qu'en plus ça fascine les journaux et que ça finira à tous les coups par inspirer un film basé sur des faits réels avec dans mon rôle une nana

315

qui est trop jolie pour avoir les nerfs de sortir par ce temps de con avec l'angine qui couve pour t'aider à déménager dans le couloir de la mort ? D'accord, je suis de mauvais poil, d'accord, des jours comme aujourd'hui je serais capable de trouver ça nul que des enfants naissent et que la terre continue de tourner, n'empêche, c'est quand même un problème qu'on prenne au sérieux des marlous comme toi. Parce que, ça va, t'es qu'un sale con. Tu sais pas penser assez loin pour te rendre compte qu'un cœur bat, qu'un esprit calcule ses souvenirs, ses tracas, ses peurs, sous la peau, sous les os avec lesquels tu t'amuses, alors, franchement, niveau intelligence, t'es même pas imposable.

C'est pourtant bien sur ton cas que tout le monde, et les juges, et nous au passage, on est en train de se pencher, en te prenant bien au pied de la lettre, en essayant de comprendre. Malheureux ! De comprendre ! C'est quand même te faire beaucoup d'honneur que te permettre de remettre en cause notre définition de l'humanité, du bien et du mal, alors qu'au fond, t'es qu'un délirant sinistre qui adore à tel point sa petite jugeote qu'il veut carrément retailler les corps sur son patron. Honnêtement, se foutre de ta gueule, ce serait le seul truc à faire. Parce que ce que tu veux, c'est voir les yeux horrifiés sur ton passage, les yeux qui te respectent, qui te craignent, même si leur obsession, c'est de te mettre hors d'état de nuire. Ils ont pas compris que ce dont tu as peur, c'est d'un éclat de rire. Et ça vaudrait le coup de le faire retentir bien gras sur toi. Malheureusement, pour nous, les mal-foutus qui avons une âme, rigoler après que quelqu'un s'est fait rôtir et torturer, ça vient pas tout seul. Mais attends un peu que je te mette la main dessus. T'auras pas affaire au justicier qui suspend le sens de sa vie à ton arrestation. Non, je serai insensible, pas impressionnée pour deux sous. Je n'aurai pas peur. Je m'occuperai de toi comme d'un boulot un peu ennuyeux, mais qu'il faut faire si on veut pas assimiler sa feuille de paye à du vol. Alors, tu verras que tu ne m'as pas eue. Que je n'ai pas marché. Et là, enfin, tu auras mal.

*

* *

Abderrahmane venait tous les dimanches où c'était possible faire honneur aux plats de sa mère et écouter son père lui donner de parcimonieux renseignements à propos du bar-restaurant qu'il leur avait offert. Ouvreur titulaire de Volmeneur, Abderrahmane avait connu de ces fulgurantes fortunes qui foutent le feu à une vie. Fils unique d'une famille modeste, mis sur les terrains par son père à une époque où il n'avait qu'une demi-tête de plus que le ballon, il avait possédé le langage du jeu très vite, comme d'autres sont doués pour l'arithmétique. De là, l'Académie, la gloire à vingt ans, des sélections et des exploits avec le XV de la République. De là, les voitures hors de prix, la maison spectaculaire, les vêtements piochés dans les nouvelles collections de haute couture et les attroupements de filles. De là aussi, le muet et constant reproche de sa mère, la dignité de son père insultée par l'indéniable écart, quelques remarques stupides, un ou deux mois sans se parler, les copains de l'équipe qui lui avaient fait passer deux ou trois mauvais quarts d'heure pour lui rappeler qu'au rugby le mérite n'est jamais tout à fait individuel, et puis surtout la chance que Nejma existe, dont il était tombé amoureux bien avant que ses désirs soient des ordres.

L'homme était d'une beauté réelle. Les origines de sa mère et le physique scrupuleusement local du père avaient donné un enfant en saillies de leurs charmes respectifs, chaque trait, chaque expression, comme si c'eût été la première fois qu'on entendait parler d'yeux verts et de front haut, de fossettes et de bouche en cœur, avec ça, un air sérieux et absorbé qui masquait une bravoure sèche, et c'était un prodige de le voir prendre en planche un obèse, puis se relever sur la dépouille, la mèche capricieuse et le reste en majesté. Rien de plus normal que l'adoration féminine, donc, mais rien de plus remarquable que le respect du milieu envers cet homme, qui avait tout pour être caricaturé en morveux qui aurait eu meilleur rôle dans une série pour ados. C'est qu'il avait désormais la vantardise en grève, la décision impeccable, l'exemple fréquent. C'est qu'il avait prouvé aux gros du pack, toujours pénibles avec leur sens de la virilité exclusive, qu'il ne se laissait pas plus qu'eux intimider par ses peurs. Cela avait ajouté quelques bosses et plaies indélébiles à sa figure. Qui n'en était aujourd'hui que plus belle, corrigée dans sa perfection par ces mines de crayon brisées, ces sautes d'humeur visibles qui font ce qu'on appelle une gueule.

Rentré d'Arméville hier soir, il était venu docilement avec Nejma regarder sa mère faire jaillir de la marmite des bouffées de vapeur. Parfums en touffes qui disent « terre », sa cuisine, corde pincée par le vent qui chante le pays. Pays qu'elle ne connaissait pas, qu'elle ne connaîtrait jamais. Ce qui ne l'empêchait pas d'y vivre en royaume. À longueur de récits amplifiés et de chansons apprises au foyer culturel.

*
* *

Cette fois-ci, tu y as mis les moyens. À vue de nez, il t'a fallu plusieurs chiens pour que le visage de ce mec soit dans cet état. La flèche en plein cœur, en revanche, ça prouve que tu n'es plus connecté avec ce que les autres mortels appellent le ridicule, et que ça t'ait servi de coup de grâce, ou que tu aies eu la décence de le tuer avant de le faire bouffer par ta meute, ce qui fait désordre, voire carrément premier âge, c'est cette ficelle sur la hampe, et toujours ta petite carte en signature qui pendouille.

Τῷ τόξῳ ὄνομα βίος ἔργον γὲ, θάνατος.

LE NOM DE L'ARC EST VIE, MAIS SON ŒUVRE EST LA MORT.

Tu m'en diras tant. Le « nom de l'arc est vie ». Pas limpide. Mais je crois comprendre qu'en grec, arc ça se dit « Bios ». Et comme j'ai entendu parler de biologie, de biométrie, de biosphère comme tout le monde, j'imagine que, le père Héraclite s'est fendu d'un calembour parce que, dans sa langue, la vie et l'arc, ça se dit pareil. Il devait pas se douter que, quelques milliers d'années plus tard, tu serais là pour mettre le jeu de mots à l'épreuve.

A priori, j'ai pas non plus besoin de Fénimore pour comprendre à quel dieu tu veux faire référence. Moi aussi, j'ai eu des bouquins avec des types en toge quand j'étais petite, et si ma mémoire est bonne, il y avait dans le tas une déesse avec un arc et qui chassait tout le temps. « Diane chasseresse », ça fait partie des expressions qu'on a entendues quelque part. De là à comprendre pourquoi tu as balancé le cadavre ici, j'avoue que je sèche. Parce que je vais pas attendre le rapport du Légiste pour saisir que l'exécution a eu lieu ailleurs. Sans compter le foin que ça aurait fait, la chemise déchirée du pauvre gars montre un bon gros bleu dans le dos, et ça fait partie de mon métier de savoir que le sang ne circule plus dans le corps après la mort et que, la gravité étant ce qu'elle est, on constate toujours ce genre de traces quand un cadavre a été transporté *post mortem*. Donc, tu voulais nous dire quoi en choisissant cette ruelle entourée de façades déglinguées derrière lesquelles je flaire les terriers pour toxicos ?

Pourquoi le Faubourg-du-Bagne ?

Tu me diras, ça rajoute une note de glauque au sanguinolent, parce que c'est peu dire que c'est lugubre,
ces impasses bien serrées sur lesquelles il a plu
jusqu'à décoller le plâtras, et pour tout recours,
quand on lève le nez, ces grosses barres d'immeubles
où les descendants des forçats font de leur mieux
pour vivre aussi mal que l'ancêtre.

Pour le moment, à part un vague lien avec l'équipe
de rugby, sans doute pour faire mousser ton plan de
merde avec le seul truc qui intéresse tout le monde
ici, on ne peut pas dire que ton choix de victimes soit
très lisible.

Alors, quel rapport entre ce mec qui ferait mieux
de se trouver une tombe pour cacher ce que tu en as
fait et la « Venelle de la Chaîne » ?

La rue est annoncée par une plaque style ancien,
parce qu'à chaque changement de Prévôt on dépense
des sous pour transformer ce « formidable vieux
quartier qui témoigne de la vie à Volmeneur il y a
deux siècles » en coupe-gorge d'attraction. Avant que
ses habitants prouvent qu'ils sont pas mûrs encore
pour la figuration en détroussant les imprudents touristes, et qu'on abandonne l'idée pour la centième
fois.

Le Faubourg avait pas de souci à se faire pour
l'authenticité de sa misère.

Alors, qu'est-ce que tu as voulu lui faire dire, au
coin pourri ?

*

* *

C'était sur les quais, juste à côté des bâtiments
réhabilités de l'ancien bagne que M. et Mme Trinquetaille avaient monté leur brasserie, un commerce
moins miteux que ceux d'alentour, mais dont on
voyait au premier coup d'œil qu'il essayait de susciter
dans les parages une clientèle qui pour rien au

monde n'y aurait mis les pieds. On avait eu beau curer les briques, exposer à nu les charpentes métalliques, mettre dans tout ça une galerie commerciale et une salle de spectacle, la promenade qui longeait l'ancienne chiourme et ses chantiers navals ne donnait envie de traîner qu'à des gamins sans un sou en poche. On accusait le Faubourg-du-Quai, plus rupin et plus propre, d'aspirer tous les marcheurs du dimanche. On assurait que l'investissement n'avait pas été assez massif, et qu'avec la suppression d'une ou deux aberrations urbanistiques, le Faubourg aurait eu un charme inégalable. Mais la vérité, c'est que les pavés moussus, les façades bariolées et décrépites, l'ambiance de linge aux fenêtres et de ruelles à bec de gaz lâchaient encore l'haleine des condamnés, et il flottait on-ne-savait quel brouillard de meurtres anciens qui inspirait des vers aux adolescents, mais qui faisait maugréer aux autres que tout ici puait la famine. Et certes, on pouvait lire de maison en maison, comme à travers des vitrines rassemblées par de sourcilleux conservateurs, la nudité et la misère à travers les âges.

À Volmeneur, où on ne fait pas d'habiter tel ou tel lieu une petite affaire, les habitants de ce Faubourg étaient connus pour tenir à leur quartier et pour faire leur possible pour que frémissent encore sous la poussière les gueules effrayantes, les chevilles dans les fers, les rumeurs d'évasion qui avaient jadis hanté les nuits et tinté sur la peur à chaque tremblement de flamme sur le bougeoir.

De la mer serpentait une route qui menait droit aux mines, là où les bagnards inaptes au travail du bois étaient envoyés. Ce n'était pas d'ici qu'on gagnait le large, pas ici qu'on voyait l'ailleurs se dire par poignées d'or. C'était en revanche là que l'État se remboursait du vol et de la forfanterie par la mort lente du labeur, là que s'échouaient la racaille et la vermine, les maladies de la couche et les fièvres du loin.

Avec la fermeture des bagnes, les progrès de la médecine et la géométrique augmentation de la population qui s'en était suivie, on avait dû construire des barres d'immeubles qui aujourd'hui prenaient l'eau, et si on finissait par accepter un emploi dans un des gangs qui tenaient la ville, c'était pour éviter de découvrir dans le tiroir d'un de ces frigos la version conjugale du désir, de devenir fou à force d'entendre pleurer le petit dernier, d'accepter une vie vers la vieillesse seule et de consentir à sa mort.

Ça faisait une drôle de gueule au Faubourg, ces pâtés tarabiscotés menacés par des bataillons de tours qui garantissaient que la beauté se paie, et qu'ici on n'en avait pas les moyens. Le Chemin de l'écrou avait beau avoir été transformé en piste pour cyclistes, les pères de famille casque sur la tête et bébé dans le porte-bagages n'y pédalaient pas les dimanches, et ils ne commandaient pas davantage de menus enfants à *L'Ouverture*, le café des Trinquetaille baptisé ainsi pour rendre un hommage explicite au fiston, partout présent d'ailleurs par des photos, maillots, ballons signés.

Les parents habitaient au-dessus de la salle un appartement de quatre pièces refait à neuf, et l'établissement ne se portait pas trop mal, Abderrahmane ayant des fans assez mordus pour venir ici en masse dans l'espoir de le croiser. Issus d'une famille de mineurs pour lui et d'ouvriers pour elle, on pouvait dire qu'ils s'en sortaient bien. Mais il n'était pas simple de devoir ce confort à leur enfant ; et il y avait loin de leur aisance à une paix, quand, dehors, sur ce quartier à la pauvreté sincère et aux tentatives de pittoresque mal assorties, il pleuvait toute la tristesse de ce dimanche de novembre.

*

* *

Au fond, la coursive était frôlée par un maigre jour. Casilde alluma la lumière pour sortir de l'ombre le bureau de la Brigade des Crimes Aggravés. Elle avait donné à Titin et Ferde qui avaient travaillé tout hier sur la piste d'ARÈS SÉCURITÉ quelques heures de liberté. Elle était seule.

Elle vit tout de suite l'enveloppe posée sur son clavier. Il en sortit que Fénimore jouait avec elle au sagace qui vous l'avait bien dit, et qu'il avait aussi des côtés sinistres. C'était une chose de l'apprécier plus que de raison, c'en était une autre d'être traitée comme l'assistante du soi-disant spécialiste. Casilde trouva le scénario que proposait son collègue faiblard. Et puis, qu'est-ce que ça pouvait bien faire ce que voulait dire le tueur ? Ce n'était pas lire les mêmes livres que lui ou comprendre ce qu'il croyait déclamer sous couvert d'Héraclite qui allait leur dire qui il était. Elle repensa au sentimentalisme que lui reprochait Fénimore. Elle aussi avait perdu toute compassion à l'égard des victimes. Ils n'étaient plus que la preuve fatigante que le malade courait toujours, de simples confirmations de sa démarche. Le poison du tueur progressait en elle, cette potion qui l'empêchait de voir les âmes dans les corps, pour ne plus y lire que la devise dont il les barrait comme une banderole. À peine restait-il comme prise à l'Enquêtrice, pour donner une consistance à ces vies, l'ignoble corvée d'annoncer la mort à la famille, quand on parvenait à identifier le corps.

Elle relut la missive où l'Enquêteur Garamande faisait son malin :

Deux scénarios probables de meurtre : Volmeneur a rencontré Arméville samedi, pour cette semaine je pense donc que la déesse invoquée sera Artémis (déesse de la chasse pour une ville forestière). Samedi prochain, les Outrenoirs affronteront Hépyria, club logé au bord de la mer de

FLOTONNERRE, TRÈS FÉCONDE EN TEMPÊTES HOMÉRIQUES, JE PENSE DONC QUE LE DIEU CHOISI SERA POSÉIDON. CEPENDANT, COMME IL Y A D'AUTRES VILLES CÔTIÈRES QUI ONT UNE ÉQUIPE DANS LE CHAMPIONNAT, CETTE HYPOTHÈSE POURRAIT SE RÉVÉLER FAUSSE ET...

Elle lui en voulut d'avoir autant précisé sa pensée. Il la prenait pour une conne. Dommage pour lui, elle avait compris toute seule, et le fait que ce soit le nom latin de la déesse qui lui soit venu plutôt que son nom grec n'y changeait rien. Casilde eut le sentiment d'être engluée sous deux cerveaux qui voulaient lui dire quoi voir, quoi penser et quoi vivre ; Fénimore, qui confondait leur boulot avec de l'exégèse, le meurtrier, qui faisait tomber tellement de corps autour d'elle qu'il était parvenu à dévaluer le prix en elle d'une vie. Elle commençait à douter de sa capacité à s'émouvoir, son humour, son intelligence professionnelle. Sa confiance ne reviendrait jamais si elle laissait ces deux hommes la contraindre à leur ton.

Pour se tirer du malaise qui l'oppressait, elle commença par effacer ce que l'Enquêteur Garamande avait noté sur le tableau. Une espèce de comptine en « l'homme croit » et « mais », plus morbide encore que novembre. Puis elle nota sur ses petits carrés de papier les dernières informations et les accrocha à son impeccable tableau personnel. Son ouvrage achevé, elle se plaça bien en face de la liste en espérant qu'une pensée allait en jaillir. Elle aurait voulu que quelqu'un puisse la voir, parce que, là, elle ressemblait vraiment aux enquêteurs de série télévisée. Mais, si la manœuvre donnait de la télégénie à ses problèmes, elle faillit totalement à les résoudre.

*
* *

— L'important, c'est d'essayer.

Abderrahmane avait une déformation professionnelle. De l'habitude de calculer intérieurement les possibilités et de trancher d'un geste, il avait tiré une pensée au plus court et un parler d'automate. Dans les vestiaires, quand il essayait de faire passer sa sagesse, ça donnait un : « L'efficacité, l'efficacité, l'efficacité », qui lui revenait si souvent dans la bouche que ses coéquipiers se contentaient de ça pour l'imiter. En famille et pour répondre à l'épineuse question qui venait de lui être posée, ça expliquait cette vérité générale, à tout le moins contestable.

Elle répondait à la répétitive question des petits-enfants futurs, posée par ses parents depuis trois ans qu'il était marié avec une obstination de supplice. Nejma était habituée à déchiffrer les sentences de son homme et elle lui caressa la joue. Pour sa part, elle avait entendu dans sa phrase que rien ne comptait plus pour lui que lui faire cet enfant, qu'il ne la rendait pas responsable de la peine qu'ils avaient à le faire venir, et aussi qu'elle savait assez donner d'agréments à l'entreprise pour mériter le compliment qu'il adressait à leurs essais.

La mère d'Abderrahmane laissa tomber le sujet comme une fourchette au bord d'un plat et Nejma sut qu'elle développait les mystérieuses pensées d'Abderrahmane en demandant à ses beaux-parents :

— Et comment va le restaurant ? Vous n'êtes pas trop fatigués ?

Le père avait l'air de compter mentalement le nombre de fois que sa bru l'avait emmerdé avec ça, tandis que la mère annonça par un haussement emphatique d'épaule que leur position ne se trouvait pas changée par la fréquence des attaques qu'on leur faisait sur ce point. Elle précisa :

— On n'est peut-être plus tout jeunes, mais on veut pas être inutiles. On fait des sous et les clients sont contents. Ton père est heureux comme ça. Hein, que tu es heureux ?

La tête penchée vers l'assiette sans commentaire déclarait surtout qu'il était hors de question de dépenser des paroles pour régler ce misérable débat. Nejma avait cette forme de respect familial qui se permet tout.

— C'est que… on sait bien que vous n'aimez pas qu'on parle de ça et que vous avez toujours vécu ici, mais quand même, ça devient de plus en plus mal-famé…

— Malfamé ? Et toi, tu es née où ? Et puis, tu crois que c'est pire qu'avant ? Bien de ton âge, ça. Ici, avant, y avait toutes les fripouilles du pays qui regardaient les mères de famille avec ce que je pense dans les yeux. Tu crois que c'est maintenant qu'il faut avoir peur ?

Le père donnait le sentiment de laisser libre cours avec Nejma à la misogynie qu'il était trop paresseux pour frotter contre sa femme. Cette dernière n'aimait pas que son mari se laisse aller à ce ton et enchaîna calmement :

— Et puis, tout le monde nous connaît ici, et tout le monde connaît Abderrahmane. Les gens l'admirent trop pour nous faire du mal.

— Ça, c'est vrai pour les vieilles familles du quartier. Mais il paraît qu'il y a de plus en plus de bandes prêtes à tout pour gagner de l'argent qui viennent dans le coin.

Le père reprit vigoureusement la main ;

— Tu crois que je t'ai attendue pour savoir me défendre ? Comment tu crois qu'elle se faisait, la loi, ici, il y a trente ans ? En appelant la Police ? Si un voyou essaie de m'emmerder, tu verras comment je le recevrai. À coups de fusil, tu peux me croire. Tu te prends pour qui, à la fin ?

Il y eut un silence durant lequel le père devait poignarder la connasse de femme de son fils, durant lequel la mère détaillait la dentelle de la carafe pour faire quelque chose de ses yeux en écoutant partir l'orage, grâce auquel Nejma mastiqua en elle des phrases qui parlaient d'éternels sacrifices avec l'horion pour récompense. Quant à Abderrahmane, personne n'eût su dire quel domaine explorait son air réfléchi. Il finit en tout cas par lâcher :

— Ce qu'on prévoit pas, ça peut arriver quand même.

Et la mère put changer de sujet.

Lundi 13 novembre

— On peut pas dire que ce soit pas un lien. Mais c'est quand même très ténu. Je sais pas. Il y a quelque chose de bizarrement foireux là-dedans.

— C'est-à-dire ?

— Au début, on pouvait avoir l'impression que le tueur se trouvait nécessairement parmi les vingt-deux joueurs alignés sur un match : le lien du dîner, les heures supposées d'exécution, ça collait. Mais là, la relation n'a plus rien d'évidente.

Les Agents Ferde et Titin regardaient Casilde se débattre avec ses scrupules au sujet du rapport entre les deux derniers morts – l'épicier Lantrin, victime d'Athéna, et Béniate Boulfin, sacrifié à Artémis –, et le club de Volmeneur. Ils la relançaient de temps à autre, et il était visible qu'ils s'impliquaient. Rien à dire, l'Enquêtrice Provinciale Binasse avait une radiation humaine bien supérieure à celle de l'ombrageux Enquêteur Garamande.

— Ça fait déjà un petit moment que j'ai du mal à soupçonner les joueurs. Déjà, on voit mal quand ils auraient le temps de s'adonner à leurs petites cérémonies meurtrières, et puis difficile de passer inaperçu, avec toute la ville qui vous colle aux basques pour un autographe dès que vous sortez du cabriolet. Surtout, le mobile. Qu'est-ce que des millionnaires ont à gagner à dézinguer des pékins dont la plupart tiraient le diable par la queue ?

— Ça, de toute façon, Enquêtrice...

— Casilde.

— Ça, de toute façon, Casilde, ça peut pas être un critère. Des malades, y en a partout. Et puis le mobile du tueur, c'est surtout d'être un malade.

— Si vous voulez, Agent Titin. Mais, à mon avis, l'assassin fait ce qu'il peut pour relier les crimes aux joueurs alignés dans un match, mais qu'il n'y arrive plus. Rappelez-moi ce qu'on a sur Lantrin.

— On a retrouvé chez lui un ballon signé par les vingt-deux joueurs qui ont joué contre Crazié et daté de la rencontre : samedi 4 novembre. Un signe de reconnaissance du XV envers Lantrin qui était président d'un club de supporters, et que Chassesplain lui a remis en loge juste avant le coup d'envoi.

— En résumé, plus aucun rapport avec les fameux dîners et un d'accord foireux avec les vingt-deux joueurs alignés pour ce match à travers le ballon. Je vous le dis, je ne crois plus que le tueur se cache dans la feuille de match. En revanche, je pense que, pour une raison qui nous reste à comprendre, l'assassin veut qu'on le pense. Comment il a su que Roger Lantrin avait reçu cette balle ce soir-là ?

— Pas sorcier, il devait être là.

— Et puis s'il savait ça dès le samedi soir, pourquoi a-t-il attendu le mardi soir pour le choper ? Souvenez-vous : le témoignage de sa femme est formel, Lantrin a disparu après être allé faire un tour à son magasin le mardi vers 20 heures, et nous l'avons trouvé le mercredi, ce qui, soit dit en passant, est une entorse à sa manie de nous livrer ses victimes dans la nuit de samedi.

— Les Lantrin sont partis voir leur fille à Pitié-bourg de dimanche à mardi.

— Le tueur a attendu qu'il revienne pour faire le coup, ce qui veut dire que le tueur tenait à ce que ce soit l'épicier qui meure cette semaine-là, et pas n'importe quel quidam autour du club. Melchior, vous avez vérifié si quelqu'un a annoncé cette remise : journaux, sites Internet, vox populi ?

— J'ai rien trouvé.

— Donc, le tueur était dans la loge, et nous voici en mode l'assassin est dans cette pièce, réunissons les invités dans le salon et fouillons le château. Melchior, il faudrait que vous me trouviez la liste des invités à ce pince-fesses. C'était une demi-heure avant le match.

— Entendu.

— Merci. Sinon, Ferde, qu'est-ce que vous avez récolté sur la victime d'Artémis ?

— Béniate Boulfin, dit Bébou. Un dealer du Faubourg-du Bagne. Trente ans, trois condamnations. Probable membre du Gang des Bagnards.

— L'enquête de voisinage ?

— Pas grand-chose. Les collègues de travail de Boulfin sont pas exactement soucieux d'accomplir leur devoir de Citoyens.

— Bon. Il va quand même falloir qu'on comprenne un jour comment et pourquoi le tueur choisit ses clients. Pourquoi il s'agit quasiment que de minables ? Et puis, là, il a frappé un membre des gangs, et sur leur territoire. Qui nous dit qu'un autre gang n'encadre pas notre malade et lui demande de continuer son œuvre d'art sur ses ennemis ? Vu que les bandes tiennent les Faubourgs, soit ils sont d'accord avec ce qu'il fait, et donc il doit y avoir un mobile commun, soit ils sont comme nous, c'est-à-dire incapables de mettre la main dessus, et ça veut dire que ce gars est capable de passer entre leurs réseaux, ce qui nous montre qu'il a des sacrées ressources.

— Ça, Casilde, on le sait déjà, il a mis hors de portée plusieurs systèmes de sécurité.

— Il est doué en informatique, on a compris. Mais c'est une chose de savoir bidouiller un système (même si on attend encore de comprendre comment il fait), et c'en est une autre de laisser un cadavre dans des zones surveillées par de mafieux armés jusqu'aux dents. Dans un sens, c'est bien qu'il ait commencé à frapper des malfrats. Ça ouvre une nouvelle piste. Beaucoup plus dans nos cordes que ces histoires de dieux de l'Olympe.

— Vous comptez faire quoi ? Choper le big boss d'un syndicat du crime pour lui demander un tuyau au nom de son amour pour les flics qui ont juré sur la Doctrine de lui faire la peau ?

— Non. On s'est dégotté un indic au début de l'enquête avec Fénimore. On va lui demander s'il a déjà entendu parler de Boulfin.

— Il est où ?

— Faubourg-de-la-Criée. Il nous a dit qu'on pouvait aller le voir le soir. Sous la bretelle onze.

*
* *

Abderrahmane fut bien le seul à prendre plaisir à la séance vidéo du matin ; moins cependant à la première partie qui les confrontait au dernier match, et avait tout du procès-confession. Il dut y avouer un coup de pied mal pensé et trois plaquages ratés.

— Putain, y aura pas de quoi exposer le maillot dans votre musée souvenir. Non, mais c'est quoi, cette défense, là, Félix ? Et puis, le deuxième rideau, il était parti où ?

L'éternelle insatisfaction du coach Sgabardane. Il fallait en prendre et en laisser, suivre le regard souvent judicieux sans se laisser éclabousser par les postillons énervés. C'était l'affaire du chef-entraîneur de se shooter toute l'année à l'idée du titre et de les harceler pour se dire qu'il avait fait son boulot, le leur de jouer encore dix-neuf matchs de façon à se qualifier pour les demi-finales, ce qui signifiait aussi éviter de se vider le gaz à plus jamais le retrouver.

La règle d'efficacité d'Abderrahmane l'empêchait d'avoir de la considération pour la vertu des remords. Il résumait ainsi cette tendance : « Faut se remettre en question, et éviter de gamberger. » Maintenant qu'on listait les points faibles de la défense d'Hépyria, gentil promu pas dangereux et très besogneux depuis le début de saison, il trouvait la séance beaucoup plus intéressante et utile. Il sut gré à Sgabardane de les avoir trouvés trop tendres stratégiquement contre Arméville samedi dernier, et d'avoir avancé à aujourd'hui l'étude de l'adversaire, qui attendait en général le mercredi.

Surtout qu'Abderrahmane avait bien vu la faille. Elle était monstrueuse, il faut dire : une vision de la défense inspirée des Cro-Magnons. Leur ailier côté ouvert et leur arrière glissaient toujours pour venir défendre en deuxième rideau en cas d'attaques à la main répétées au cœur du terrain. Du coup, leur 13 défendait seul sur le bout de ligne. La solution était simple : d'abord, fixer leurs avants sur regroupement, ensuite envoyer des charges en faisant bien attention à ne pas trop écarter le jeu pour les obliger à se regrouper au centre, puis botter une chandelle dans le couloir laissé libre par l'ailier replié pour qu'un de nos trois-quarts récupère et fonce à l'essai. Autrement dit en ce qui le concerne : deux Glatambour blocs pour faire leurre et une Vasteval noir. Il se leva :

— Coach, on fait une passe intérieure 12-13 pour serrer leur défense ?

— C'est probable, Abdi. En tout cas, il faut que tu nous chiades tes chandelles. Bon, on précisera ça plus tard. On va regarder la défense, maintenant.

Déjà plus compliqué. Plaquer, c'est rigolo, mais c'est piégeux. Il faut mettre en œuvre des scénarios sur qui plaque en fonction de l'endroit du terrain où se passe l'action et éventuellement du moment de la partie et du score. Mais c'était de la théorie. Parce qu'en général, en défense, c'était la fébrilité et l'on fait ce qu'on peut. Tout le monde dézinguait le plus proche en priant pour que les spécialistes de la dernière chance, à savoir l'ailier désigné et l'arrière, verrouillent derrière si le mouvement continuait.

Il tira ces consignes du visionnage : dans leur camp, je plaque le vis-à-vis, dans le nôtre, je le laisse au troisième ligne aile le plus proche et j'attends juste derrière au cas où il passe. Pas de problème pour respecter ça à l'entraînement. En match, ce serait un autre problème. D'où des engueulades à suivre à la vidéo lundi prochain. Trinquetaille résuma son sentiment en mâchonnant pour son complice et camarade de la charnière Valdafin : « Le papier et le terrain, c'est pas la même chose. »

*
* *

À la regarder assise sur le siège passager avec sa fine veste en cuir, son petit corsage, ses baskets les plus chères du magasin et son grain de beauté au bord des lèvres, l'Agent Ferde fut ravi du tour qu'il avait joué à Melchior en s'arrangeant ces derniers temps pour faire équipe avec Casilde. Il avait plus l'impression d'être un caméraman qui accompagne sa présentatrice vedette qu'un flic avec son Enquêtrice, en quête d'un clodo pollué d'héroïne.

— C'est là.

Ça faisait chier de poser les pieds dans cet endroit, avec les voitures qui filaient sur le côté, le gravier pisseux envahi de seringues et de cannettes de bière, et cette lumière sinistre que faisait un brasero à côté d'une construction en cartons et en conserves. Le genre d'étape qu'on est ravi de laisser sur le bas-côté.

Ils descendirent de voiture et reçurent immédiatement les infiltrations de l'averse et l'hallucinant chambard que faisait au-dessus la bretelle de la voie rapide. Ferde se fit la réflexion qu'un jour ou l'autre ça se casserait la gueule et que ça ferait des dégâts. Mais la pensée s'étrangla vite. Parce que l'impression d'avoir foutu le panard dans un piège fut confirmée dès qu'ils arrivèrent à distinguer ce que le brasero réchauffait.

Ce qu'ils virent d'abord, c'était la longue tige dorée, et puis assez vite un rectangle blanc qui leur rappela indéniablement quelque chose. Du coup, les derniers pas se firent à contre-nerfs, et ça rappelait ce moment dans les films d'horreur où une petite fille en chemise de nuit entend un cri au bout d'un couloir pas éclairé, dans un manoir complètement vide, et va très lentement voir ce qui se passe. On avait beau avoir eu sa dose de chair à pâté ces derniers temps, c'était jamais agréable de savoir qu'au bout de la promenade on allait plonger son regard dans les yeux révulsés d'un mort.

Quand ils furent arrivés, ils tombèrent nez à nez avec un trident imitation or planté dans le thorax, avec le sang qui s'est caillé sur les joues, puis avec l'inévitable odeur de merde du corps qui s'est vidé en même temps que le dernier soupir. Ferde appela tout de suite la Scientifique. Une fois le coup de fil passé, Ferde ne sut pas très bien comment s'y prendre avec Casilde, qui tremblait à côté de lui et était devenue très blanche. Hubert se dit que ça donnait dans la réaction excessive, parce qu'il ne l'avait pas admirée dans un tel émoi sur les autres scènes de crime. Dans le genre, ce cadavre était d'ailleurs plutôt coquet. Pas de bidoche bouffée par des clébards ou d'organes retirés. Ce fut quand elle articula :

— Il nous suit à la trace,

que l'Agent parvint à trouver la somme du deux plus deux. Le macchab, ce devait être Risk. Du coup, c'était en effet pas une bonne nouvelle que le tueur bute un indic, surtout que, la plupart du temps, il attendait le samedi pour se faire son petit plaisir de la semaine. S'il avait bouleversé ses petites habitudes, c'est qu'il devait savoir qu'ils iraient voir Risk et craignait que le toxico ne leur lâche de l'emmerdant. Dans un sens, Ferde trouvait ça encourageant. Ça voulait dire qu'ils approchaient d'un truc consistant. Mais c'est vrai que ça signifiait aussi que le tueur connaissait leur jeu et gardait un coup d'avance.

De toute façon, il fallait attendre la Scientifique en se faisant pas d'illusions sur les révélations. Les giclures de sang montraient que ça avait été fait sur place, quant au moment du meurtre, ça sembla pas remonter bien loin à Hubert, qui disait ça comme ça.

Puis il se passa quelque chose qu'il admira. Il vit l'Enquêtrice Provinciale Binasse surmonter sa frousse pour lire ce qu'il y avait marqué sur la fiche.

Elle en revint pas plus renseignée que ça, mais en lui disant comme pour changer d'ambiance :

— Fénimore a vu juste.

Quand elle eut dit ça, il alla lire le truc pour voir. Il n'avait pas de gants et il devait faire gaffe à rien toucher pour les empreintes. Mais il réussit quand même à déchiffrer le message à un moment où la carte resta tranquille, après toute une simagrée de cache-cache à cause du vent.

θάλασσα, ὕδωρ καθαρώτατον καὶ μιαρώτατον ἰχθύσι μὲν πότιμο καὶ σωτήριον, ἀνθρώποις δὲ ἄποτον καὶ ὀλέθριον.

LA MER EST L'EAU LA PLUS PURE ET LA PLUS SOUILLÉE ; POUR LES POISSONS, ELLE EST POTABLE ET SALUTAIRE, MAIS ELLE N'EST PAS POTABLE ET ELLE EST MORTELLE POUR LES HOMMES.

Il en fut pas éclairé.

Mardi 14 novembre

— Sept meurtres, deux corps en deux jours, ça devient flippant.

— Avant, vous trouviez ça rigolo, Agent Titin ?

— Ce n'est pas ce que je voulais dire. Mais on sait maintenant qu'il a un œil sur nous et…

— Et que nous sommes en danger, c'est cela que vous pensez ?

— Le fait est qu'il a certainement pas tué cet indic pour lancer un message sur le XV de Volmeneur. Ça veut dire qu'il est prêt à tuer tous ceux qui menacent ses plans.

— Je ne sais pas comment vous appréhendiez les choses, avant, Agent Titin, mais il me semble établi que l'homme que nous recherchons a le meurtre facile.

— Ça ne nous dit pas comment nous devons réagir, madame la Procureure.

— Très juste, Enquêtrice Binasse. Mis à part en l'arrêtant, je ne vois pas quoi comment le ramener à la raison.

— Mais s'il est dans notre dos chaque fois qu'on fait quelque chose, je ne vois pas comment on va pouvoir avancer, madame la Procureure.

— S'il est dans votre dos à chaque fois, retournez-vous, Agent Ferde ! Et puis, laissez-moi clarifier une chose pour vous : il est hors de question que vous vous laissiez intimider. Si vous saviez le nombre de menaces de mort que j'ai reçues depuis que je suis Procureure du Marchaunoir.

— Quand même, il est passé à l'acte.

— Vous êtes Policiers, vous avez un pistolet à portée de mains vingt-quatre heures sur vingt-quatre, il serait heureux – vous m'entendez ? –, il serait heureux que la Force de la République soit assez compétente pour qu'il soit un tout petit peu compliqué d'essayer de s'en prendre directement à elle. Normalement, je dis bien normalement, si ce fou essaie de pénétrer chez vous et de vous faire un sort, il devrait trouver la sortie entre deux Agents après avoir été immobilisé par un de ces tirs de sommation que vous peaufinez toutes les semaines durant vos exercices. Vous croyez quoi, qu'on crée une Brigade des Crimes Aggravés juste pour que votre emploi du temps soit plus sympa que celui des collègues ? Vous êtes censés être une élite, et vous êtes censés, au moins, savoir vous protéger. Je ne veux pas entendre parler de votre peur. Et au passage, je ne veux pas non plus entendre parler de vos jours de congé, de vos problèmes personnels et même pas de vos arrêts maladie. L'Enquêteur Garamande a goûté à ma colère, et je peux vous jurer qu'il va revenir avant la fin de la semaine. Maintenant, il va falloir vous y mettre, madame et messieurs. Ça commence à bien faire. Parce que vous ne savez peut-être pas l'effet que produit sur la presse un septième meurtre, mais vous allez le découvrir, c'est moi qui vous le dis. Attention, je vous couvre encore, mais s'il tombe encore une victime – vous m'entendez ? –, une seule victime, vous devrez assurer la permanence médiatique à tour de rôle, et là, je peux vous promettre que vous préférerez embarquer tout le stade du Brise-Lames que continuer à être harcelés par la meute à petites phrases.

— Sauf votre respect, madame la Procureure, ce n'est pas comme si on s'arrangeait pour faire traîner les choses. On ne peut pas dire qu'on croule sous les pistes...

— C'est de votre faute et de celle de vos collègues, Enquêtrice Binasse. Il me suffit de feuilleter le dossier de cette affaire pour faire le compte de toutes les pistes, comme vous dites, que vous laissez tomber. Ce n'est pas compliqué, vous n'allez au bout de rien, vous ne vérifiez rien, vous passez d'un cadavre à un autre comme des promeneurs au zoo des primates aux grands fauves.

— Nous essayons de nous concentrer sur les éléments qui nous semblent pertinents, nous ne sommes pas assez nombreux pour aller décortiquer tous les indices.

— Enquêtrice Binasse, le travail de Police n'a jamais consisté à mettre un flic derrière chaque Citoyen. Votre problème, ce n'est pas combien vous êtes, c'est votre méthode. Il faut que vous vous reconcentriiez sur les faits, et il faut que vous mettiez en garde à vue tous ceux qui vous paraissent louches.

— Justement, le tueur s'arrange pour incriminer le maximum de monde. C'est d'ailleurs sans doute pour nous enfumer qu'il s'obstine à nouer des liens entre le club et les meurtres.

— Vous m'avez seriné douze fois votre théorie du coup double par erreurs judiciaires interposées, vous m'avez même eue sur les Jolssin. Mais je ne trouve plus ça drôle. Redites-moi sur quoi vous travaillez.

— Sur la liste des invités dans la loge d'honneur du Stade du Brise-Lames le 4 novembre, une demi-heure avant le coup d'envoi du match Volmeneur. Crazié. Quand on l'aura récupérée, on pourra la recouper avec d'autres éléments.

— Le rapport entre cette liste et les meurtres ?

— Les invités sont les seuls à avoir vu l'avant-dernière victime recevoir un ballon signé par les joueurs et...

— Mais c'est pas vrai, il faut vous décider à quitter le pays du youp-la-boum, qu'est-ce que ça veut dire que ces rapports minables ? Dites-moi que je rêve !

— C'est un début. Et en allant rendre visite à des commerçants, en leur montrant les photos, il est possible que...

— Il est possible que quoi ? qu'un magasin qui fasse librairie philosophique, reliure plastique, vente de haches, d'arcs et de tridents en gros et au détail reconnaisse un client ? Et puis, zut, faites ça si ça vous fait plaisir. Mais il faut, vous m'entendez, il faut que vous trouviez enfin du solide dans cette enquête qui dure depuis plus d'un mois !

La Procureure de la République Caterina Glazère était venue à domicile et à la première heure engueuler la Brigade des Crimes Aggravés. La Procureure Glazère avait voulu fumer et on s'était mis dans la coursive. Quand elle décida de rompre l'entretien, la Magistrate revint dans le bureau et tomba sur le tableau où Fénimore Garamande se traduisait le délire de l'assassin. Elle lut :

— « L'homme croit toucher, mais se brûle. L'homme croit dire, mais s'étrangle. L'homme croit œuvrer pour la paix, mais n'engendre jamais que sa forme de guerre. L'homme croit se nourrir, mais se creuse. L'homme croit prier, mais il sanctifie son ignorance. L'homme croit tendre des pièges, mais y tombe. L'homme croit dominer les forces du monde, mais y succombe. » C'est ça, et puis tant va la cruche à l'eau qu'à la fin je serai mutée au greffe.

La voix de Casilde tremblait lorsqu'elle articula :

— Attendez, madame la Procureure. Ferde, Titin, c'est vous qui avez écrit ça au tableau ?

Les deux hommes se regardèrent, ce qui suffit à aviser Casilde.

— Fénimore n'est pas revenu, et j'ai fermé à clef en partant hier. Nous sommes arrivés ensemble, et vous vous souvenez que j'ai ouvert devant vous...

— Eh bien ?

— Eh bien, j'ai effacé cette liste dimanche.

— Et ?

— Et je n'ai pas fait attention au tableau en entrant, mais je suis certaine, absolument certaine de l'avoir effacé dimanche.

Un silence perplexe dans lequel Casilde fit tomber :

— Ça n'était pas là hier. Quelqu'un est venu écrire ça pendant la nuit.

— Vous voulez dire que quelqu'un s'est amusé à entrer dans un Commissariat Provincial, quelqu'un qui sait ce qui se trouvait sur le tableau dimanche, et qui a prolongé au pastiche pour le plaisir de vous faire peur ? Eh bien, le ciel vous entende. Parce qu'on ne rentre pas dans un Commissariat de cette importance comme dans un moulin. Faites vérifier les bandes et les registres électroniques d'entrée. Nous le tenons peut-être. Ce sera sa simagrée de trop.

On se répartit après le départ de Glazère. Et on passa des heures à visionner les bandes, à consulter les informations qu'étaient censés enregistrer les appareils sur les moindres allées et venues aux issues et à l'intérieur du bâtiment. Mais Casilde ne croyait pas que le tueur, qui était parvenu à museler des systèmes hautement sophistiqués, serait venu se trahir pour quelques lignes goguenardes et le plaisir de les terroriser. Ce fut donc sans surprise qu'elle constata qu'il n'y avait pas une image, pas même un mouvement qui eût été perçu à leur étage durant la nuit. Ce n'était pas étonnant, vu que leurs bureaux étaient les seuls à ce niveau. Mais cela criait une vérité : la main de l'assassin s'approchait de leurs gorges. Dans le secret, la nuit. Sans risque d'être arrêtée.

Mercredi 15 novembre

Il s'agit de voir sous les choses. Formes mouvantes, bribes, des draps qui battent pour tromper l'œil. La balle sort vers Abderrahmane, et il pourrait ne voir que ce type qui se lance, que la ligne adverse bien en place tout le long du terrain. Mais ce n'est pas dans la réalité, c'est en lui que se trouve la brèche vers laquelle il joue. Il passe au 12 à côté, puis il pique un sprint sur la largeur du terrain. Le 13 passe dans le dos du 12 qui lui transmet et réplique au centre du terrain pour forcer leur deuxième rideau à colmater. Abderrahmane voit l'impact. C'est une réserve qui joue 8 pour l'équipe des probables remplaçants, parce que Thalalé ne reviendra pas avant trois bons mois. Le plaquage est correct, mais le petit n'a pas la technique pour récupérer la balle. Félix la chope au sol et dégaine vers Trinquetaille. Il sert Conbaba Faure. Passe trop rapide. Ballon tombé. On recommence.

Même point de départ, mêlée pour nous à une dizaine de mètres de leur vingt-deux, à droite. Il dit à Malloy, le 12 aujourd'hui : « Rapproche-toi, ils doivent vraiment penser qu'on veut attaquer au milieu. » L'autre dit :

— OK, Abdi.

Il annonce :

— Glatambour bloc,

parce que ça fait partie de l'exercice de bien annoncer les combinaisons pour les mémoriser. C'est parti. Malloy est dans le jus et envoie. Casimir se fait retourner direct, du coup, il n'a pas fixé assez de défenseurs. Il fallait qu'il pique plus vite. Il a eu un à-coup. Abderrahmane le relève.

— Faut que tu sois capable de préparer tes appuis et de fuser plus fort.

L'autre acquiesce avec frousse. Il débute, il est bon, mais, comme toutes les réserves, il retient que ses conneries. Trinquetaille se doute que Sgabardane fait jouer Casimir avec les pros pour se faire une religion pour le samedi, alors il a pensé qu'il valait mieux que la vérité sorte de sa bouche que de celle du coach. À Malloy :

— Même jeu.

La balle sort, et la seconde d'ensuite, c'est du noir et de l'odeur d'herbe. Il se relève. Félix lui fait un signe de la main que l'ouvreur traduit : « C'est de ma faute, je te l'ai envoyée trop lentement. » Un peu énervé, il fait juste un signe à Malloy en espérant que celui-ci interprétera le geste comme l'annonce de la même stratégie.

C'est parti, et en effet Malloy fait comme prévu. Bonne entrée de Casimir et là, le 8 en face foire complètement son plaquage. Crochet du 13, et puis coup de sifflet d'Aurélien Jombes, l'entraîneur des lignes arrière. On repart. On ne fait que les lancements. C'est maintenant que ça devient rigolo.

— Glatambour bloc, Glatambour bloc !

La balle qui sort comme d'habitude. Abderrahmane est allé chercher sa concentration, parce que le coup de pied qu'il tente doit être exact. Le ballon doit amorcer sa descente juste à côté de la ligne de touche pour que Faure la capte sans problème. Après la frappe, il voit que la retombée est nickel, et il sourit en trottinant vers la zone de jeu. Il entend : « Replace-toi, nom de Dieu, replace-toi ! » Et il voit que ce n'est pas lui qu'Aurélien engueule sur le bord du terrain, mais Casimir qui n'est pas venu au soutien, Faure n'a pas pu lui faire de passe et le mouvement est arrêté. Au coup de sifflet, il va trouver Casimir qui halète, une bouteille d'eau à la main.

— La stratégie, sur la Glatambour bloc, c'est : deux annonces de suite signifient : on passe à la Vasteval noir sans le dire. Si j'avais voulu remettre la Glatambour Bloc, j'aurais dit « Volmeneur large ». C'est l'idée : il faut qu'ils croient qu'on remet la même stratégie et qu'ils protègent pas leur couloir.

— Je sais. Mais je croyais qu'on avait repris au début de la série, comme on avait foiré les autres.

— Ça se défend. Mais sur le terrain : concentration. C'est important, les annonces pour les déstabiliser.

Il est 16 heures. À 16 h 30, ce sera le match d'entraînement. On changera les équipes et on verra si les combinaisons marchent à vitesse réelle.

Abderrahmane tente quelques transformations pendant que les autres prennent leur pause. Il pose le ballon sur le tee sous la petite pluie fine. D'abord des coups de pied de près face au poteau, après sur les côtés, puis de plus en plus loin. Vent, faut mettre de la force. Juste après s'être dit ça, il s'agenouille à côté de son ballon et place sa semelle comme un chausse-pied. C'est un peu la même histoire que dans le jeu. Il ne faut pas faire confiance à la forme de la balle, à l'endroit où elle invite à être frappée, à la force qu'on veut y mettre pour la faire voler. Il se répète toujours la même phrase : « Taper, c'est faire le geste juste. » Ne pas se laisser avoir. Mettre le pied dessous le voile trompeur. Trouver l'endroit où l'impact est parfait, où le pied se contentera de traverser la balle sans avoir besoin de mettre de la puissance pour que le cuir passe entre les perches dans un soupir.

Il fait trois pas en arrière qui, de l'extérieur, ont l'air de mesurer la distance. À l'intérieur, c'est tout le contraire. Il s'agit d'abolir ces trois pas, de faire en sorte qu'il puisse se couler sans heurt dans l'intervalle, comme s'il n'existait rien entre lui et le ballon. Il faut qu'aucune pensée ne vienne le séparer de son geste. Il faut fondre en soi une harmonie dans laquelle se laisser glisser comme dans de l'eau. La dernière fois qu'il a voulu expliquer ça, il a dit : « Ce n'est pas toi qui vas à la balle, c'est la balle qui vient à toi. » Comme il vient de s'en souvenir, il s'arrête et reprend au départ. Puis il retrouve ses jalons puis les laisse se déchirer un à un comme une soie dans la frappe. Et il sent bien que l'harmonie était là. Tout est resté liquide. Il sait qu'il a marqué. Il ramasse le filet de ballons à côté de lui et se décale un peu sur la gauche pour corser les choses.

*
* *

Casilde espérait que la Procureure Glazère avait dit vrai et que Fénimore était en chemin. Elle avait besoin de sa présence, et elle avait beau le trouver démonstratif de sa science et un peu pincé avec les Agents, ce n'était pas sur eux qu'elle pouvait compter pour déjouer les ruses de l'assassin qui les menaçait à présent directement.

Elle trouva néanmoins du réconfort dans la rescousse des appareils. Les deux techniciens avaient des airs calmes et appliqués de professionnels.

— Vous êtes certains qu'il n'y avait pas de micros, je ne sais pas, de mouchards dans la pièce ?

— Sûrs et certains.

Le type avait appuyé sa confiance d'un sourire. Il n'était pas vilain. Reste qu'en disant cela il n'arrangeait pas leurs affaires, car il fallait encore comprendre comment le tueur en savait assez long sur leur enquête pour buter un indic et connaître les listes de Fénimore sans instrument d'espionnage.

— En tout cas, maintenant, si quelqu'un s'introduit dans votre bureau, je peux vous jurer que vous serez aux premières loges pour l'identifier.

— Expliquez-moi.

— On a posé des faux murs dans les angles de la pièce avec des caméras à l'intérieur. Elles tournent en continu à partir du moment où vous fermez la porte à clef. Les images sont stockées sur des disques durs intégrés et codés. Il est impossible de les effacer ou de les modifier.

Casilde se fit la remarque que ce technicien validait l'hypothèse autour de laquelle ils tournaient depuis des semaines : l'assassin remplaçait probablement sur les bandes les passages qui l'incriminaient par des plans de salle vide.

— Personne ne peut nous pirater ?

— Personne. La mémoire des caméras n'est reliée à aucun réseau, et si quelqu'un essaie d'y toucher sans les mots de passe, le disque dur se coupe immédiatement.

— Bien. Merci infiniment, monsieur.

— Mais avec grand plaisir.

Le ton était galant et Casilde se braqua. Par les temps qui couraient, elle ne prenait pas bien qu'on laisse traîner sur elle une curiosité. Même flatteuse.

Jeudi 16 novembre

Pour le XV de Volmeneur : Président Jérémie Chassesplain

Prévôt Adjoint aux Sports : Églantin Erdre

4 invités Automobiles Chassesplain :
Président : Gustave Chassesplain

DG : Théa Labrin
Dir Com : Ambre Flamine
Secrétaire du Président : Félicie Gorde

2 invités de l'Équipementier Ferdelance :
Délégué Marchaunoir : Matthieu Jarve
Délégué Volmeneur : Yann Berde

2 attachés de Presse du Club : Vincent Théotime
Constance Jausse

4 serveurs :
Fred Willin
Éric Arlin
Delilah Jourdin
Estelle Varde

2 délégués de Bienmange
Délégué commercial Marchaunoir : Déborah Flistein

Responsable grandes surfaces : Alexandre Tarmin

3 membres du club de supporters les Donec-Nox :
Président : Roger Lantrin
Secrétaire Général : Philippe Urlonde
Vice-Présidente : Céline Dorica

2 Banque Fiduce
Directeur Marchaunoir : Thomas Carbo
Directrice des opérations Volmeneur : Virginie
Blond

4 femmes de joueurs :
Nejma Trinquetaille
Eudoxie Jolssin
Angèle Bodombin
Juliette Cramarin

2 Pompiers Militaires :
Premier-Maître Fulgence Safor
Quartier-Maître Raymond Erdazian

Les présents lors de la remise du ballon à l'épicier
Lantrin avant le match Volmeneur – Crazié. C'était
la piste la plus probante, sur le cadavre le plus
bavard. En fait, des listes, et puis des listes, et puis
fait chier. Liste de noms, liste de courses, liste de
morts. Et plus qu'à laisser son imagination s'amuser
avec ça, désigner le tueur au petit bonheur, tester ses
préjugés. Qui avait le plus de chance d'être un
maniaque qui jouait au prédicateur avec les dieux de
l'Olympe dans ce merdier d'organigramme ?
   Déjà ce réflexe en Melchior Titin de ne pas envisager une main de femme derrière ça. D'abord parce
qu'il faut quand même du muscle pour maîtriser un
homme et le transbahuter sous coffre malgré sa résistance. L'Agent Titin était au courant que maintenant
les donzelles étaient capables de se flanquer des k. o

et de se démettre des épaules sur un tatami, mais, sous ce rapport, la clientèle des loges était plutôt achalandée en talons aiguilles et vernis à ongle qu'en haltérophiles du beau sexe. Puis il avait en lui cette idée dont il ne connaissait pas l'origine que l'hécatombe à étiquettes et le sadisme au métronome, c'était plutôt un truc de mec. À ce compte-là, déjà onze suspects en moins.

Après, c'était du pifomètre sur la base de l'emploi. Qu'est-ce qu'il y a de plus vicieux ? Un Président d'entreprise, un sous-caïd marchand, un camelot qui connaît l'art et la manière de fourguer sa merde en tête de gondole ? S'il se référait à son histoire personnelle, il aurait penché pour le banquier. Ça s'y connaît à faire chier les gens, un banquier. Titin s'était fait souvent couper le bide avec des « Désolé, mais là, il va falloir vous serrer la ceinture » ou des « Comprenez-nous monsieur, votre activité professionnelle ne nous annonce pas une augmentation de revenus immédiate. » Bon, de là à imaginer l'autre emmerdeur découper à la scie tout un macchabée, y avait nuance.

On y était quand même dans le petit jeu. Celui qui est si sympa quand on va au bout d'un polar et qu'on découvre quel genre de salaud l'auteur avait en tête de dénoncer. De stigmatiser, comme on dit. Un peu comme dans les goûters d'enfant où il faut placer la queue de l'âne. Un petit coup d'épingle pour donner le label ordure au golfeur divorcé, ou, assez souvent, au notaire qui cache un amateur de parties fines version marquages de bougresses au fer rouge. En général, dans ces bouquins, les types butaient parce qu'ils s'emmerdaient. C'était bizarre d'ailleurs cette théorie que la meilleure façon de remplir son emploi du temps, c'est de saturer les cimetières. Ça lui paraissait un peu court comme explication.

Alors quoi ? La perversité enfouie en chacun de nous jaillit d'un gars précis par une mystérieuse prédisposition gravée dans ses neurones ? Peut-être. Mais ça n'en répondait pas pour autant au pourquoi de toute cette affaire. Il aurait aimé sentir comment c'était Dieu possible qu'un type organise ses semaines pour débiter de la dépouille. Il fallait pas oublier que, pour éjecter ses sacrifices humains sur le bitume à raison d'un par semaine, c'est toute une organisation. Comme les victimes disparaissaient plusieurs jours avant d'être retrouvées dans un état au-dessus du dégueu, y avait de la logistique. Alors, il faut quand même un gars qu'a une idée fixe du genre bien ancrée.

Titin se demanda ce que ça lui ferait s'il comprenait un jour de quoi il retournait. Et puis ça voulait dire quoi, en l'occurrence, comprendre ? Mettre un parce que derrière un acte et appeler ça un mobile. Entendu. Mais c'était du rangement, ça, dossier ficelé, un problème, une solution. Un monde entre ça et cerner le mec qui se lève le matin, prévoit les choses, fait son biz comme un comptable, largue la marchandise, et à la douche. Un monde plein de détails ; un meurtre ce n'est pas une pensée immonde, mais une dizaine, une centaine bout à bout. C'était d'ailleurs dans les détails qu'on espérait le choper. Là, Titin devait trouver une photo pour chaque nom d'invités et écumer les magasins pertinents de Volmeneur en disant : « Est-ce qu'il y a quelqu'un que vous avez déjà vu parmi ces personnes ? » C'était pas un plan infaillible. Parce qu'on pouvait se retrouver en loges avant un match et être allé dans un magasin d'outillage ou chez un vendeur de plastique à enrober les cartes sans pour autant être convaincu d'un septuple homicide aggravé. Et puis, comme le tueur avait l'air tatillon dans sa démarche, ç'aurait été étonnant qu'il aille à la quincaillerie du coin. Il aura au moins fait l'effort de quitter la Province pour ses emplettes. Et puis maintenant, tout se trouve sur Internet. Alors il resterait à solliciter les centaines de sites spécialisés dans le monde, et même s'il se fournissait pas trop loin, les vendeurs font dans le pâté de têtes à force de conseiller les clients toutes les cinq minutes. Mal barrés, donc.

Mais fallait pas non plus se casser les bras. Avec des mais, il n'y a plus de solution qu'une bouteille. On pouvait avoir de la chance, enfin, dans cette putain d'enquête. C'était lui qui allait devoir faire le porte-à-porte et il fallait pas qu'il se désespère d'entrée. Melchior Titin aurait quand même aimé qu'elle se grouille, la secrétaire de Chassesplain, pour lui lâcher les trombis. Paradoxe, le club avait été le plus lent à obtempérer. Les mecs de Bienmange, Fer-de-lance et autres avaient été bien plus efficaces. Il y avait peut-être quelque chose à renifler dans cette mauvaise volonté. Un peu simple aussi comme preuve le petit délai d'une assistante à répondre aux demandes de la Force.

Malgré tout, il a fini par voir le petit bouton rouge sur sa barre des tâches, et c'était comme espéré un message du XV de Volmeneur. Imprimer le machin et se mettre au boulot. Il jeta un coup d'œil sur les douze pages énumérant tous les magasins de Volmeneur et des Faubourgs qui valaient le détour. Décidément, c'était sa malédiction, les listes. À peine levé, il poussa un gros merde, parce que la moitié des feuilles dégringola du dossier, fermé n'importe comment.

Samedi 18 novembre

Abderrahmane reçoit comme une gifle la lumière à la sortie du tunnel. Le problème avec les matchs joués l'après-midi, Hépyria n'étant pas une équipe assez excitante pour qu'on diffuse la rencontre en soirée. Pas de pluie, mais du vent. On l'aura dans le nez en première mi-temps, vaut mieux réserver les combinaisons avec coup de pied pour la deuxième. Ça gueule bien comme toujours. Stade du Brise-Lames plein. La fanfare joue déjà. Se laisser prendre par l'ambiance sans se déconcentrer. Y trouver la force.

Les capitaines se sont salués. On lui donne la balle et l'équipe est en place dans son dos. On attend encore un peu. Il regarde l'arbitre qui lui sourit. Il a un doigt posé sur l'oreille. On doit attendre que la télé soit prête.

Abderrahmane souffle, puis regarde le sol. L'endroit où le ballon devra tomber. Ne pas se laisser prendre par la nervosité. Une partie comme t'en as joué des dizaines. Pas vraiment d'enjeu. Juste emmerdant de perdre à domicile. Mais il faudrait qu'Hépyria sorte un grand jeu qu'on ne leur connaît pas. Il se retourne. Il voit les piliers prêts à foncer dans le camp adverse dès qu'il y aura projeté la balle. Il leur envoie un regard qui signifie « On commence fort, hein ? On est d'accord ? » Sgabardane leur a dit de les étrangler d'emblée : « Parce qu'ils ont du mal à s'organiser dans ces cas-là. S'ils prennent un peu confiance, ils peuvent trouver des solutions et même devenir chiants. »

Prendre donc le large tout de suite. Marquer des points. Puis se calmer et assurer la gagne. Gérer. Son boulot, justement.

— C'est parti, messieurs.

Un coup de sifflet et un geste ample qu'Abderrahmane ne voit pas. Il frappe. L'idée, c'est que la retombée se fasse au milieu de leur camp. Juste après son coup de pied, il pique un sprint la main tendue à droite pour dire aux trois quarts de se mettre en ligne de ce côté. Ça ne sert à rien, parce que les gars ont du métier, mais ça l'installe dans son rôle de meneur de jeu, puis ça fait croire à l'ouvreur adverse qu'on va déployer, alors qu'on compte envoyer le pack pour les bouger. Les impressionner. Il a une formule pour retrouver cette stratégie en lui. « Ascendant psychologique. »

Vendredi 17 novembre

— Pourquoi t'es pas revenu plus tôt ?

— J'avais besoin de prendre l'air. De réfléchir.

— Tu nous as laissés nous démerder avec les deux cadavres.

— J'étais en pleine crise.

— Et ça y est, ça va mieux ?

— Je crois.

— Tu aurais dû revenir dès le coup de fil de Glazère.

— On est obligé d'en reparler ?

— Non. Mais laisse-moi te dire que c'est difficile d'idéaliser un mec qui va se terrer chez ses parents en pleine tempête. J'ai beaucoup de mal à faire coller cet épisode où tu me laisses tomber en pleine guerre avec l'idée que je me suis faite de toi. Depuis, c'est bizarre, il y a une question qui me trotte dans la tête, tu vois, comme un tube, et cette question c'est : « Est-ce que Fénimore n'est pas tout simplement un con » ?

— On ne s'en sortira pas aux injures.

— Et tu comptes faire quoi pour qu'on s'en sorte ?

— J'ai quelque chose à te proposer.

Samedi 18 novembre

— Blocs, les gars, blocs !

Aurélien a gueulé ça de la touche parce qu'il sait très bien qu'on a envie de jouer dangereusement. Abderrahmane se doute que ça vient directement de Sgabardane là-haut. Il doit voir plein de choses et se faire sa partie d'échecs. Mais Abderrahmane a la conviction que ce n'est pas le moment de leur donner de la stratégie bien réglée. Il faut leur mettre la folie.

L'ouvreur regarde l'immense tableau d'affichage au-dessus des perches. Vingt-et-une minutes. Une pénalité partout. Rien n'est fait. On a donné dans le rugueux jusqu'à présent et la consigne, c'est de continuer. Il faut les surprendre. C'est son boulot d'estimer la situation du milieu du combat. C'est une règle non écrite qu'à son poste il a le droit de temps en temps d'outrepasser les ordres du coach sur une sensation. S'il se loupe, bien sûr, il se fera engueuler. Pas ça qui l'empêchera de faire son boulot. Félix dit :

— Courseglobe noir !

Ça veut dire qu'il va envoyer sur lui si on récupère après la touche.

— Malloy, oh, Malloy !

Pendant que l'alignement se met en place, Abderrahmane fait un geste discret au premier centre. Index et pouce, puis balayage de la main. Ça signifie : je joue sur toi et tu franchis, ensuite, on improvise. Malloy du coup se retourne vers le deuxième centre.

Puis le deuxième centre reproduit le balayage pour les autres, la consigne est passée : jeu libre.

On est dans notre camp, il faut soixante bons mètres pour aller marquer, mais Abderrahmane sent ses trois-quarts en jambes et il a bien vu que la troisième ligne adverse ne se met jamais assez vite en défense. C'est quand même risqué de tenter ça de si loin. Si le ballon est intercepté, on en prend un. Qui ne tente rien n'a rien. C'est le talisman verbal qui résout le dilemme pour Trinquetaille.

Bon, c'est parti. Bonne prise en touche, bonne passe, bon enchaînement. Malloy a franchi. Il va essayer d'y aller seul. Abderrahmane accélère et hurle :

— Droite, droite, droite.

Malloy a eu la bonne idée de jeter un coup d'œil et de voir le surnombre au niveau de ses trois-quarts. Il fixe le premier adversaire. La balle passe de joueur en joueur. Encore deux Outrenoirs à l'attaque et il ne reste qu'un défenseur. Obligé que ça passe. Abderrahmane fait l'effort de s'offrir en bout de ligne au cas où, mais Foulques a récupéré et il a pris le boulevard. Essai.

En lui apportant le tee, Aurélien a un regard significatif. L'ouvreur dit :

— Ils sont pas très mobiles, fallait en profiter.

En se courbant sur le ballon, il se dit que ce n'est pas ça qu'il voulait expliquer. Que sa pensée est en fait qu'il fallait un jeu libre, parce que ça ralentit toujours un peu les gars de penser aux schémas, et que là on était sûr de passer avec de la vitesse. Débarrassé de sa réflexion, il souffle. Tu es contre le vent, il faut cogner. Ne pas penser. Ne rien entendre. Pas même le grand silence qui attend son geste. Traverser la balle. Fluide. Ça passe. 10 à 3.

Quand Abderrahmane court pour se remettre en place, quelque chose le coupe net. Félix est au sol et se tord de douleur. Il va vers lui, inquiet. Puis c'est le

kiné qui l'écarte. Il pose ses questions. Félix geint.
Pour Abderrahmane, c'est sûr, Félix va sortir. Il va
devoir composer une charnière avec Corentin Dimbiel. Bon avec les avants, mais pas toujours fiable sur
la passe. L'ouvreur entend Cramarin gueuler en bon
capitaine :

— On est en place, on reste en place !

Abderrahmane se retourne ensuite, et il crie :

— Annonce les mecs, annonce !

On n'improvise plus. Un clin d'œil pour Corentin
qui est rentré. C'est reparti.

Vendredi 17 novembre

— Je n'ai pas d'avenir avec Adélaïde. On a toujours été trop différents. Au début, on réussissait…

— Tu vas pas me parler de ton histoire avec elle ?

— Non. Ce que je veux te dire, c'est que j'ai décidé de – comment dire ? – me mettre avec toi. Mais qu'après le retour d'Adélaïde ma peau est… Ma peau n'est pas prête. J'ai besoin de muer vers toi. Pour ainsi dire.

— Catastrophique, cette conversation.

— On a besoin d'un temps d'adaptation. En tout cas, moi j'en ai besoin. Et comme on se voit tous les jours, comme on travaille ensemble…

— Comme on habite la même ville, comme on a les mêmes horaires, tu vas toutes me les faire ou tu vas me cracher le morceau ?

— Je pense qu'il serait bon, qu'il serait utile qu'on ne se voie pas en dehors du travail pendant un mois. Passé ce délai, on reprendrait tranquillement, et là, je crois que ça pourrait être très bien.

— « Passé ce délai », « être très bien », non, mais tu t'écoutes ? J'ai l'impression d'être au téléphone avec un type qui me vend des fenêtres.

— C'est pas mal, les fenêtres. C'est le début de l'évasion.

— Tu sais que tu as le pouvoir de rendre les gens malades rien qu'avec tes mots ? Bon. Maintenant, c'est toi qui vas m'écouter.

Samedi 18 novembre

Les mecs d'Hépyria ont dû se prendre un concert à la mi-temps, parce que, depuis qu'on a repris, c'est grosse caisse, trompettes, et assauts répétés. Désordonnés. Ça fait partie du métier de savoir calmer ce genre d'ardeur. Comme Abderrahmane est un peu dégingandé, plutôt fin, ils font toujours péter sur lui en attaque le troisième ligne centre, au mieux le troisième ligne aile le plus proche. Abderrahmane reçoit le combat. Il était trop doué enfant pour qu'on ne le harcèle pas sur sa défense, alors, il connaît tous les tours pour faire tomber un homme, aussi lourd soit-il.

Abderrahmane se laisse aller à l'euphorie des chocs. Il s'amuse à essayer d'arracher la balle. Il se fait éjecter. Pas grave.

Deux minutes plus tard, il est à nouveau en rempart et il tient bien le mec, son vis-à-vis en plus. Alors il le soulève bien haut, histoire que plus dure soit la chute. Il a droit à un rugissement d'approbation du public. Ils ne passeront pas. C'est décidé. Dommage qu'Hépyria ait marqué une pénalité si tôt, parce que ç'aurait été chouette de les renvoyer dans leur bled du bout du monde avec un zéro point scotché à leur valise.

C'est comme un vin qui lui monte à la tête, c'est tout son corps qui se libère de pouvoir jeter sa haine contre ces mecs. Oh, il sait très bien que les senti-

ments ne sont pas de saison. Il ne s'agit pas de ça.
Pas plus que la rage qui saisit juste avant l'apogée du
désir n'est vraiment une violence. Juste une exaltation à laquelle on s'abandonne. C'est ce qu'ils ont promis d'endosser en même temps que le maillot. Des
types expliquent parfois que c'est pour les voir dans
cet état que ça fait du bien au public de les voir. Que
ça le dissuade. Que ça le vide. Peut-être. Ici le bonheur est réel, quoi qu'il en soit. Et quand un type
s'amuse à lui planter une claque bien vicieuse dans
la gueule pour l'écarter de sa route, il est ravi de se
relever et de planter le front dans le sien pour qu'il
comprenne à qui il a affaire. Une seconde plus tard,
Malloy envoie un plaquage qui fait un bruit sourd, et
puis un gémissement qui ne trompe pas. Tampon en
plein buffet. Thorax défoncé. L'adversaire a lâché la
balle. En avant. On récupère. Ondée d'applaudissements. Ils ne passeront pas.

Vendredi 17 novembre

— Tu vas m'écouter et tu ne vas pas m'interrompre, Fénimore. Je sais pas si t'y as pensé, mais on
ne s'est pas vus depuis plusieurs jours, je me suis fait
du souci, et pas seulement pour moi, pour toi surtout,
un peu pour nous, c'est entendu. Et au lieu de me
demander comment je vais, ce que j'ai fait, si c'était
pas trop dur sur l'enquête cette semaine, tu me sers
sans sommation ta stratégie à deux balles avec salle
d'attente et délai estimé. On a été directement
menacé par le tueur, bordel de merde, Glazère te l'a
dit et toi t'as pas bougé, et quand tu reviens : même
pas un « Comment tu te sens ? »! J'existe, Fénimore.
Je suis pas qu'un choix entre deux filles et la case à
cocher. Tu m'as baisée, gnôlé comme un cochon, et
puis tu t'es terré dans ta bouderie parce que
l'ancienne a décidé de nous faire le coup de la surface. Merde, j'ai eu quoi de toi ces derniers temps ?
la gueule, les humeurs et l'absence. Ça ressemblerait
à quoi, notre histoire, avec cette scène en préambule,
hein ? Amuse-toi avec ton passé, Fénimore va,
tourne-le bien en bouche, déguste ta mort. Je n'aurai
pas la bonté de te supplier de bien vouloir me briser
le cœur. Je refuse. Je ne t'attends pas. Je ne veux plus
entendre parler d'être ensemble. On va se voir, on va
bosser, parce que je ne suis pas une de ces nanas dont
l'imagination ne va pas plus loin que la construction
de leur comédie romantique à la première personne.

Je ne suis plus là pour toi. Fais ce que tu veux, retourne avec ton ex si ça te chante. Seulement, tu ne m'en parles pas. Tu ne m'en parles jamais. Je n'ai plus rien à dire. Je suis triste. Et je te déteste d'avoir préféré me rendre triste plutôt qu'avoir la force de laisser notre joie déranger ton martyre.

Samedi 18 novembre

Ça fait cinq minutes qu'on les pilonne. C'est le moment d'appliquer la stratégie qu'on a bossée toute la semaine. L'heure de planter l'estocade du leurre. La dernière fois qu'on a joué le passage au centre du terrain, l'ailier est venu défendre. Sûr et certain qu'il va croire à la redite et pas protéger son aile. Dimbiel fait une bonne passe, Abderrahmane décoche son coup de pied. Il a senti à la tension des cuisses que le ballon allait tomber comme il faut. Deux ou trois respirations et le stade gueule. À cause d'un joueur dans son champ de vision, Abderrahmane n'a pas vu Faure récupérer et plonger dans l'en-but. Ils n'ont même pas eu le temps de le toucher et il n'y a pas eu besoin de soutien. Et c'est un bonheur de voir couronner par une évidence si palpable tant de travail et de gammes. Il murmure pour lui : « Réglé comme du papier à musique. »

Il se sent décontracté et sûr de son fait pour la transformation. Pas évidente, pourtant. En coin. Mais il ne serait pas un buteur s'il ne savait pas s'en débrouiller. Utiliser la courbure du vent. Tout va si bien et c'est si simple qu'il a l'impression d'être devant sa télé et de n'avoir qu'à attendre que le commentateur dise avec toujours ce même ton : « Et ça passe. » Ça passe en effet. Il est content.

En s'éloignant, Trinquetaille jette un coup d'œil au tableau d'affichage. Plus que trois minutes à jouer. Il sourit à Athanase qui lui donne une bourrade de capitaine satisfait. C'est un bon match.

Après le coup de sifflet final, après le chant avec le public, pendant qu'Abderrahmane passe dans la haie d'honneur faite par l'adversaire, tandis que les copains le chahutent, parce qu'on ne sait pas pourquoi, mais cette victoire va faire du bien, il aperçoit le journaliste qui le hèle et la caméra qui attend.

— Alors Abderrahmane, on t'a beaucoup vu aujourd'hui, en défense, à la baguette de l'attaque, très en forme et très stratège aussi, on sent qu'Hépyria était en-dessous tactiquement, bref, ça a été une bonne partie, non ? Comment ça s'est passé ?

Il a un soupir de rire parce que les journalistes sont drôles avec cette façon de loger leurs remarques au milieu de leur question et du coup de présenter un fourre-tout glissant à la réponse.

— L'important, c'est de faire un match plein avec une stratégie posée. Il y a aussi la fraîcheur, l'engagement. Rien n'est possible sans le collectif, et il faut savoir être à sa place. Seule la victoire est une vérité. On y est arrivé, et ça fait plaisir.

— Un mot sur le prochain adversaire : Késidon, c'est du rugueux et vous vous déplacez. Vous êtes sur une bonne série, donc on imagine que vous voulez continuer. C'est ça l'idée aujourd'hui : surtout ne pas perdre à Késidon ?

— Ce serait bien, c'est sûr. Mais une saison, ça se joue match après match. On verra la semaine prochaine comment ça se présente.

— Vous allez continuer à appliquer le côté très tactique du coach Sgabardane ?

— Le coach est la tête pensante du groupe. Il y a aussi les messages du terrain. Et puis jeu a son mot à dire. L'équilibre est entre la préparation et l'adaptation.

— Merci, Abderrahmane.

Et il disparaît dans le vestiaire. En mastiquant les objections qu'il pourrait faire aux adages qu'il venait de lâcher.

Vendredi 17 novembre

Casilde est partie à larmes et fracas, et Fénimore se rend compte qu'il va devoir régler l'addition tout seul. Alors que l'état de son compte en banque prête aux sueurs froides. Il regarde la chaise vide en face de lui. Et s'enfonce dans le vide qui règne dans lui.

Samedi 25 novembre

Huitième journée :
Késidon – Volmeneur

M

Ê

L

É

E

1
pilier
gauche
Vaast
DRAGOULÉMANE

2
talonneur
Baruch
KLÉDINSTEIN

3
pilier
droit; capitaine
Gabar de
GALFATASSE

4
deuxième
ligne
Jacob
THÉOVITTE

5
deuxième
ligne
Sébald
LESCARBORDE

6
troisième
ligne aile
Sixte
DARSSIN

8
troisième
ligne centre
Terce
HACHETTE

7
troisième
ligne aile
Yann
HURLAR

C
H
A
R
N
I
È
R
E

9
demi
de mêlée
Pépin
PÉRÉGRIN

10
demi
d'ouverture
Judicaël
GALBOND

T
R
O
I
S
-
Q
U
A
R
T
S

11
ailier
gauche
Malloy
GRUVALD

12
centre
Zacharie
HAOUSSLINE

13
centre
Casimir
ALABADIN

14
ailier droit
Foulques
BODOMBIN

15
arrière
**Constant-
Baptiste**
FAURE

REMPLAÇANTS

16. Kétil LAMARSINEINBA
17. Mahmoud MEFULAA
18. Désiré CALFIN

19. Iker DELAVENTIN
20. Corentin DIMBIEL
21. Abderrahmane TRINQUETAILLE

22. Nazaire MARLIN

SOULIGNÉ DANS LE CALEPIN DE L'ENQUÊTEUR PROVINCIAL
FÉNIMORE GARAMANDE :

SE REPRENDRE

Samedi 18 novembre

FICHIER GÉNÉTIQUE INTERNATIONAL :
EFFICACITÉ ASSURÉE OU LIBERTÉ MENACÉE ?

Le journal était resté ouvert à la page des débats. Un ulcéré de renom y ressassait ses arguments contre le fichage systématique des A.D.N. de la population, qui menaçait de se faire après des années à l'envisager pour se faire peur ; une indignation sur quatre colonnes.

On était peut-être en train de glisser dans une société de cauchemar. Peut-être. En tout cas, Fénimore savait que ça ne déclencherait pas ce haut-le-cœur de catastrophe qui monte à lire un roman d'anticipation. Le mal ne surgit pas comme un lapin hors du chapeau. On ne sombre pas dans l'erreur, on y glisse sans s'en rendre compte. Trompeurs sont les avertissements et trompeuses les colères. Une justice et une société meurent toujours de ce qui se tait. Un totalitarisme réussi, c'est comme un crime parfait. On ne sait même pas qu'il a eu lieu.

C'était tout ce que Fénimore avait à penser sur le sujet et il partit se doucher. Sous l'eau, il se dit que le monde dans lequel il vivait ne le touchait que par griffures superficielles, quand il prenait le temps d'allumer la radio, comme maintenant. Vagues questions, inquiétudes légères, aussi lointaines que le souci d'appeler un ami qu'on n'a pas vu depuis longtemps. Il se sécha puis sortit de la salle de bains en se rendant compte qu'il n'avait rien écouté du bulletin d'information. Il faut dire que le ton au carré et les phrases à la pince à épiler des journalistes ratiboisaient tout. Pas moyen d'y repérer la musique des faits ou les échos de demain. Sur les fichiers génétiques, ça allait de toute façon s'énerver, puis se calmer. Puis l'affaire se déciderait sans plus de commentaire. L'air du temps serait aux scrupules à dégager. Cycle de l'information. C'était sans doute pour ça que le sport avait pris une telle importance. Avec ses événements préfabriqués à périodicité régulière et à portée hebdomadaire, avec ses drames effacés en une cuite, il collait parfaitement à l'époque. D'ailleurs on avait tendance à tout rapporter à des métaphores sportives : « la gagne », « l'esprit d'équipe » étaient des expressions qui donnaient le sentiment aux hommes politiques de se mettre à portée d'électeurs.

Fénimore s'extirpa de sa litanie misanthrope en deux gorgées de café. Il jeta un coup d'œil aux enveloppes sur le plan de travail de la cuisine. Factures. Un peu de courage. Il les dépouilla comme on parcourt des lettres d'injures. L'examen de ce qu'il devait achever, il mit l'adjectif tragique sur sa situation. Rappel à l'ordre, comme auraient dit ses amis en short. C'était une réalité qu'il s'arrangeait toujours pour oublier, mais vivre n'est ni une question d'envie, ni une question de talent, mais de moyens. À chaque fin de mois, chacun reçoit une autorisation à exister, comme il y a des autorisations de découvert. Lui qui avait eu la bêtise de choisir un métier à la dimension éthique gratifiante, il en recevait la récompense par un salaire qui, lui aussi, était du domaine du pur principe. Il fallait faire dans le spectaculaire si on voulait respirer à proportion d'envies. À défaut, on croyait aimer, faire la fête, avoir des amis, des problèmes, des passions ; pour se rendre compte qu'on a surtout eu des dépenses. Les sentiments ne sont pas exonérés. Et ses pots avec Casilde, ces films qu'il avait loués sur Internet pour prolonger des moments, ces livres un peu trop vite commandés pour creuser l'enquête, tout cela révélait à présent son vrai visage de soustractions sur son compte, et puis de nombre rouge sur le site de sa banque à côté de son nom.

Il fallait peut-être louer l'intelligence de tous ceux qu'on dit vénaux, intéressés. Eux du moins ne se laissent pas hypnotiser par leurs réjouissances, pour recevoir ensuite leur récapitulatif de paiement comme un décret du destin. À savoir aussi ce qu'on y gagne. Chaque chance réduite à un investissement, un monde où ne surprenaient ni en bien ni en mal les erreurs de calcul de l'espérance. L'humiliation était cependant indéniable. La rupture de la veille, sa cruauté envers Adélaïde, son enquête menée comme un colin-maillard, son fils dont il n'avait plus la force d'être le père, le résultat de cette addition était sa banqueroute.

Il pensa à Vladimir. À ce caractère qui se posait, touche à touche sur son visage, et qui disait, déjà, la saveur de son âme. Il l'aimait. Mais c'était bien joli, aussi, cette réponse à tout de l'amour. On ne donne pas ce qu'on ressent mais ce qu'on se sent digne de donner. Et la magie du cocufiage, c'est qu'après vous avoir brisé une fois, il se partage aux dés le moindre sentiment, même paternel.

Maintenant, il était seul, et il n'avait qu'une réponse à portée, une prise, cette enquête à traquer un imbécile qui ne sera content que lorsque l'humanité entière se sera suicidée pour expier d'être mortelle.

Le type avait l'air de se sentir bien dans son trip de délateur de l'insuffisante condition. C'était devenu un classique du crime, ces carnages prédicateurs. À tout péché, une épithète. Et une sentence. Et qu'est-ce qui leur prenait, aux débiles, de prendre Jack l'Éventreur pour super-héros ?

Il les avait menacés directement. Il s'était moqué de sa liste. L'Enquêteur Provincial Fénimore Garamande, ce matin, le non de Casilde encore en tête, la conscience de sa lâcheté face au dilemme en jupons toujours frais, le rhumatisme de l'argent bien réveillé, le chagrin de ne savoir être père encore brumant sur lui, vit donc dans la traque de ce malade le seul moyen de se refaire une estime, d'atteindre à assez de force pour affronter la pauvreté surhumaine de recevoir.

Dimanche 19 novembre

— Et toi, tu es qui ? Je vais te le dire : un des plus grands espoirs du rugby républicain qui joue les bouche-trous dans son club, voilà ce que tu es. Ça fait peut-être mal de voir la réalité en face, mais ils le feront pour toi, de toute façon, tu m'entends, Zacharie ? Les journalistes, les supporters, ils vont pas se priver de dire du mal. C'est leur sport à eux, ça, trouver ton côté minable et bien taper dessus. Ça leur fait plaisir ou ça les rassure, je ne sais pas, en tout cas, c'est comme ça. Non, mais, tu n'as commencé que trois fois en sept matchs, et tu as toujours été remplacé, tu ne peux pas te satisfaire de ça, Zacharie ! Et là je lis qu'un type de la réserve va peut-être prendre ta place ? Ça va pas être possible, ça, y a pas moyen.

— Arrête de m'appeler Zacharie.

— Et comment tu veux que je t'appelle ?

— Quand tu répètes mon prénom comme ça, on dirait ma mère.

— Ouh, non ! alors, là, non ! Tu vas pas me faire le coup à chaque fois que j'essaie de t'aider.

Elle était un peu plus âgée que lui, très jolie, et sans doute trop intelligente.

— Qu'est-ce que tu veux que je te dise ? Je joue dans un des plus grands clubs de la République. Il y a de la concurrence. C'est comme ça.

Il avait haussé la voix, comme un adolescent qui n'a pas mieux pour faire valoir son contestable droit.

— Non, c'est pas comme ça, si tu commences à penser ça, tu es mort, Zacharie. Oui, il y a de la concurrence. Justement. Tu dois être le plus fort. Sinon, tu es mort. Et tu as de la chance d'avoir quelqu'un qui tient assez à toi pour avoir l'honnêteté de te le dire.

Elle s'appelait Judith, elle le connaissait depuis l'enfance et avait cinq ans de plus que lui. Quand ils avaient agi en amoureux l'un envers l'autre, ça avait fait plaisir à leurs familles. Maintenant, ils étaient fiancés. Elle était avocate, et l'aimait plus que tout, sans s'être guérie de l'avoir d'abord désiré sous les traits d'un garçon qui adorait lui obéir.

— Et tu veux que je fasse quoi ? Hein ? Qu'est-ce que je peux faire, à part ce que je fais ?

— Tu peux justement faire beaucoup mieux que ce que tu fais. Gagner, c'est un état d'esprit. Pour que le coach t'aligne tous les samedis, c'est pas compliqué, il faut que tu sois toujours le meilleur à l'entraînement. Et je te connais, tu ne brilles pas franchement par ta constance.

— Tu es complètement injuste.

— Non, mais tu veux que je te relise ce qu'ils disent de toi sur Internet ?

Sans prévenir, ce furent les larmes, juste une ou deux qui tombent sur le nez qui rougit, puis quand même un sanglot. Zacharie passa un bras impuissant autour de l'épaule de Judith. C'était peut-être à cause de ça qu'elle avait envie d'une dispute, en fait. À savoir les allusions à ses prétendues frasques nocturnes qui se glissaient au milieu de commentaires désobligeants sur son caractère et ses performances. Et qui avaient transformé son couple en procès perpétuel.

— Tu sais bien que ce sont des racontars.

— Je sais pas, Zacharie, je ne sais plus... Tu crois que je vois pas les attitudes que tu prends ?

— C'est dans ta tête, tout ça.

— Trop facile, Zacharie. Est-ce que tu peux me jurer que tu n'as jamais couché avec une autre fille ?

— Je peux le faire pour la millième fois, ça changera quoi ? Si tu n'as pas confiance...

— C'est encore de ma faute ?

— J'ai pas dit ça. Mais c'est pas de la mienne non plus. Tu peux quand même pas dire que je fais pas ce que je peux pour te rassurer. C'est pas compliqué, à part les soirées du jeudi – où je ne peux pas t'incruster, tu le sais –, je suis toujours avec toi.

— Ouais, et il y en a pas des groupies le jeudi soir, peut-être ?

— C'est pas possible, on s'en sortira pas.

— C'est dégueulasse de dire ça...

— Mais à la fin, qu'est-ce que tu attends de moi ?

— Que tu m'aimes. Que tu me le prouves.

Il la serra fort dans ses bras. Il ne voyait rien d'autre.

— T'as pas tort sur l'équipe. Je me suis peut-être un peu laissé aller ces derniers temps.

— On se demande bien pourquoi.

— Parce que je joue depuis que je suis enfant, parce que ça fait deux ans que je suis pro, parce que c'est pas facile d'être à fond tout le temps.

— Zacharie, tu vaux mieux que ce qu'ils disent. Il faut que tu leur montres. J'en ai assez que l'homme que j'aime soit pris pour un branleur.

Judith n'était pas de ces femmes qui ont choisi leur mari sportif pour être riche et célèbre sans avoir eu besoin dans la vie d'être mieux que jolie.

— Je comprends. Mais il ne faut pas tout mélanger non plus. Si tu as besoin que j'aie bonne réputation pour m'aimer, qu'est-ce que c'est, notre amour ?

— C'est pas le problème, tu le sais très bien. Je veux pouvoir être fière de toi, c'est tout. Je crois en toi. Et puis non, c'est même plus simple. Je veux que tu sois heureux, et tu ne le seras qu'en donnant le meilleur de toi-même, qu'en étant aussi bien que je te vois, aussi fort que je te vois. J'aimerais te convaincre que tu es comme ça. C'est mon cadeau. C'est mon amour. Et c'est atroce cet écart entre mon amour et tes gâchis.

— Et si je me donne à fond, tu sauras que c'est toi que j'aime et que toutes ces histoires c'est des conneries ?

Elle sourit, parce que c'était malin de sa part, et qu'elle avait une tendresse d'aînesse pour ces moments où il trouvait le moyen d'être un peu malin.

— Marché conclu.

*
* *

Les dimanches où elle n'était pas d'astreinte, la Procureure Caterina Glazère entrecoupait de moments avec ses enfants et de taquineries à l'endroit de son mari les vingt coups de fil urgents qu'elle recevait de son Substitut. Le soleil allait se coucher et elle en venait à être inquiète, parce qu'on ne l'avait pas dérangée une seule fois aujourd'hui. Elle paressait devant la télé en ballerines, écoutant affectueusement son mari ronfler son gigot, ses frites, sa bouteille de rouge à lui seul et le digestif qu'il était parvenu à lui extorquer. Ce n'était pas qu'elle lui en voulût de prendre de la bedaine, elle aimait plutôt ce défaut qui se caressait d'une main polissonne, et ces touffes filasses qui lui donnaient à présent dans sa sieste un air de savant de dessins animés. Mais le père de Romain était mort jeune, et elle se méfiait.

Laissant son bonhomme reposer, elle alla mettre le nez dans ce que faisaient les filles. Fidèles à leur onze et treize ans, elle les soupçonnait d'être en train de déblatérer le bellâtre au téléphone. Mais ses deux inspections firent chou blanc et elles paraissaient absorbées par leurs devoirs. Il y avait du conte fantastique dans cette perfection, et Caterina Glazère

377

trouvait ce dimanche suspect, et extrêmement ennuyeux. C'est parce qu'elle pensa aux comiques mauvaises humeurs de son mari chaque fois qu'elle le réveillait qu'elle alla s'asseoir sur le bras du canapé et lui caresser la joue avec un sourire taquin.

— Hum ?

— Tu as bien dormi ?

— Hum. Je peux pas te dire ça après mon réveil ?

— Tu peux me le dire, maintenant que tu es réveillé.

— Manque pas d'air.

Il bâilla, les yeux encore fermés, son visage tâchant d'exprimer une réprobation qui ressemblait fort à du plaisir. C'était ainsi. Ils adoraient se frotter à leurs défauts. Son sale caractère à lui, sa mauvaise foi à elle, ils y trouvaient leur complicité. Comme elle constata qu'il n'arrivait plus à se défendre de sourire, et comme elle savait qu'être réveillé sans proférer d'injures était pour lui un effort intense, elle fit claquer sur sa tempe un vigoureux baiser, où elle renifla une odeur de fruit mûr, macéré en liqueur.

— Alors tu t'en vas ?

— Le boulot n'attend pas, une urgence, mon chéri, il reste du gigot, je compte sur toi pour faire dîner les filles.

Elle gloussa. Bien des pontes de Volmeneur qui bavaient devant l'élégance intimidante de la Procureure auraient sifflé ce comportement. Quoi, la sublime Glazère à minauder comme une gamine devant ce gros tas ? Bien des pontes de Volmeneur ignoraient qu'ils manquaient précisément de la sensibilité et de la bonhomie qui étaient le genre de la sublime Glazère. Romain était bon zigue, droit, drôle, et amoureux sans en avoir l'air ; l'idéal à ses yeux. Elle reprit, caressante :

— Mais non, je ne m'en vais pas, pourquoi tu dis ça ?

— L'habitude, Caterina, l'habitude. Ce qui, étrangement, fonde la règle et fixe les jugements.

Romain était Professeur de Droit, et ils s'admiraient depuis le début de leurs relations de s'être entendus malgré tout.

— Eh bien, tu vois, il faut s'en méfier, parce que je ne vais nulle part.

— Et je peux savoir pourquoi tu m'empêches de goûter un repos que je dirais, sans me vanter, bien mérité ?

— Parce qu'on ne se voit jamais et parce que je m'ennuie.

Il s'était redressé, le regard sans azimut, surjouant la surprise.

— Non, mais, est-ce que par hasard tu ne serais pas en train de te foutre de moi ?

Elle riait franchement quand l'aînée, Antoinette, demanda du bout du couloir :

— C'est quoi l'Écran-Noir ?

Romain implora Caterina des yeux qui lui murmura un joueur : « Je reviens », avant d'aller expliquer un épisode historique épineux à concilier avec la haute idée de la République que les manuels cherchaient à enfoncer dans le crâne des collégiens. Elle sortait du salon quand le portable vibra.

— Oui ?

— Allô, madame la Procureure ?

— Elle-même.

Ton irrité, rodé auprès des marchands de tapis par téléphone.

— Casilde Binasse. Désolée de vous déranger, madame la Procureure, mais est-ce que vous avez écouté Radio République cet après-midi ?

— Nnnon. Pourquoi ?

— Le mieux est que vous écoutiez.

— Très bien, merci, je vous rappelle au besoin. Au revoir, Enquêtrice Binasse. ( ). Romain, tu t'y colles pour l'explication.

Son mari, la voyant revenir, essaya de lui adresser une mine dissuasive.

— Pas le choix, une urgence.

Le contraste de tendresse était saisissant. Comme il y était accoutumé, il se contenta de grogner en se levant.

— Merci, Romain.

Le genre de courtoisie qu'on témoigne à des inférieurs. Caterina s'en voulut de cette montée de mauvaise humeur, mais elle détestait qu'on lui fasse le coup du « C'est si important qu'il faut que vous le découvriez par vous-même. » Ça avait le désavantage d'ajouter le suspense à la probable tuile.

Elle se retira dans la salle de bains et alluma le petit transistor. Un bruit glavioteux avant de trouver la fréquence. Des grincements métalliques à déchirer le tympan. Après un bon gros « merde » et une tape d'humeur contre le lavabo, elle trouva le bon réglage.

— *Radio République – Marchaunoir, dix-sept heures vingt-sept. Rugby : on jouait hier la septième journée du Championnat de la République, qui a vu la victoire de Volmeneur face à Hépyria, et Pitiébourg chuter contre Flammerange. Au classement, Capitale reste premier et le XV outrenoir deuxième. Commentaire d'Éleuthère Sgabardane sur la situation sportive de son club, cette fois.*

Pourquoi « cette fois » ?

« *On n'est pas mécontents d'être deuxièmes et on n'espère pas rejoindre Capitale tout de suite. Ils ont remporté tous leurs matchs jusqu'à présent et on ne voit pas pourquoi ils faibliraient. Nous, notre objectif, c'est de se classer dans les quatre premiers à la fin de la saison pour atteindre les demi-finales. On est dans les temps. Si on est leader à l'issue de la saison régulière, on ne s'en plaindra pas, mais ce n'est pas une fin en soi. L'objectif cette année, je le redis, c'est d'aller en demi-finale, puis en finale, puis de la gagner. L'essentiel, c'est d'être dans les quatre premiers.*

« — *Vous rencontrez Késidon samedi prochain. On sait assez peu de choses sur cette équipe, qui vient d'être promue...*

— *C'est vrai qu'on a assez peu d'informations sur Késidon. Mais on a quand même étudié leurs vidéos. C'est une formation solide qui a fait un très bon début de saison. Mais on devrait avoir les armes pour les bouger. Après, sur un match, tout peut arriver.*

— *Des idées sur la composition de l'équipe ? Il y a pas mal de joueurs qui semblaient fatigués contre Hépyria ?*

— *Écoutez, il va en effet falloir faire tourner l'effectif. C'est pour ça qu'on a un groupe de pros solides, avec une bonne profondeur de banc. On verra à l'issue des entraînements cette semaine. Pour l'instant, je peux pas vous en dire plus.* »

Éleuthère Sgabardane au micro d'Alex Nefan.

Ça allait saigner si Casilde l'avait dérangée pour écouter ces conneries.

— *Dix-sept heures, dix-neuf heures, la grande édition du dimanche avec le rappel des titres. Et, en une, le scandale du tueur de l'Olympe avec les révélations d'Ariane Bontin sur des éléments tenus secrets par la Police, nous y revenons dans un instant. Fichier génétique international : l'Antalagne se prononce aujourd'hui sur l'adoption du texte, tandis que, dans la République, les Sénateurs restent divisés. Cinéma, avec le succès de* Demain, si tu pars. *Nous serons avec Erwan Vadatche, acteur principal de ce film, qui est l'invité de cette édition.*

Un bruit retentissant qui ressemble à une chasse d'eau de sons.

— *Nous vous le disions il y a un instant, de nouvelles révélations sont tombées au sujet des meurtres de Volmeneur. L'assassin qui s'inspire de la mythologie grecque et qui a déjà fait sept victimes en deux mois serait un proche des Outrenoirs. Un aspect de l'affaire rigoureusement tenu secret jusqu'ici. Ariane Bontin.*

— *Oui, Francis, et on ne sait pas encore si l'assassin est ou non un proche du XV des Gardiens, mais ce qui est d'ores et déjà certain, c'est que tous les meurtres sont liés au club. Des informations qui sont parvenues à notre rédaction de source anonyme expliquent en effet que toutes les victimes, dont l'identité avait été tenue secrète jusqu'ici, faisaient partie de l'entourage du club. Le Parquet contacté aujourd'hui n'a pas souhaité faire de commentaires. Un silence qui en dit long sur l'embarras de la Justice, qui piétine depuis le début dans cette affaire.*

— *Ariane, on a le sentiment que les autorités font ce qu'elles peuvent pour protéger la réputation de l'équipe ?*

— *C'est en tout cas l'impression que produisent ces cachotteries. Rappelons d'abord les faits. La première victime, Majda Benour...*

Après deux sonneries, après un brûle-pourpoint musclé, après des explications fumeuses de la part du Substitut pour expliquer pourquoi on ne l'avait pas consultée avant d'opposer le « sans commentaire » à la presse, après l'assurance enfin que seule la radio en parlait pour l'instant et depuis dix-sept heures seulement, la Procureure Caterina Glazère laissa reposer son téléphone. Puis elle lâcha un cri de rage avant de s'élancer.

— Mais qu'est-ce qui se passe ?

— Rien !

Songeant que son mari avait dû avoir peur pour elle :

— Un problème au boulot.

Puis Caterina Glazère enfila son manteau et gagna l'ascenseur.

Lundi 20 novembre

Jean était le médecin parfait : calme, grisonnant, accomplissant sa tâche avec une dextérité tirée du tréfonds de son expérience. Toujours le mot pour dédramatiser. Toujours un geste à opposer au pépin. Pour le moment, il examinait le cliché avec un sourire et les demi-lunes au bout du nez.

— Alors, t'as envie de quoi, de jouer ou de te reposer ?

En réponse, Zacharie opposa une moue d'ignorance comique, pour jouer le jeu et pas se compliquer une mauvaise nouvelle en dévoilant l'impact qu'elle aurait sur lui.

— Écoute, je vais avoir un truc embêtant à te dire...

Rare que Jean Erlandin, médecin officiel du XV de Volmeneur, dégringole jusqu'à de si graves intonations. Zacharie se sermonna que c'était évident qu'avec une telle douleur il avait une déchirure à la cuisse.

— Je te fais pas lambiner inutilement. Tu es allé faire ton image à l'Aumône, c'est ça ?

— C'est ça.

Un acquiescement bien trempé de stress.

— Ils sont bons là-bas. Ils t'ont tout fait. Précis. C'était dimanche matin ?

— Oui, oui.

Zacharie était à deux doigts de lui coller la gueule contre le bureau pour qu'il crache enfin sa pastille.

— Sont vraiment sur le pont sept jours sur sept, vingt-quatre, vingt-quatre, comme on dit...

— ( )

— Je t'ai dit que c'est un peu embêtant. Parce que t'as coûté plusieurs centaines de RECS pour rien. Ah, ah, je t'ai bien eu ! Les images montrent rien : pas de déchirure, pas d'élongation. Bon, t'as mal ? Derrière la cuisse ? Écoute, moi je te conseille de pas trop forcer aujourd'hui. Tu as muscu maintenant, c'est ça ? Dis-leur d'y aller mollo ce matin. Tiens, je te file ça pour eux.

Une de ces feuilles de bloc torturées de hiéroglyphes à déchirer le papier.

— Allez, au suivant.

— Doc ?

— Oui ?

— Vous êtes quand même con de m'avoir fait flipper comme ça.

— Oh, c'était pour te détendre. Et puis si tu relativises pas à ton âge, qu'est-ce que tu diras à trente ans quand ta machine fera vraiment des siennes ? Allez, va ! Tu peux dire à Abderrahmane de rentrer, s'il te plaît ? Salut, Zacharie !

10 h 38

— Alors, mon Zacharie, alors mon petit chou rouge, je te préviens, on t'a confié à moi parce que le coach, il est pas exactement joisse rapport à ta masse musculaire, alors ce matin, tu vas me mouiller ce petit tee-shirt moulant et te refaire des ressorts, je vais faire de toi une jolie petite arme de jet, je suis en mission, hi, hi, hi.

384

Yves n'avait pas le physique de grande folle qu'on lui aurait prêté au téléphone ; pur physique du Marchaunoir : buffet de chêne, biceps de bûcheron, cheveux noirs en couronne sur crâne chauve et moustache de fumeur sans filtre. Avant d'être un des préparateurs physiques les plus sadiques du circuit, il avait été un pilier rugueux, réputé pour avoir défendu la liberté sexuelle dans les regroupements portés sur les remarques homophobes. Avoir droit à une leçon particulière avec lui était une sommation avant le licenciement pour faute. Sa prestation de samedi n'avait décidément pas plu aux pontes.

— Tiens, Yves, le Doc m'a demandé de te donner ça.

— Ouh, comme il est mignon, le petit Jean. Il s'est jamais remis que je sois pas hétéro. Bon, mais le travail avant la bagatelle, ça a toujours été ma devise pour rester au top, hop, hop.

Et le billet du médecin alla valser dans un coin de la pièce, sans avoir obtenu d'Yves le plus rapide coup d'œil.

— Alors, comme je te disais, patatras, t'as pas assez de masse musculaire. Dès qu'il y a un trop lourd en face, bfbrrr, tu te dégonfles comme un jouet qui fait pouët. C'est pourtant franchir, ton boulot, non, mon jus de citron ?

— Ben, pas que. Je suis plutôt deuxième centre.

— Alors là, je dis : justaucorps, gomina et nana au premier rang qui jette son sous-tif. T'es un artiste, c'est ça ? Deuxième centre ! Tu donnes dans le coup de rein magique, la passe et la vitesse à la place du dans-le-tas ; toi, tu transperces les défenses à la télépathie ! Seulement, mon coquin, t'auras remarqué qu'ils portent pas des collants, les rigolos en face, et t'es au courant que leur façon de saluer ta performance, c'est de t'envoyer cent kilos lancés en pleine tronche. Alors, faut faire avec la réalité du marché, pas de scrupules esthétiques qui comptent, t'as besoin de péter. C'est pour ça, mon galopin au sucre glacé, que tu vas me faire des squats avec des charges sympas. Tu sais les squats, quand tu te déplies avec des charges sur les épaules. On va commencer sport : trente kilos.

— Yves, j'ai quand même une douleur derrière la cuisse, j'ai peur que si on force...

— Je vais te dire ce que t'as à craindre, mon petit prince : c'est de perdre ton statut de belle gueule à midinettes pour gagner celui de joueur de rugby. T'as entendu parler de : courage, abnégation, sacrifice, force, endurance, esprit d'équipe, toutes ces valeurs fondamentales que t'as toujours saluées d'un ronflement au fond de la classe ? Je la sens pas, ta prétendue blessure. Et je me trompe jamais. Parce que je crois que t'as pas compris où t'en es. Tu connais la sellette, mon joli pinpin ? Eh ben, t'es assis dessus avec tes jambes qui brassent le vide. Soyons clairs, soyons nets, soyons nets et clairs : voici la liste des joueurs pouvant évoluer au poste de premier ou de deuxième centre dans le prrrrêstigieux club de Vol-meneur cette saison. Tu m'écoutes ? Judicaël Gal-bond, un monstre, un sélectionné perpétuel de la République, un gars dont on dira qu'il y a eu un avant et un après lui, bref imagine même pas lui prendre sa place à part s'il passe un week-end à reconstituer une guerre avec des armes réelles et qu'on doit l'amputer. Donc, le sort du 12 est réglé et maintenant, le reste se bat pour une place en 13. Et alors là, attention, moteur-ça-tourne-action : Malloy Gruvald, sept ans de rugby, cinq clubs, et que du bon, vainqueur du championnat l'an passé, et contre nous ! Ulysse Ninon, qui vient de Fouldre, le calebute à force 4 parce que son ancienne équipe est descendue, qu'il était leur génie, et que là-bas, si un adversaire le passait, il finissait toujours avec ses crampons dans la gueule ; un homme, un vrai, mon sucre d'orge, faut pas te tromper. On continue avec les petits génies ;

ceux qui sont sur ton soi-disant créneau de finesse et qui sont capables de mettre dans le vent les invasions barbares. Revue des prétendants : Pépin Pérégrin, vingt ans, tout chaud sorti de l'Académie, qui peut jouer partout, et déjà tellement génial que le coach s'emmerde quand il joue pas et que la ville entière s'est fait floquer le maillot avec son blaze ; Casimir Alabadin, même pas encore sorti de l'Académie et qui a donné des leçons de cadrage-débordement accéléré à toutes les équipes contre lesquelles il est rentré. Bon, je te présente pas les pigistes, les occasionnels enchantés, genre Barnold qui a aucun problème à franchir, lui, malgré le fait que les Antalagnais nous niquent toujours quand ils jouent à l'ouverture parce que c'est pas non plus un manchot de la stratégie ; mentionnons en passant Foulques, Combaba, Tatha-nase, tout ça c'était en poster sur ton mur quand tu découvrais la magie du petit bonhomme sous la couette, et tout ça, ça peut quitter son poste sans pro-blème pour jouer un match avec ton numéro. Alors, ma petite pièce montée de prétention, de suffisance, de je sais pas quoi au niveau d'on-se-prend-pour-qui, si on te dit que pour contester la place de ces géants t'as besoin de masse musculaire, tu soignes ton bobo qu'est avant tout un gonflement de cheville qu'est monté au cerveau, tu prends ton courage à deux mains, tu me soulèves ces barres de fonte et tu te malaxes les appuis dans tous les sens, et le dos, et la gaine, les abdos, et la tête, alouette, et on est parti pour deux petites heures qui seront pas faites pour les chiens à te faire un corps de guerrier. Si jamais t'as peur que devenir fort, ça contrarie tes entrechats, n'oublie pas que, dès qu'on se trouve des raisons de ne pas être au top, on a déjà perdu. Maintenant, tu penses à tous les gars qui te barrent ! Je veux qu'ils soient ton obsession, que ta vie ce soit de démontrer que t'es meilleur que ces mecs-là, tu m'entends, t'es meilleur, tu peux l'être ! On s'en fout du prestige, un prestige, ça se bâtit. Et ça commence ici. Alors maintenant tu fermes ta gueule, tu me mets quarante kilos sur cette barre et tu fais tout ce que je te dis.

Sa cuisse lui fait de plus en plus mal et il est partagé au sujet du numéro d'Yves ce matin entre quitter le pays pour ne plus jamais le croiser et engager un tueur pour lui faire la peau. Il repense aussi à ce déjeuner avec les tables par lignes comme tous les lundis. L'ambiance était lourde. Avec Abderrahmane qui se plaignait de son dos et Faure qui était officiellement à l'infirmerie, on savait qu'il y avait des places à prendre. Un bon match maintenant et ça pouvait être la question du deuxième centre, encore en suspens, réglée pour le reste de la saison.

Sgabardane dégommait d'une voix blanche toutes les actions sur le grand écran, comme à son habitude pendant le premier quart d'heure de la vidéo du lundi. Quelque chose tira Zacharie de la somnolence dans laquelle l'avait plongé le spectacle de leurs bévues et les remontrances répétitives du coach. L'écran montrait en boucle et au ralenti un plaquage qu'il avait loupé samedi dernier. On le regardait. Sgabardane avait l'air d'attendre. Après deux ou trois clignotements paniqués, il se résolut à demander :

— Pardon, coach ?

— Putain de merde, Zach, est-ce qu'un jour tu vas commencer à faire partie de cette équipe ? Je te demande comment tu expliques ça.

— Euh... Ben. Je croyais le plaquer en travers et il m'a calculé.

— Ah oui, et on peut savoir pourquoi tu l'as pas plutôt affronté de face ? On a dû t'apprendre que c'est plus efficace, non ?

— Si. Mais j'étais un peu en retard, il était lancé et...

— Mon cul ! T'as eu peur, c'est tout. Et c'est pour ça que je t'ai sorti. Parce que t'as peur, parce que tu joues sur tes facilités. Soit c'est tes petits crochets, tes petits exploits sur dix mètres, ça fait « oh » et ça fait « ah », soit y a plus personne. Je te préviens, t'es pas éternel dans ce club. Ton contrat va jusqu'au bout de la saison, et t'es pas le seul à savoir courir, ici. En plus, je peux compter sur toi ni à l'ouverture, ni aux ailes, ni à l'arrière. Ça se resserre pour toi. Alors, je te le dis d'homme à homme, soit tu me sors des entraînements qui te vaudraient le titre de meilleur joueur en match international, soit t'es pas sur la feuille samedi et t'y reviendras que quand tu seras le dernier trois-quarts valide, réserve comprise.

Le sang bouillit aux oreilles de Zacharie. L'humilier comme ça devant les autres, c'était de l'inédit. Et c'était sonner l'hallali pour ses concurrents.

— Mais putain, coach, j'ai juste loupé un plaquage !

Un fracas de chaises. Sgabardane avait fait gicler les mecs assis au premier rang, et se tenait devant lui, les yeux roulants et tous les tendons de sa face noire prêts à exploser.

— Quoi ? c'est quoi ? y a quoi ? tu veux dire quoi, espèce de merdeux ? Tu te bouges le cul et tu fermes ta gueule, maintenant, sinon je te fais virer pour faute dès que c'est juridiquement possible.

Il n'avait pas gueulé. Il était allé chercher des octaves au centre de la terre.

L'intimidation avait été trop dense pour qu'on ne passe pas immédiatement à autre chose.

Le chef-entraîneur reprit sa place et poursuivit son exposé.

Comme tous les lundis, on travaillait la défense, et aujourd'hui, ce qui était prévu à ce niveau-là, c'était une opposition entre les avants en bloc et les trois-quarts au grand complet. On le faisait assez rarement parce que c'était dangereux, vu les différences de poids. Le programme du jour ne laissait donc pas place au doute quant aux intentions du coach : bouger les lignes arrière, considérées comme très gentilles. D'ailleurs, on commençait par les gros en attaque et les gazelles à la digue. Zacharie était à la bourre et courut pour commencer l'exercice. Aurélien, l'entraîneur des trois-quarts, lui glissa :

— N'oublie pas, être titulaire, ça se mérite.

Sur ce, c'était parti. Et ça s'est passé d'emblée sur lui, avec une grosse charge de Gabar balle en main, traduire : cent vingt kilos lancés plein jus dans la tronche. Zacharie s'est baissé pour le cueillir à l'endroit stratégique, juste au-dessus du genou.

— Il vaut rien, ce plaquage ! Il a pu la transmettre. Faut leur prendre les bras ! C'est quand même pas une nouveauté, bon sang de merde !

Sgabardane. Facile à dire. Y être et commenter. Pas pareil. Retour au tas. Cette fois, Yann est sur sa ligne. Zacharie vise le sternum. Il va le sentir passer. Mais juste au moment de le baiser, il le voit faire une passe. Trop concentré sur le troisième latte, il a pas surveillé ce qu'il y avait derrière lui. Il s'est fait fixer comme un con. Derrière lui, Judicaël se fait le gros qui a reçu la balle. Judicaël a joué juste. Ça se mérite. Vie à toujours s'expliquer avec la concurrence. Compétition. Loi du plus fort. On va leur montrer.

Zacharie reprend sa place. Il se dit : « Allez, tu leur montres qui t'es. » Parce que c'était bien ça le truc, toujours montrer qui on est. Des actes et puis des actes à se définir. Et il y avait pas trop à gueuler, parce que c'était quoi, le sport, sinon la guerre faite spectacle ? Une terre ; y tracer des lignes, des limites, des frontières pour voir un peu qui étaient les conquérants. Mettre des maillots, sonner le tocsin, déployer les bannières, et c'était le show. L'éternelle conquête du territoire métaphorisée jusqu'au loisir.

Macaire tente une percée, mais cette fois-ci Zacharie a décidé de se reculer un peu pour le farcir en deuxième rideau. Il lui a bien attrapé les bras. Gagné.

Alors, voilà, la sélection des plus forts, le mérite par la preuve, le salut par les œuvres. C'était même généreux. Parce que dans la vraie vie, le monde ne fonctionnait plus au mérite. C'était devenu une notion bien trop compliquée, parce qu'il aurait fallu définir des critères, s'entendre sur une orthodoxie. Du coup, on se contentait de comparer. T'en prends deux, tu vois qui l'emporte et, clac, une valeur au code-barres. Le meilleur, c'est celui qui sort gagnant d'un combat, n'importe lequel, le meilleur, c'est le mieux ; faute de mieux, il y a des meilleurs.

Zacharie se remit en place en se disant : « pas lâcher », c'est comme ça qu'il résumait le problème. Il disait aussi parfois : « chacun son cul », parce que « chacun pour soi, Dieu reconnaîtra les siens », c'était pas une phrase assez vigoureuse pour trouver la force de s'envoyer comme maintenant sur des buffles en colère. Tout ça pour quoi ? Lui, il disait Judith. Mais le but profond, quand même, c'était surtout de s'aimer un peu soi-même. Et comme y arriver tout seul, c'est plutôt ardu, on s'en remet aux autres pour avancer la mise. Amour, compétition, même topo. Il s'agissait toujours d'aller chercher ailleurs le reflet pour s'accepter. Je serai le meilleur. J'aurai le droit de vivre. Drôle de machin, à bien y penser. Vivre, au départ, c'est pas exactement réussir à un concours. Sauf dans les cours de biologie où la notion de victoire sur les autres est réintroduite version chicore entre espèces. Et même chez les croyants, même chez ceux qui ont l'excuse du créateur, on réinvente la compét', mais cette fois, l'enjeu, c'est un rab d'existence dans l'au-delà. Jugement dernier. Pour couronner le tout. Parce qu'on ne s'en remet pas de vivre et de ne rien avoir fait pour ça. On est tous et toujours des chanteuses devant un jury, comme à la télé.

Zacharie s'éclata la lèvre sur le cinquième plaquage.

Dessous, cette colère devant l'absurde d'exister puis de mourir, de gagner tout un tas de minuscules batailles pour être certain de se faire éclater pour de bon à la fin de la guerre. Mais on a besoin d'oublier l'entourloupe. Alors, on se plonge la tête de plus belle dans le massacre pour pas entendre la musique du générique. Salopard, t'auras pas ma place. La compétition, c'est le plaisir, disait parfois Zacharie. Et c'est vrai qu'on n'irait pas voir des cons se ruer les uns sur les autres s'il y avait pas au bout, un qui a raison et l'autre qui a tort, c'est-à-dire un qui gagne et l'autre qui perd. Génial d'avoir inventé des jeux où il se dit l'essentiel. La version drôle d'un monde où on se couche plus tard et on se lève plus tôt que quiconque a besoin qu'on le fasse, tout ça pour dire aux autres : « Faites pareil si vous pouvez. » Et ils font pareil, alors ça continue. Et ça empire. Surenchère et insomnie. Vies d'esclave, dont on est fier. On est absolument con, mais qu'est-ce qu'on en est fier !

Et Zacharie rentra crânement après qu'on l'eut soigné. Reprise du combat. Maintenant, c'était jouissif. Il sentait qu'il donnait une leçon à tout le monde. Les autres centres avaient l'air de feignasses à côté.

Même la famille enrôlée dans le bordel, et puis la femme, le mari, les sentiments. Pas de raison pour qu'on s'arrête en chemin et qu'on se fasse pas la course au plus grand nombre de mômes. Mérite mammaire. Paradoxal quand même si on pense à l'obsessionnel « on est trop, faut choisir ». Parole d'entraîneurs. Équipe de rugby, planète terre, c'est la règle universelle. Partir de l'idée qu'on est trop. En même temps, rien à voir avec la démographie. Va mettre deux gosses avec un jouet dans une chambre pour voir si être trop, c'est une question de nombre. Non, c'est en nous. C'était là depuis toujours, c'était peut-être pire avant, quand on disait devant les cimetières militaires « Il fallait saigner pour supprimer les faibles ». Parole d'économiste libéral. Ces religieux de la main invisible, ces béats ravis de la perpétuelle apocalypse thérapeutique, avec tout un délire sur la santé du marché et sur les microbes à éliminer, comme s'ils avaient disséqué la bête et comme s'ils savaient, eux, où se trouvent les vaccins aux conneries qu'ils font. Pas de sentimentalisme. « On est trop, faut purger. » Puisque la nature est elle aussi fondée sur la notion, puisque le créateur dans sa grande sagesse a planqué le pactole sous terre pour nous voir nous friter et regarder le spectacle, le cul sur le canapé et une bière sur la cuisse. Avec ces histoires de pétrole, d'énergie disparue, on voyait bien validée la thèse de la pénurie originelle et du meurtre fondateur, bien justifié le combat. Ni vérité, ni loi pour répartir. Dans une société d'apparences, le prix de l'essence est toujours exorbitant.

Et la paix, c'est aussi qu'un état d'abondance éphémère, avant que reviennent les problèmes de stocks et qu'on grossisse ceux de l'armement, ou que personne n'arrive plus à fourguer ses denrées et se négocie le client en dynamitant maisons et villes. Sûr qu'un économiste s'est souri un jour d'avoir trouvé d'aussi belles équations. Les matheux, c'est encore plus content quand la vérité fait mal. Ça leur donne une supériorité de principe sur ceux qui se rendent compte que ça démolira l'univers. Ça les fait jouir. Darwin fait théologien, la moindre chose transformée en classement, même l'art, et ça depuis l'Antiquité. On est joisse au fond que ce soit pas marrant et d'avoir la force de le voir. Et puis envoyer un grand merde à toutes les idées qui parlent d'un bien, d'un amour, d'un sacrifice. De pas s'en embarrasser en étant sûr d'être magique. Cette supériorité arôme asticots.

Les yeux bien rivés sur sa ligne et sur sa tâche, Zacharie s'occupait, loin de tout ça, de son petit coin de lutte. Et la victoire sonna pour lui. Quand un troisième ligne aile qu'il venait de plaquer sortit du terrain en clopinant.

Mardi 21 novembre

On est en guerre. Ça vint très nettement et comme ça dans la tête de Zacharie au cours de l'entraînement du lendemain où il fallait franchir onze défenseurs avec une ligne d'attaque de dix.

Parce qu'il avait fait de beaux jaillissements, quelques feintes inspirées. Parce qu'aux rugissements d'Aurélien sur la touche, il sentait bien qu'il avait brillé. Seulement, il n'avait pas fait ce que venait de faire Alabadin. Il n'avait pas, placé en deuxième centre, pris la passe sautée de l'ouvreur pour entraîner deux vis-à-vis vers la droite par une course précise, et pour ensuite les envoyer dinguer en accélérant d'un coup sec dans l'autre direction. Il n'avait pas non plus possédé un autre gars venu le découper en faisant mine de passer à gauche. Il n'avait pas eu les tripes de placer un sprint entre lui et un autre défenseur tout près. Il n'avait pas eu la grâce. Ce truc qui justement ne se laisse palper que lorsqu'il déchire le réel. Et qu'on ne trouve pas en soi par des répétitions et du travail, ni par de la volonté.

Le talent venait de passer au milieu d'eux. Et Zacharie, qui se définissait justement comme un joueur de talent, mesura la différence. Et c'était très joli de faire sérieusement tout ce qu'on lui demandait, on n'est jamais grand que par cela qu'on nous déconseille. Quand une puissance se moque de tout ce qu'on croit par la raillerie soudaine de son apparition. Plus compliqué, du coup, de croire que la lutte se règle par quelque chose de juste comme l'effort, parce que va savoir d'où ce mec de dix-neuf ans tirait un tel culot, une telle vitesse. Une telle idée.

Zacharie se dit : « Il faut pas se rétrécir à ce que les autres pensent de toi. Il faut aller chercher dans ce qu'ils ne savent pas que tu as. On ne sait de nous que notre traduction en actes. La musique a beau continuer à l'intérieur, on n'est que le portrait cubiste de ses gestes. » Zacharie devait saisir d'urgence sa grâce. Parce qu'il ne restait plus que l'entraînement avec opposition de demain pour défendre sa place contre la réserve de l'Académie Casimir Alabadin.

Lundi 20 novembre

κἀκεῖ δικάζει τἀμπλακήμαθ', ὡς λόγος, Ζεὺς
ἄλλος ἐν καμοῦσιν ὑστάτας δίκας.

LÀ-BAS AUSSI QUELQU'UN FAIT JUSTICE DES CRIMES, DIT-ON – UN AUTRE ZEUS : À LUI, CHEZ LES DÉFUNTS, LE DER-NIER JUGEMENT.

La voix même de la peur, venue du cœur silencieux se planter dans la chair. Psalmodie du prêtre réveillant ce qui se cache qui vient faire crépiter les cierges de l'autel. L'appel, souffle qui rappelle la présence auprès des ombres désobéissantes. Elle sentait bien maintenant tout autour la menace vibrer, réveillée par l'accent des vieux mots, qui portent dans leur creux la rumeur des morts qui s'y dirent. Ils y demeurent à présent que s'est tue la langue où ils faisaient tourner en bouche le monde, sentinelles dans les livres qui se passent la nouvelle d'une page à l'autre : il avance et il vient ce moment où les cieux retourneront poussière. Le mal l'avait touchée. À en sentir l'haleine. Malgré la ville dehors qui bourdonnait, malgré les Klaxon qui promettaient qu'il ne s'agissait que d'un routier égaré avec sa cargaison de vivres. Malgré la fenêtre du bureau frappée de rayons convaincus. Ce n'était pas seulement de connaître tous les larcins serpentant dans Volmeneur, ce n'était pas seulement de savoir les confréries de la rapine et du meurtre, d'être au courant qu'en ce moment même un tueur projetait sa huitième victime. La phrase était parvenue à ranimer autre chose. Le blasphème angoissant de chaque respiration.

Caterina Glazère tâcha de rompre le charme. Il fallait prendre une décision. En parler ? C'était déclencher la panique, et se faire dessaisir de l'enquête ; à tout le moins se coltiner la protection rapprochée des FEPR six bons mois. C'était assurer à l'assassin sa victoire. Parce que, vu ses entrées dans le monde judiciaire, il serait forcément au courant de la moindre manœuvre. Alors ? Ne rien dire ? Ranger la carte en plastique et la branche dans un tiroir pour la ressortir au moment opportun ? C'était passer sous silence un élément important : le tueur annonçait maintenant ses meurtres à l'avance et, non content de faire sa publicité dans la presse, il tenait à ce que ce soit la Justice qui capte la bande-annonce. Elle devait au moins en parler aux Enquêteurs.

— Madame la Procureure ?

— Appelez-moi Binasse et Garamande. Dites-leur que je veux les voir dès que possible.

Une heure plus tard, la Procureure constatait que l'Enquêteur Garamande s'était coiffé aux explosifs, ce qui contrastait fortement avec l'élégance de l'Enquêtrice Binasse, qui croisait et décroisait ses collants à la manière d'une fille qui joue son embauche.

— Je vous ai demandé de venir parce que ce matin, en prenant ma voiture, j'ai trouvé ça...

Les deux Policiers se passèrent la pochette où la Procureure avait serré la branche et le message.

— Ça doit venir de l'assassin...

— Merci, Enquêtrice Binasse, je ne suis pas en état de mort cérébrale. D'autres remarques ?

— C'est quoi comme arbre ?

Fénimore Garamande avait grandi à Capitale, et le mot branche lui suffisait à nommer tous les bouts de bois avec du vert autour.

398

— Jamais allé dans un cimetière, Enquêteur Garamande ? C'est une branche de cyprès.

— Le cyprès… L'arbre d'Hadès, dieu du monde souterrain…

— Et des enfers, moi aussi j'ai Internet. Si vous voulez tout savoir, la citation est d'Eschyle, un extrait des *Suppliantes*. Maintenant, qu'est-ce qu'on en fait ?

— Le tueur lâche Héraclite ?

— Peu importe. Qu'il s'amuse à débusquer de la phrase pompeuse pour nous foutre la frousse, c'est pas exactement du neuf, et qu'il le fasse avec l'un ou l'autre de ses auteurs de chevet n'a aucune importance. Vous n'avez pas plus pertinent comme réaction ?

— Il n'a pas tué ce week-end… Quand est-ce que vous avez trouvé ça, exactement ?

— Je vous l'ai dit, en prenant ma voiture ce matin. La branche était scotchée au volant, et le message était aussi scotché, sur la branche.

— C'est embêtant. Ça veut dire qu'il a réussi à forcer votre voiture…

— Et ça veut aussi dire qu'il sait où j'habite avec mon mari et mes enfants, qu'il a réussi à s'introduire dans mon parking, et qu'il y a de bonnes chances pour qu'il surveille mes allées et venues, oui, comme vous dites, Enquêtrice Binasse, c'est embêtant.

— Votre parking est surveillé ? On peut peut-être voir quelque chose à la vidéo ?

— Mon parking est surveillé, mais, voyez-vous, j'ai l'impression que ce n'est pas une garantie inattaquable dans cette histoire. Je ne vois pas pourquoi il aurait oublié de paralyser les mouchards cette fois-ci.

Un silence de réflexion.

— Je crois qu'il nous annonce sa prochaine victime.

— Élémentaire, mon cher Garamande.

— Et pourquoi ne pas lire ce message comme une menace à votre encontre ?

— Pour ne pas devenir dingue, Enquêtrice Binasse, tout simplement. Et puis, notre assassin est franchement antipathique, mais il n'a pas l'air d'être imprudent. S'en prendre à une Procureure de la République de grade provincial, c'est être certain d'avoir toute la maréchaussée aux basques, et comme je pense qu'il a une idée très précise du nombre de meurtres qu'il veut accomplir, ça m'étonnerait qu'il coure le risque de se faire déranger dans ses affaires en tuant un haut fonctionnaire dès maintenant.

— Il a déjà la maréchaussée aux basques. Je ne vois donc pas pourquoi exclure...

— Parce que le Ministre se chargerait de l'affaire en personne si on m'assassinait.

Fénimore s'interposa :

— Vous voulez dire qu'on ne met pas tous les moyens possibles pour éviter ces crimes ?

— ( )

— Je suis d'accord avec vous, madame la Procureure. On ne sait pas si le tueur part de l'idée qu'il y a douze ou quatorze dieux dans l'Olympe, mais il est clair qu'il veut les passer en revue. Et il est assez intelligent pour comprendre qu'assassiner une Magistrate l'obligerait au moins à ralentir pour éviter de se retrouver avec des moyens de surveillance exceptionnels sur le dos.

— On ne lui a pas exactement prouvé notre force de frappe jusqu'à présent, et il n'y a aucune raison pour qu'on le retrouve plus facilement après un meurtre retentissant. Je ne vois pas pourquoi on n'envisagerait pas qu'il s'amuse à vous faire peur avant de passer à l'acte. Je vous rappelle qu'il s'en est aussi pris à nous.

— Ne cédons pas à la panique, Casilde. Dites-moi plutôt ce que je devrais faire selon vous.

— Je pense que vous devriez penser à vous protéger, plutôt qu'envisager froidement la place qu'occuperait votre mort dans la stratégie de l'assassin.

— Vous savez ce que signifie une protection rapprochée ?

— Non, et je ne sais pas non plus ce que ça veut dire qu'être mort, mais on m'a toujours dit qu'entre deux embarras il fallait choisir le moindre.

— Vous n'êtes pas mariée, Enquêtrice Binasse, et vous n'êtes pas la mère de deux adolescentes qui vont à l'école, font les grues le samedi dans les rues marchandes et pleurnichent pour avoir le droit d'aller à des sauteries jusqu'à 23 heures le week-end. Si c'était le cas, vous éviteriez de démolir leur monde en plaçant un flic entre chacun de leurs pas. Si je parle de menaces de mort au Parquet Général de la République, ils vont aller jusqu'à placer ma marraine en résidence surveillée. Tout ça pour un bout de papier et un morceau de bois.

— Ce n'est pas comme s'il n'y avait pas de précédents.

— Non, il n'y en a pas, Enquêtrice Binasse. Le tueur n'a jamais annoncé ses meurtres jusqu'à maintenant. Il s'est contenté de les signer. Écoutez : ici, je suis entourée de gardes et je rentrerai tous les soirs directement chez moi. Là-bas non plus, il n'y a rien à craindre. J'habite quand même une résidence sécurisée.

— Où un type a forcé votre voiture.

— Entre s'introduire dans un parking et s'introduire chez quelqu'un, il y a un pas.

— Je ne vois pas ce qui empêcherait l'assassin de le franchir.

— Nos ascenseurs sont codés, le hall est toujours surveillé par au moins un Agent, c'est aussi bien qu'une protection rapprochée.

— J'ai l'impression de parlementer avec une adolescente qui veut sortir en semaine dans un quartier malfamé.

— Vous m'agacez, Enquêtrice Binasse. Et puis pourquoi vous ne dites rien, vous ? Hé, oh, Garamande, vous êtes encore des nôtres ?

— Encore une fois, je suis d'accord avec vous, madame la Procureure. Mieux vaut faire comme si de rien n'était. Avec un peu de chance, ça va forcer le tueur à commettre une imprudence.

— Fénimore, je te suivrais dans tes tactiques de pêche à la ligne, si tu ne nous proposais pas d'appâter à l'être humain et, accessoirement, au Procureur de la République.

— On en reste là. Je voulais vous en parler parce que ça concerne votre enquête, et prendre vos avis. Maintenant, ma décision est prise. Cette histoire reste entre nous.

— On va quand même vérifier les caméras de votre parking. Au cas où.

— Si ça vous chante.

*
* *

Casilde avait décrété qu'elle passerait le reste de la journée à aider l'Agent Titin dans sa tournée. Le malheureux s'était aperçu qu'il y a toujours un vendeur pour vous dire d'aller quand même voir à telle quincaillerie de la Province, ce qui allait allonger considérablement le recensement, et il y était depuis jeudi, sans espoir que ça s'arrête avant quatre ou cinq jours. Du coup, l'Enquêteur Provincial Fénimore Garamande se contenta de l'Agent Ferde pour aller en personne demander la bande du parking.

L'immeuble de la Procureure était surveillé par **ARÈS SÉCURITÉ**, que les lois anti-monopoles ne semblaient pas étouffer. Ferde et Garamande se rendirent au siège local de la société. Après avoir été orientés par une jeune femme qui avait l'air de projeter autour d'elle des giclées de travail en souffrance, ils s'étaient retrouvés dans le bureau d'un « contrôleur » qui leur signifia d'emblée qu'il commençait à y en avoir marre de ces demandes incessantes de la Police pour obtenir des enregistrements qui n'existaient pas. Pourtant, après avoir tapé du bout d'un doigt l'adresse indiquée, le type a fait fonctionner les abdominaux de la bonne volonté et s'est propulsé sur son écran.

— Ah si, je vois : mouvement suspect à 4 h 10.

— Et c'est tout ce que ça vous fait quand il y a un mouvement suspect ? Vous n'intervenez pas ?

— Si vous me laissiez finir, Enquêteur, je pourrais ajouter qu'en dessous de l'incident je lis : « Signalé à l'Agent de Police de faction. R.A.S après vérification. »

Ferde lâcha un gros soupir. Ça sentait encore le château hanté.

— Et il y a moyen de voir ce qui s'est passé à cette heure-là ?

— Mais comment donc ! Après vous !

Et l'employé énervant de les amener à une petite cabine en verre où une grosse console de visionnage ne se gênait pas pour prendre toute la place.

— J'ai transféré l'extrait en question sur l'écran. Vous avez une touche lecture là, là c'est la molette de ralenti, et puis avant/arrière. Comme à la maison, quoi.

Et il les laissa se compresser comme ils purent avant de refermer la vitre coulissante dans un regard qui voulait dire : « Il y en a qui travaillent ici. » Et c'était un peu charrier, parce que niveau son, c'était un film franchement minimaliste : le ronflement du système d'aération, un bruit de porte, voilà. Toutefois, contorsionné contre son collègue et l'arme le blessant sous l'aisselle, l'Enquêteur Garamande finit par voir un spectacle à tétaniser le juron.

Là, sous ses yeux, un type masqué ouvrait une voiture selon la méthode plutôt rudimentaire de la règle en métal glissée sous la vitre, dite aussi technique du cintre. Ensuite, on le voyait clairement s'affairer sur le volant. Puis le gars prenait la peine de pirater la serrure dans l'autre sens. Et s'éloignait calmement en regardant ses pompes, genre quand je serai sorti, ce sera pas vu, pas pris, mais il ne faut pas jubiler avant que le tour soit joué. Ferde se fendit immédiatement pour rembobiner.

— Faites gaffe, Ferde, vous me faites mal.

— Désolé. Mais quand même, là…

Les trois ou quatre autres lectures au ralenti n'ajoutèrent pas grand-chose à l'information incroyable qu'avait déjà apportée la première. La pliure du pantalon de l'homme masqué, tout comme l'étui de son pistolet à la hanche valaient mieux qu'une carte de Police. Il n'y avait aucun doute. C'était l'Agent de garde cette nuit-là qui avait déposé le message, puis avait ensuite assuré qu'il ne s'était rien passé d'anormal. Ils jaillirent vite hors de la cabine. Fénimore se scotcha à son téléphone, tandis que Ferde distribuait des mercis et au revoir derrière lui comme des pièces jetées aux mendiants par le valet d'un seigneur. Casilde ne répondit pas.

— Casilde. Rappelle-moi, ou viens vite au Commissariat. Il y a du lourd.

Et, autant par envie de s'en convaincre que pour faire tonner son coup de théâtre :

— On tient le tueur.

*

* *

Il n'y avait plus ce rôle ignoble d'arbitre entre deux amours, il n'y avait plus de facture, plus de peur, plus de manquement. Il n'y avait plus que son arme qu'il glissait dans le holster. Fénimore redevenait lui-même. Retour aux affaires.

On avait décidé de cueillir le coupable quand il prendrait sa garde de nuit dans l'immeuble. Vingt heures quinze. Les Enquêteurs Binasse et Garamande, les Agents Ferde et Titin retrouvèrent une brigade des FEPR dans le garage du Commissariat.

Bientôt les deux voitures et le camion blindé s'escortèrent dans la nuit. Ce n'était pas loin.

Pour ne pas donner l'alerte au suspect, on fit les derniers mètres à pied. Les Policiers d'assaut baissèrent la visière de leur casque. Fénimore eut ce réflexe idiot de toucher son gilet pare-balles pour vérifier qu'il était bien là. Puis il a dit :

— On y va.

Casilde a fait le code d'entrée. Et les FEPR jaillirent ensemble dans le hall, pétards brandis et criant comme une meute de chiens chasseurs.

Mercredi 22 novembre

C'est le moment crucial, le match d'entraînement. Élu, voilà, il faut être élu. Comme a dit Judith, c'est comme les candidats en politique, on va vers l'évidence. Il faut que tu sois l'évidence, Zacharie. À toi de jouer. Maintenant, c'est le match d'entraînement. Alabadin va être avec une équipe, toi avec l'autre. Opposition directe. Il va essayer de te passer, faire ses grigris, mais tu vas le défoncer. Y a pas moyen qu'il pique ta place. C'est sûr, tu vas être aligné à côté de Judicaël, avec les titulaires. Les doublures, tu vas te les faire. C'est le moment. T'as toujours joué au con. Voulu être plus ci, plus ça, mieux encore que ce qu'on attend. Mais là, tu vas juste leur faire dire : « C'est bien », « Y a pas photo », « Bon boulot », « Impeccable », « Incontestable ».

C'est maintenant. Comme dans les films. T'es le héros au regard dur qui gagne à la fin. T'es celui qui gagne, contre l'adversité, avec la petite femme admirative et le vieux sage qui dodeline d'approbation.

On marque des points, heures de travail, rebonds, plaquage aux jambes, rebonds, et la course, et les chocs, et la balle, rebonds, on répète, on apprend, et on chute, et on gagne. Tu vas être fort.

Tu vas sur la pelouse et tu te laisses pas détourner la rage par l'odeur qu'il y a, l'ambiance sereine et tout ça. Si tu veux être dans une autre dimension, comme on dit, c'est à l'intérieur que ça se passe. Dans ta solitude violente. La solidarité, on verra après. Là, il faut que tu les calmes. Qu'ils comprennent à qui ils ont affaire.

Mardi 21 novembre

— Écoute-moi, Arne : mettre un « parce que » derrière une connerie, ça suffit pas à en faire une intelligence. J'ai jamais entendu parler de toi comme d'une flèche, mais là tu me demandes de gober du paranormal. Le « j'en avais besoin, ma femme vient d'avoir un enfant » comme explication, ça fait un peu vu à la télé. Parce que, si je te suis, l'idée c'est : tu ouvres ton casier, tu trouves : « Force la voiture d'une Procureure de la République dont t'es chargé de surveiller le domicile, mets la branbranche et la carte de visite dedans et puis tu auras des sous. » Toujours selon toi, ni une, ni deux, tu décides de le faire, sans intermédiaire et sans négociation, merci et à vos ordres, Merlin l'Enchanteur ! Tu t'es pas posé de questions ? Attends, lève-toi, on va aller dire tous les deux au revoir à ton uniforme ; si tu veux, je te prends en photo pour immortaliser l'instant. Putain, tu vas commencer à comprendre que si tu nous racontes pas tout, non seulement tu seras cassé avec en prime toutes les autorités de l'État qui s'assureront que tu retrouves jamais du taf, mais qu'en plus, tu seras bouclé au minimum pour entrave à la Justice ? Tu connais les prisons républicaines aussi bien que moi. Le vrai châtiment, ça s'appelle les codétenus, et eux, ils ont pas défini leurs punitions selon les chartes internationales. T'es un flic, en plus, espèce de con. Putain, Sébastien, putain, on fait le même boulot, on est du même bois. Ça me fait chier de voir un type comme toi se désintégrer comme un bidet à l'entrée de l'atmosphère, tout ça pour une malheureuse connerie que t'as faite pour pouvoir te payer des bières un samedi sans penser à toutes les galères que t'affronterais la semaine d'avoir claqué ta paye. Mets-toi à table maintenant, Sébastien, et on passe l'éponge.

L'Agent Titin n'était visiblement pas malheureux d'avoir troqué les quincailleries pour les interrogatoires et d'ouvrir la danse dans laquelle on allait piétiner toute la nuit. Arne avait avoué avoir forcé la voiture de la Procureure Glazère. Mais il s'en tenait depuis à sa version bout de ficelle d'une mystérieuse enveloppe remplie de thunes qui aurait suffi à le convaincre. Titin regarda sa montre. Il allait être minuit. L'heure de renouveler le quart et d'appeler Garamande sur le pont pour deux nouvelles heures de rigolade.

0 h 04

— Vous êtes Agent de Police, vous devez donc savoir que tous les condamnés ne le sont pas sur la foi d'une enquête infaillible. Un bon Procureur, une jolie campagne de presse font largement l'affaire. Je crois que vous mésestimez le pouvoir d'une histoire. Ah, une histoire, ça se raconte comme on veut. Je le vois d'ici, le reporter en herbe qui a compris que faire de vous un monstre, ça lui assurera d'un coup le succès. Je sais pas, vous êtes philatéliste ? Préparez-vous à des inserts en gras du style : « Il préparait son prochain meurtre en complétant sa collection de timbres. » Ou alors, si vous avez lu deux ou trois livres : « Ce raté à prétention d'intellectuel compen-

sait ses complexes en s'abreuvant de mythologies. »
Comprenez bien une chose : on est fasciné par les
procès, on choisit son journal en fonction de la
rubrique faits-divers, parce que ce n'est pas pour
comprendre quoi que ce soit qu'on lit dans le bus.
C'est pour entendre des histoires. Quand on en trouve
une terrifiante, quand on a été repus de sadisme et
de cruauté, on ne réfléchit plus. Peu importe qu'on
n'ait contre vous que cette misérable affaire d'effrac-
tion. Une fois que la Justice aura dit que c'est vous,
le tueur, vous serez piégé ; votre moindre trait de
caractère, bon, mauvais, peu importe, ça servira de
preuve que vous êtes un malade. Ce qui compte, dans
ce monde construit par les médias, c'est la couleur
qu'ils vous collent. Vous, vous n'êtes plus qu'un pan-
tin qui remue les lèvres pour synchroniser le dou-
blage. Et vous croyez quoi ? Que la Police du
Marchaunoir va hésiter à crier sur tous les toits
qu'elle tient enfin le coupable des sept meurtres de
Volmeneur ? Vous croyez qu'on aura des scrupules,
sous prétexte qu'on sait très bien que c'est pas vous ?
Au pire, si l'autre dingue frappe à nouveau, vous
serez jugé pour complicité. Et dans un dossier
comme celui-là, ça veut dire la guillotine. On est tellement dans la merde avec cette enquête qu'on est
prêt à tout. Même à vous sacrifier aux juges par dépit.
C'est bizarre d'ailleurs que vous vous obstiniez à ne
pas nous en dire plus. Vous êtes quand même de la
maison. Vous devriez au moins sauver l'honneur en
aidant un peu les collègues dans une affaire qui ne
peut pas vous laisser indifférent, et dans laquelle vous
devez regretter de vous être fourré par ignorance. À
moins que vous ne soyez effectivement coupable. Ce
qui serait surprenant, et consternant. Mais je ne vois
que cette explication à votre silence.

— Il vous a menacé, c'est ça ? Il a promis de s'en prendre à votre famille si vous disiez quoi que ce soit qui puisse le compromettre ? ( ) Je vous comprends.

On s'était réparti les rôles, sans trop se casser la tête. À Fénimore la menace prospective, à Casilde les sentiments, à Ferde l'intimidation physique, à Titin la bonhomie complice. L'Enquêtrice Binasse s'était assoupie sur son bureau. Mal partout et l'impression que ses poumons fumaient le cigare. Lui, il avait l'air fringant. Il travaillait de nuit depuis des semaines. Pas sortis de l'auberge. Sortir l'artillerie.

— Regardez-moi, Sébastien. Vous me trouvez jolie ? Je sais, la question est un peu bizarre vu les circonstances, mais vous savez, une femme, ça a toujours besoin de se sentir jolie. Vous avez une femme, Sébastien ? Suis-je bête, elle est passée tout à l'heure. Elle est belle, d'ailleurs. Ça ne doit pas être facile de retenir une fille comme ça avec une paye d'Agent. Mais je me souviens, elle est Agent elle-même ! Elle doit croire au service de l'État. C'est beau, ça. Quand on a ce genre de convictions, on ne doit pas rêver de s'endormir à côté d'un ripou. Moi, je les connais, les filles droites. J'en suis une. Je suis donc bien placée pour vous dire qu'elles partent pour moins que ça. Si j'avais le temps, je vous raconterais pourquoi j'ai quitté un collègue. Qu'est-ce que je l'aimais... On devait se marier. Je crois que je l'aime encore. Mais c'est fini, à tout jamais. Quand il n'y a plus la confiance, ça ne sert plus à rien. Ce serait triste que votre femme apprenne qu'on vous coffre pour entrave, plutôt qu'on lui dise qu'après une petite erreur, vous avez contribué à faire tomber un dangereux criminel. Ce serait triste que vous vous sépariez. Tout ça à cause d'un petit moment de connerie. Remarquez, moi, je vous trouve mignon. Si on s'était rencontrés autrement, je suis sûr que j'aurais voulu en savoir plus. Je vous aurais branché. Vous m'en voulez de vous le dire ? Je vous parais bizarre ? Faut pas m'en vouloir.

04 h 04

— J'en ai marre de veiller. Et tout ça à cause de ta gueule. Je suis en horaires de jour, moi, putain ! faut que j'expulse, là, merde !

L'Agent Ferde envoya sa chaise dans le mur. Elle avait frôlé la tête d'Arne, qui essayait de rentrer dans ses épaules et regardait la table. Un tremblement. Ferde cuirassa son cœur en se souvenant du soupir qu'avait lancé Casilde juste après l'avoir réveillé. Quand il lui avait demandé ce qui n'allait pas, elle avait dit : « Oh, ça me dégoûte, je me dégoûte, voilà. »

Il fit le tour et se retrouva à côté de Sébastien Arne. Il lui agrippa les cheveux.

— Regarde-moi !

En lui levant la face, il vit qu'il était vert. Ses yeux étaient creusés, les cernes violets. Il respirait de plus en plus fort. Transpirait. Crise de panique. Ferde sut qu'il allait gagner.

— Alors, le cardiaque, on tombe en morceaux ? Je vais te péter tous les os de la gueule jusqu'à ce que tu claques d'un infarctus sous mes yeux. On saura très bien expliquer après que c'est toi qu'est devenu fou. Tu connais le coup ? Hein, espèce de connard, que tu sais ce que c'est de donner des gifle ! Comme ça ! Et puis comme ça !

— Je...

— Quoi ? Tu dis quoi ?

— Je vais vous dire. Qui m'a contacté. Je vais vous le dire.

Dans un borborygme de pleurs et la voix cassée par la fatigue, il répéta :

— Je vais vous le dire.

412

Ferde réprima un sourire. Des aveux au bout de sept heures de garde à vue, c'était un très beau score. Puis Arne commença son court récit. Si bas que l'Agent de la Brigade des Crimes Aggravés Ferde dut se pencher jusqu'au bord de sa bouche pour entendre.

04 h 42

Il avait fallu un peu de temps pour les sortir du coltar, puis encore un délai pour qu'ils impriment bien la nouvelle, puis encore un débat pour décider ce qu'on allait faire.

L'accusation était sévère, il fallait trouver un moyen de vérifier avant de faire partir le scandale. C'était Titin qui avait eu l'idée. Et que c'était lui qui se tenait maintenant devant l'ordinateur, en espérant que le suspect ne s'était pas trouvé un mot de passe perso pour ouvrir sa session, même si normalement tout le monde avait le même, et la première lettre de son prénom collée au nom pour l'identifiant. C'est pour ça qu'il a tapé jlambertine, puis dans la case codée « donox ». L'Agent a eu alors la satisfaction de voir le système démarrer. Il a jeté un coup d'œil au-dessus de l'écran. Rien à craindre à cette heure-ci.

Titin a tapé « L'homme croit » dans la rubrique « Recherche » du système d'exploitation. C'est Garamande qui lui avait dit de faire ça. Il leur avait expliqué que s'il avait recopié ce qu'il y avait sur le tableau dans son ordi, on était sûr que Lambertine était l'auteur de toutes les intimidations. Au bout de vingt secondes, un document appelé LISTE OLYMPE s'afficha. L'Agent l'a ouvert. Puis l'a imprimé. C'était à présent certain. Le Commissaire de Province Justin Lambertine trempait dans un septuple homicide aggravé.

Comment un type comme Lambertine pouvait se retrouver mêlé à ça ? Fénimore avait attendu confirmation avant de se laisser saisir par le problème. Chaque homme a ses mystères et l'Enquêteur Provincial Garamande savait d'expérience que les coupables n'ont pas toujours le profil. Tout de même.

Réfléchir.

Aller serrer le Commissaire dès son arrivée dans son burlingue, c'était comme montrer son cul à un crucifix, personne ne se sentait de le faire, pas même lui qui était le seul à ne pas avoir servi sous ses ordres. En parler à la Procureure. Lambertine était un de ses amis. L'appeler maintenant ? La réveiller ? La nouvelle était si dure qu'elle inspirait des formes, des prudences, comme chaque fois qu'on apporte le pire. Alors, attendre neuf heures, comme ça, prostrés ?

Oui, ils décidèrent d'attendre, l'air con à se passer le petit déjeuner, et puis se relayant à la machine à café en se demandant quand on aurait le crâne assez en paix pour dormir. On avait fait descendre Arne aux cellules. Ferde et Titin descendaient voir de temps en temps si leur témoin se tenait tranquille. Balancer son Commissaire dans un dossier si grave après avoir été démasqué comme ripou, ça pouvait inspirer des gestes irréparables.

— Ça m'aurait étonné aussi que tu veuilles me voir pour ressusciter le bon vieux temps. Quel dommage...

— Écoute, Joseph, je suis sérieuse et j'ai besoin que tu sois sérieux.

— Qu'est-ce que tu veux que je te dise ? Je comprends ton point de vue, mais c'est pas comme si je pouvais aller trouver une de mes journalistes et lui expliquer de s'asseoir sur ses infos sous prétexte que la Procureure du Marchaunoir est une vieille amie.

— Soit dit en passant, rendre public le contenu de lettres anonymes et faire passer ça pour un scoop, j'ai vu plus brillant comme collecte d'informations.

— Tu vas pas me dire comment tenir une rédaction, et si les infos étaient pas vraies, tu ne serais pas en train d'essayer de m'intimider.

— Moi, j'essaie de t'intimider ? Ah, ah, ah, tu as vu trop de films où les journalistes font effectivement leur boulot et en paient le prix, mon petit monsieur.

— Tu veux quoi, alors ? j'ai toujours pas compris.

— Je veux que tu fasses passer le message à ta reporter que si le Parquet a tenu secrète la relation entre les crimes et le club, c'est parce qu'on ne voulait pas divulguer l'identité des victimes. Il y a des familles en deuil. Elles ont droit à un peu de répit. Et puis, tu connais la fascination des gens du Marchaunoir pour le rugby. Si on avait ajouté ça à leur passion pour les *serial killers*, c'était soit l'émeute, soit des tentatives de meurtre sur les joueurs.

— Et tu comptes faire quoi pour éviter ça ?

— Ce qui est sympa avec les journaleux, c'est que le statut d'être humain passe toujours après celui de source. Bref. Pour te répondre, on ne compte rien faire. Le prétexte du premier crime nous avait suffi pour monter une protection judiciaire, maintenant que tout le monde croit que les six autres sont liés aussi au club, on va juste un peu la renforcer. Pour la com.

— « Croit » ?

— Pardon ?

— Tu as dit que les gens croient qu'il y a un lien, c'est pas le cas ?

— Oui, tu pourras dire ça aussi à ta pouliche : les rapports qu'on a trouvés sont tellement tirés par les cheveux qu'on s'en serait voulu d'en faire quoi que ce soit. Ça la regarde si elle a envie de se faire intoxiquer, tu lui demanderas d'ailleurs ce que ça fait d'être l'attachée de presse d'un assassin. Attends. Allô ? Oui. Entendu. Désolé, Joseph, je dois y aller.

— Super la méthode coup de fil pour écourter la conversation.

— On est tous les deux devenus des notables, une demi-heure pour un petit déjeuner, c'est déjà bien. Allez.

Et, avant de partir, la Procureure Caterina Glazère fit une bise à son vieil ami de fac, le directeur de la rédaction de Radio République – Marchaunoir.

10 h 09

— D'accord, Justin. Ça marche. Demain 19 heures à la Buvette de la Force. Entendu.

Sitôt raccroché, Caterina Glazère composa le numéro des Crimes aggravés.

— Je vois Lambertine demain soir. Non, avant, ça lui aurait donné la puce à l'oreille. On devait se voir pour accorder nos violons sur un dossier et on avait dit qu'on se verrait en milieu de semaine. C'était prévu comme ça, je ne veux pas lui mettre la puce à l'oreille. Il est essentiel qu'il ne se méfie pas, sinon, on n'en tirera rien. À vous de ne rien laisser paraître. Pardon ? Mais non, y a plus de flics et de Magistrats à la Buvette de la Force qu'aux vœux du Prévôt. Et Lambertine n'a pas découvert qu'on a arrêté Arne ? Vous en êtes certaine ? Bon. J'ai fait accélérer les démarches pour la demande de bracelet électronique, vous devriez pouvoir le conduire chez lui en fin de matinée. Non, je connais le processus, il aura pas ça sur son bureau avant deux jours. Et une fois que vous aurez assigné Arne à résidence, allez dormir un peu. Entendu. Au revoir, Casilde.

Après avoir raccroché, Caterina Glazère se sentit triste.

Jeudi 23 novembre

14 h 52

Zacharie avait fait un bon entraînement hier. Il avait tatoué son nom sur la peau du petit con de Casimir Alabadin à l'hématome. Avant de partir ce matin, il avait demandé à Judith de lui donner une preuve d'amour pour affronter le stress de l'annonce de la composition d'équipe. Et elle lui avait dit :

— Je te donne mieux que ça. Je te donne une raison.

C'était pas ça qu'il avait en tête, mais bon. Et puis elle lui avait dit de faire attention au tueur. Avec ce que disait la presse, elle était de moins en moins rassurée. Il avait répondu qu'il y avait des Policiers partout où ils allaient et que les flics leur avaient expliqué que, s'il avait voulu s'en prendre aux joueurs, il l'aurait fait depuis longtemps. Il se rappelait qu'ils avaient parlé d'une « tentative de sacralisation pour projeter une aura sur ses crimes, qui n'induisait pas une volonté de leur nuire directement ». Il avait compris que le tueur avait besoin de leur réputation pour que ses assassinats fassent de l'effet. Froid dans le dos. Donnerait presque envie de perdre pour le calmer. Ils l'auraient d'ailleurs peut-être fait si on leur avait prouvé que ça aurait suffi à l'arrêter.

Zacharie errait avec les autres en attendant qu'il soit 3 heures et qu'on les réunisse dans la salle de réception de l'aile professionnelle de l'Académie. Il flippait comme un chacal, parce qu'il s'était mis en tête que c'était cette fois-ci ou jamais, et que même son couple aurait droit à des répercussions dévastatrices en cas d'échec. Il avait fait tout ce qu'il pouvait, maintenant, c'était une question de chance. Que Sgabardane ait vu ce plaquage-là, cette percée-là, qu'il ait été plus impressionné par sa solidité que par les coups d'éclat d'Alabadin.

— Allez, les mecs, le coach vous attend.

Mercredi 22 novembre

La Procureure Caterina Glazère sortit en trombe du Palais de Justice de Volmeneur. Elle était en retard, mais la Buvette n'était qu'à cinq minutes. Un froid sec la piqua dans la rue. Parmi tous les frissons qui la parcouraient, il y avait celui du danger. Elle repensa à la carte et à la branche, dont elle n'avait pas parlé aux filles et à Romain. C'était peut-être injuste. Mais c'était aussi comme ça qu'elle s'était toujours débrouillée. L'équilibre du silence. Laisser l'intimité à distance des risques du métier. La vieille règle lui permit de chasser ses scrupules, et de se fondre dans le rendez-vous crucial vers lequel elle marchait. Elle était presque arrivée.

15 h 04

Sgabardane commence sans façon :
— Je profite qu'on soit tous réunis pour vous dire que je sais très bien que, depuis dimanche et leurs conneries de révélation des journalistes vous collent aux basques pour avoir vos réactions sur les meurtres. Pour l'instant, personne n'a bavé et je vous en félicite. Mais ça vous mine. J'ai pas de grands dis-

cours là-dessus, sinon vous répéter que si vous étiez concentrés, ça vous passerait complètement au-dessus de la tête, et ça serait la moindre des choses. Commencez par répondre en gagnant le match. Késidon a fait un bon début de saison, mais ça reste des promus. On connaît le mythe sur la niaque des promus. N'empêche qu'Hépyria c'en était, et on les a tapés. J'ai dû remanier les lignes arrière. Parce que c'est confirmé : Abderrahmane est au repos et Athanase, votre capitaine, est forfait pour au moins trois semaines.

Zacharie mangeait ses doigts. Dans ces circonstances, s'il était exclu de la composition, c'est qu'on l'escortait au bras d'honneur jusqu'à la porte.

— Ah, oui, Thalalé a été réopéré ce matin. Cette fois-ci, ça s'est bien passé. On devrait le revoir dans une dizaine de semaines. Voilà. Alors l'équipe : numéro 1, pilier gauche : Vaast. Numéro 2, talonneur : Baruch. Numéro 3, pilier droit et capitaine : Gabar.

Applaudissements. On était content pour Galfatasse. Zacharie se dit que ça avait dû valser à la charnière, sinon on aurait confié cet honneur à Félix.

— Numéro 4 et 5, deuxième ligne : Jacob et Sébald. Numéro 6 et 7, troisième ligne aile : Sixte et Yann. Numéro 8, troisième ligne centre : Terce. Demi de mêlée : Pépin.

Après avoir fait un ou deux essais à la mêlée pendant les entraînements, le prodige s'offrait le luxe de virer deux des plus grands spécialistes de la République d'un match officiel. Ça, ça voulait dire que Sgabardane misait sur les jeunes. Zacharie en était sûr, il allait se faire doubler par Alabadin.

— Demi d'ouverture, numéro 10 : Judicaël.

Zacharie jeta un coup d'œil à Zachée, à droite. Il faisait la gueule. On préférait prendre un centre pour jouer à ce poste que lui qui était le remplaçant attitré.

Sacrée composition, décidément. Maintenant, ça allait être le verdict.

— Centres : numéro 12 : Zacharie et numéro 13 : Casimir.

Il était premier centre et Casimir deuxième. Son rôle allait être de créer les points de fixation pour que le petit étincelle. C'était bien la peine d'être en guerre.

Mercredi 22 novembre

Elle passait dans une impasse, l'excitation battant en elle de ce qui allait arriver, quand elle fut projetée contre un mur. Elle se coupa la gorge à force d'« au secours », mais un gant lui déchira la bouche et cisailla ses tentatives. Elle sentit une seconde la main la lâcher puis elle eut un large scotch industriel sur les lèvres. Elle fut soulevée, jetée. On referma sur elle le coffre d'une voiture. Bruits et vibrations de moteur. Sa pensée était lacérée d'angoisses, elle transpirait la terreur comme un poison. Personne ne les avait donc vus ? Personne n'allait intervenir ? Personne n'avait noté la plaque d'immatriculation ? Personne n'allait prévenir la Police ?

Samedi 2 décembre

Neuvième journée :
Sordre – Volmeneur

M

1
pilier
gauche
Vaast
DRAGOULÉMANE

2
talonneur
Macaire
KLÉDINSTEIN

3
pilier
droit
Heldrad
VOERS

Ê

L

4
deuxième
ligne
Jacob
THÉOVITTE

5
deuxième
ligne
Désiré
CALFIN

É

6
troisième
ligne aile
Sixte
DARSSIN

8
troisième
ligne centre
Iker
DELAVENTIN

7
troisième
ligne aile
Terce
HACHETTE

E

C
H
A
R
N
I
È
R
E

9
demi
de mêlée; capitaine
Félix
VALDAFIN

10
demi
d'ouverture
Abderrahmane
TRINQUETAILLE

T
R
O
I
S
-
Q
U
A
R
T
S

11
ailier
gauche
**Constant-
Baptiste**
FAURE

12
centre
Judicaël
GALBOND

13
centre
Casimir
ALABADIN

14
ailier droit
Foulques
BODOMBIN

15
arrière;
capitaine
Pépin
PÉRÉGRIN

REMPLAÇANTS

16. Kétil LAMARSINEINBA

17. Baruch KLÉDINSTEIN

18. Sébald LESCARBORDE

19. Yann HURLAR

20. Corentin DIMBIEL

21. Zacharie HAOUSSELINE

22. Malloy GRUVALD

REGARDER SOUS LES PIÈCES
DU PUZZLE

Dimanche 26 novembre

Ils étaient quatre dans la voiture, et ils en descendirent chacun par une portière. Le froid cinglait comme une voile déchirée qui bat contre les oreilles, l'hiver avait profité de la nuit pour s'abattre. Il était 10 heures du matin et aucun n'avait bien dormi. Tout autour d'eux des collines de houille, et devant eux un terrain vague à nid-de-poule et eau brune stagnante. Au bout, une bouche s'ouvrait vers le cœur noir. C'étaient les mines désaffectées qui séparaient le Faubourg-du-Bagne et la Zone de l'Industrie. Elles étaient devenues un musée où des groupes d'écoliers venaient s'émerveiller de la dureté d'autrefois. Toujours ça pour adoucir celle d'aujourd'hui. Devant l'entrée, un type déguisé en bagnard les attendait de pied ferme. Référence au gros des travailleurs de jadis. Pour survivre, il faut suer de quelque part. S'il le faut, de la dignité. L'époque, qui était au spectacle, n'aurait d'ailleurs pas compris qu'on trouve ça triste. On avait un mot pour ça : sympa.

Le guide les prévint d'emblée que plus ça irait vite, mieux ce serait, parce qu'il faudrait débarrasser ça avant d'ouvrir, que c'était dimanche et que c'était un jour où on faisait du monde. Il remarqua pour eux :

— Pas de caméra, pas de système de protection compliqué, on n'a pas les moyens. Et puis, on peut pas imaginer que des gens vont s'amuser à forcer la porte comme ça pour descendre en pleine nuit. C'est dangereux d'aller en bas tout seul, sans les plafonniers. Regardez, il a forcé au pied-de-biche. Après, descendre par l'ascenseur, c'est à la portée de beaucoup de gens. Si la personne est venue avant, elle a eu qu'à observer ce que je fais.

Il constatait tout à leur place. Pressé, décidément. Après, ce furent ces sifflements de poulies, ce grondement en fer de la descente vers les galeries, et cette idée qui monte des pieds à la tête de ceux qui descendirent défier à la pioche le sommeil du grisou. La grille en accordéon s'ouvrit sur de jolies tranchées bien éclairées par des bataillons de lampes style industriel. Des cordons tout propres faisaient une allée et protégeaient les parois. Dès qu'ils sortirent, ils firent face à un cadavre de femme, cloué à la roche par un filet de métal.

La poitrine, ce qu'on voyait des jambes, le blanc doux de l'ensemble, et puis les cheveux roux, longs, soignés plaidaient pour une beauté. On ne pouvait pas trop savoir toutefois, parce que le visage avait été débarrassé de sa peau. Il n'en restait plus que ce qu'il y a dessous. Muscles rouge viande, dents de squelette, yeux de devanture de poissonnerie. Casilde alla vomir dans un coin. Le guide eut l'humanité de ne pas protester.

Fénimore s'approcha et surprit sur l'épiderme des cuisses un léger trop-plein et quelques rides. Il se dit que la victime devait avoir dépassé la première trentaine et ne pas avoir encore quarante-cinq ans. Il jeta aussi un coup d'œil à la carte coincée entre le corps et le filet :

ὥσπερ σωρῶν εἰκῇ κεχυμένων ὁ κάλλιτος ὁ κόσμος.

LE MONDE, LE PLUS BEAU DES TAS RÉPANDUS AU HASARD.

Il pensa tout de suite à un des épisodes les plus connus de la mythologie. Aphrodite saucissonnée par le boiteux Héphaïstos, mari sur une jambe et cocu désigné qui l'avait châtiée de ses infidélités en la prenant au piège dans son lit avec son amant le dieu Arès, si sa mémoire était bonne. Héphaïstos, dieu des forges, de tous ceux qui travaillent le feu. L'assassin avait sans doute jugé que la mine, c'était à Volmeneur le cadre le plus propice à lui faire un sacrifice.

En remontant attendre la Scientifique, les Enquêteurs Provinciaux Garamande et Binasse, les Agents Ferde et Titin eurent la mauvaise surprise de découvrir une nuée de reporters à micros, à stylos, à caméras, à projecteurs. Le bagnard improvisé s'abîma dans la contemplation de ses chaussures. On entendait d'ici son explication : « Vous comprenez, un meurtre comme ça, ça va attirer des visiteurs de tout le pays. »

Fénimore tenta à nouveau d'appeler Glazère. Sans succès. Ça faisait cinq fois qu'il essayait. Festival de chienlit.

*
* *

On avait perdu. C'était ce que répétait le magazine *À l'ovale*, qui résumait les journées de championnat tous les dimanches matin à la télé, et il y avait fort à parier que ce serait tout ce que retiendrait l'équipe. Pourtant, Casimir Alabadin avait le cœur en fête. Parce que le sujet qui racontait leur défaite surprise face à Késidon avait fini par son essai marqué à la dernière minute : « Seule satisfaction dans la faillite mentale et collective de Volmeneur, LA révélation de ce début de saison : Casimir Alabadin. Dix-neuf ans, réserve de l'Académie, il fait déjà parler la poudre. Une course ébouriffante. Un essai de grande classe. Un joueur à suivre. »

430

Le genre de phrases qu'on se forge dans ses pires cuites de mégalomanie. Là, ça sortait d'une autre bouche, et c'était bel et bien venu de la réalité. C'était la première fois qu'une telle chose lui arrivait, et il n'avait pas l'âge de se méfier des triomphes. Il se repassait l'extrait en boucle depuis une demi-heure.

Casimir était content, aussi, de se retrouver à la maison. Pouvoir jouer à la console, se regarder un film, envoyer des conneries tant qu'il voulait aux copains par Internet, ça le faisait bien, surtout quand on en a été privé une grosse semaine. Et c'était pas tout, parce qu'aujourd'hui, il avait un plan. Lui, dès qu'il avait un amour en vue, c'était S.M.S., email, et parfois lettre. Il aimait se construire son truc quand il envisageait une fille, se raconter leurs premiers temps. Là, elle s'appelait Ombeline, et il avait eu un boulevard pour la vanner sur son prénom. Ça avait brisé la glace. Elle se détachait du lot, même sans ça. C'était le genre de filles jolies, mais qui portent par exemple un chapeau pour se donner du chien et de la dissemblance, le genre entourée d'amies un peu admiratives, qu'on entend tout le temps, qui chante dans la rue, fait la ballerine et le manège une main sur le lampadaire, a tout un tas de chansons préférées, de films préférés, et laissent des livres dans la boîte aux lettres. De ces filles qui rigolent puis qui pleurent, et dans les deux cas, on a du mal à ne pas faire comme elles.

Alors, elle se laissait pas cuire en un ciné, elle parlait de temps qu'il faut prendre, et puis de peur de souffrir. Comme Casimir aimait se donner du mal, ça tombait bien. Il ressentait toujours comme une tristesse à son propos. Il pensait à peu près tout le temps à elle. Et quand il y pensait, il y avait une certitude de jamais se faire aimer d'elle qui tombait comme un blues. Il s'échafaudait des tas de raisons de ne pas y croire. Qu'elle avait seulement répondu

« merci » à son denier mail et « désolée, je peux pas aujourd'hui » à sa dernière invitation.

Casimir entendit le cling d'un message. Comme toujours depuis deux semaines, il avait beaucoup trop envie que ce soit elle pour espérer que ce soit le cas. Il est allé à son bureau et, en voyant son nom sur la ligne de réception, ça lui a mis un coup. C'était excitant et blessant en même temps, parce qu'il y avait dans sa joie toutes les déceptions concassées des fois où ça n'avait pas été elle. Quand il ouvrit le mail, il ne vit qu'une grande photo de tableau, et puis : « C'était bien. Bravo, bravo, bravo. »

La peinture ressemblait à celles qu'elle lui avait déjà envoyées. C'était toujours la mer, et rarement par beau temps. Pris dans sa méfiance amoureuse, et encore dans son coup de chauffe d'ambition, il trouva qu'elle charriait. Elle avait même pas dû regarder le match. Parce que « c'était bien », vu l'exploit qu'il avait réalisé, c'était pas à la hauteur. Il se dit qu'il se trompait peut-être à son sujet, qu'elle ne comprenait rien à ce qu'il était, que c'était con d'imaginer leur mariage avant de s'endormir.

Malgré cette humeur, il l'appela et décrocha une promenade dans la Zone des Plaisances après le déjeuner. Ombeline, qu'il trouvait limite péteuse un instant plus tôt, reprenait à ses yeux son rang de reine. Il décida d'oublier le mail. Casimir ignorait qu'il disait plus encore que ce qu'il espérait. Une attente qu'elle n'aurait avouée pour rien au monde.

*
* *

Mauvais pressentiment. De retour à la Brigade des Crimes Aggravés, Fénimore retournait en lui son inquiétude sans se l'expliquer. C'était la première fois qu'il vivait avec cette intensité le sadisme du tueur. Non qu'il l'eût trouvé ces dernières semaines d'un humanisme raffiné. Mais il s'était jusqu'alors plutôt attaché à ce qu'il voulait dire. Cela venait de lui, sans doute. Et, en songeant aux restes brûlés de Majda Benour ou aux photos qu'on lui avait montrées du corps mangé par les chiens, il se dit que l'atroce avait été atteint depuis longtemps. Alors pourquoi, pour lui, cet apogée du dégoût ? Il y avait cette fois-ci il ne savait quoi de plus précis. Il lui semblait être relié à cette victime. Il lui semblait la connaître. Une goutte de sueur lui monta au crâne.

Allez savoir ce qu'il avait reconnu dans un cadavre sans visage. Peut-être une tache sur l'avant-bras. Comme on appelle sa mère quand il arrive une vraie tuile, sans savoir à quoi cela pourrait bien servir, il refit le numéro de la Procureure. Toujours rien. Soit. Prendre de la hauteur.

Ils n'avaient pas encore fait de liens entre Béniate Boulfin, la victime d'Artémis et le club, et le type d'avant avait clairement été tué parce qu'il était un indic de la Police et non pour satisfaire à on ne savait quel cahier des charges symbolique anti-XV de Volmeneur. Le tueur frappait de plus en plus fort et le choix de ses victimes était de moins en moins lisible. Casilde avait supposé qu'après avoir éliminé tous les participants aux banquets des vingt-deux dont il voulait se débarrasser, l'assassin fonctionnait maintenant à l'impulsion. Fénimore était tenté de lui donner raison pour les trois meurtres les plus récents. L'épicier était le dernier tué à avoir été clairement relié au club, et encore par l'intermédiaire foireux d'un ballon signé par les joueurs. Si l'assassin entrait dans une deuxième phase, aléatoire, chaotique, cela signifiait qu'il n'y avait plus de plan à déchiffrer. Et que ses hypothèses et ses théories n'étaient que du bruit. L'Enquêteur ajouta à son résumé de la démarche du tueur :

L'HOMME CROIT ÊTRE, MAIS AMASSE DES HASARDS.

Il n'avait pas mieux pour tracer un trait entre une belle femme, Héphaïstos, la mine et la phrase d'Héraclite. Ce qu'il y a dans le sol, ce qu'il y a dans le corps, ce qu'il y a dans le désir, un tout-à-l'égoût qui prend la pose, du pourri qui nous nourrit de coup de pioche en coup de pioche à l'arrachée. Mouais. Ça sentait de plus en plus le commentaire de critique d'art sur un égouttoir à bouteilles.

*
* *

Il tombe quelque chose de froid et de gluant qui n'est plus de la pluie et qui n'est pas encore de la neige. Il fait froid, il y a du vent, et ils ont vite compris qu'ils n'allaient pas marcher comme prévu le long de la plage, en laissant le bruit de la mer les rapprocher pour s'entendre.

Ils sont rentrés dans un café et ils ont commandé un verre de vin. Ils sentent que leurs amis se sont retirés. Ils s'aperçoivent que c'est la première fois qu'ils ne sont que deux. Et cela les intimide.

Par la fenêtre, le gris les invite à profiter d'ici. Ombeline demande à Casimir de lui faire vivre le match. Il lui parle de détails dont chaque pièce ne construirait pas un centimètre de ce qu'il y a d'intéressant à dire. Elle l'écoute, parce qu'à ce moment elle est heureuse de commencer à voir dans sa vie. Elle n'est déjà plus à l'extérieur. Elle approche de sa peau. Ils le savent tous les deux. Ils laissent le secret de leur corps le répercuter.

Il lui demande comment elle a passé le week-end. Elle lui parle d'une exposition qu'elle a été voir à la Galerie du Marchaunoir, elle lui dit que ça ne vaut pas les musées de Capitale, mais que là, c'était bien, puis elle lui parle d'un groupe qu'elle a découvert et d'un film qu'elle a vu. Ombeline pense que ce qui intéresse le plus les gens chez elle, c'est ce qui mérite la curiosité de ses professeurs ou de ses parents. Lui aussi commence à voir ce qu'il entend. S'allume en lui la silhouette d'Ombeline dans l'attitude de quelqu'un qui regarde une toile, puis sa rêverie dans sa chambre, assise en tailleur sur son lit. Le film ne lui inspire qu'une pointe de jalousie à la pensée qu'elle n'y est pas allée toute seule et qu'il y a peut-être des garçons dans sa vie à qui elle ne se contente pas d'envoyer des tableaux. À ce moment, il pense qu'elle a voulu faire de lui le confident de ses émois artistiques, mais rien de plus. Il en a connu d'autres, des filles qui veulent convertir les athlètes aux festivals et aux rétrospectives. Il est aspiré par une tristesse ouverte dans son ventre. Elle s'en rend compte et lui demande à quoi il pense.

En posant cette question, elle a senti quelque chose de glacé dans le dos, parce qu'elle sait que la réponse sera le geste de leurs mains. Elles se rejoindront ou s'éviteront. Il lui dit qu'il aimerait savoir ce que signifie pour elle leur relation.

C'est à ce moment-là qu'une serveuse leur demande s'ils prendront de la tarte. C'est une chose étonnante, mais tout le monde a vérifié que les serveurs ont un sens inné du moment où déranger une conversation. Ils ont dit « oui », alors qu'ils n'avaient pas faim, mais pour se prouver qu'ils avaient le temps, que le moment leur appartenait.

Ils ont attendu dans un silence qu'on pose les assiettes. Puis, après, ils ont chacun tenté une ou deux bouchées. Ce n'est que du sable avec une amertume de fruit, à consistance de papier, c'est avalé pour ne pas le vomir. Puis elle se rend compte qu'il ne reprendra pas le sujet, et comme elle n'a quand même pas le courage de donner sa définition de ce qu'ils sont, elle lui demande ce qu'il en pense. Comme avance le temps, comme l'absence va reprendre tout à l'heure et puis le manque, comme ils ont peur de ne plus se revoir, il est pris d'une émotion qui ne fait pas partie de celles qu'il a préparées en venant. Il a une façon douloureuse de lui avouer qu'il ne pense qu'à elle, il trouve cette formule que chacun de ses mails est un rayon de soleil, qu'il n'en peut plus de ne pas la serrer dans ses bras.

Alors elle s'assoit à côté de lui, pose un doigt sur sa bouche pour qu'il ne dise plus rien, et l'embrasse sur une joue. Ils s'échangent longtemps ce que sont leurs lèvres et leur peau avant le vrai baiser. Et jamais ils n'ont rougi ainsi, que leurs langues se rejoignent dans un endroit public. Jamais ils n'ont vécu de moment plus pudique. À la seconde où ils s'échangent leur tendresse, ils sont traversés de leur nudité. Comme Adam et comme Ève quand commença l'amour humain.

Et ils pourraient gémir que tant de force monte en eux.

Et cela vaudrait qu'un homme plus mûr comprenne de loin ce qui leur arrive. Qu'il se dise : peut-être, elle s'évanouira. Peut-être ne seront-ils finalement l'un à l'autre que de ces souvenirs qui remontent plus tard au hasard d'un parfum, d'un prénom, d'une rue. Alors, il y aura ce chagrin sans violence. Alors, il y aura quelque chose de tendre. On pourra se dire que, malgré les cruautés des mots de la rupture, des gestes de la rupture, on a maintenu en vie tous ceux qui nous ont aimés et que nous avons aimés. En dedans. Que rien n'est perdu de ce qui a été donné. Que loin de nous, sans nous, survivent ces instants où nous avons atteint un cœur. Qu'ils seront transmis à d'autres par tout langage d'aimer. Et que la beauté a d'infinies naissances.

*
* *

— Enquêteur Garamande, c'est la Procureure Glazère. Je n'ai pas pu vous rappeler plus tôt, parce que je fais face à une crise familiale. Venez avec Casilde à mon bureau demain matin, on reparlera de Lambertine et nous réfléchirons au dernier meurtre. Je dois vous laisser, désolée. À demain.

Sans savoir pourquoi, Fénimore en raccrochant se sentit soulagé.

Lundi 27 novembre

La Procureure Glazère s'offrit un moment de réflexion avant de faire entrer les Enquêteurs Binasse et Garamande. La semaine dernière, elle avait réussi à les convaincre que Justin Lambertine n'était pour rien dans cette histoire de menaces à son encontre, qu'ils se connaissaient depuis trop longtemps, qu'ils se traitaient avec trop de tacite estime pour que le coup de théâtre ne sentît pas l'arnaque. Comme Justin l'avait supposé lors de leur pot mercredi dernier, quelqu'un s'était arrangé pour placer le document suspect dans son ordinateur. De même, il semblait très facile de glisser une enveloppe dans le casier d'un Agent avec de l'argent et une marche à suivre signée Lambertine – avec la foi que ce nom aiderait à convaincre un de ses subalternes. Dans les deux cas, les éléments à charge tenaient au Scotch usé.

Et puis, c'était beaucoup trop de supposer que Lambertine, salopard consciencieux et meneur d'hommes dur à cuire, pût être mouillé dans huit crimes. L'assassin cherchait à les déstabiliser depuis plusieurs jours et, comme avait dit Justin : « Pourquoi il chercherait pas à m'emmerder moi, s'il a tellement envie de foutre le bordel chez nous ? » Caterina Glazère faisait le lien avec l'épisode Thalalé Jolssin. Il y avait du vrai dans l'idée fixe de Casilde, et le tueur semblait chercher l'erreur judiciaire comme clou de ses châtiments autoproclamés.

Mais Caterina Glazère devait s'avouer aussi que Justin lui avait semblé étrange. Ça n'avait rien été, enfin, rien de précis. Un air de faire attention à où mènent les mots, chaque phrase comme un geste pesé quand on est pris dans un vêtement trop petit. Justin cachait quelque chose. Elle l'avait assez pratiqué dans des réunions de synergie Parquet-Police pour ne pas savoir quand il disait à ses yeux de ne pas trahir la qualité de son jeu. Mais elle était certaine qu'il n'était pas celui qui avait fait ce canular à Garamande, et qu'il ne couvrait pas un fou sanguinaire.

Il y avait néanmoins quelque chose, et la Procureure Glazère savait que cette chose était grave. C'était parce que cette pensée la hantait depuis mercredi qu'elle avait pris une décision. Maintenant que le Commissaire Lambertine était persuadé de ne plus être suspect, on allait le faire surveiller pour comprendre son secret. Et il était possible qu'en perçant celui-ci on découvre une véritable piste vers le tueur. C'était pour leur annoncer cette stratégie qu'elle avait convoqué les Enquêteurs ce matin. La Procureure Glazère n'avait rien pour prouver ses intuitions et il y avait un risque à le laisser dans la nature. Comme une huitième victime depuis son rendez-vous avec Justin était morte, Binasse et Garamande allaient sans doute remettre en question ses atermoiements. « Vous feriez mieux de trouver qui a pu s'introduire dans le bureau de Lambertine pour enregistrer le document sur son ordinateur. » C'était la formule dont elle avait besoin pour calmer les Enquêteurs. Elle ouvrit la porte pour les faire rentrer. Elle eut la désagréable surprise de tomber sur deux dos de buffle. Elle ne s'était pas encore habituée à la protection rapprochée qu'elle avait décidé d'accepter. À cause du coup de poker qu'elle avait décidé de tenter.

* *

Il fait nuit depuis 17 heures et, dans l'étude où Casimir est censé devenir « un sportif à la tête bien pleine », on entendrait ses rêves grésiller. Il réussit parfois à accrocher un ou deux mots dans le livre qu'il a ouvert devant lui, mais les phrases se terminent invariablement par le nom Ombeline et par de grands récits de voyage, avant la grande maison où joueront les enfants. Il n'y a qu'au rugby que Casimir garde les pieds dans ses chaussures, en imaginant ce qu'Ombeline ressentirait si elle était au bord de la pelouse. Alors, pour elle, une course, un crochet, le petit coup de reins et l'exploit. Les gars ont vu qu'il était sorti de la motivation ordinaire et Athanase a rigolé sur le thème de l'« état de grâce ». Zacharie fait, lui, de plus en plus la gueule. C'est vrai qu'il s'est fait démolir à la vidéo sur sa performance de samedi. Casimir aurait plutôt envie que ça marche pour lui aussi. Il comprend les paroles des chansons qui disent que, quand on est heureux, on voudrait que tout le monde le soit.

En attendant que viennent 20 heures et que c'en soit fini de ces deux plombes enfermé à la con, il en veut à l'Académie de ne pas leur foutre la paix une fois qu'ils font partie des remplaçants de l'équipe première. Ils avaient déjà réussi le Concours des Laures, nécessaire pour entrer à l'Université et qu'il fallait avoir obtenu pour être réserve. Maintenant, on leur imposait en plus la propédeutique sous menace de les refuser au club s'ils ne réussissaient pas l'examen final. Mais on surnotait les joueurs vraiment prometteurs, et c'était quand même absurde d'obliger un type qui avait joué deux jours avant un match de haut niveau de se taper des maths, de la philo et de l'his-

440

toire. Et puis, fallait voir le niveau scolaire des pros qui venaient d'ailleurs.

« Je suis fière que tu continues à étudier. »

Ombeline lui avait dit ça dimanche quand ils s'étaient quittés un peu avant minuit. Il avait senti le gros cafard monter, et il avait commencé à se plaindre de tout ce boulot et de tout cet ennui de la semaine à venir. Elle avait seulement répondu ça, et c'est vrai que ça suffisait. Elle lui avait dit aussi qu'elle lui écrirait tous les jours. Il n'en pouvait plus d'attendre la demi-heure d'Internet qu'on leur autorisait après le dîner.

La cloche a fini par les libérer et il s'est rué au réfectoire. À table, il avait bien apprécié le steak haché et les frites du lundi soir. À midi, l'amour l'avait noué, mais, depuis, l'entraînement avait dû le creuser. En tout cas, il se sentait bien après le repas, malgré les courbatures et la sourde douleur au dos qui ne le lâchait pas depuis samedi. Et s'il se blessait ? C'est ça qui serait chiant, d'être condamné aux cours et de même pas pouvoir jouer. Il chassa cette inquiétude quand il fut devant l'ordi et quand il activa sa boîte. Là, il ne fut pas déçu, parce qu'il avait quand même trois messages qui venaient d'elle. À chaque fois, l'objet c'était « J'ai hâte », ça l'a fait sourire, et il a failli gueuler aux autres comme il avait du bol. Ce fut quand il ouvrit que son bonheur retomba d'un coup sec. Dans les mails, il y avait rien que deux tableaux et une photo de lui qu'elle avait dû prendre dans la presse et retravailler parce que à la place du mythique maillot outrenoir sous sa belle gueule, il y avait tout un tas de roses, de branches, d'oiseaux. Casimir trouva ça tout de suite blasphématoire, et puis un minimum moche. Si c'est tout ce qu'elle avait à dire. Si c'était tout ce que ça lui faisait d'être séparés juste après s'être embrassés.

Dégoûté, Casimir s'est levé en faisant la tronche d'un soldat qui va monter au front. Il a taxé une clope et du feu à Taka et, rien à foutre de l'hygiène de vie, il est allé se la griller dans le parc. Quand il revint, la température extérieure au-dessous de zéro et une once d'imagination lui avaient rappelé qu'elle avait dû se donner du mal, et qu'il fallait pas qu'il lui en veuille de pas être assez magicienne pour effacer le manque terrible qu'il éprouvait.

Alors, il s'est remis à l'ordinateur et il lui a raconté sa journée d'une façon moins appliquée et moins tendre qu'il ne l'aurait fait avant son message. Quand, revenu de l'étude de nuit deux heures et demie plus tard, il serait couché dans sa chambre, avec Taka ronflant au-dessus dans le superposé, il se rendrait compte de tout ce qu'il ne lui avait pas dit. Et il aurait peur qu'elle soit tellement déçue qu'elle rompe par Internet dès le lendemain. Il retournerait alternativement les scènes où il la retrouvait au lit avec son meilleur ami et celles où ils s'épousaient à renfort de cloches et de flashs. Il trouverait dans les unes une espèce de paix tragique, les autres le rendraient rond comme une barrique d'excitation ; les unes et les autres l'empêcheraient de dormir.

Mardi 28 novembre

L'Enquêteur Garamande avait souvent vérifié que ces danses parfaitement réglées de la cause à effet que sont les polars classiques n'avaient rien à voir avec la réalité. En vrai, le coup de bol et l'obstination régnaient, puis les aveux après plat de la main dans le dos du prévenu. C'était ça, la Police. Le flic mythologue, le diagnostiqueur des âmes, tout ça, il s'avisait que c'étaient des conneries. On allait interroger des connards de spécialistes informatiques, puis on irait où leurs témoignages diraient d'aller, et on tiendrait celui qui s'était amusé avec sa liste, ergo le tueur. Au mieux, son interprétation de l'histoire que l'assassin voulait raconter servirait à établir au procès une préméditation par ailleurs évidente.

Pourtant, non et pourtant, merde. Fénimore ne voyait pas par quel miracle les informaticiens pourraient leur donner le fin mot de l'énigme. Il était sûr et certain qu'il manquait encore des pièces à ce putain de puzzle, que, même si on apprenait qui avait planqué cette liste dans le disque dur de Lambertine, il resterait quelque chose à comprendre, quelque chose de sombre et de compliqué, une école raffinée du mal. Sans remuer l'ensemble pour voir en dessous, on continuerait à se faire promener comme le troisième à un jeu de balles et à boucler des types qu'il faudrait relâcher, avec excuses publiques et indemnités.

Et au fait, pourquoi ce serait pas tout simplement le Justin qui aurait mis ce document dans son ordinateur ?

C'était quand même pas tous les jours qu'un Commissaire était pris la main dans le sac à menacer une Procureure et des Enquêteurs. Glazère et Lambertine se faisaient peut-être la bise, mais fallait pas charrier, si ça c'était pas une piste, qu'est-ce qui l'était ? Facile de toujours aller chercher du virus et de l'infiltration informatique pour expliquer ce qui est embêtant. Et pourquoi pas un extraterrestre a réussi à me cloner après qu'on a été confondu par son A.D.N., ou un démon s'est emparé de moi sur un flagrant délit ? C'était peut-être qu'il était pas du coin et qu'il avait pas fêté avec Lambertine les anniversaires de ses marmots, mais la Police des Services aurait au moins pu être mise au courant, non ? Et puis, c'était quoi, ces simagrées de peut-être, peut-être pas, gardez un œil sur lui, je le laisse en liberté parce que c'est le Petit Poucet, et puis tout ça.

D'accord, la plupart du temps, une enquête, ça consiste juste à vérifier des aveux en relevant tout ce qui a laissé des traces. Parce que rien dans la vie n'existe sans faire sa tache, c'était d'ailleurs le slogan d'une marque de lessive. Mais en l'occurrence, il y avait peu de chances qu'on s'en sorte en attrapant le type, au détour d'une petite bourde qu'il avait faite. Il était évident que le tueur calculait le moindre de ses gestes, il couvrait ses arrières jusqu'à déconnecter toute la sécurité d'un quartier. Sa stratégie meurtrière ni son message ne fonctionnaient au hasard et on ne pouvait pas espérer le gauler par hasard en demandant à des marioles de tracer on ne savait comment un fichier atterri dans un ordi et en surveillant du coin de l'œil le principal suspect.

Même si ça ne faisait plaisir à personne, ce masque qui tombe du Commissaire soupe-au-lait pour révéler un meurtrier qui défoule son impuissance à éradiquer le crime en envoyant sur des quidams les foudres du ciel, on tenait là une vraie piste. Lambertine avait la connaissance des systèmes de sécurité et des méthodes d'investigation policières pour enfumer des Enquêteurs comme ils l'avaient été depuis le début. Pourtant, on leur donnait l'ordre de ne pas l'arrêter. Tout ça à cause de l'intuition d'une Procureure qui aurait attribué jusque-là les meurtres à une gamine de maternelle si ça avait pu lui permettre d'abattre sur le dossier le gros tampon « Classé ». Elle avait même été jusqu'à supposer que Lambertine pouvait être l'auteur des menaces uniquement pour poursuivre sa protestation entre la création de leur Brigade. Elle déconnait à plein tube. Et pas moyen de sauter au-dessus de la hiérarchie. La Procureure de la République était seule habilitée à saisir la Police des Services.

N'empêche, Christophe était un vieux copain et ça faisait longtemps qu'il devait lui passer un coup de fil. Il était en train de le chercher dans son répertoire quand Casilde vint le trouver dans la coursive :

— Fénimore, les experts de l'informatique vont arriver.

— Entendu.

— Sinon la Scientifique n'a pas trouvé sur le clavier d'autres empreintes que celles de Lambertine. Et puis celles de Titin, à qui il faudra apprendre à enquêter propre.

— Merci pour l'info.

Fénimore s'alluma une autre clope et trouva le numéro de Christophe sur son portable. Il appuya sur Appel.

*
* *

Il était ressorti de la séance que les deux informaticiens qui étaient amenés à travailler sur l'ordinateur

445

de Lambertine parmi les trente spécialistes du Commissariat étaient l'un un homme, l'autre une femme. Le premier avait son bureau au rez-de-chaussée et s'appelait Benoît Toulde. La seconde, qui répondait au nom bizarre d'Astarté Varde, faisait partie d'une équipe plus calée d'experts et ne venait qu'une ou deux fois par semaine pour démêler les nœuds les plus ardus.

Comme c'était à craindre, ils n'avaient appris que ça, parce que le reste avait consisté à se faire décrire les interventions sur les machines et à écouter les deux ingénieurs affirmer qu'il ne s'était agi que d'opérations de routine sur la machine du Commissaire. Sinon, rien, ils n'avaient aucune façon de savoir qui s'était amusé avec sa bécane. Ça sentait les couillons appelés là par erreur, et on les a laissés après avoir pris leurs empreintes et demandé de la salive des fois qu'on les retrouverait sur un cadavre et qu'ils aient été assez cons pour s'accuser en bidouillant sur leur lieu de travail le disque dur du patron ? Juste pour se raconter qu'on faisait son boulot.

Fénimore était de plus en plus persuadé qu'il avait bien fait d'appeler Christophe. En sortant de la passionnante entrevue, il s'aperçut qu'il avait un message sur son portable.

Sur son répondeur, ça a donné : « Fénimore, c'est Adélaïde. Tu seras ravi d'apprendre que Vladimir et moi, nous sommes arrivés hier avec nos meubles. Nous habitons officiellement au 7, avenue du Fanal, Zone de l'Étude. Je voulais aussi te rappeler notre accord et te prévenir que Vladimir sera vendredi soir à 20 heures pile devant chez toi. Range ton bordel et révise tes recettes de cuisine. Tu seras gentil de ne pas m'adresser la parole. Salut. »

Jeudi 30 novembre

Bien entendu, Ombeline avait trouvé les mails de Casimir remarquables, et, ainsi encouragé, Casimir avait écrit des messages qui s'étaient faits plus longs et plus tendres. Çà et là étaient apparues des promesses. Casimir sortit de l'annonce de l'équipe en se disant qu'on allait voir si Ombeline allait s'acquitter de la première.

Il serait titulaire contre Sordre. Il avait d'abord dû réprimer sa joie, parce qu'il avait croisé Zacharie qui se retrouvait sur le banc. Casimir lui avait donné une tape dans le dos. Il l'avait ignoré. Normal. Casimir s'était dit qu'il y avait toujours quelqu'un pour payer les bonheurs qu'on reçoit.

Une fois sorti de l'aile professionnelle, il s'était mis à courir. Il avait complètement oublié cette gêne qu'il avait éprouvée pendant les entraînements. Parce que, désigné pour jouer samedi, il avait quartier libre avant le dîner de la feuille de match ce soir. Parce qu'il allait pouvoir appeler Ombeline. Parce qu'elle avait dit qu'elle sécherait la fin de ses cours pour venir le retrouver s'il faisait partie des vingt-deux. Ils allaient avoir quatre heures devant eux. Et Casimir bénit les consignes de sécurité qui obligeaient le club à faire maintenant ses dîners des vingt-deux à l'Académie. Sans ça, il aurait dû rentrer une heure plus tôt pour se foutre en costard et aller dans un resto à pedzouilles.

Lundi 27 novembre

Azaëlle. Un prénom qui ne se prononce que subjugué ou en plein cauchemar. Son meilleur ami avait signalé sa disparition. Ces femmes-là ont toujours un meilleur ami. Il avait reconnu le tatouage au creux des reins, l'aleph hébreu mis là en étrange posture. Après vérification, elle était bien le spectre crucifié à la paroi qui leur était apparu dimanche matin.

Quand on a eu sa photo, il s'est passé quelque chose de bizarre. Les trois hommes de la Brigade étaient persuadés de l'avoir vue quelque part. Le cliché la montrait à la façon d'une star de cinéma, les lèvres maîtrisant la fumée et le regard de la beauté faite femme. Aucun doute et aucune souffrance. Une splendeur sans âme. Et Dieu sait quelle séduction exerce cette lacune.

Casilde avait toutes les raisons de la trouver énervante et de détruire son charme par un ou deux sarcasmes bien placés. Il n'y avait qu'à dire : « Comme elle se la pète… » Mais elle avait tout de suite éprouvé autre chose. Une attirance pour ce mystère. Rares et rafraîchissants sont ceux qui osent être ce qu'ils admirent. C'est sans doute ce personnage que l'assassin avait voulu détruire. Lui prendre son visage comme pour lui voler son dieu, déloger Aphrodite qui avait choisi de l'habiter comme dans *L'Iliade* la déesse prend les traits d'Hélène de Troie pour parvenir à ses fins. L'Enquêtrice Binasse songea qu'il était possible que ses trois collègues l'aient tout simplement croisée dans un bar ou un magasin. Cette femme devait laisser une marque nette dans la mémoire de ceux qui l'avaient vue une fois. Une apparition qui saisissait ceux à qui elle se montrait sans qu'ils s'en rendent d'abord compte, comme la dame blanche des contes qui annonce en silence une calamité.

L'ami leur avait dit qu'elle ne travaillait pas. Difficile en effet d'imaginer un fantôme au turbin.

Casilde n'arrivait pas à se détacher du portrait d'Azaëlle. Elle était persuadée que cette mort était plus importante que les autres. Elle sentait une vérité prête à se révéler dans ce visage. Et, plus elle voyait cette femme, plus Casilde avait la certitude qu'en fait le tueur avait voulu briser ce qui sautait aux yeux chez Azaëlle. Son maléfice.

Vendredi 1ᵉʳ décembre

Longtemps le cadet régna sur le Royaume. Un usage étrange désignait Baron de Sordre le deuxième fils du Duc de Rougebranche. Le père pouvait lever les paysans de la Province, il pouvait faire marcher ses troupes dans les collines et dans la plaine, son fils lui tenait tête par l'opulence de sa cité, par les régiments tissés du monde entier qui imposaient son désir.

Le commerce avait été à Sordre, la richesse avait été à Sordre, l'art avait été à Sordre. Et le quatorzième baron de l'histoire rentra dans la mêlée des chamailleries entre Provinces pour établir sa lignée sur le trône central. Il y était parvenu à la faveur d'une victoire sur son plus cruel rival, Alphonse, le guerrier sombre, Prince du Marchaunoir.

La jovialité des jardins boutonnés de fleurs, les églises et châteaux à agaceries de pierre avaient alors gagné le pays entier, et ce ton particulier d'être, fait de la confiance en sa propre langue, de la certitude de ses propres talents, tout cela était devenu le goût de vivre. Pendant ce temps, gardant son refus, le Marchaunoir hérissait ses montagnes et ses côtes, et préférait proclamer dans les rudesses de son architecture, dans les ébouriffements indomptés de ses paysages maigres, que l'essentiel ne s'admire pas.

La Province du haut ruminait sa retraite tandis que Sordre se construisait derrière ses murailles selon la

450

science d'un temps où la lumière ne se commandait pas. Sordre eut l'ingéniosité de faire rebondir le soleil, soupiraux et colonnes et frises, toute une ville en vitrail. Ville taillée, ville contre la nature.

Les fortunes évanouies avaient abandonné sur les rives des canaux de grandes salles à portraits et des galeries à plafond peint. Depuis longtemps le vrai pouvoir s'en était allé, et les musées se contentaient d'entasser aujourd'hui les preuves qu'il y avait eu ici toute une façon d'attraper le monde par son bout. On y aimait les carillons touffus, les restaurants qui prétendaient ramener le passé dans l'assiette, les librairies tapissées de grands auteurs et d'anciennes collections, tout un amour d'hier, orienté vers les curieux ; vitrine à consistance de reflets. On en vivait rondement. À changer les draps, préparer le spectacle, dire bonjour et au revoir, surtout en cette saison, puisque Sordre était un des lieux les mieux assortis à Noël, et la tradition des anciens mystères était ici rappelée par poudres de folklore.

Il y avait néanmoins un peu de nostalgie à ne plus être cet atelier du pays, sa rente et son meilleur. Et, sous les maillots rouges du XV, dans les pensées d'avant match des Barons battaient des nostalgies opposées, mais non moins fortes que celles des Outrenoirs. Les uns, les autres, épris de leur histoire à s'en crisper, ils n'oubliaient pas de se rappeler les rancunes des morts. Et dans ces rencontres se jouait l'éternel duel d'Alphonse et de Guillaume XIV.

Sordre avait été la plus grande équipe de la République pendant trente ans. Il n'y en avait pas dix que le XV avait perdu de sa superbe et figurait chaque année un cinquième flamboyant, apôtre d'un rugby facétieux, mais sans espoir de titre. Du reste, le Rougebranche avait donné au sport une tribu de héros qui avaient fait claquer la légende. Tel capitaine lors du titre mondial, tel pilier magnifique de la demi-finale, tel demi de mêlée par qui on remporta la plus grande édition des Trois-Territoires, tous dressés au haut niveau sous la tunique écarlate. La mémoire vantait moins ce grand ouvreur de Volmeneur, ce troisième ligne aile de toute une génération qui fit ses premières armes au Stade du Brise-Lames. Alors, chaque fois qu'un Volméen se rendait à Sordre, il se préparait à une grande lessive d'affronts rugbystiques et autres. Et Volmeneur se faisait un devoir d'infliger à une belle équipe et un peuple ennemi l'humiliation que son chef avait subie il y a fort longtemps. Une défaite à domicile.

Mardi 28 novembre

La Zone du Commerce annonçait que Noël avait commencé. La nouvelle parvint à Casilde avec les vitrines à automates, les reconstitutions de salles de jeux idéales à chaque boutique et les sapins baroques au coin des rues. Une pensée pour ne pas oublier ses deux filleuls. Demander à Victor et Anne ce qu'ils voulaient.

Elle s'arrêta devant un grand immeuble de style ancien qui contenait sous ses arceaux de fer de quoi cracher son pognon à tous les âges. Elle n'était pas bien sûr de ce qu'elle faisait, mais elle avait eu envie de tenter le coup après cette journée à attendre des informaticiens qui s'étaient révélés inintéressants et à entendre Fénimore promettre que la Police des Services s'abattrait bientôt sur Lambertine.

Depuis hier, Azaëlle ne l'avait pas quittée. Casilde avait envie d'en savoir plus, elle se contentait de faire son travail. Il était certes un peu moins orthodoxe de zapper son entraînement au tir pour venir traîner à 6 heures du soir aux Fines-Halles, sous prétexte qu'Azaëlle Dombe y avait ses habitudes, selon le témoignage de son meilleur ami, et sans personne pour l'accompagner. Casilde avait besoin de sentir la présence d'Azaëlle, de voir les lieux qu'elle avait hantés. Qu'elle hantait peut-être encore. Elle y allait un peu au pif. Mais elle était certaine de trouver quelque chose.

Elle frissonna sous un grain qui fit pleuvoir cette saloperie de soupe frigorifiée qui tombait depuis une semaine. Elle acheva sa cigarette en laissant lui revenir la sensation de la saison naissante, les fêtes, et avec elles un tas d'illustrations de livre balafrées aux crayons de couleur, et qui se taisaient depuis longtemps dans des malles à la campagne ou subissaient la deuxième couche de la nouvelle génération.

Elle finit par entrer dans le magasin, et alla aux rayons qu'elle connaissait bien. Elle ne s'arrêta pas aux étals où elle avait l'habitude de choisir ses rouges ou de renouveler son fond de teint, elle alla tout de suite au fond, là où elle s'interdisait de mettre le nez, là où la moindre giclée de parfum coûtait un jour de paye et où on ne vendait que des jupes qu'il valait mieux ne pas froisser dans une bagnole en filature. La vendeuse fit tomber la barrière pécuniaire en un sourire. Aux mots « Enquêtrice » et « Police » cependant, la jolie jeune fille prit le même air que si son petit copain trompé était venu danser à poil au milieu du magasin pour se venger. Casilde dégaina vite sa photo et la minette marqua un temps d'arrêt.

— Vous connaissez cette femme ?

— Eh bien... Oui, je l'ai déjà vue. Elle a fait quelque chose de mal ?

— Non. Mais je voudrais avoir quelques renseignements sur elle. Il arrive que nous ayons besoin de mener ce qu'on appelle une « enquête de voisinage ». Vous connaîtriez quelqu'un qui pourrait me parler d'elle ?

La vendeuse eut un petit rire de narine.

— C'est une femme qu'on voit beaucoup ici. Et très réputée. Il y a pas mal de bruits qui courent. C'est un sujet de conversation qu'on aime bien. On l'appelle « la veuve ».

— Elle a donc été mariée ?

— Je ne peux pas vous dire. C'est plutôt un surnom qu'on lui a donné pour son côté lugubre. Mystérieux.

En même temps, elle est très élégante, très... sexuelle. Comme une veuve, voyez.

— Vous pouvez m'en dire plus ?

— Non. La seule chose que je sais, c'est qu'elle va tous les jours là-haut vers 19 heures, 19 h 30.

— Là-haut ?

— Au restaurant des Fines-Halles.

— Il est encore ouvert ?

— Bien entendu.

— Une dernière chose, elle ven... elle vient pour acheter ou pour se promener ?

— C'est une excellente cliente.

— Elle doit donc être riche ?

— Disons que dans cette allée, il n'y a que du très haut de gamme.

— Merci.

*
* *

— Bonjour, c'est vous qui vous occupez du service en fin d'après-midi habituellement ?

— C'est à quel sujet ?

— Enquêtrice Provinciale Binasse, Brigade des Crimes Aggravés. Je me laisserais volontiers tenter par un autre ton, vous avez ça ?

— Désolé. Je peux vous aider ?

— Ça dépend. Vous connaissez cette personne ?

— Mme Dombe.

— C'est ça. Vous la voyez souvent ?

— Tous les jours. Quoique j'ai remarqué que depuis la semaine dernière...

— Qu'est-ce qu'elle fait en général quand elle est là ?

— Elle commande toujours le même thé, lit en général un livre pendant une demi-heure, et puis elle s'en va.

— Rien de plus ?

— J'ai… J'ai souvent eu l'impression que le restaurant était une espèce de poste d'observation pour elle, si vous voyez ce que je veux dire.

— Pas vraiment.

— Eh bien, nous sommes un lieu de rendez-vous assez huppé, et il n'est pas rare de voir des hommes assez, disons, élégants, venir ici en fin d'après-midi, après le travail… prendre un verre ou deux, voyez ? Donc, il m'a semblé plusieurs fois qu'il y avait des jeux de regards. Et que Mme Dombe partait souvent au même moment qu'un monsieur qui se trouvait là.

— Vous n'avez pas plus flagrant, genre un type qui vous envoie lui apporter une coupe de champagne ?

— C'est arrivé une fois, oui. Mais Mme Dombe m'a ordonné de ne plus jamais accepter ce genre de chose. Elle est montée sur ses grands chevaux pour que je sache bien qu'elle n'appâtait pas, voyez ?

— Moui. Et sinon, cette Mme Dombe, elle papote parfois avec vous ?

— Mme Dombe n'est pas du genre à papoter.

— Apparemment pas. Bon, je vous remercie.

— Vous pouvez me dire ce qui se passe ? Il lui est arrivé quelque chose ?

— Ne vous inquiétez pas. Mais ne soyez pas surpris si vous ne la revoyez pas. Allez, au revoir.

Sortie des Fines-Halles, Casilde s'étonna qu'Azaëlle ait donné dans la drague de sortie de bureau ; pas très inventif pour une femme fatale. D'un autre côté, l'imaginer attendre comme un tapin au bord d'un comptoir n'aurait pas été plus cohérent.

Casilde remonta l'avenue pour attendre le bus qui la ramènerait dans son appartement de la Zone de la Justice. Là-bas, elle continuerait à couver son cœur brisé avec ce bon polar qu'elle lisait en ce moment. Elle s'en voulut de n'avoir pas pensé à le prendre avec elle. En chemin vers son arrêt, elle entra dans une épicerie et elle se choisit avec une extrême lassitude une variété de pâtes puis une sauce. Penser à se faire à manger, penser à varier son menu, penser à tous ces tracas pour que sa machine tienne le coup, quand on est seule, c'est une torture à l'usure.

Quand elle ressortit, elle s'étonna pour la millième fois peut-être de ce que ce quartier avait d'artificiel. Depuis qu'elle était petite, elle n'avait jamais compris comment la vaste Zone du Commerce pouvait faire partie de Volmeneur. Rien n'y semblait invité de ce qui faisait la ville, ni la mer, ni les phares, ni les vieilles maisons tarabiscotées, ni les gueules épuisées revenant du travail. Même l'alcool semblait ici servi avec des gants. Les armateurs, les ingénieurs, les notables s'y étaient fait jadis construire des immeubles dans le goût de la Ville-Basse de Capitale. C'était l'époque où la mine était puissante, l'époque de l'apogée du commerce maritime. Alors il y avait ces pâtés de maisons en pierre de taille qui couvraient une honnête partie de l'agglomération. Au moment de créer les Zones, on s'était dit que ce serait le bon endroit pour faire des affaires. Heureusement, Volmeneur était Volmeneur, et l'endroit, en se décrépissant, promettait de rejoindre un jour l'ensemble.

Casilde se dit qu'elle aimait cette ville, surtout en hiver. Ce vague à l'âme sombre, ces gens englués dans la poussière, l'air marin sous les ruines maquillées par deux ou trois étais, cet amour exclusif pour les histoires qui s'érigent en drames. Elles avaient un fond de vérité. Les gangs alimentaient sans conteste la légende. À cette heure, dans le froid, ce soir-là, elle écouta son chez-elle, comme un chant qui salue une mémoire.

En montant dans le bus, Casilde fut heureuse de voir une place et s'y précipita. Elle avait un petit quart d'heure de trajet. Et, tandis que le soir de décembre regardait à la fenêtre, Casilde rêva au secret d'Azaëlle Dombe.

Samedi 2 décembre

Tu l'as. Ce truc sur lequel personne n'a mis de nom bien ferme, parce que, justement, c'est ce qui n'était pas prévu dans les tronches. Le plus. Le talent. La classe. Tu le sais. Ils te diront tous : « Fais gaffe, fais comme prévu, pas plus, pas moins. » Mais c'est toi qui sais. Qui décide. Gagner, ça ne se fait pas avec des prudences.

On entend les gros qui se filent des coups dans les douches. Aujourd'hui, on a décrété l'exploit, se faire Sordre dans leur stade à l'ancienne avec toutes leurs photos et leurs coupes dans le tunnel qui mène à la pelouse. Bande de cons prétentieux. Hier, c'est du passé.

Tu sais d'où ça va venir. Ne pense pas. Laisse les gestes s'enfiler et réussir. Le crochet, la course, la feinte de passe, l'essai… Tu vois où passer là où personne n'a deviné la brèche. Sois à l'écoute. Tu sais que ça va tabasser. Alors, à un moment il faudra le trouver comme ça, au milieu de la branlée, le truc. Dans ton silence. En toi. Sans que personne ne s'y attende. Ils vont voir. Elle va voir. Ombeline. Cette idée depuis ce matin. Si le tueur s'en prend toujours à des gens autour du club, pourquoi pas elle ? On dit, il fait son truc, s'il avait vraiment voulu nous faire du mal, il aurait dézingué un des nôtres, oui, mais elle, elle a pas les flics partout autour. Bon, tu lui as déjà dit de pas trop sortir. Reste dans le match. Maintenant, fais-toi aimer. Mérite. Elle est ta raison d'être meilleur.

20 h 55. Ça va pas tarder.

— Bon, les gars.

— C'est parti.

On se lie, les vingt-deux en cercle. Là-dedans, ça serre fort. Les autres, ils feraient bien d'avoir peur. C'est Félix qui se met au centre et qui va parler, parce qu'Athanase est remplaçant et que c'est lui aujourd'hui qui est capitaine.

— On le sait ce qu'on est venu faire ici. On le sait qui on est. Nous, on n'a pas la ristourne de la supérette sur le dos, c'est nos supporters qui nous font vivre et ils sont venus pour nous de là-haut, alors on va être à la hauteur. On est une grande équipe pour une grande ville. On la connaît, l'histoire entre eux et nous. C'est notre honneur qui se joue, alors, je veux vous voir en grand, c'est compris ? On peut gagner, on va gagner. Mais surtout, on va être grands, d'accord ? On les connaît, hein ? Ils vont nous feinter à tout-va. On va leur répondre ! On n'a pas peur ! Tous, que vous soyez nés à Volmeneur ou pas, on n'oublie pas le maillot ! On est les Gardiens, on est les Outrenoirs, les meilleurs qui aient jamais existé, c'est ça qu'on va montrer. Ils nous regardent là-bas, à la télé, dans les bars, vos familles, vos amis. Et puis tous les autres. C'est un grand match pour eux, c'est un gros ennemi. On va aller dans leur camp leur montrer qui on est. On rentre avec tout ça. On va être aussi grand que ce qu'on signifie, tous les pauvres gens, tous les combats, toute l'histoire. On est l'espoir, merde. Alors, les gars : Volmeneur !

— Donec Nox !

On sort alors en se mettant le protège-dents et en se foutant des bourrades. Dans le tunnel, y a bien les autres qui attendent qu'on passe mais y a surtout le froid. Il va faire, il paraît, un peu moins de zéro.

Avant qu'on plonge dans cette glace, il y a cette immense gueulante dans tout le public :

— Quinquinquin ! Quinquiquin !

Ils se foutent de notre gueule en nous traitant de bouseux ; ils se moquent de nos noms qui finissent tous en « in ». Ils nous insultent. Quand on rentre, ils nous sifflent. Ils vont voir.

Jeudi 30 novembre

Fénimore n'avait pas suivi Casilde et Titin, qui étaient partis recouper leurs infos sur Azaëlle Dombe. Il avait laissé Ferde essayer de comprendre comment le tueur avait fait son compte pour rentrer dans le Commissariat sans que personne et pas une caméra le capte. Fenimore avait prétexté attendre des nouvelles de la Police des Services, et garder l'œil sur Lambertine pour essayer de se reprendre. Se ressouder. Question puzzle, c'était lui qui était en mille morceaux. Il ne comprenait plus rien. Il avait perdu le fil, de l'enquête, de sa vie.

Au début, il y avait un semblant de logique. On dézingue tous ceux que le club fascine pour faire un exemple : les mythologies modernes rafistolées par le sport, c'est de la merde, les vrais dieux continuent de gouverner le monde, et je vais vous montrer comment, parce que j'ai la procuration pour frapper en leur nom des types fascinés par le short, j'en profite pour régler nos comptes avec les grandes plaies de ce pauvre monde : la faim, la limite intellectuelle, la guerre, la violence, et puis tout ça. Mais comment faire cadrer avec l'ensemble le meurtre utilitaire de l'indic ? Et quel rapport avaient avec le club le dealer Boulfin et la semi-pute Azaëlle Dombe ? À quoi jouait le tueur ? Il perdait son fil sportif pour cogner en justicier général ? Il donnait dans la morale judéo-chrétienne, maintenant ? Pas de cohérence en vue.

Fénimore voulait bien beaucoup de choses, mais il devenait quand même évident que leur taré cognait au plus pressé. Des filles, des mecs, des jeunes, des vieux, un vrai panel.

Et si c'était ça ?

Faible.

Et puis, quel rapport avec la thématique ovale initiale ?

Peut-être était-il allé d'abord chercher l'équipe, parce que c'est le seul point commun entre les gens ici. Il s'en était peut-être servi pour cette unique raison, et son but ultime était peut-être de tuer un spécimen par type d'habitants. Comme il lui restait des dieux dans le Panthéon – trois ou cinq s'il en retenait douze ou quatorze –, on allait voir s'il allait continuer à énumérer les catégories. Le problème, c'est que c'était pour l'instant très uniforme dans le marginal. Pas très représentatif. Et puis attendre de nouveaux meurtres pour confirmation, ça laissait à désirer, comme plan. Au fond, l'Enquêteur Garamande avait peur que l'assassin ne réponde à une logique on ne peut plus niaise ; peur que ses théories à peu près inventives soient de l'autohypnose.

Est-ce qu'un mec capable de faire ça pouvait être intelligent ? Honnêtement, si l'intelligence peut vous mener à aller à la guillotine pour quatre symboles grecs foireux, des citations chopées sur Internet et un message à deux balles, c'est que la notion avait été franchement surévaluée. C'est rien qu'un con, quand même, faut pas charrier.

Quoi qu'il en soit, il fallait se concentrer sur l'ensemble et arrêter de se perdre en se laissant endormir par le zoom sur chaque nouveau macchab'. Choper le fil. Comme dans ces séries où le vieux flic malin fait des connexions avec une pelote au mur pour rendre visuelle et chic la démarche de l'enfoiré qu'il chasse. Mais Fénimore ne l'avait pas, sa pelote.

Casilde s'abîme dans chaque personne qu'elle rencontre, elle bute de compassion en compassion. Du coup, elle ne comprend rien au récit. Un peu comme à l'opéra, où l'action n'a aucun intérêt et où on est là pour entendre une suite de chansonnettes bien jolies, qui sortent du chapeau sans que personne voie le rapport. La métaphore donna un petit coup de fouet à Fénimore. Il allait falloir dérouiller sa cervelle d'étudiant et s'y prendre comme avec l'analyse de texte, examiner chapitre par chapitre pour bien saisir l'ensemble, puis fouiller tous les détails pour soutirer des commentaires baroques qui font baver le jury.

Retour à la question. Que peut bien avoir l'auteur en tête avec un choix de personnages pareils ?

C'est pas compliqué, on dirait toutes les rencontres qu'un homme fait quand il a décidé de déconner.

Fénimore se redressa.

Une strip-teaseuse, un prostitué, un dealer, un cadre peut-être véreux, un bringueur, un épicier glauque ouvert vingt-quatre, vingt-quatre, une demi-mondaine, on dirait les étapes d'un type qui se perd dans la nuit.

Tout ça racontait l'histoire d'un joueur à la dérive qui sniffe de la coke, s'achète à picoler à pas d'heure, qui fout sa carrière en l'air à cause d'une garce, puis décide de se venger sur ceux qui ont profité de sa chute.

Ce genre de casting, oui, c'était pour raconter une vengeance.

Ça y était.

Il l'avait, son fil.

Mais comment il allait le tirer, maintenant ?

Bon, un truc simple à faire tout de suite.

Fénimore prit son téléphone tout excité et certain d'avoir réussi une percée majeure.

— XV de Volmeneur ?

— Bonjour, Enquêteur Garamande. Puis-je parler à l'intendant Louis Trabin ?

— Je vous le passe.

Un extrait de symphonie joué au xylophone premier âge.

— Oui ?

— Monsieur Trabin, Garamande à l'appareil.

— Ah.

— Je voudrais passer dans une demi-heure récupérer la liste des joueurs remerciés par le club ces dernières années, ou démissionnaires, bref, tous ceux qui sont partis avant le terme de leur contrat. Vous avez ça ?

— Vous feriez mieux de vous adresser à la Ligue Ovale Professionnelle, ils tiennent un registre des mouvements entre les clubs.

— Très bien, je vous remercie.

Et Fénimore raccrocha pour aller chercher les coordonnées de la Ligue sur la toile.

Samedi 2 décembre –
septième minute

Déjà deux fois, Casimir s'est pris son vis-à-vis lancé à pleine vitesse. Jusqu'ici, il a réussi à le plaquer.

Le match est violent.

Le pack a un mal fou.

On prend l'eau.

Les mecs de Sordre se sont organisés à la sortie d'une touche et avancent en tortue. On n'arrive pas à les arrêter. Casimir se jetterait bien dans le tas. Mais si leur demi de mêlée le voit, il va tout de suite envoyer la balle à l'arrière pour catapulter son centre dans le coin que Casimir aura laissé libre.

Alors il doit rester au loin, en spectateur.

Crispant.

On subit.

Ils marquent un essai. En plein centre du terrain. La transformation ne fait pas de doute. Ils ont humilié nos avants qui ont reculé comme jamais.

Ça gueule : « Quinquinquin » à l'hystérie.

Vendredi 1ᵉʳ décembre

Une liste de trente noms, voilà ce que Fénimore avait récolté la veille. Les types passés par Volmeneur depuis cinq ans et qui avaient rompu leur contrat, de pros ou de réserves. Ça faisait trois bonnes heures que Fénimore sillonnait les sites de rugby pour coller des bios sommaires à chacun. Et c'était très énervant, parce que dans un milieu où il ne faut surtout pas se fâcher avec les joueurs, personne n'osait trop dire quand un mec avait vraiment fait des siennes. Toujours ces sourires cons de gros bébés transformés en hommes, toujours ces propos débiles sur la « bravoure » du mec, et ces « la valeur n'attend pas le nombre des années ». Pas un pour désigner le sale type qui se met des torches tous les soirs et dégueule à l'entraînement. Fénimore se sentait très lourd de flemme en revenant de sa clope. Il se fessa la volonté. Aujourd'hui, au moins, il savait comment occuper sa journée.

Samedi 2 décembre –
vingtième minute

Félix est fort. Depuis qu'en bon demi de mêlée, il s'est décidé à faire des gestes désespérés vers l'arbitre à chaque entourloupe des Barons, ça n'arrête plus de siffler. Ils aiment la limite du hors-jeu, il faut dire. Et, comme on s'est installés chez eux, Abderrahmane leur a passé quatre pénalités. En dix minutes. Maintenant, il y a 12 à 7 pour nous. Engagement pour eux. Ça ressiffle. Non ! Il expulse leur 8 !

— J'ai vu votre brutalité, monsieur, vous allez vous calmer dix minutes !

Ils sont en infériorité numérique, il faut en profiter. Qu'est-ce qu'on va faire ? Félix désigne la touche.

Et si c'était toi qui plantais le coup de grâce ?

Allez, tu le sens, tu es prêt.

Tu l'as, la classe, l'audace, tout ça.

Ils font sortir leur treize pour remplacer leur troisième ligne.

Ils vont laisser un trou dans leur ligne de trois-quarts !

Écoute le public, les bruits, la foule, la musique. Prends et lance-le.

Prends et lance-le.

Juste à ta hauteur. Tu vas avoir un boulevard.

— Rougebranche foudre !

Abderrahmane annonce une attaque déployée en sortie de touche.

La balle est envoyée sur Valdafin, Abderrahmane pour Judicaël, Judicaël pour moi.

Je l'ai.

Défenseur en face.

Je pique.

Crochet.

Hop. Il est plus là.

La classe.

— Balle !

Foulques qui la veut.

Il voit son truc, je vois le mien. Et c'est moi qui tiens le ballon.

J'y vais.

Feinte de passe – la classe.

J'accélère.

Le dos explosé au sol.

Tu viens de m'arrêter à un mètre de la ligne, j'ai perdu la balle, y a mêlée pour vous, alors c'est pas la peine de me mettre un coup de poing en plus. Je me relève.

Foulques me regarde avec un « petit con » vissé dans chaque œil.

Vendredi 1er décembre

Bonne journée. C'est ce que Fénimore se dit en quittant le bureau. Parce qu'il est finalement tombé sur des sites de journaux qui faisaient leur travail et, parmi les trois cas de joueurs remerciés ces dernières années pour indiscipline à Volmeneur, il y en a un qui avait presque tout pour présenter une piste sérieuse, un qui méritait que Fénimore se mît à sonder son voisinage, établir ses habitudes, rendre visite à ses conquêtes.

Le type jouait chez les Gardiens il y a deux ans et s'est fait choper en bagnole avec deux grammes. Il a d'abord été privé de match, puis il s'est finalement fait virer. Il se défendait que son père venait de mourir, qu'il avait juste fait une connerie, qu'on avait été dégueulasse avec lui. Il en avait tenu une rigueur extrême aux Outrenoirs, ce que Fénimore avait pu apprécier dans deux ou trois interviews où il avait éjecté une verve qui contrastait nettement avec la bouillie de « faire le mieux possible », « collectif », « faut pas insulter l'avenir » qu'il s'était envoyée depuis. Dans un des papiers, l'Enquêteur avait lu que son esprit de revanche lui avait fait planter plusieurs essais rageurs contre Volmeneur pendant la finale de l'an dernier. Son gars faisait aujourd'hui mine d'être sur le chemin de la rédemption. Son club de jeunesse venait même de lui donner une deuxième chance. Il s'appelait Malloy Gruvald. Il avait été transféré cet été de Garamène à Volmeneur.

Samedi 2 décembre –
vingt et unième minute

Mêlée dans leurs cinq mètres. Tout près de leur ligne, tout près de l'essai pour nous. Mais ils ont l'introduction et nos gros se font calmer. On recule. On subit. Avec la connerie que j'ai faite, si on perd, tout le monde dira que c'est de ma faute.

Il faut sauver l'affaire, et ils te foutront la paix.

On arrête pas de devoir se remettre en place. Ils partent au ras, ils pètent, ils partent au ras, ils pètent. Notre pack est sur les genoux. Pourtant, ils jouent à quatorze et ils sont dans leur camp. Ils veulent faire les malins devant leur public. À ce jeu, ils finissent par revenir dans notre moitié de terrain. Leurs arrières sont très loin les uns des autres à cause de l'infériorité numérique, alors s'ils font la connerie d'essayer de dérouler, tu seras là. Putain, leur ouvreur fait la passe au premier centre.

Tu te jettes, putain.

Je vais l'intercepter.

Mais.

C'était un raffut, ou un poing dans la gueule ? j'ai pas compris.

En tout cas, c'est bien le mec à qui il devait prendre la balle qui vient de le dégager comme un petit frère,

470

qui a pris le trou, et qui plante l'essai, là-bas, tout droit, au pied des poteaux.

L'enfoiré se retourne et le regarde en se marrant.

Il doit être content de l'humilier, lui, la nouvelle star dont tout le monde parle.

Vendredi 1er décembre

Fénimore est tout à la joie de se sentir lancé dans son enquête quand il arrive en bas de chez lui ; où une vision le fait dégringoler sans sommation. Perdu dans ses cogitations, il avait entendu le message d'Adélaïde mardi sans l'imprimer. Elle était là, assise sur une borne. Avec Vladimir tout gonflé par ses gros vêtements d'hiver qui tournait autour d'elle. Il songe d'abord qu'il va devoir trouver de quoi manger en catastrophe. Mais cette pensée le laisse aussitôt. Un sourire, déjà, l'a étreint aux tripes.

Samedi 2 décembre –
vingt-deuxième minute

Abderrahmane va engager et Casimir est à sa place désignée de remise en jeu quand l'arbitre l'arrête.

— Attendez !

Il écoute son oreillette.

— Quoi ? Le 13 noir, le 13 noir !

Casimir s'approche.

— Vous sortez.

— J'ai rien fait !

— C'est pas moi qui le demande, c'est votre entraîneur. Vous êtes remplacé.

En jetant un coup d'œil à la touche, il voit effectivement le quatrième arbitre avec son panneau qui dit 13/21. Zacharie est sur le bord du terrain, fulminant, les yeux au loin, déjà dans son match. La première mi-temps n'est même pas finie. Il n'est pas le moins du monde blessé. Il s'agit de punir haut et fort les deux conneries qu'il a faites.

Casimir n'arrive pas à trottiner et il marche assommé jusqu'à la touche. Le public n'en peut plus de hurler des « Quinquinquins » qui se moquent de sa naissance, de son club, et puis de son statut de joueur prometteur.

En passant, Félix lui a donné une gifle consolante sur le cul. Bientôt, après ce qui lui semble un interminable supplice, Zacharie lui tape dans la main, puis sort de sa concentration une seconde pour lui dire :

— T'en fais pas.

Aurélien, l'entraîneur des trois-quarts, l'arrête au passage :

— Le coach trouve que t'en fais trop. Mais t'inquiète pas. Tu fais que commencer. On veut pas que tu te brûles les ailes.

Casimir lève les yeux vers la cabine du coach. Lui aussi prend la peine de décoller son regard du jeu et de lui faire un sourire qui veut dire : « Y a pas mort d'homme. »

Alors, il va s'asseoir sur le banc. Les gars autour disent des :

— T'as essayé, c'est bien,

des :

— T'en fais pas.

Il sent une larme lui tomber sur la joue, et il ne sait pas si c'est la gentillesse des mecs, le fait qu'Ombeline doit voir ça là-bas, ou parce qu'il a tout foiré. Il voit un caméraman s'agenouiller en face de lui et un type à côté qui approche son micro. Aurélien les intercepte :

— Allez, les gars, un peu de cœur. Foutez-lui la paix.

En les regardant partir, Casimir se dit que c'est un accident, parce qu'il a vraiment été bon ces derniers temps. Mais il comprend vite que ce n'est pas une pensée intelligente. Parce qu'il a été sorti logiquement. Parce qu'il a fait le malin et, parce que, malgré ses erreurs, toute l'équipe a fait gaffe à ce qu'il ait pas trop mal.

Et il comprend ce que ça veut dire « compter sur les autres », « être plus fort ensemble », le « collectif », tous ces dogmes qu'il trouvait mièvres.

Alors il se met debout et il hurle :

— Allez, les mecs, allez !

Vendredi 1er décembre

Fénimore prend Vladimir dans ses bras. Et ça sort tout seul, et ça l'étrangle, et il est déchiré. Il est si malheureux d'avoir oublié ça, d'avoir enterré ça, d'avoir abandonné son petit garçon. Et il répète en sanglotant : « Mon petit gars. » Et il sent ses larmes adhérer au blouson, créer des flaques, attaquer le tissu. Il serre son fils à l'amalgamer à lui. Il sent une main sur son bras. « Chh, allez, allez, Fénimore. Tu vas finir par lui faire peur. » Il pose Vladimir, mais il continue à suffoquer des larmes qui vomissent son égoïsme et sa bêtise. Alors c'est elle qui lui relève juste assez la tête pour la mettre au creux de son épaule, elle qui lui dit :

— Du calme. Ça va s'arranger. Ne t'en fais pas.

Puis, comme il continue de pleurer, elle lui dit :

— Écoute, il fait froid. On a attendu un moment. Je suis sûre que tu n'as pas fait les courses. J'ai apporté des trucs. Tu veux que je monte avec vous ?

Il fait « oui » comme un gamin qui vient d'entendre le dédommagement qui peut le consoler. Alors, elle lui dit :

— On y va.

Et Vladimir demande à sa mère :

— Il est triste, papa ?

Et Adélaïde répond :

475

— Non. C'est juste qu'il t'aime très fort.

Un peu perplexe, leur fils s'engage à leur suite dans l'immeuble.

SORDRE – VOLMENEUR
20   18
VOLMENEUR EST QUATRIÈME DU CHAMPIONNAT

Samedi 9 décembre

Dixième journée :
Volmeneur – Flammerange

M

Ê

L

É

E

1
pilier
gauche
Vaast
DRAGOULÉMANE

2
talonneur
Macaire
DAQUIN

3
pilier
droit
Gabar de
GALFATASSE

4
deuxième
ligne
Jacob
THÉOVITTE

5
deuxième
ligne
Désiré
CALFIN

6
troisième
ligne aile
Sixte
DARSSIN

8
troisième
ligne centre
Iker
DELAVENTIN

7
troisième
ligne aile
Yann
HURLAR

C H A R N I È R E

T R O I S - Q U A R T S

9
demi
de mêlée
Félix
VALDAFIN

10
demi
d'ouverture
Abderrahmane
TRINQUETAILLE

11
ailier
gauche
Nazaire
MARLI

12
centre
Judicaël
GALBOND

13
centre
Zacharie
HAOUSSELINE

14
ailier
Foulques
BODOMBIN

15
arrière;
capitaine
Athanase
CRAMARIN

REMPLAÇANTS

16. Baruch KLÉDINSTEIN
17. Kétil LAMARSINEINBA
18. Terce HACHETTE

19. Sébald LESCARBORDE
20. Corentin DIMBIEL
21. Zachée BARNOLD

22. Malloy GRUVALD

FOUILLER

Samedi 2 décembre

— Papa.

Le nom. Le réveil. Vladimir s'était jeté sur le
canapé où Fénimore avait passé la nuit. Les enfants
se lèvent tôt. Quelque chose dans les 7 heures du
matin. Maintenant, il se tenait assis, un bras de son
père lui entourant la hanche, regardant le salon de
toute sa curiosité. Puis, avec le manque d'usage de
son âge, il lui demanda :

— Tu partiras plus, papa ?

Encore coincé dans son hébétude, Fénimore a
répondu que Vladimir allait vivre avec maman, mais
que papa serait tout près. Il envisagea les choses avec
ce sérieux sous lequel les enfants de cinq ans cachent
leurs chagrins. Puis il sauta des coussins et alla donner vie aux héros de son livre.

Fénimore regarda son fils. Il rendait ce petit malheureux. Pas de solution dans ce reproche. D'être
deux possibles, deux femmes avaient séché sous son
regard. Il avait fait ces derniers temps un piètre
enquêteur et un piètre homme. La misérable peau
d'indécis égoïste dans laquelle il s'était glissé depuis
quelques semaines pesa sur tout son corps.

Comme il avait souvent pensé que c'est l'amour des
autres qui nous donne corps, il espéra à cet instant
que le regard de Vladimir allait le rendre à lui-même.
Hier déjà, juste après les larmes, quand il était venu
se serrer contre lui après dîner pour regarder à la télé

une de ces histoires lentes qui le captivaient, Féni-more avait été touché. Il avait senti monter un homme qu'il croyait détenir ; l'enquêteur des âmes, pistant les méchants au trot d'imaginaire ; flic rempli de sa mission, viril de ses scrupules, étourdissant de sagacité les méandres d'un dossier. Non, cet homme ne lui appartenait pas. Et c'était bien plutôt son fils qui tenait cet être enfermé dans son admiration. C'était bien plutôt son fils qui méritait que Fénimore soit l'Enquêteur Provincial Garamande lancé vers la justice, qui avait croisé dans sa route errante vers l'ordre le diabolique tueur de l'Olympe, et qui était persuadé depuis hier d'enfin tenir une piste pour l'arrêter. C'était son fils qui exigeait que papa arrête ses conneries d'adolescent avec sa collègue fumante, qu'il lâche ses méfiances, qu'il repense aux sept ans de partage de lit, de réveil en commun, de palabres dans le noir, d'angoisses et d'espérances partagées. À demi.

Vladimir avait le pouvoir de refaire la distribution, et Adélaïde dans le rôle de la trentenaire au grand cœur mais à la jambe légère venait d'être remplacée par la tendre consolatrice, l'infatigable prévoyante, la pourvoyeuse de tout ce qui est bon et gratuit, maman.

Fénimore s'était souvent demandé pourquoi il lui était apparu évident qu'il devait fuir, laisser derrière lui Vladimir, laisser tomber tous ces poisons d'habi-tude qui le condamnaient à demeurer dans cette vie, lâcher les amis, lâcher la ville, lâcher tout. Il n'eut pas à ce moment sa réponse. Mais, tandis que son esprit mal réveillé simplifiait bien des pensées qu'il eût mis des heures à démêler si son cerveau n'avait pas pris les raccourcis de la fatigue, une chose lui parut claire. S'il s'était laissé aller à être « papa » durant cette période sombre, jamais son fils ne lui aurait permis de changer la valeur des choses et des gens, tout ça pour une jalousie. Jamais il ne lui aurait donné cette liberté de vagabonder au plaisir froid de ses peurs et de sa solitude. Alors, il n'y aurait pas eu de désespoir. Alors, il n'y aurait pas eu de faute. Alors, il n'y aurait pas eu besoin de rachat. Un rachat en vue duquel il fallait que Fénimore redevienne ce héros naïf que mettait sur ses épaules chaque regard de son fils.

Dimanche 3 décembre

Ce n'était pas une bonne idée, mais c'était ce qu'Athanase avait besoin de faire. Justement parce que c'était déraisonnable. À un moment où il faut aller chercher sa force dans les coins de soi qu'on laisse d'ordinaire tranquilles. Il n'avait pas voulu attendre le réveil musculaire avec l'équipe. Il avait pris son baladeur pour se caler sur une jolie balade ou de grosses charges de guitares électriques sans humour. Mais il ne l'avait pas allumé, finalement. Il voulait que sa colère monte toute seule et précise. Il était venu là pour ça. Parce que les docks un dimanche matin, quand le vent glacial cornait les oreilles et que la température juste au-dessous de zéro rendait étrangement brûlants la transpiration et les muscles, c'était exactement ce qu'il fallait pour aller se chercher, et puis cette ville, et les raisons de se battre.

Il avait garé sa voiture devant la base Est. Il comptait courir d'un bout des docks à l'autre, aller-retour. Douze kilomètres dans la nuit. Au loin, les phares faisaient un drame du silence des demains. Sept heures. Par miracle, il ne neigeait plus. La nuit rendait encore plus imposantes les carcasses de grues dessinées par les rares lampadaires, plus monstrueusement calmes les murailles de conteneurs à perte de vue. Il n'y avait encore personne pour le reconnaître. C'était la raison qu'il avait donnée à Juliette pour partir aussi tôt. Elle ne s'était pas privée de lui parler du kiné, qu'on était pas sûr de ce qu'il avait, qu'il ne fallait pas tirer. Mais il connaissait son corps, et il savait comment le violenter pour calmer ses caprices. La preuve, il ne sentait déjà plus sa cuisse.

Il avait su qu'il aurait besoin de ça dès qu'ils étaient revenus de Sordre, quand il avait posé ses bagages sur le bar de la cuisine à deux heures du matin, quand il avait laissé se refermer sa maison sur lui, prétendument loin de la défaite et de cette impuissance abominable de voir son équipe jouer comme des pions sans pouvoir rentrer et leur gueuler dessus. Remplaçant. Sgabardane l'avait dissuadé de tenir son rôle de capitaine dans les vestiaires. Deux défaites coup sur coup avec cette manière-là, ça aurait pourtant mérité qu'il leur fasse péter à la gueule un bon vieux point de vue chauffé à blanc.

Ça faisait vraiment chier, cet oubli général de pourquoi on était là. Chaque année, le fameux « panache de Volmeneur » les amenait à faire n'importe quoi, confiance jusqu'aux doigts dans le nez, permis de bâcler. Comme on était quand même armé, on arrivait d'habitude aux demi-finales, mais, Athanase Cramarin en était sûr, on avait laissé pendant la longue route du championnat une idée haute de sa force derrière soi. C'était pour ça qu'on se gaufrait en finale, rattrapé par les demi-mesures au moment où le trac est trop fort, l'adversaire déterminé, la situation critique. Pour battre une grande équipe qui veut le titre autant que soi, il faut s'être raconté toute l'année l'histoire de son propre mérite. Si on n'est pas certains d'être grand, on n'a pas la tronche pour affronter la gloire, pour rester fort malgré la possibilité flippante de réussir. De gagner.

Athanase aurait aimé leur dire ça dans les vestiaires hier. À la place, il avait pris soin de ne pas lâcher un mot de la fin du match à l'atterrissage. Après, il avait dormi trois heures en mâchonnant du noir avant de se lever et de décider qu'il fallait qu'il mette sa jambe au défi pour être apte à s'entraîner demain. Il voulait jouer samedi prochain.

Maintenant qu'il y était, maintenant qu'il sentait que ça allait tenir, il se repassait les arguments et les images qu'il devrait employer pour souder un peu ces grands gamins que sont les joueurs professionnels, passés directement des antisèches à la notoriété. La médiocrité, c'était pas ce que leur demandaient les gens et puis c'était pas pour ça qu'un mec comme lui qui jouait depuis plus de dix ans se crevait la gueule. C'était pour faire quelque chose de rare qu'on les payait, pour être exceptionnel qu'on n'évaluait pas leur épuisement au salaire d'usine. Il fallait qu'il leur fasse comprendre. C'était comme ça qu'il serait le capitaine qu'il voulait être, ce serait comme ça qu'il se ferait pardonner d'avoir sorti l'année dernière un match catastrophe en finale.

Vu le contexte, les morts, les flics autour du club, il fallait taper un grand coup. Et vite.

Athanase fut satisfait de son endurance. Il décida de tester sa vitesse. Il piqua un sprint et se fixa de le maintenir jusqu'au pylône là-bas. Puis reprendre en petites foulées. À ses poumons d'apprendre le langage de l'exploit.

*
* *

Posé sur le sable, il avait l'air de s'être atteint dans son dernier soupir. Moi parvenu à sa paix, sur le visage chaque domaine de l'âme. Un homme par sa mort attrapé dans l'apogée.

Plantée au cœur, une seule flèche, dont l'autopsie révélerait qu'elle avait trempé dans un poison particulièrement puissant. L'assassin demandait à Héraclite ces deux commentaires :

ὁ ἄναξ, οὗ τὸ μαντεῖόν ἐστι τὸ ἐν Δελφοῖς, οὔτε λέγει οὔτε κρύπτει, ἀλλὰ σημαίνει.

LE MAÎTRE À QUI APPARTIENT L'ORACLE DE DELPHES NE DIT NI NE CACHE RIEN : IL DONNE DES SIGNES.

ἀθάνατοι θνητοί, θνητοὶ ἀθάνατοι. ζῶντε τὸν ἐκείνων θάνατον, ὃν δὲ ἐκείνων βίον τεθνεῶτες.

IMMORTELS, MORTELS, MORTELS, IMMORTELS : VIVANT LA MORT DE CEUX-LÀ, MOURANT LA VIE DE CEUX-LÀ.

Apollon. Le dieu de tout ce qui est décoché en silence : la flèche, la lumière, la vision, tout ce qui atteint et cible, dit le précis à partir de l'enfoui. Le dieu de ce qui de là se répand, le dieu de l'épidémie. La beauté est une épidémie. Le jour est une épidémie. Tout ce qui se plante en rayons extirpés de l'ombre. Révélation du visage d'un monde, parole qui frappe là où la vérité attendait. Fatras universel foudroyé par le sens. Morceaux d'être qui découpent le temps.

Fénimore aima particulièrement la seconde citation. Pas d'explication possible. Seulement l'écartèlement. Seulement la mort des hommes qui dit ce que les dieux veulent dire, seulement la mort des dieux dans chaque chose ici-bas.

C'était bien ces sacrés dont parlaient les livres que Fénimore avait lus, ces territoire d'un coup où se joue la définition de vivre, de part en part contaminée par la force au-dessous, la gloire au-dessus, la cruauté de ce royaume qui en silence règne, joue son jeu avec chacun de nos destins, plante dans la peau sa loi, qui ne se dit jamais que par les déchirures. Oui, il y avait un mensonge à faire de la beauté cette sereine chose qu'on fait passer, comme un délice. Il s'agit bien plutôt du hurlement de catastrophe de ce qui est. Les Grecs avaient raison. La beauté est une flèche où vibre le poison de l'exigence des dieux.

Et qu'y pouvait Fénimore s'il comprenait mieux que jamais à cet instant pourquoi toutes les religions avaient eu maille à partir avec le vertige d'incarner, s'il avait vécu dans le regard de son fils toutes ces histoires de dieux qui viennent ici se masquer en nous, démons au combat dans la chair passant comme des vents sur les routes la nuit, faisant claquer leur présence dans nos êtres-drapeaux, qui en tremblent. Puisqu'on est ce que demandent les regards posés sur nous. Puisque nous sommes ces convulsions de chances et de dons. Puisque Fénimore avait compris que Vladimir lui donnait à nouveau la liberté d'être lui-même. Inquiétante magie des crapauds faits princes.

Tout cela grossit en lui comme une peur. Entre la phrase héraclitéenne, Apollon et la révélation de ce matin, il n'y avait qu'une vague association, coïncidence, fatigue, un embrouillamini qu'aurait vomi toute cause à effet. Mais il avait vu.

La vérité du tueur.

Le monde décomposé en apparitions, cerné d'objets, qu'il faut tuer et massacrer pour qu'y brille à nouveau la divinité retrouvant, delà les membres, l'espérance d'être corps.

Afin que s'ouvre l'espace où la vie prend son sens de ne pas se suffire.

À noter dans le carnet :

L'HOMME CROIT PENSER, MAIS CHOISIT.

Fénimore en était persuadé, le point final sourdait magistral sous cette dernière péripétie.

Il avait une piste et il avait le mobile.

Il maîtrisait aussi maintenant la logique.

Ce ne serait certes pas évident à expliquer aux jurés.

Il demanderait à Casilde de s'occuper de l'identification du mort et du rapport de la Scientifique.

Lui, il allait reprendre ses recherches sur l'insolent repenti Malloy Gruvald.

— Comprenez-moi bien, il ne s'agit pas de réten-
tion d'informations.

— Marrant. C'est quand ça y ressemble le plus
qu'on veut que ça s'appelle le moins. C'est quoi,
alors ?

— De la dignité pour commencer, de la Loi pour
finir.

— Grandes phrases ! Masquer les erreurs de la
Justice... Tout ça !

— Mademoiselle Bontin, j'ai accepté de vous rencontrer pour que vous ajoutiez à vos petits commentaires la vision du Parquet. Vous vouliez une citation,
la voici : « La République, par sa Procureure dans la
Province du Matchaunoir, considère que l'identité
des victimes, par ailleurs protégée par le Code Médiatique, n'est pas un élément qui peut profiter au
public, mais aux seuls Enquêteurs. Elle tient pour
essentielle la protection des individus dans le deuil,
elle déplore les indiscrétions que se permettent certains journalistes pour répondre aux objectifs
d'audience de leur direction et à la culture judiciaire
étrange de leur métier. Elle prévient à ce titre que le
Parquet du Marchaunoir saura user de son autorité
et inculper ceux qui se seraient rendus coupables de
manquements aux Secrets de l'Instruction. »

— Élastique, le Secret de l'Instruction. Et la
Liberté de la Presse, pfuit, plus rien. Aussi protégée
par les Lois, non ?

— Révisez-les. Depuis cinq ans, il est loisible à un
Procureur d'inclure au Secret de l'Instruction l'identité des victimes dans les affaires non jugées. Que ça
vous plaise ou non.

— En tout cas, la déclaration... du charabia. Peux
pas passer ça.

— C'est pourtant ce que j'ai à vous dire. Si vous me tendez votre micro, j'essaierai d'y mettre le ton.

— Pourquoi je ferais ça ? Nous laisser insulter. Vous laisser faire de la propagande. Pour un système qui nous empêche de faire du bon boulot.

— Parce que je suis la Procureure que vous accusez de cacher son incompétence.

— Partout on nous met des bâtons dans les roues. Plus de journalisme. Veux pas vous faire de la pub en plus.

— Pourquoi êtes-vous venue, alors ?

— Pour découvrir. Une bonne raison à votre façon de faire.

— Si je vous disais que j'ai une bonne raison, une très bonne raison d'appliquer le Code Médiatique dans toute sa rigueur ?

— ?

— L'assassin veut qu'on parle de lui, qu'on révèle l'identité des victimes, qu'on répercute son message. C'est pour ça qu'il vous utilise en vous donnant toutes ces informations. C'est une aubaine pour votre carrière, je comprends. Mais réfléchissez. Le mobile de ces meurtres est leur publicité.

— Il prêche.

— Déjà. Mais je pense qu'il y a autre chose. Je suis persuadée que le tueur veut que ses prochaines victimes connaissent l'identité des précédentes.

— Tenez ça d'où ?

— De nulle part. Ai trouvé ça toute seule. Comment expliquez-vous qu'il vous ait donné tous ces renseignements sur elles, sinon ?

— Sais pas. Par sadisme contre les familles. Probable.

— Et vous marchez là-dedans ?

— Pas mon métier de juger. Que vous me disiez plutôt ça dans l'interview, c'est pas possible ?

— Bien sûr que non. Ce serait encourager les délires en double page des criminologues. Et puis un homme informé en vaut deux, nous ne désirons pas exactement donner un coup d'avance à l'assassin. Cette remarque était off.

— Le nouveau nom d'intéressant.

— Écoutez, le respect des victimes, ça existe, et ça fait partie des valeurs qu'un journaliste a à cœur de défendre, il me semble. Je crois que vous ferez votre travail honnêtement en disant au public que le Parquet n'a pas seulement en vue d'enquiquiner la presse, mais d'incarner la Justice du Peuple, avec tout ce qui la constitue.

— Mouais. Bon. Allez-y. Vous promets pas de pas couper les remarques anti-moi au montage.

— Me paraît normal.

— Allons-y.

*
* *

Il avait marqué un temps d'arrêt, puis s'était retourné pour voir s'il n'y avait personne dans les bras duquel se jeter. Comme il était seul au bureau, il s'était contenté de se lever, de se déchirer la gorge par un rugissement de victoire, puis de marteler l'air avec ses poings, avant d'esquisser un pas de danse nul. À lui qui aimait déchiffrer les connexions cosmiques, il apparaissait évident que tout cela était grâce à Vladimir. Qu'il avait amené ce coup de chance par son seul retour.

Les noms qu'il venait de trouver dans la promotion des réserves de l'Académie dont Malloy Gruvald avait fait partie balayaient sa conviction que ce dernier pouvait être leur assassin. Il y avait beaucoup mieux. Après avoir dépiauté la carrière de Gruvald dans la presse sans rien exhumer de probant, Fénimore en avait été réduit à éplucher le dossier de l'ancien pensionnaire, que le club avait fini par lui faire livrer par coursier hier, moyennant pas mal de menaces feutrées et de remarques glaciales.

L'Enquêteur Garamande avait donc fini par feuilleter les états de service de ce cancre, et comme il avait besoin de s'imprégner de chaque ligne d'un document pour s'octroyer le droit d'en tirer quoi que ce soit, il lui avait bien fallu une heure pour arriver au bout. Et pour recevoir la révélation.

Il regarda sa montre. S'ils ne les appelaient pas, ses collègues ne reviendraient pas avant trois heures. Il eut l'idée de se faire un petit plaisir. Il décida d'attendre pour que la surprise soit poignante. Et puis non. C'était parfaitement con de jouer à ça dans une enquête pareille. Il prit son téléphone et rameuta la troupe. Il venait de trouver un élément qui désignait le tueur au-delà du doute raisonnable.

*
* *

— Et alors ?

Ce fut avec cette seule balle que Casilde exécuta l'enthousiasme de son collègue.

— Comment ça, « et alors » ?

— Ben oui, j'avais entendu parler de ça, qu'est-ce que ça change ?

— Qu'est-ce que ça change que le fils de Lambertine ait été réserve de l'Académie alors qu'on a retrouvé plusieurs éléments compromettants sur son père ? Qu'est-ce que ça prouve qu'une de nos victimes, Serge Fondre, ait été réserve en même temps que le fils Lambertine ? C'est bien ces questions-là que tu me poses ?

— Franchement, c'est pas parce que le fils du Commissaire et Fondre sont passés par l'Académie, ce qui est le cas de milliers de gens à Volmeneur, que ça en fait notre assassin.

— Non mais, minute, là, je rêve, envoyez les hommes en blanc par aéroportée ! C'est quoi l'histoire, vous êtes devenus mabouls, ou vous avez décidé que, finalement, on ferait ce qu'on peut pour faire durer le massacre ? Le profil des victimes dessine comme mobile l'élimination de partenaires de bringue qui auraient gâché la carrière d'un talent prometteur et de ceux qui font commerce de la débauche, on est d'accord ? Bien. Là-dessus, on tombe sur un gars qui a un lien évident avec notre première piste sérieuse, celle des intimidations que nous avons reçue, un gars qui a été réserve et qui a été viré pour avoir fait le mur et être revenu plusieurs fois bourré, un homme dont le rêve et la carrière ont été explosés à la vodka et à la drogue dure, un garçon qui avait pour collègue un des types qu'on a ramassés à la petite cuillère. Alors, ça commence à s'éclairer, le sapin à idées, ou j'attends demain pour parler à des êtres doués de raison ?

— Déjà, ton mobile, il tient qu'à un fil de cheveux coupé en quatre.

— Ah bon, et t'as mieux pour expliquer le rapport entre les neuf tués ?

— Le hasard. Et réfléchis un peu. Majda Benour, par exemple. Elle avait neuf ans quand le fils Lambertine a quitté l'Académie, tu crois qu'elle était en âge de se trémousser ? Parce que si on te suit, il faut qu'il ait voulu buter les gens qui l'ont mis dans la merde quand il était réserve, et ça, ça nous fait remonter à il y a dix ans, ce qui est pas compatible avec l'âge de la plupart de nos victimes.

— Le tueur ne veut pas s'en prendre à ceux qui lui ont nui, mais empêcher de nuire ceux qui nuisent aujourd'hui.

— Fénimore, elle commence à sentir le bizarre, ta théorie.

— Mais enfin, quand même ! La plupart de nos victimes, sinon toutes, ont un rapport avec la nuit.

Majda Benour : strip-teaseuse, Léo Ranin, prostitué, Serge Fondre était un autre raté de l'Académie de ces années-là et sans doute camarade de bringue, Pierre Flaure était un commercial noceur, Roger Lantrin un épicier de nuit, Azaëlle Dombe une pute payée à la vanité. Alors quoi ? Par ailleurs, le tueur a depuis le début établi un lien plutôt net avec le club...

— Il n'y en a plus aucun depuis trois semaines !

— Disons qu'il essaie. Et pourquoi le ferait-il s'il n'y avait pas de rapport avec son mobile ? Il n'y a en tout cas rien de baroque à penser qu'il en veut au XV, et le type d'hommes qui a le plus de chance de vouer une haine mortelle à un club, c'est ceux qui s'en sont fait éjecter comme des malpropres. Et puis, il fallait expliquer pourquoi le tueur s'amusait à nous harceler, et là tout s'explique. Le fils a sans doute un compte à régler avec le père, trop absent, trop présent, je sais pas. Avec les intimidations, il le fait tremper dans ses meurtres pour le faire condamner, en nous faisant chier par la même occasion. D'une pierre deux coups, tout ça, tout ça.

— Agents, allez chercher un extincteur, l'Enquêteur Garamande fume. Non, mais, tu peux nous dire ce que tu fais des systèmes de surveillance neutralisés, d'Héraclite, de l'Olympe ?

— Je ne dis pas que j'ai répondu à tout, je dis que nous avons enfin un suspect. Je veux dire un suspect sérieux. Si on le surveille, je suis sûr qu'on trouvera les réponses qui nous manquent.

— Si on se met tous là-dessus, on va perdre du temps. Il faut continuer à fouiller la vie des dernières victimes pour établir un lien entre elles et mieux cerner le mobile, c'est la priorité.

— Tu m'as écouté ou pas, Casilde ?

Il apparut à ce moment-là à l'Enquêteur Garamande que l'Enquêtrice Provinciale Binasse pouvait avoir des raisons de lui broyer la confiance indépendantes de l'enquête.

— Écoute, Casilde, comme tu voudras. Je vais aller voir Glazère demain pour lui demander des moyens sur cette piste, toi, si ça te chante, tu peux rester sur les victimes. Je te demande juste un Agent avec moi. Tu préfères qui ?

— Pas de préférence.

Les deux Agents, qui avaient écouté le débat comme deux avocats les querelles des divorcés qu'ils représentent, se regardèrent. Hubert Ferde soupira avant de lâcher :

— Allez, Enquêteur Provincial, je veux bien vous accompagner.

— Dites donc, Hubert, on en a pas déjà parlé ? Appelez-moi Fénimore!

Et tout fier d'avoir lâché une véritable réplique de film, il sortit dans la coursive s'en griller une.

Lundi 4 décembre

— Comprenez-moi bien Garamande, j'en suis la première surprise, mais j'ai l'impression – je dis bien l'impression – que vous tenez quelque chose.

— Vous êtes d'accord avec moi que ces crimes ont forcément à voir avec la nuit ?

— Je ne dirai pas ça. Mais vous êtes si rigolo quand vous vous enflammez à tirer des traits entre des choses qui n'ont rien à voir pour faire votre fin limier. Non. Je crois qu'il y a quelque chose à creuser autour du fils de Lambertine, et qu'une surveillance bien fichue peut de toute façon nous donner des informations qui – comment dire ? – pourraient par miracle nous mener au tueur.

— Vous étiez au courant, vous, pour l'Académie ? C'est quand même assez énorme. On aurait pu réagir il y a deux semaines, dès que le commissaire a été incriminé.

— Non. Je savais juste que c'était un raté qui causait bien du souci à son père, mais il n'a jamais voulu rentrer dans les détails.

— Il était réserve, tout de même... Vous auriez dû en entendre parler, même incidemment !

— Vous savez, on entend tellement parler de rugby. Et puis il était à l'Académie il y a huit ans, je ne connaissais pas encore Justin à cette époque. En tout cas, maintenant qu'on sait ça, il faut d'abord s'assurer que Justin n'apprenne pas que son fils est donc placé sous surveillance. Je vous détache pour mission d'infiltration. La version officielle pour calmer ses soupçons sera qu'on cherche du côté des dealers. Vous ne mettrez plus les pieds au Commissariat à partir de ce soir.

— D'accord. Et pour l'Agent Ferde ?

— Il retourne à la Brigade, vous lui direz de tenir sa langue. Sinon, on sait où habite Hector Lambertine et ce qu'il fait dans la vie ?

— Zone des docks. Il est journalier sur les quais.

— Très bien. Vous installez une filature discrète, mais alors là, Fénimore, sophistiquée : micros, camion-écoute, le toutim. Vous ne le suivez en voiture que si vous êtes certain d'avoir de quoi l'arrêter dès qu'il freine. Je demande à la Surveillance du territoire de vous fournir les hommes et le matériel.

— Vous pouvez faire ça ?

— Magie, magie, il y a un domaine de compétence sous mon titre ronflant ! Et puis, dès que je dirai au Préfet que c'est pour coincer le tueur de l'Olympe, il m'enverra l'ensemble avec un boniment de concessionnaire. Vous allez pouvoir jouer au flic à ultrasons.

— Merci.

— Dites, Enquêteur Garamande, essayez de me ramener de l'opération autre chose qu'une édition universitaire d'Héraclite dédicacée par le relecteur, ma réputation n'est pas tonitruante ces temps-ci. Faites votre possible pour n'avoir jamais à vous demander si ma mutation fut votre faute.

— Compris.

Mercredi 6 décembre

Le grand Pan est mort. Alors, plus que des choses.

La nouvelle claqua aux rives de Paxi. Ça voulait dire : il n'y aura plus ces forces à portée de main, plus ces dieux qui ressemblaient au monde. Les démons ont reculé derrière les étoiles. Il n'y aura plus de délices au sommet des collines, et plus de maléfice dans l'ombre des contrées ; plus de danse appelant le divin dans les chairs, plus d'ivresse où titube l'humain, amputé d'éternel.

On rangea tous les masques où habitait la peur. Où habitaient les désirs inquiétés d'infini.

Alors, ce fut le grand silence posé dans le cœur même. Dessus, seule une parole et deux bras en croix, qui donnent pour espérance une vie aux frontières.

Il y avait eu tant de temples, tant de pur et d'impur, d'interdit et de prescrit, et des signes de cendres sur le front de chaque être.

Puis il n'y avait plus rien que le regard de l'autre qui étoile la nuit, la permission terrible d'être sans panneaux ni flèche.

« Thamos, es-tu là ? »

À la barre du navire, Thamos ne savait pas qui parlait. Il crut que l'univers lui révélait sa voix.

« Quand tu atteindras la crique de cette île, crie aux rives que le dieu du Tout, que Pan est mort. »

Ce qu'il y a dans la terre noire, la zébrure électrique qui fait naître a déserté d'ici.

Une liberté naquit de l'exil des dieux déportés dans les livres.

Reste ce combat pour se modeler une âme, mission pour chacun de défendre et de dire ce que c'est qu'être un homme.

Fénimore sentait s'approcher l'heure. Il allait voir le tueur, cette créature qui avait décidé de ranimer l'Olympe, de réveiller les dieux pour torturer l'inabouti humain, nier l'aristocratie de ce qui tremble.

Combat entre toucher et voir, qu'est-ce qui serait noblesse, pourtant, sinon cette tension vers la beauté des choses, cette soif qui monte auprès du corps aimé, si ce n'est cette douloureuse obsession de l'infini de ne pas nous laisser tranquilles ? Vie qui ne peut rien s'amalgamer, vie de famine, vie qui effleure, qui s'élève et qui tombe, s'approche et se renonce. Injurier le ciel. Jusqu'au prochain saisir.

Fénimore attendait que la Surveillance du Territoire lui annonce que le dispositif était prêt. Ça avait traîné tout hier, mais on lui avait promis qu'on serait sur pied ce matin. Et c'était sans doute l'excitation, la saoulerie du réveil, mais il se doucha avec la certitude d'être Thamos. Il allait de nouveau nettoyer l'Olympe. Il allait protéger le droit d'être mortel. Il allait redire que le grand Pan est mort.

*
* *

Athanase Cramarin avait demandé qu'on ouvre le toit du Stade du Brise-Lames. Il s'était levé tôt pour fouetter son émotion à froid. En entrant sur la pelouse, en s'avançant jusqu'au centre du terrain avec derrière lui les quarante-sept rugbymen sous contrat professionnel ou de réserve du XV de Volmeneur, il se sentit aidé par la nature. La neige venait les chercher sous la ville. Accrochées aux pinacles des tribunes centrales, deux longues bannières noires avec

498

le phare et le DONEC NOX. Les gars firent cercle debout, crachant de la buée au-dessus des survêtements officiels qu'Athanase leur avait demandé de porter. Il était 8 heures et demie du matin et c'était encore les projecteurs qui les éclairaient. Athanase avait voulu qu'ils viennent avant l'entraînement. Qu'ils fassent l'effort. Ils attendirent que leur capitaine prenne la parole. Et ses mots prirent une respiration solennelle. Sur chaque siège vide, une attente péremptoire.

— J'ai voulu vous parler ce matin, parce que je vois pas comment on pourrait enfin gagner un titre en jouant comme on fait. On a déjà perdu trois matchs sur neuf. On s'en sortira pas comme ça. Et puis, je vous rappelle qu'on rencontre pas n'importe qui samedi ! Flammerange, on est tombé sur eux l'année dernière en demi-finale, et ils ont failli nous empêcher de passer. Là, on les joue chez nous. On se fait pas battre chez nous ! C'est notre terre, on doit la défendre, de toutes nos forces, jusqu'au dernier, toutes les images que vous voudrez ! Après, on aura Capitale chez eux. Ça fait deux favoris d'un coup. Alors, va falloir commencer à s'envoyer. Parce que je vois quoi ? Des types qui s'arrangent pour en faire le moins possible ou pour tirer la couverture à eux. Réveillez-vous les mecs ! Regardez autour de vous ! Y a quatre-vingt-cinq mille personnes qui viennent ici pour nous voir jouer. Regardez bien les sièges. Y a rien entre eux. Ici, ce qui relie les gens, c'est nous. Vous croyez qu'ils viennent pour quoi ? Ils viennent pour qu'on les relie, voilà. Ils viennent pour être une ville. Et comment vous voulez qu'ils ressentent quelque chose si on n'est même pas une équipe ? Celui qu'est pas prêt à tout donner pour les autres, c'est un déguisement qu'il a sur le dos. Merde, vous savez ce que c'est Volmeneur, pourquoi on joue sous terre, pourquoi on a le phare sur le torse. On est l'honneur des gens. Je sais pas d'où vous venez, mais même si c'est de Brabandésie ou de Volsquie, vous savez très bien ce que ça veut dire être chez soi. Eh ben, les gens d'ici, ils sont chez eux quand ils nous voient jouer en équipe. Moi je veux vous regarder dans les yeux et lire vos tripes, je veux qu'on puisse se réveiller d'un seul regard, c'est ça une équipe. On n'est pas là pour prendre les ballons que gagnent les gros pour faire des pas de danse, et on n'est pas là non plus pour menacer un trois-quarts qu'a fait une bourde de lui péter la gueule dans le bus. Y a pas de gros et y a pas de gazelle, y a tout le monde qui gagne, et tout le monde qui perd ; y a des mecs qui vont chercher un ballon, qui se le passent, qui laissent pas l'adversaire le porter dans notre camp. Moi, je me donne pour vous. Je vais vous dire, le doc fait la fine bouche, mais moi je joue samedi. Parce que je veux vous retrouver, parce que ça me fait bander d'être avec vous, et que mon corps et les blessures, à côté de ça, ça fait pas le poids. Et puis vous savez quoi, les nouveaux, les anciens, les Volméens, les mercenaires ? On peut être les premiers à gagner un titre pour le plus grand club de la République, pour le plus beau. Pour tout ce qu'il représente. C'est long, une saison, ça demande qu'on soit des hommes de bout en bout. Ça demande que cette équipe, elle se forge une histoire, qu'elle se trouve une âme. C'est ça qui nous portera jusqu'au bout, pour ça qu'on gagnera, c'est pour ça que ce sera grand. Vous croyez quoi ? J'ai déjà un palmarès qui m'assure quatre postes de commentateurs à la télé et deux cents contrats publicitaires. Vous croyez que c'est pour ça que je me bats ? Moi, je sais que si on le gagne ce titre, c'est ce que j'aurai fait de mieux dans ma carrière. Parce que je l'aurai pas gagné tout seul, bande de connards ! Parce que j'aurai vu les gamins, les vieux durs comprendre ce qu'ils foutaient ensemble et se donner les uns pour les autres. On est dans une épopée, les mecs. C'est toute une légende pas à pas, où il faut qu'on soit à la hauteur, à chaque pas. Où on raconte un grand truc à tout le monde. C'est maintenant, les mecs. On a le talent, on a la force, on a les moyens, il manque plus que vous. J'ai très bien vu les tronches que vous tirez quand vous êtes pas sur la feuille de match, comment vous regardez ceux qui y sont. Il faut qu'on s'explique. Je veux qu'à partir de demain on se soude, je veux qu'on redevienne une équipe. Alors, maintenant, vous vous parlez !

Le cri résonna sur des costauds qui avaient le visage crispé d'embarras. Malgré son dégoût pour sa propre voix, ce fut Gabar qui parla le premier.

— Veux pas faire l'avant casse-couilles, mais c'est quoi ces réserves qui font des relances à la con pour rendre le ballon à l'adversaire ? On n'est pas les machinistes des danseuses étoiles.

— Gabar, t'es chiant. On fait tous des erreurs. Le problème quand on est trois-quarts, c'est que nos conneries se voient à l'œil nu, mais heureusement qu'on est là pour prendre de vitesse les défenseurs que vous arrivez pas à épuiser.

— Foulques, t'es gentil, mais tu viendras te les taper les poussées en mêlée et les poings dans la gueule si t'es pas content de notre pression sur les défenses. Félix et Abdi, vous envoyez souvent des combinaisons sans penser au pack. Le talonneur fait aussi partie des décideurs, et il sait où en sont les avants niveau fraîcheur. Faut qu'on se parle.

Et longtemps dans le froid, le XV de Volmeneur travailla à se refaire confiance. Puis les joueurs se dispersèrent sur un bon « DONEC NOX ». Cri pour jouer au plus fort contre la peur du noir.

*
* *

La neige tombait sur les docks, versant le silence sur les machines qui mettaient les conteneurs en lévitation, et avec eux des tonnes de vêtements, des réfrigérateurs, des voitures. Coulisses du spectacle, cuisines d'un restaurant, une activité qui puait de la gueule. Ça donnait de la consistance à la lave serpentant de ce qui se vend, s'achète, s'évalue. Dans les replis, il y avait des mains qui détournaient, qui chargeaient les bateaux de substances moins probes que sur les bordereaux. Les carlingues crades des barges en ferraille et les empilements colorés des caissons ne parlaient pas non plus des vies de misère qui se faufilaient là-dedans, des marins payés à l'épuisement, pour ne rien dire des usines au bout des vagues et où on supposait sans émotion des enfants enchaînés à un mur de douleur et de résignation. Tout ça, dans les boutiques, lignes blanches et rutilements d'inox ; métamorphose. Les vies qui s'y concassaient restaient en dehors du mélange ; pas de transsubstantiation. En parlant de ça, la grosse cloche de Notre-Dame-au-Péril-de-la-Mer assénait 2 heures. La marchandise en l'air jouait toujours au film muet, avec le côté angoissant qu'a le mouvement réduit à lui, quand on entend dessus la mort comme une musique de fond.

Fénimore cracha une latte de détective de film noir, à cause de l'environnement, puis pour pas faire attention au froid, et parce qu'il se sentait maintenant au sur-mesure avec son enquête. Il imagina un moment ce que devait être la vie d'Hector Lambertine dans ce coin de merde qui était au surplus un royaume des gangs. Il se demanda comment il avait fait, parti de l'Académie, passé par la réserve, fils de Commissaire, pour finir à suer sous l'hiver, et à trouver refuge dans un deux-pièces à moisissure et jour rare que l'Enquêteur Garamande voyait d'ici. Il l'imagina buvant le coup jusqu'à pas d'heure, ramassant une de ces grosses à tricot violet qui attendent de se faire lever comme une cargaison sur le quai, et qui trouvent merveilleux que l'homme au visage pas si mal réussisse à lui donner du roulis sans lui gerber dessus.

C'est du cliché, Fénimore. Bien joli de parler d'âme et de service quand on se sent mal à l'aise dans les quartiers pourris. Il ne fut pas fier de son mépris bougon. Mais il aurait mis au défi quiconque de trouver attirant le visage que ce côté-ci de la mouise tendait aux visiteurs. Florent Xorni, le Capitaine de la Police du Territoire, sortit pour lui faire signe.

— Ça y est, il est rentré ?

— Il vient de décrocher le téléphone.

Fénimore chiquenauda sa clope et monta rapidement dans le camion d'écoute. On lui tendit un casque. Il sourit pour remercier.

— Et si je passe te chercher ?

— Il restera le problème de la livraison.

Une voix de femme. Pas désagréable.

— Ils t'ont dit quelle heure ?

— Tu les connais.

— Je sais pas quoi te dire. Je peux pas y aller à ta place ?

— Et tu rentrerais comment ?

— J'en sais rien. Mais tu m'as montré comment faire, alors…

Cette histoire, ça pouvait être tout, d'une corvée de pressing au Citoyen à équarrir.

— Tu peux pas demander à ta voisine de réceptionner ?

— Ça va pas la tête, si elle ouvre ?

Ça commençait à sentir l'intéressant.

— Bon, on dit quoi ?

— Je te rejoins chez toi quand ce sera arrivé. Après, on ira ensemble si tu veux. Et après, je passerais bien une petite soirée tranquille.

— Moi aussi.

Le sourire mielleux dans la voix promettait le genre de tranquillité qui fait boumboum pour le voisin du dessous.

— À tout à l'heure.

Et c'était parti pour attendre qu'un connard de livreur surgisse de l'improbable pour voir à quoi rimait cette conversation.

— T'as envoyé le numéro au central ?

— Viens de le faire.

Le Capitaine Xorni se tourna vers Fénimore :

— C'était un portable. On devrait avoir le nom de la propriétaire assez vite.

Comme prévu, ils ont attendu. En profitant des musiques nulles qu'Hector Lambertine consommait à fond, des rafales de mitrailleuse de son jeu vidéo, mais principalement du simple temps qui passe. Si cette grosse feignasse avait pris sa voiture, on aurait au moins pu le traquer avec le GPS que les hommes de la Police du Territoire avaient eu le temps de glisser sur l'essieu. Mais son inertie se comprenait – Hector devait avoir le cerveau en lamelles de sa rotation 5 heures du mat-14 heures.

Fénimore en venait à se demander si un mec qui sort aussi essoré de son boulot pouvait trouver l'énergie de terroriser une ville.

*
* *

— Dégueu, le café.

— Peux pas dire le contraire.

— On va attendre cent sept ans, comme ça, dans ce rade ?

— Mec, je suis surpris que tu aies encore les nerfs de grogner contre ce qu'on fait tous les jours.

— Y a quand même moins long dans le genre.

— T'es prêt à dégainer, au moins ?

— Non, j'ai oublié comment appuyer sur un bouton.

— Et t'as pensé à virer le flash ? pas comme la dernière fois, où on s'est fait repérer comme des mitrailleurs de tapis rouge ?

— Je vais la payer jusqu'à ma retraite, celle-là.

— Si tu veux te recaser, je pense que le Gang du Bagne t'en doit une.

— J'en ai marre de ces vannes.

— T'as pas d'humour quand tu bosses.

— On fait des extras pour les flics du tout-venant, ça te fait pas chier, toi ?

— On parle de neuf meurtres rituels. Ça fait partie des trucs que j'avais dans l'idée de freiner quand j'ai choisi la volaille.

— Moi, je voulais lutter contre les mafias, les trafics, les vraies merdes qui empêchent qu'on ait prise sur la réalité.

— Ben, tu vois, t'as prise sur un café miteux en face d'une porte à la con dans la Zone des Docks de Volmeneur. Bienvenue chez les kissdés.

— On dit pas plutôt bienvenue quand on vient d'arriver ?

— Si. Mais venir d'arriver, c'est l'impression que tu laisseras toute ta vie.

— Ta gueule.

Sonnerie de téléphone.

— Attends. ( ) Entendu. Grouille, l'interphone a sonné.

L'Agent Territorial Lachuère eut juste le temps d'avoir le profil de la femme qui attendait en bas de l'immeuble du suspect.

*
* *

LOUIS VARDE
JULIETTE VARDE

Par ordre d'entrée en scène. Sur son tableau, seul dans la brigade, après avoir déclaré forfait au bout de six heures d'écoute soporifique, tandis qu'il était venu chercher une information anodine dans la base informatique, comme il allait tout juste être 21 heures, l'Enquêteur Provincial Fénimore Garamande voyait s'étaler sous ses yeux la confirmation de la culpabilité d'Hector Lambertine et le mobile des meurtres. Enfin, un mobile.

Quand les Agents Territoriaux de fonction en bas de chez Lambertine fils leur avaient envoyé la photo, Fénimore avait tout de suite reconnu l'experte informatique qui était venue pour l'histoire du disque dur de Lambertine père, il y a deux semaines. Mais c'était quand le Central avait finalement craché son nom qu'il avait réalisé. Fénimore n'avait retenu que le prénom. Peu ordinaire, il faut dire. Le patronyme en revanche courait les rues. On était tellement habitué à l'entendre qu'il n'accrochait pas, pour ainsi dire. C'était du moins l'excuse que l'Enquêteur se fournissait pour ne pas s'être rendu compte plus tôt que ce nom était apparu trois fois dans l'enquête.

La première fois, quand ils avaient fait du porte-à-porte auprès des familles de disparues, et qu'ils avaient rencontré un Louis Varde résigné au sujet de sa fille Juliette ; la deuxième fois dans la liste des présents en loge avant le match Volmeneur – Crazié du 4 novembre en la personne d'Estelle Varde qui y faisait le service ; la troisième fois lorsqu'ils avaient fait la connaissance d'Astarté, qui fouinait en spécialiste dans les ordinateurs de la Police et dont la journée avait prouvé qu'elle était la régulière d'Hector Lambertine.

Ce fut après avoir tapé Varde sur la base de la Police pour vérifier l'adresse d'Astarté que Fénimore découvrit le pot-aux-roses. Après vérification de l'état civil, il élucida l'arbre généalogique : Estelle et Astarté Varde étaient sœurs, et elles se trouvaient être également les cousines de la disparue Juliette. Devant son quatuor de Varde, Fénimore en était donc à supposer une amitié indéfectible entre les cousines, la disparition mystérieuse il y a trois mois de Juliette, la conviction faite chez les sœurs de sa mort dans d'atroces souffrances, et la décision de venger sa mémoire en montrant par la sentence des dieux de l'Olympe le peu de prix qu'avait la vie humaine dans leur société. De là, l'alliance avec le ressentiment d'Hector, embarqué dans l'affaire par sa copine Astarté, et qui avait défini pour victimes de leur démonstration ceux qui approchaient le club de Volmeneur et entraînaient ses espoirs dans la débauche. L'Enquêteur Garamande en était persuadé, il avait bouclé le scénario.

Le comment aussi commençait à se dessiner. Car, si la force conjuguée de rugbyman et de portefaix pouvait désigner Hector comme l'exécuteur, le service régulier d'Estelle pour les réceptions du club disait que c'était elle qui s'était faufilée dans les vestiaires pour déposer le sac où était enfermé le premier cadavre, elle encore qui avait glissé pendant une réception d'après-match un vase avec des restes humains. Quant à Astarté-l'informaticienne, c'est elle qui avait piraté tous les systèmes de surveillance, changé les bandes, neutralisé les caméras.

Demain, il raconterait tout ça à Casilde et la sommerait de lâcher ses fausses pistes pour réunir de quoi prouver la machination des Varde. Il avait trouvé la porte et la clef. Il en avait le vertige.

Jeudi 7 décembre

Tout donner, donner cette souffrance, aimer cette souffrance, cours plus vite, hop, hop, hop, flexion, flexion, plaque, reviens, cours, tape, prends, tape, ils te regardent, ils voient bien que tu te mènes au bout, pas de grimace, pas de trace d'effort, il ne faut pas qu'ils te disent : « Bien essayé, mais on veut pas que tu te pètes, alors, au repos », il faut que tu joues ce match, qu'ils voient comment joue un vrai capitaine.

Séance de technique individuelle.

Au tour des deux remplaçants, Conbaba et Pépin, de faire le parcours.

Pas photo.

C'est toi le meilleur arrière.

Dans ton corps, il est, l'exemple.

Des actes.

Tu es la parole que tu donnes.

Aurélien me regarde comme s'il n'avait jamais vu un sportif.

Tu vas l'avoir, ton poste.

*
* *

— Comprenez-moi, Fénimore. Ce n'est pas que je ne vous croie pas, bien que ce soit un tantinet per-limpinpin, votre histoire. Non. Mais les moyens dont

508

vous parlez ne tombent pas du camion après un s'il vous plaît.

— Mais il faut que nous surveillions Estelle Varde. C'est elle qui dépose les corps, c'est certain. Si nous ne la suivons pas, nous allons laisser commettre un nouveau crime, nous allons louper le flagrant délit.

— Écoutez, il n'y a tout simplement pas d'autre unité d'écoute disponible, je n'y peux rien. J'ai demandé, vous pensez bien... Et puis, vous devez comprendre que, comme motif à mobiliser des équipes d'élite, un nom de famille aussi répandu, ça n'est pas très massue.

— Il n'y a pas que le nom, elles sont cousines, on le sait.

— D'accord. Mais, à défaut d'autres preuves, on vous dira ce qu'on m'a dit : les écoutes ne peuvent pas être exhaustives, elles ne peuvent être qu'un angle d'attaque.

— Ça veut dire que la Justice de la République préfère qu'un dixième innocent se fasse martyriser plutôt que dépenser trois RECS-six sous.

— Nous ne parlons pas de trois RECS-six sous. Il y a une vraie impossibilité matérielle. Et quand je dis impossibilité, prenez-le au pied de la lettre. Désolée, Fénimore, je ne peux pas envoyer à Casilde un autre camion d'écoute pour qu'elle étende les investigations.

— Et ne serait-il pas possible, avec le camion déjà fourni...

— On en a déjà parlé. C'est techniquement infaisable.

— Du coup, on se retrouve avec deux Policiers qui se tournent les pouces pendant qu'un groupe d'assassins sort la scie à métaux et prépare sa phrase du jour.

— Ils ne sont pas obligés de se tourner les pouces. Déjà, il y a encore beaucoup à comprendre sur les dernières victimes. Ensuite, c'est bien joli votre hypothèse Juliette Varde, mais si c'est une vendetta, il faudrait aussi se renseigner sur ce qui lui est arrivé. Ce serait par exemple une bonne idée de retrouver le corps.

— Bon, je dis à Casilde et Titin que votre consigne est de creuser l'affaire Juliette Varde.

— Et de mieux cerner les derniers meurtres.

*
* *

Son métier n'était pas toujours à la hauteur des romans d'espionnage, mais là, ça dépotait dans le sans-intérêt. Le Capitaine Florent Xorni allait pouvoir rendre un rapport à sa hiérarchie façon récit de vacances demandé par la maîtresse : « Alors, là, il s'est douché, là il a baisé son Aglaé ou un truc du genre, là il s'est redouché après la baise, là ils ont parlé facture, impôts, déjeuner du dimanche, là, ils ont pas été d'accord sur la série qu'est la plus sympa à regarder, là il s'est fait engueuler pour passer tout son temps à son ordinateur, là, on s'est emmerdé comme tout à l'heure. »

Les gens ne devraient pas avoir peur qu'on les surveille, parce que avant d'apprendre quoi que ce soit qui les gênerait, ils auront fait mourir d'ennui le plus impavide spécialiste. Ils sont rigolos, les Réformistes, à avoir peur de l'État totalitaire qui verrait tout. Ils ne se rendent pas compte que pour garder un œil permanent sur le Citoyen, il faudrait quelqu'un qui puisse survivre à ne pas le lâcher du regard. Aucun État au monde ne poursuivrait l'effort plus de deux générations. Le temps de comprendre que même la certitude d'être très dur, très méchant et très con dédommagerait pas un mégalo de l'emmerdement généralisé de se sentir concerné par tous les néants de sa population.

Quant à Xorni, mettre fin à une série de meurtres rituels ne suffisait pas à le rembourser de rentrer dans l'intimité de ces sinistres. Parce que attention, ne pas confondre avec les reportages nuls titrés « Tu préfères la scrpillière aux câlins » ou « Au secours, ma belle-sœur est chiante », qui sont faits à partir de centaines d'heures de bandes réduites à vingt minutes, et où il y a de la musique. Le bon gros mensonge de l'époque, ça, la réalité. La prise directe. Des histoires, en fait, répondant aux bons vieux canons d'efficacité, d'ellipses et de trucages. La seule différence avec la fiction, c'était que les acteurs étaient nuls et le texte à se flinguer.

Non, vraiment, les anticipationnistes qui s'amusent avec l'œilleton manquent d'imagination. On ne peut pas imaginer un État qui tiendrait très longtemps sur la religion de l'indiscrétion universelle. Alors, après, vérifier que les gens parlent toujours comme il faut et qu'ils pensent comme on leur a dit de penser, impossible. C'était vraiment sous-estimer le grain dans la tête de tout mec, même flic, ce tout petit peu de fantaisie, de flemme, de pas d'équerre. On n'est pas programmé pour. Tout simplement, on n'est pas programmé.

Xorni se serait plutôt méfié de la façon dont les grandes idées démocratiques sur lesquelles tout le monde est d'accord – Justice, Égalité, Liberté, Progrès et Droit – se retrouvaient à donner du goût au premier nul à tête de Service Public venu. Là, en effet, on pouvait faire accepter pas mal de n'importe quoi, il n'y avait qu'à voir à quoi servait le mot Équité dans la politique anti-immigration. S'ils voulaient faire du bien, c'était là que les écrivains auraient dû aller faire leurs livres avec gros méchants et très gentils-jolis. Là que ce serait utile de bien crisper le poing autour des mots, qu'ils s'échappent pas sanctifier leur contraire.

Bon, il était parti où, là ? À force d'entendre cette merdouille qu'était le quotidien d'Hector Lambertine, il était à deux doigts d'écrire un Constitution sur le capot. Et puis il faisait froid. Et puis, quand est-ce qu'il revenait, l'Enquêteur Provincial qui les avait plongés dans cette crasse ? Sa présence changerait rien à l'action, mais ça donnerait quand même un peu moins le sentiment de se faire enfler.

*
* *

Claquements de portes, tintements de clefs et boniments, par-ci par-là, un « je crois, moi » si consternant, machines qui ronflent, ennui qui gonfle, guitare et chants, et des « merci », des « pas partie? », longueur de temps.

Fénimore constatait le désastre sur les mines dubitatives de la Territoriale. Depuis qu'Hector était rentré à 14 heures, il ne s'était rien, mais alors rien passé qui ressemble à du compromettant. Ce couple était d'une platitude étonnante. Quant à leurs déplacements, ça avait juste permis aux flics de se rencarder sur les docks, les épiceries du coin et les petites entreprises qui sous-traitent leur maintenance informatique. L'Enquêteur Garamande avait beau douter que les enfoirés ici-bas portent une panoplie, il avait beau s'être souvent extasié qu'on s'extasiât sur la banalité du mal, là, il voyait de moins en moins ces loustics tramer des massacres cousus antiques entre la boîte de petits pois et le programme télé. Il commençait à bénir le destin qui lui avait évité de mettre d'autres flics d'élite au scalpel de ces galériens moyens.

Pourtant, tout indiquait que le tueur de l'Olympe avait jailli de ce quotidien merdique.

Et les heures tournaient.

Les rapprochant de l'heure supposée des crimes.

Vendredi en fin d'après-midi, d'après les recoupements de la Scientifique. Et rien, rien ne venait.

*
* *

Dix-sept heures. Il va aux toilettes. Il met longtemps à tirer la chasse.

*
* *

Dix-sept heures trente, son pote Marco a un jeu à
lui montrer. Pas sûr qu'il puisse, parce que Astarté.

*
* *

Dix-huit heures, il rit de la vanne grasse d'un
humoriste connu à tête de malversation financière.

*
* *

Dix-neuf heures dix, Astarté revient du travail.

*
* *

Et puis, c'est tout.

*
* *

Et puis, fait chier.

*
* *

Ça commençait à rire fort et à pousser le refrain. Malgré les flics qui montaient la garde dehors, malgré tous les conseils diététiques, malgré le match de samedi, ils avaient décidé de se retrouver à l'ancienne manière, par une bonne vieille cuite des familles. On avait réquisitionné le bar du père d'Abderrahmane et le cordon empêchait les curieux du Faubourg-du-Bagne d'admirer comment se torchent les stars. Stores baissés, soirée privée. Athanase goûtait l'ambiance.

On avait eu la composition et il tiendrait son poste contre Flammerange. Avec les autres vieux. Y avait plus qu'un seul jeune sur le banc, et c'était Pépin, une valeur sûre à sa manière. C'était peut-être pas très équitable, mais Sgabardane semblait accuser les débutants de la défaite contre Sordre. Raison de plus pour rassembler les gars ce soir après le dîner des vingt-deux. Tous les gars. Même les réserves. Et pas pour reluquer de la fesse. Pour se sentir entre hommes.

Ils chantèrent *La Ligue noire* en rigolant de ce qu'on avait foutu sur la gueule des mecs de Crazié. Et il flottait dans l'air cette vapeur de souvenirs, il flottait ces mecs qu'on a connus ou dont on a entendu parler, et qui n'habitent plus que l'amour qu'on leur porte.

Ça faisait déjà un moment que les jeunots les écoutaient fascinés. Sans doute parce qu'ils n'avaient pas assez d'anecdotes sur eux pour jeter leur mise, mais surtout, pensa Athanase, parce qu'ils vivaient ce plaisir de redevenir les enfants au bout de la table, en travail de domaines grâce aux voix qui ont vécu. Gonflements d'instants qui ne brillaient pas quand on y était de cet éclair de monde entier, minutes qui n'avaient pas su dire sur le moment qu'elles seraient le visage d'un temps.

Athanase aimait se rappeler ce qu'il était quand il avait vingt ans. Et il aimait dire aux gamins ce qu'on ne lui avait pas dit alors. C'est pour ça qu'il a pris Pépin au coin du bar. Il avait remarqué qu'avec tout son talent il ne savait plus qui il était. À force de valdingue de poste en poste. Puis, c'était à cause de son retour que le petit serait remplaçant samedi. Il allait adoucir la circonstance.

— Tu sais, faut pas trop écarquiller les yeux aux grands noms. Un grand nom, ça vient après. Tous ces mecs pensaient ne rien valoir par rapport aux anciens quand ils étaient sur la pelouse. C'est une affaire de choses qui grandissent quand elles sont plus à portée de main. Et puis, tu sais, ça sert surtout à étrangler, les grands noms. On n'ose pas la comparaison, comme on dit, mais comparer, c'est déjà dire à quelqu'un de fermer sa gueule et de ressembler. Quand t'es bon, vraiment bon, tu ressembles pas. T'es de l'inattendu. On dit « Untel est ça », « Untel est ci », mais y a toujours quelqu'un pour rétorquer « C'est quand même pas trucmuche », et t'inquiète pas que le mec disait du temps de trucmuche « c'est quand même pas machin », et ça le dissuade pas de continuer à passer à côté. Te mets pas à te demander comment jouer pour avoir l'air de Foulques, ou de je sais pas qui. C'est le début de l'anonymat, ça. Sois toi-même. C'est dur au début de comprendre qu'on peut tout faire et tout réussir, il faut des années pour que la méchanceté naturelle des autres s'éteigne. Qu'ils soient obligés de respecter ce que t'es arrivé à être. T'es déjà allé loin pour ton âge. T'es tout prêt. Crois-moi : les génies, les stars, les après-lui-personne, ça arrive quand les types plantent quelque chose dans l'œil qui met longtemps à convaincre le cerveau d'être réel. Parce que c'est fort. Les gens n'aiment choper la grandeur que quand le propriétaire les en empêche plus. Pour que ce soit à eux, finalement, qu'elle appartienne. Bon, je sais pas si tu me comprends. Mais fais-toi confiance et laisse ta réputation aux autres. Elle dépend pas de toi, mais qu'un type influent veuille faire le malin dans le style « je l'avais vu avant les autres ». C'est un jeu, la réputation, et je peux te dire que la cote dépend assez peu de la valeur. C'est dans les poches des bavards que tombe leur mise, alors, ça dépend seulement de leurs intérêts. Enfin, sauf si tu commences à te planter. Là, ils t'évaluent au juste prix. Allez, j'arrête. Tu vas boire un canon avec moi. Et tu vas m'expliquer quelle vie t'as envie de construire avec tout ça.

Et la soirée fut longue. Et aux angles, sur les banquettes, des palabres semblables mettaient par grappes le XV de Volmeneur à flots de tu et toi.

*
* *

Il était 10 heures du soir quand Fénimore s'affala sur son canapé en doutant plus que jamais de sa théorie imparable. En avisant ses factures sur la table basse, il s'était souvenu de cette idée qu'on ne vit qu'à proportion de son compte en banque. Cette vérité l'emmerda sur le coup. Car on avait constaté que l'assassin ne s'était jamais servi de la carte de crédit ou du chéquier d'une victime. Et comment imaginer qu'Hector Lambertine et Astarté Varde, qui trimaient pour des salaires de misère, aient pu se donner la peine de l'homicide sans en croquer un peu ? Ça le fit sortir de sa torpeur d'après labeur. Il fallait qu'il rabiboche son raisonnement.

Vendredi 8 décembre

Cher Fénimore,

Tu vas croire que je t'écris pour continuer à danser toute seule, et pourtant, je peux te dire que j'ai bien compris le message depuis des semaines que tu es passé en mode con. Ce n'est pas une histoire d'amour imaginaire que je cherche. J'aimerais juste que tu entendes ces mots qui sont pour toi en moi. Je sais très bien ce qui se passerait si j'essayais de te les dire. Tu regarderais par la première fenêtre venue, et puis après, sans t'être laissé atteindre par rien, tu partirais dans le récit de ta douloureuse vie sentimentale, et tu conclurais par une remarque sur la complexité de la vie.

Je veux que tu m'entendes. Et tu vas me faire le plaisir de lire jusqu'au bout.

Bien sûr que je ne peux pas accepter ce qui se passe. Que je ne m'y fais pas à ce silence. À toi, à toi de plus en plus, et puis plus rien. On peut dire que je n'ai pas eu de chance. Mais je ne veux pas parler de ça. C'est mesquin, ça, à côté de se rencontrer, de tous ces moments à se suffire pour faire la fête, à côté de ce sentiment que travailler avec toi, c'est vivre un rendez-vous galant qui rapporte de l'argent.

Ne te trompe pas. Je n'ai jamais eu de mal à capter un regard attiré dans un bar. Je ne suis pas de ces filles qui attendent le prince.

C'est difficile à dire ce que je veux que tu comprennes. Je sais aussi que tu vas aller chercher je ne sais pas quoi derrière, des suppositions d'avant, d'après, toutes tes théories. Tout, sauf ce qu'il y a dans mes mots. Et moi, je veux qu'enfin tu les prennes. Et c'est pour ça que je les mets sur le papier, pour que tu sois embêté pour les rapetisser.

Moi, si tu veux savoir, je crois simplement qu'on pourrait être heureux. Qu'on l'était. Je sais que ça te paraîtra plutôt faible à côté de toutes les souffrances pseudo-héroïques que te promet ton ex. Pourtant, c'est possible, Fénimore, d'être heureux. C'est possible de vivre pour toi, pour moi, eh oui, voilà, je vais le dire, pour nous. Et ça, sans avoir à culpabiliser, à se détester, tous ces malheurs auxquels tu es accro. On est aussi sur terre pour prendre la joie quand on peut, la tendresse quand on peut, Fénimore. Je ne te parle pas d'hédonisme. C'est au contraire très sérieux et très profond, quand on a vu comme nous toutes les horreurs que les gens peuvent se faire, de connaître le prix d'un baiser, le prix d'une caresse, être d'accord pour se vouloir du bien, se trouver, Fénimore, c'est beau, c'est exceptionnel. Ça n'a rien de moins grand que ton culte de ton propre sacrifice, soi-disant pour ton fils. Mais surtout pour une femme qui ne le mérite pas, qui ne le verra même pas.

Parce que, ce que tu fais, c'est t'obstiner à vivre avec quelqu'un qui ne peut pas être avec toi, parce que, toi-même, tu ne veux pas être avec toi. Tu vas trouver que je juge, que moi aussi j'ai mes théories. Et c'est vrai que ce n'est pas là que je voulais aller. Mais je ne veux pas barrer ça. Parce que c'est ce que je pense. Parce que je veux que tu me prennes comme je suis. Parce que, si tu réfléchis, tu me veux comme je suis.

Fénimore, je me hais d'être de ce côté-ci de l'amour, d'aller te chercher. Rends-toi compte de

ça. Rends-toi compte que ça me coûte. Rends-toi
compte que moi, je suis prête à faire pour toi des
choses qui me coûtent. Parce que je sais. Je sais,
Fénimore, que notre rencontre est importante.

Je ne veux pas t'attendre. Je veux que tu viennes.
Car si tu tardes, tu auras tout gâché. On ne sera
plus que des vieux camarades qui se connaissent
dans toutes les situations. Je ne veux pas de ça.
C'est ton obsession, les histoires, eh ben, nous, c'est
aussi une histoire. Et tu seras d'accord avec moi
que si on met n'importe quel chapitre dans un
roman, il tombe en morceaux. Et je trouve que ce
chapitre de ton silence, de ta distance n'a rien à
faire là. Que c'est une faute de goût.

Alors, écoute-moi. Ne me prends pas pour
n'importe qui. Je saurai vivre sans toi. Ce serait
juste dommage. Je veux que ce soit évident pour
toi. Ça devrait être évident.

Réagis vite.

Sinon, je saurai que je me suis trompée. Je ne
t'embrasse pas parce que j'aime trop t'embrasser
pour le faire avec du papier,

Casilde.

*

* *

La feuille était pliée dans une enveloppe que Fénimore tira de sa boîte aux lettres avec un lot de publicités. Après une nouvelle journée de néant policier, il
rentrait attendre Vladimir. Harassé, il ne pensait qu'à
se laver la tête d'une nouvelle journée à voir sombrer
lentement sa piste. Alors, de passage dans la cuisine,
il lança son courrier sur le plan de travail sans le trier.
Et ces mots se turent enfermés dans l'enveloppe.

Samedi 9 décembre

Deuxième mi-temps. Quarante-cinquième minute. Ils mènent d'un point, mais ils n'ont plus rien à raconter. Ils sont cuits. Comme on a été prudent jusque-là, Athanase en a marre d'attendre qu'Abderrahmane se décide à ouvrir. Il joue frileux. Le contraire de ce qu'il faut faire. Il faut s'envoyer pour baiser ces gars qui prétendent comme eux aux premières places du championnat. Alors, quand Félix lui envoie une balle qu'on lui a dit de taper sèchement en touche pour leur donner de l'air, Athanase Cramarin allume une chandelle. Il sait qu'il l'a réussie, et il part en sprint pour être à la retombée.

Il la lui arrache en effet, et il accélère, dans la folie qui le porte.

Comme les mecs de Flammerange étaient en position d'attaque, il n'y a que leur arrière sur le ballon. Et Athanase sait qu'il le lui arrachera.

Athanase enchaîne ses foulées à toute allure. La presse dira demain : « Comme un seigneur. » Il regarde rapidement des deux côtés pour vérifier les soutiens. Personne. Il est parti de loin. Il sent sa douleur se réveiller. Il ne peut pas aller plus vite. Il va être rattrapé. Il faut quelqu'un, putain de merde. Aucune cohésion, putain !

— Balle !

À droite, sur l'aile. Passe longue.

En se relevant du plaquage meurtrier, Athanase a le plaisir de voir que c'est Pépin qui a marqué l'essai. Au retour, il lui tape dans les mains avec un sourire.

— Tu vois, t'es rentré depuis deux minutes et t'as déjà marqué !

Puis il s'arrête. Un incendie lui a pris la jambe. Il tombe à terre. Deux minutes plus tard, Athanase est sorti sur civière. L'exploit a fiché sa blessure dans son corps.

VOLMENEUR – FLAMMERANGE
25   10
VOLMENEUR EST QUATRIÈME DU CHAMPIONNAT

Samedi 16 décembre

Onzième journée :
Capitale – Volmeneur

M

1
pilier
gauche
Kétil
LAMARSINEINBA

2
talonneur
Baruch
KLÉDINSTEIN

3
pilier
droit
Heldrad
VOERS

Ê

4
deuxième
ligne
Jacob
THÉOVITTE

5
deuxième
ligne
Myrtil
PAHONTAS

L

É

6
troisième
ligne aile
Sixte
DARSSIN

8
troisième
ligne centre
Iker
DELAVENTIN

7
troisième
ligne aile
Terce
HACHETTE

E

C H A R N I È R E

9
demi
de mêlée; capitaine
Félix
VALDAFIN

10
demi
d'ouverture
Judicaël
GALBOND

T R O I S - Q U A R T S

11
ailier
gauche
Nazaire
MARLIN

12
centre
Zacharie
HAOUSSELINE

13
centre
Malloy
GRUVALD

14
ailier droit
Foulques
BODOMBIN

15
arrière
**Constant-
Baptiste**
FAURE

REMPLAÇANTS

16. Damase FÉVRIALDIN
17. Macaire DAQUIN
18. Désiré CALFIN

19. Yann HURLAR
20. Barnabé BENDARKI
21. Corentin DIMBIEL

22. Ibor BAKOMAKO

SOULIGNÉ DANS LE CALEPIN DE L'ENQUÊTEUR PROVINCIAL
FÉNIMORE GARAMANDE :

S'OBSTINER

Dimanche 10 décembre

La sonnerie l'a éjecté de son sommeil par le col. Quand il rudoie ses cordes vocales pour signifier qu'il écoute, il en sort, allez savoir pourquoi :

— Garamande.

— Lieutenant de Vaisseau Faroudj de la Police Militaire Maritime. Je vous appelle parce qu'on a fait une découverte, disons macabre, dans notre Zone. Au château de Volmeneur, exactement. Le Parquet nous a dit de vous appeler.

— âteau ?

— Vous dites ?

— Au château ?

— C'est ça.

— On arrive.

Huit heures du matin. Il se lève. La nuit est installée dans son salon et le phare au loin tourne son lugubre message. Il faut appeler Casilde. Avant d'y condescendre, son cerveau a repris assez de force pour lui dire ce que signifie la nouvelle. Que sa piste soi-disant magistrale vient de prendre un boulet par le travers.

*
* *

Sur les deux éperons qui encadraient la rade de Volmeneur, la prudence avait commandé d'établir deux bases militaires. Outre cette manie des ennemis de d'abord piller et incendier le port, les récents conflits avaient prouvé que les docks possédaient une importance économique et stratégique majeure. De là ce visage continu de béton du front de mer nord, alternant les hangars et les arsenaux, les bassins où dormaient destroyers et sous-marins, puis les quais où les chameaux maritimes reprennaient des forces. Préservé à la pointe de l'éperon ouest, le château de Volmeneur regardait la mer du haut de sa forme noire et biscornue, piquante de tours et flèches. C'est de là que partait jadis la grande muraille, l'enceinte de la ville aux créneaux de laquelle, au pied de laquelle grouillèrent les amourettes et les marchés dont le Diable est garant.

À cette heure où les phares de la Zone des Pêches et de la Marine redoublaient d'efforts pour réveiller le soleil, le coin faisait froid dans le dos. Fénimore se sentit, quand la voiture s'engagea sous l'arche de la vieille entrée, quand les pavés protestèrent sous les roues, comme un voyageur venu vérifier si les rumeurs de cannibalisme et de torture d'enfants qui couraient sur le seigneur du lieu étaient vraies. Ce fut une gifle condensée de froid, de neige et de cri du large qui les accueillit lorsqu'ils sortirent de la bagnole, tenus immédiatement en respect par la casquette d'un gardien de musée qui n'appréciait que moyennement qu'on osât faire rentrer dans le saint lieu un véhicule à moteur.

Fénimore eut un regard pour les murs qui le serraient et ces fenêtres qui rampaient dans le noir vers un énigmatique sommet. Il se souvint qu'il avait promis à Vladimir de l'emmener un jour faire la visite. Il vit ce qui plairait ici à son fils. Cette idée de canons crachant des flammes aux meurtrières pour envoyer par le fond les frégates à l'abordage. Cela suintant des croisées, où il aurait bien vu passer le bougeoir à la main l'inquiète Princesse mère, passant de la chapelle au chevet de son fils, porté hier pour mort après une bataille. Fénimore songea que, comme d'habitude, il ne devait y avoir à l'intérieur que deux ou trois vieilleries parfaitement indifférentes. Un coffre, un fauteuil fané, des vitrines avec des bouts de livres de comptabilité et des médailles sans signification. Mais il s'avoua être parcouru par quelque chose. L'impression que Volmeneur n'a pas toujours été ce terminus aggravé par l'architecture aléatoire de ses quartiers misérables. Qu'il y eut bien ici un temps de puissance, et il comprit mieux d'où venait cette obsession de veiller la nuit.

On leur montra une petite porte de bois. Au-dessus une ogive préparant le coup d'épée d'une croix. La chapelle du château, sans aucun doute.

L'endroit n'était pas bien grand. Des complications de clefs de voûte, de piliers, de minuscules renfoncements à ex-voto jouaient à créer à la façon gothique une présence divine, en empêchant le regard de saisir l'espace d'un seul coup. Là-dessus des lustres à faibles ampoules pendaient à des endroits choisis pour que la lumière soit distribuée ici, plutôt que faite. Quelques bancs noirs. Un autel aux tons estompés, et un tabernacle d'or qui assumait le premier rôle. Au-dessus, un crucifix à Christ cloué, certainement en marbre. Fénimore s'aperçut qu'il marchait sur des noms. Sur le sol de la chapelle couraient des tombes à patronyme unique, encadré de dates et de prénoms qui sentaient la pertuisane. C'était à droite de l'autel que la dernière trouvaille du tueur l'attendait.

En s'arrêtant à hauteur, Fénimore s'aperçut du gisant qui trônait là. Couronne et mains jointes, yeux où s'est posé le doigt de pierre de la mort, Fénimore reconnut Alphonse, le Prince noir, héros vaincu de cette Province qui crut pouvoir étendre à l'horizon sa loi et son esprit. La sculpture faisait de son mieux pour faire régner le cadavre, pour sacrer la chair de ce grand au-dessus de la décomposition des sujets de nature. En dépit, l'air marin et le temps avaient presque tout effacé, les doigts des admirateurs et des visiteurs aussi. À force de bénir cette dépouille, ils lui avaient rendu la fragilité d'une peau.

C'est au pied du Prince que reposait la victime. La vision n'avait rien d'effroyable. Elle prêtait même à sourire. Comme la remarque d'un ignare en survêtement qui dirait que la statue lui rappelle son beau-frère. La présence ici de cette glacière aux armes du XV de Volmeneur était en effet parfaitement consternante, et Fénimore n'avait aucune peine à s'imaginer le gardien irrité, prenant son service avant l'ouverture du monument au public, pour trouver cette horrible chose dans son beau château. Avant de s'en débarrasser, il jette un coup d'œil à l'intérieur. Alors, il a un geste de recul, peut-être un petit cri qu'il étouffe, parce qu'il est gêné par le sommeil des défunts tout autour. Il se signe, peut-être parce que c'est la chose la plus muette à faire. Et il va donner l'alerte. Fénimore se retourna vers Ferde qui cherchait déjà dans sa besace. Pour le principe, l'Enquêteur articula :

— Vous avez des gants en plastique ?

L'Agent ne prit pas la peine de verbaliser l'évidence, et lui en tendit une paire. Fénimore alors déplaça le couvercle. Et ce qu'il vit n'eût pas été un drame s'il n'avait su que ces petits morceaux rouges parfaitement coupés, ce paquet de chair réfrigérée avait été un homme ou une femme, qu'il ou elle avait été assassiné(e), puis démantibulé, puis rompu os à os. Préparé comme un animal.

ᾧ ἄλιστα διηνεκῶς ὁμιοῦσι, τούτῳ διαφέρονται, καὶ οἷς καθ᾽ ἡμέραν ἐγκυροῦσι, ταῦτα αὐτοῖς ξένα φαίνεται.

ILS SONT EN DÉSACCORD AVEC CE QU'ILS FRÉQUENTENT
LE PLUS CONTINUELLEMENT ; CE QU'ILS RENCONTRENT
CHAQUE JOUR, C'EST CE QUI LEUR PARAÎT ÉTRANGER.

Fénimore ne vit absolument pas ce qu'Héraclite
voulait dire cette fois. Ni dieu ni sens ne s'échappaient pour lui de la glacière du club, prétexte franchement débile à relier ce meurtre aux sempiternels
rugbymen de la capitale du Marchaunoir.

En revanche, l'Enquêteur Garamande sentit se
lever une colère. Il ne sut pourquoi, mais ces bouts
d'homme congelés lui dirent un comble dans cette
série de sacrilèges olympiens contre le corps. Ce
n'était pas la découpe en dés, puisque l'épisode de la
terrine ne lui avait pas fait cet effet. C'était plutôt
l'ignoble hygiénisme de la réfrigération. Il y a un blasphème suprême à empêcher le sang de crier. C'est
une injure à cette conviction ancienne qu'une vie qui
a coulé ne peut être nettoyée, qu'elle continue à appeler les Érinyes, la mémoire, la justice. Depuis Azaëlle
Dombe, l'assassin avait trouvé le moyen le moyen de
toucher Fénimore aux nerfs.

Il y avait une forme de profonde décadence dans
ce dispositif, un nec plus ultra de la réduction du
monde, de la respiration, de l'âme à l'emballage. Il ne
faut pas qu'un carnage soit propre. Et celui-ci était
au peigne fin. Mais une idée domina d'un coup son
dégoût. Il lui parut toucher un premier grain d'espoir
ce matin. Parce qu'il venait d'agripper un argument
pour défendre ses hypothèses.

*
* *

— Écoutez, Garamande, vous êtes gentil, j'aime
bien vous écouter et je veux bien beaucoup de choses,
mais une fois de temps en temps, c'est une bizarre
manie, je sais, j'ai pour habitude de confronter les
idées que je peux m'être faites, par intuition, par ins-

piration, appelez ça comme vous voulez, enfin tout ce qui a pu pousser dans ma caboche, j'aime le confronter, dis-je, aux faits, vous devriez essayer, une fois, vous verrez, c'est étonnant, ça peut éventuellement transformer une exaltation en déception, mais d'une façon générale, ça aide à avancer, ça peut même constituer une leçon, si on sait bien écouter. Alors, mon cher Garamande, regardons ce que nous disent les faits aujourd'hui. Que vous êtes venu avec une jolie petite théorie avec des rubans et des nœuds qui m'a fait ordonner un déploiement de forces de Police que beaucoup de mes collègues jugeraient démesuré. Vous avez fait mumuse avec ça pendant quatre jours comme un gamin qui fait le bruit du moteur de sa petite voiture avec la bouche, et résultat : rien de rien sur vos suspects que des détails à faire hérisser les cheveux d'ennui à un copiste médiéval. Surtout, un cadavre qui apparaît par miracle dans une glacière délicatement déposée aux pieds d'un ancêtre, tandis que les rapports d'écoute et de filature attestent que nos gentils Citoyens ont regardé les programmes nuls de CN1 en mangeant des coquillettes. Bref, la preuve éclatante que vous vous êtes gouré sur toute la ligne et que j'ai joué à l'assistante du magicien en maillot de bain, ce qui n'est pas le métier dont je rêvais quand j'étais petite fille. Alors, je sais que c'est tristoune, mais là il faut quand même reconnaître que votre scénario est tombé à plat, et qu'il est temps d'envisager d'autres pistes.

— Madame la Procureure, je suis persuadé que le rapport de la Scientifique va nous révéler que l'homme ou la femme qui a été découpé a été tué avant que nous ayons commencé notre surveillance. Dès lors, il est normal que nous n'ayons pas pu recueillir d'éléments incriminants ou prendre les suspects en flagrant délit cette semaine, puisque rien ne s'est passé cette semaine.

— Ah oui ? Et si vos suspects sont les bons, expliquez-moi comme cette glacière est arrivée dans la chapelle du château la nuit dernière alors que, comme le révèle le rapport de ce matin : « Après des bruits révélant une activité sexuelle, Hector Lambertine et Astarté Varde se sont endormis. »

— C'est Estelle Varde qui a déposé le corps. Et comme vous m'avez refusé sa filature…

— Vous savez, Garamande, prendre ses propres hypothèses pour colmater les brèches de ses propres hypothèses, ça peut amener à rendre la terre plate, et à le proclamer un entonnoir sur la tête.

— Vous ne pouvez nier que mes intuitions sont fondées sur des éléments solides. Et de fortes présomptions…

— Ces présomptions n'ont aucune espèce de force, la preuve : je voudrais vous ordonner d'arrêter vos suspects aujourd'hui que je ne le pourrais pas, parce que n'importe quel tribunal d'appel proclamerait la remise en liberté avec indemnités pour détention abusive sur la base d'élucubrations mythologico-moyens-du-bord. Je suis désolée, Garamande, mais je n'ai plus assez d'éléments pour imposer la poursuite de la surveillance à la Territoriale. Si vous voulez vérifier vos vues de l'esprit, il va falloir vous débrouiller tout seul.

*
* *

Déjà trois jours que Fénimore doit avoir reçu la lettre. Trois jours sans réponse. Trois jours comme si de rien n'était. Bonjour Casilde. Au revoir Casilde.

Elle avait passé le week-end à éliminer ses espoirs. Au début, elle l'aurait bien vu débarquer sous le coup de l'émotion pour lui faire passer une nuit inoubliable où on ne se serait pas arrêté de trembler tellement on aurait été heureux. Samedi matin, elle s'était dit qu'un mail, c'était bien son genre, l'écrit et la technologie en même temps, ce côté penché sur les mots comme sur un parterre de fleurs, mais sachant dénicher sur la toile les fictions dernier cri. Elle s'était dit : il attendra d'être frais après le réveil, puis l'après-midi, elle le supposa faisant une marche pour tirer les meilleurs accords style/sentiment dont il était capable. Elle pensa ensuite qu'il avait préféré attendre le soir, puis qu'il n'était pas sorti pour parachever sa missive, puis qu'il avait voulu que sa réponse tombe en pleine nuit pour lui donner de la magie, puis ç'avait été le matin, la découverte du corps et le net démenti. Il n'avait rien laissé paraître. Rien.

Tout de même, tu ne peux pas m'ignorer Fénimore. Pas après nos rires, pas après nos moments, pas quand tous les jours nous nous frottons de loin. Pourquoi pas le téléphone, Fénimore ? Pourquoi pas le coup de la sérénade en bas de chez moi, l'invitation-mystère par texto ou la longue lettre à la plume que tu as écrite tout hier et que je recevrai demain ?

Pourquoi quand on y tient, rien ne vient ? Pourquoi quand un autre sent sur nous l'odeur de l'amour, est-ce qu'il s'en va comme s'il avait flairé sa fin ? Et si au moins je pouvais pleurer maintenant dans les bras de quelqu'un, qui au moins trouverait ça beau et noble que je souffre, qui serait juste un homme, qui voudrait que j'aille mieux parce que ce serait juste un homme.

Dans nos villes, il n'y a plus de bras. Il n'y a plus personne qui veuille seulement qu'on ne pleure pas. Il y a des maris qui sont fiers de leur femme, des femmes fières de leur mari, des enfants à élever le mieux possible, des amis qui demandent qu'on les amuse. Il n'y a pas de chaleur, pas cette chose si simple d'être des humains qui savent comment se faire du bien. Et puis il y a le silence. Il y a l'absence chaque fois qu'un cœur s'est réveillé. Chaque fois, putain de merde, qu'on a vraiment voulu. Qu'on a vraiment risqué. Quand on s'est laissé convaincre par l'espérance. Et les gens disent que c'est beau, l'espérance. C'est beau comme mes sanglots qui me défigurent, comme la morve des larmes qui coulent au bord de mon nez. C'est beau comme cette gueule de mort qui est la tienne, Fénimore, quand tu m'ignores.

Lundi 11 décembre

Jérémie Chassesplain trouvait dans sa lecture un délice de mépris. Il songea au type qui lui avait tendu cérémonieusement le document. Il avait l'apparence de son ânerie : dégarniture d'universitaire, vêtu à l'ancienne mode, que les gens de son espèce définissaient d'année en année. Tous les gogos se penchaient sur le sport pour y faire courir leurs théories. En général, il s'agissait comme ici de capharnaüms censés rendre les plus intriqués problèmes lisibles comme un camembert de couleurs, analysables comme des statistiques, traçables comme des courbes. Il s'agissait en l'espèce d'une méthode pour diagnostiquer le « mental » d'une équipe, proposant – moyennant finances, ça va de soi – un outil d'évaluation des performances morales des joueurs qui permettait de gérer l'effectif selon des critères comme « gouvernance intérieure », « gouvernance extérieure », « architecture psycho-sensorielo-cognitive », ou encore « fraîcheur neuronale ». Les cas types étaient présentés avec des baisses ou des hausses de dix ou vingt pour cent de match en match, et Jérémie Chassesplain eût été curieux de savoir ce que représentaient le cent pour cent, la « fraîcheur » d'un marmot à qui on vient d'offrir un ballon, ou l'état du physicien une seconde après une découverte fondamentale ?

En sa qualité de président du XV de Volmeneur, Jérémie Chassesplain en avait vu passer pas mal, de ces doux dingues abattant leur phraséologie scientifiante comme un gamin son tamis sur la plage. On prenait des phénomènes simples qu'on appelait des modèles, puis on extrapolait. La presse raffolait de ces mises en résultats, car ça offrait du simple à comprendre, du substantiel à rétorquer. Jérémie Chassesplain était même doublement bien placé pour saisir la tendance. Parce qu'il avait remarqué que ce qui attirait le plus les gens dans les stades, c'était d'avoir fait du sport, et du rugby en l'espèce, le modèle des modèles. Le sens d'une ville, le trajet d'un pays, l'état d'un patriotisme se résumaient en gestes simples, en actes visibles, comme la nature révélée par un géomètre. Usine à mythes sans abîmes, à morales sans préceptes, à lois sans obéissance. La vie sur laquelle ouvraient les métaphores sportives n'était qu'une vie où s'est installée l'idée qu'il n'est de rapport entre humains que la compétition, de vérité politique que ce qu'on peut gueuler sur les toits un soir de cuite avec un drapeau à la main, de communion entre êtres que la bière et l'extinction de voix. Modèle, modèle réduit, les temps étaient au plaisir d'agir à l'égard de tout comme des géants, après avoir fait de l'univers du petit-bois arrangé en maison de poupées. Chaque chose et être ainsi prenait valeur, montait, baissait en fonction de la place dans la maison de poupées, estimations et fluctuations selon le caprice unanime ; royauté d'un enfant.

Il savait ce que disaient les intellectuels sur le sport comme nouvelle religion. Il avait sous les yeux un diagramme qui lui disait ce que le sport en général et le rugby en particulier appelaient une âme. Plutôt spéciale comme théologie.

Jérémie Chassesplain n'avait pas que cela à faire, et il dut abréger à regret sa promenade amusée au pays des équarrisseurs de monde. Mettre des chiffres sur les choses, c'était une partie de son métier. Mais savoir que ces chiffres ne se confondaient pas avec les choses, c'était assurément sa compétence.

Il était né avec une assez grosse cuiller dans la bouche pour pouvoir confondre sa mastication avec une existence digne d'être vécue, mais il avait eu besoin de signifier au-delà. Certes, il n'était pas comme son frère Gustave à la tête du plus grand constructeur automobile de la République. Lui n'était qu'un cadet qui avait respecté la tradition familiale de condescendre à participer aux amusements des employés en siégeant au conseil d'administration du club de la ville, détenu par ses supporters actionnaires, mais qu'il fallait bien gérer de façon intelligente, d'où l'élection de délégués par collèges de clubs de supporters et la nomination par iceux d'un chef, en l'espèce notre sexagénaire, élu il y a huit ans. Titulaire d'une richesse vaste, mais discrète, parce qu'on ne gère pas une équipe ayant les « valeurs » de Volmeneur en menant un train de proxénète qui a gagné au loto, Jérémie Chassesplain avait surtout éprouvé dans ses fonctions cette vérité aussi vieille que lui qu'il possédait une véritable imagination d'entrepreneur, la vocation de faire de l'argent. Dans cette charge, ce qui le fascinait positivement, c'étaient les gens qu'il avait charge de mener, leurs aptitudes, leurs défauts, le moyen de les amener à trier entre eux, la certitude de leur être nécessaire.

Après plusieurs placements réussis de l'argent familial, dans le domaine des loisirs principalement, Jérémie Chassesplain avait aujourd'hui envie de croiser son amour des entreprises et son intérêt pour ce que le rugby suscitait d'engouement grâce à une idée assez simple, mais révolutionnaire au regard des us et coutume du Marchaunoir. Il s'agissait de créer autour du club, et plus exactement du Stade du Brise-Lames, une ville dans la ville consacrée au XV. Musées, salles de sport, cafés, boutiques, cinémas, salles de jeu, garderies, hôtels, enfin tout ce qui donnerait envie de passer le week-end auprès du club.

Il était persuadé d'avoir compris le marché majeur de son époque, qui était celui de la distraction. Inutile d'empiler sur son bureau des thèses sur l'inutilité croissante des êtres humains ou de lire la presse pour se rendre compte que de sympathiques étrangers peu regardants sur leur durée de vie produisaient désormais le nécessaire à l'existence des autres. De ce côté-ci du globe, on en était réduit à une économie de services, qui exige rarement le labeur d'une population entière toute la journée. Alors, temps libre et profond ennui. Dans ce contexte, qui savait vendre du divertissement tenait tout l'or du monde. Jérémie Chassesplain savait que son frère, qui faisait travailler de l'ouvrier solide, qui détenait des kilomètres de chaînes de montage et d'entrepôts solides voyait ses investissements comme des tocades, sa conviction que le passe-temps gouvernait le monde comme un passe-temps, justement.

Lui eût aimé savoir pourquoi les acheteurs de Chassesplain eussent dépensé jusqu'à un an de salaire pour acheter une voiture si ce n'était pour aller chercher des moments où exister avec plaisir.

Il avait son plan d'ampleur : racheter d'abord le parc immobilier autour du stade, obtenir les permis de construire de la Prévôté, avoir l'aval du club pour s'en réclamer. L'affaire était avancée, et il avait trois rendez-vous à ce sujet ce matin. Il devait aussi caser sa conversation hebdomadaire avec Sgabardane, pour lui expliquer que la rencontre de samedi contre Capitale ne devait en aucun cas être envisagée comme un match qu'on peut perdre, que ce serait un des plus regardés de la saison, que ce serait un pas de géant de gagner, et que ça rendrait vert de rage l'insupportable président Gilles Dalade, qui s'arrangeait toujours pour l'humilier en lui en mettant plein la vue chaque fois qu'on jouait chez eux.

— Casilde, il faudrait que je te parle. On va dans la coursive ?

— J'arrive.

— Ça avance sur l'identification ?

— ( ) Pas tellement. Il n'y a pas eu de disparitions signalées dans la Province depuis quinze jours.

— Je vois. Tu veux une cigarette ?

— Volontiers.

— Comme tu te doutes...

— Attends, je préférerais l'avoir allumée avant que tu commences.

— Ah bon. ( ) Ça va là, je peux y aller ?

— Vas-y.

— Je disais, comme tu te doutes, il va falloir qu'on s'entende parce que, dans l'état actuel des choses, on ne peut pas s'en sortir sans...

— Je suis bien d'accord.

— Très bien. J'ai pas mal réfléchi, j'ai retourné les choses dans ma tête, j'ai envisagé les options...

— Tu devrais juste écouter ton cœur...

— Exactement, Casilde. Je veux écouter mon cœur.

— Parfait.

— Même si les événements semblent contre moi, j'ai ma conviction. C'est l'essentiel. De toute façon, on court toujours le risque de se tromper, alors autant aller au bout de ses idées.

— Je suis heureuse de te l'entendre dire.

— Bien. Alors, je peux compter sur toi pour t'organiser avec Titin et Ferde ? Moi, je voudrais enquêter de mon côté pendant une ou deux semaines. Juste le temps de vérifier toutes les possibilités.

— De quoi tu parles ?

— Je voudrais continuer à surveiller les Varde. Comme je sais que vous ne croyez pas trop à cette piste, je vais me débrouiller seul.

— Hum.

— Tu n'es pas d'accord ?

— Écoute... (   ) Si tu veux.

— Tu n'as pas l'air très chaude Tu sais, on est deux Enquêteurs là-dessus, j'aimerais bien connaître ton avis.

— Eh bien... Dans un sens, ça m'arrange que tu me laisses gérer quelques jours.

— Tu es sûre ?.... Tu n'as pas franchement l'air ravie...

— Rien à voir.

— Des soucis ?

— Écoute... (   ) Non, rien...

— Je ne veux pas être indiscret. Écoute... J'espère ne pas te faire un sale coup. Si tu sens que ça devient un peu difficile, alors, tu pourras...

— Vas-y, Fénimore. Je t'assure.

— Je vous tiens au courant.

— C'est ça.

Mardi 12 décembre

Certainement, au fond, ce mystère des histoires qui se racontent dans toutes les tronches, ces cascades de sens, ces ratés, ces courts-circuits, chacun dedans en rythme, peu, si peu qui se laisse lire. Fénimore, dans ce café de la Zone des Particuliers, avait certes le temps de la réflexion. Posté dans un coin, faisant mine de surveiller les courses hippiques comme ses compagnons de l'après-midi, il attendait qu'Estelle Varde sorte de l'immeuble en face. On verrait après comment la suivre discrètement.

Il avait tombé son cuir, trop voyant, laissé dans sa penderie le flingue dans son étui, avait chaussé de fictives lunettes très marquées et s'était fait une coiffure correcte.

Et d'être ici à ne rien faire, à attendre ce signe extérieur qui lui rendrait un rôle, ça le faisait penser au problème global, parce que Fénimore ne pouvait s'empêcher de traquer l'idée complète derrière le phénomène. Parce qu'aussi, il avait besoin d'une équerre pour faire tenir ses suppositions.

Enfin, et tout simplement, parce que, comme disait une phrase d'Héraclite sur laquelle il était tombé récemment :

ξυνόν ἐστι πᾶσι τὸ φρονεῖν.

RÉFLÉCHIR EST COMMUN À TOUS.

Oui, réfléchir est commun à tous, et cela comprend les sœurs Varde et Lambertine. Certes, bien vite, avec femmes, marmots, employeurs et impôts, le sommeil qui manque, chaque heure coursant l'autre, on se retrouve si noyé de soucis que le cerveau se borne à les touiller mollement tout le jour et tous les jours. Difficile malgré tout d'imaginer qu'aucun moment ne vienne rompre le supplice, que, sous la douche, devant la télé, durant ces rares semaines où on va prendre l'air, il n'y ait pas justement cette révolte d'aller un peu jusqu'à l'horizon voir ce que sous-entendent toutes ces petites expressions plates qu'on a mises sur la berlue généralisée. Tout le monde a besoin de se concevoir pour être. Impossible en tout cas d'imaginer un énergumène qui vivrait son rôle scène après scène, sans jamais se faire le conte de ses actions, de ses bravoures, des injustices qu'il a affrontées ; qu'il ne traque pas le sous-texte de la voix tremblante de madame quand elle n'a pas su expliquer telle absence. Réseaux et trames, qui lui expliquaient pourquoi on a imaginé ces grandes romancières au-dessus qui tissent le destin, prenant la peine, même sur les existences sans public, de coudre un récit qui tienne la route, même si, aujourd'hui, chacun croit rapiécer pour soi, chômage des Parques. Tout le monde n'en cherche pas moins sa fiction, tout le monde n'en brouillonne pas moins sa nécrologie au jour la journée. Surtout quand a tremblé l'amour ou la subsistance, quand on a peur de ne pas arracher la qualif à la survie des plus forts. Alors, pourquoi pas le désespoir ? Pourquoi pas le livre dont on adorait les images enfant et dont on relit les courts textes, qui donnent envie d'aller chercher les versions longues, qui créent de ces obsessions dont regorgent les forums Internet ? Comme si la mythologie avait jamais été réservée à une élite, comme si elle n'avait pas justement été faite pour que se tissent à l'unisson,

542

se confrontent, se retrouvent tous les récits dans les têtes des hommes.

Puis, un drame. La perte d'une cousine à qui on confiait toutes ses bribes de chapitre. Qui faisait partie des premiers rôles. L'idée de vengeance qui donne les nerfs de répondre à l'horreur. Alors, trois vaincus qui se retrouvent, qui écoutent l'idée géniale de l'un deux, Don Quichotte qui enfourche son cheval pour aller dire un peu ce qu'il pense des malfaisants. Au diable la réalité, qui est avant tout un mot dont usent les autres pour nous couper en plein milieu ; les lois, la morale, par-dessus bord ; cette envie de se hisser à l'épopée, cette soif d'être dans le journal, c'est-à-dire dans l'histoire commune à tisser d'aujourd'hui. On va chercher ses cahiers du temps de l'Académie. On y ramasse des phrases qui claquent. Et on les fait tonner en sentences sur sa justice. S'échafaude dans le cœur cette logique du passionné qui est de croire en lui à proportion inverse de la désapprobation d'autour. Chaque meurtre une ligne de sang pour biffer tous les autres.

*
* *

— Monsieur Chassesplain, je sais que c'est important de gagner à Capitale. Mais c'est quand même moi qui vis avec les joueurs. Et je peux vous dire que les plus solides sont hors service. On est à trois rencontres de la fin des matchs-aller, la trêve de Noël arrive, je pense que tirer sur la corde maintenant serait une erreur.

— Vous vous préparez à perdre contre Capitale ?

— Je ne peux pas vous garantir qu'on va gagner.

— Je ne sais pas comment vous raisonnez, mais il nous faudra des points pour finir dans les quatre premiers ; et les points, ça se prend face aux grosses équipes.

— Sauf votre respect, les points, ça se prend à chaque fois qu'on gagne, face aux grosses équipes ou face aux petites. Je vous le dis : mon groupe n'est pas au mieux, et je ne vais pas pouvoir aligner mon XV majeur. Athanase s'est pété contre Flammerange et en a pour un bon mois, par exemple. Félix me semble de moins en moins frais, Thalalé, vous le savez…

— Je ne veux pas d'équipe bis contre Capitale. Il est hors de question que Félix ne soit pas à la mêlée.

— Je ne veux pas aller contre l'avis du médecin.

— Attendez, il est blessé ou il n'est pas blessé ?

— On ne peut pas dire qu'il soit blessé à proprement parler.

— Alors, il joue, c'est tout. Vous n'allez quand même pas faire le coup de Garamène à chaque fois ? Je sais ce que vous pensez : pas besoin de se faire suer à battre les meilleurs, il suffit de s'imposer contre tous les autres. Mais je vous rappelle qu'il n'est pas impossible de perdre devant un XV soi-disant faible, regardez ce qui s'est passé à Késidon. Et puis, comment voulez-vous faire entrer dans la tête de vos joueurs qu'ils peuvent remporter le championnat s'ils ont perdu toute l'année contre ceux qu'ils affronteront pendant les phases finales ? Moi, je vous ai engagé parce que je croyais que vous vouliez vraiment remporter le titre, je vous ai gardé en pensant qu'après la déception de l'année dernière, vous seriez prêt à tout pour ça. Et qu'est-ce que vous m'amenez comme programme ? S'enfoncer dans la médiocrité.

— C'est justement parce que je veux ce titre à tout prix que je dois gérer intelligemment la saison. Et gérer intelligemment, ça veut dire ne pas griller son groupe en jouant un ou deux matchs de gala pour arriver épuisé à mi-parcours et perdre ensuite tous ses matchs, et avec eux ses chances de se qualifier. J'ai réfléchi à ce qui s'est passé l'année dernière. Les joueurs sont arrivés mâchés aux phases finales. Surtout les cadres, qu'on avait alignés à chaque fois pour faire peur aux autres. Je ne veux pas que ça se reproduise.

— Les demies sont dans plus de quatre mois.

— Vous savez très bien qu'un athlète épuisé peut mettre beaucoup plus de quatre mois à revenir à sa meilleure forme.

— On a dépensé une fortune pour étoffer votre effectif ; selon La Claque, on a une réserve exceptionnelle ; vous devriez pouvoir aligner du lourd à chaque fois.

— Je sais. Mais cette équipe me fait un effet bizarre. Elle est capable d'être très forte, puis plus rien dix minutes après. Elle ne va pas au bout. Il lui manque quelque chose.

— Vous vous contredisez : d'un côté vous dites que vous ne voulez pas qu'ils se fatiguent, et de l'autre vous leur reprochez de s'économiser.

— Je les sens toujours un peu ailleurs. Ils ont peur. Déjà, ça aiderait qu'on en finisse avec ces histoires de meurtres et de surveillance policière. Y a eu du mieux la semaine dernière parce que Athanase a pris les choses en main. Ils se sont parlé. Ils ont oublié tout ça et ils ont fait une belle partie contre Flammerange. Mais on a trouvé un nouveau cadavre dimanche. Trois mois comme ça, c'est lourd à porter. Et puis, n'oubliez pas une chose : ils jouent mieux dans leur stade avec leurs femmes dans les tribunes qu'à des kilomètres à imaginer qu'un malade est en train d'attaquer leur famille. Déjà que c'est pas facile de gagner chez les autres, alors, à Capitale, dans ces conditions, devant une équipe invaincue en dix matchs, toute la foire que ça va être… Pour vous dire le fond de ma pensée, je pense que ce serait une erreur de mettre dans la tête des joueurs qu'il faut absolument gagner. Parce que, s'ils perdent après ce genre de discours, ça laissera des traces, et c'est là qu'ils n'auront plus confiance en eux et qu'ils passeront à côté de matchs cruciaux. Moi, je pense qu'il faut préparer cette rencontre comme les autres et jouer le mieux possible, sans en faire tout un plat.

— En tout cas, vous savez que ce match est très important pour moi et pour la ville. À vous de voir ce que vous voulez en faire.

— C'est ce qu'on appelle mettre la pression.

— Pression qui est le principe du sport, et accessoirement mon rôle dans ce club.

— Merci, monsieur le président.

— C'est moi.

Mercredi 13 décembre

« *L'État, dans l'Esprit et la Raison de la Doctrine des Libertés* », « *Le Droit selon lequel la Justice du Peuple...* » Les journaux informaient Fénimore à coups de majuscules que les hommes politiques se servaient de leur affaire pour matraquer l'idée du Fichier Génétique International.

« *Des horreurs comme celles qui se produisent à Volmeneur, laissant sans voix et sans moyen les Policiers les mieux spécialisés sont de nature...* »

La tribune était signée d'un Légaliste, nommé Delafaire. Pas faux qu'on n'en était pas exactement au stade où il suffisait d'appuyer sur un bouton pour voir sortir d'une machine le nom et l'adresse du criminel, ses stations dans ce putain de café en faisaient foi. De là à légiférer chaque fois qu'un tueur réussissait à les emmerder... Bon, ça faisait quand même dix morts, et on ne pouvait plus parler de léger dysfonctionnement. On avait largement dépassé le stade du fiasco.

D'après les récentes cogitations de l'Enquêteur Garamande, l'assassin avait voulu invoquer le dieu Hermès en sortant sa glacière. C'est du moins comme ça que Fénimore analysait le coup de la réfrigération du corps et de sa découpe. Hermès, c'est-à-dire l'interprète, le traducteur, messager de l'Olympe et dieu de l'utile, du solfège, de tout ce qu'il y a à savoir pour maîtriser les choses, et puis en faire commerce.

Le dieu des échanges, d'où, logiquement, le dieu un peu voleur. Le dieu pragmatique, surtout. Jusqu'à laisser supposer qu'il y a un niveau où tout fonctionne comme du papier à musique et à encourager les obsessionnels à chercher dans des formules magiques la clef de sol universelle, franc-maçonnerie, tout ça. C'est ce que devait vouloir dire la citation d'Héraclite. Qu'il y a une clef qu'on loupe tous les jours. Que ce que nous tenons pour simple et évident, comme le jeu même de chaque chose pour faire un tout, nous ne savons pas l'expliquer, nous en ignorons les vraies règles. Mais nous y tenons imprudemment notre place. En transportant, en vendant, en achetant.

L'HOMME CROIT ÉCHANGER, MAIS MUTILE.

La raison pour laquelle les Varde et Lambertine – si c'étaient eux –, avaient jeté leur dévolu sur le château était moins nette à discerner, mais Fénimore aurait parié sur une humiliation des luttes d'aujourd'hui – rugby, argent, chaîne du froid – représentées par le cube en plastique archivulgaire face aux Princes d'hier et à leur sommeil accusateur. Contraste. Plus simplement, entre le stade, le musée de la mine et ce dernier épisode, ils avaient tendance à choisir de hauts-lieux pour faire retentir leurs conneries.

Pour revenir sur terre, Fénimore pouvait récapituler le bénéfice de sa surveillance pour le moment comme suit : Estelle Varde aimait entretenir son corps ; et se rendait deux heures par jour dans une salle de sport ; d'où sa petite taille rembourrée par l'exercice, ses mollets saillants, sa poitrine moins en seins qu'en pectoraux. L'Enquêteur Garamande pensait que cette discipline l'aidait à gambader comme serveuse. Il se demandait d'ailleurs comment elle faisait pour s'en sortir en travaillant aussi peu, puisque, depuis deux jours, il ne l'avait vue sortir de chez elle que pour faire ses courses et se rendre à la salle. Chaque fois, il l'avait suivie d'un air pompièrement détaché, non sans s'avouer qu'il faisait un détective privé de parc d'attractions.

Jusqu'ici, en somme, on ne pouvait pas dire que la vie d'Estelle confirmait ses théories.

Mais qu'est-ce qu'on attendait au juste ? Qu'elle sorte avec un couteau dégoulinant, un livre d'Héraclite sous le bras et en costume d'Athéna ? Il fallait attendre qu'un nouveau crime se commette pour déceler du compromettant, pour, peut-être même, atteindre au flagrant délit. Or, les corps étaient déposés en général dans la nuit du samedi. Sauf longue conservation comme la dernière fois, le trio d'assassins devait s'emparer de leur victime un soir de la semaine, l'assassiner, puis la préparer, avant de s'en débarrasser. Ça chiffrait l'enlèvement pour le vendredi au plus tard. Bon, si dans deux jours, rien ne s'était passé, il s'avouerait vaincu. Pour le moment il fallait faire appel à une vertu très chiante. La patience.

Jeudi 14 décembre

L'Enquêteur Garamande a décidé de ne plus porter ses fausses lunettes à grosses montures, parce qu'il a fini par comprendre que ça fait partie des choses qui se remarquent. Il s'est laissé pousser la barbe, il a changé pour un manteau plus chaud, il a rajouté une écharpe pour s'y enfouir, et a été jusqu'à mettre un costard-cravate, parce qu'il se dit que ça le disqualifie comme flic. Il suit Estelle Varde dans le froid poignant de ce début de soirée avec un peu d'espoir. Parce que c'est la première fois qu'elle sort à cette heure-ci. Il se dit qu'il y a au moins quelque chose à découvrir là-dessous : petit ami, restaurant dans lequel elle travaille et qui pourrait tracer une piste, il ne songe pas à l'enlèvement ou à la mise à mort, parce qu'il ne veut pas que son optimisme insulte sa chance.

Dans la Zone des Particuliers comme partout, on a un peu baissé les éclairages publics pour qu'éclatent mieux les guirlandes et les Pères Noël électriques. Elle marche un petit moment, jusqu'à trouver un arrêt de bus. Pas mal de gens attendent. C'est une manie du mois de décembre, les gens sortent par paquets. C'est plutôt une bonne chose cette fois. Elle ne devrait pas faire attention à lui.

Il se place deux ou trois mètres derrière elle, en se concentrant sur ses mèches blondes qu'il voit émerger de mecs pas bien fringués et de filles à tête de fatigue. Il aimerait se dire que sa détermination et son professionnalisme l'immunisent contre le froid, mais ça souffle à moins dix et il ne peut s'empêcher de haleter en fourrant ses mains gantées dans les poches de son pardessus. Elle ne se retourne pas.

Bientôt le bus s'arrête dans un soupir de freins. Ils montent là-dedans comme le troupeau de Noé, c'est-à-dire comme s'ils devaient périr noyés s'ils restaient dehors. Lui il a des raisons sérieuses de jouer des coudes, parce qu'il l'a vue monter. Ça ne l'empêche pas de récolter des regards qui ne donnent pas envie d'entendre les mots assortis. Par bonheur, il réussit à se compresser, juste au moment où la porte se referme.

Il est coincé contre la cabine du chauffeur, devant la vitre, exactement à l'endroit où tout le monde regarde et où il a des chances de se faire repérer. Il se tourne vers le panorama roulant en se disant qu'il n'aura qu'à surveiller à chaque arrêt où elle en est.

Volmeneur défile devant eux et il se dit que c'est décidément sinistre, malgré Noël et les vitrines par-ci, par-là qui font ce qu'elles peuvent pour marquer le coup. Il ne s'est pas enquis de la destination du bus, il s'aperçoit qu'il va jusqu'au milieu de la Zone du Commerce, au niveau du magasin *Les Fines-Halles*. Si elle va jusque-là, on en a pour une demi-heure. Après, c'est cet énervement des démarrages qui collent au voisin, puis des freinages qui propulsent vers un autre. Tous les dix mètres. Quand ce n'est pas les feux qui tiennent à interrompre une de leurs rares accélérations convaincantes.

Toutes les vingt secondes peut-être, il vérifie l'endroit où, debout, elle jette des coups d'œil peu convaincants à un livre de poche qui a dû connaître le rebord de la baignoire. Sans doute son bouquin préféré. Et si c'était de l'Héraclite ou *La Mythologie grecque* ? Ce serait trop beau. Comme il serait trop beau qu'elle se décide à sortir pour mettre fin à l'exas-pérant trajet.

Elle descend au terminus. Il la laisse prendre un peu d'avance. Il y a foule sur les trottoirs bordés de dernier cri et de moins-cher-qu'ailleurs. Avec son pas de déménageur et ses épaules au tonnage respec-table, Estelle se découpe bien. Elle entre dans un bar, le genre truc franchisé pour récompenser les enfants d'avoir été sages pendant les courses. C'est mainte-nant que ça se corse. Attendre dehors ou se poster à l'intérieur ? Il a de la chance. Elle s'est assise à une table de quatre, devant, sur la terrasse vitrée, et trois ou quatre mètres derrière elle, il y a une autre table libre. L'Enquêteur Garamande rentre en se tournant vers le côté où elle n'est pas, fait un grand tour de la salle pour éviter de passer devant elle, qui suffirait à le trahir à des yeux avertis, et va s'asseoir.

— Oui ?

Le garçon ne se gêne pas pour lui faire sentir que la commande est sa centième corvée de sa journée. Fénimore a le temps de s'ordonner de ne pas boire d'alcool et demande une eau gazeuse. Pendant que le garçon se retire avec la même mauvaise grâce qu'il était venu, Garamande se remet en train d'observa-tion.

Rien de palpitant. Elle feuillette toujours son livre en levant le nez à chaque mot pour vérifier que son rendez-vous n'est pas arrivé. Alors, un galant, une galante, un papa, une maman, un patron ? Fénimore a le cœur qui se serre quand il voit entrer Hector Lambertine et Astarté Varde. Ça ne veut rien dire pour le moment, on est au courant qu'ils se fréquen-tent. Mais c'est sûr, on est sur le bon chemin.

Après, c'est une affaire de conciliabules penchés sur verre, une conversation dont rien n'émerge, pas un éclat, pas un rire, et Fénimore se prend à rêver que c'est trop calme pour être honnête. À un moment, Hector prend quelque chose dans un sac. Fénimore n'arrive pas à voir ce que c'est, mais il paraît de plus en plus évident qu'ils traitent d'une chose sérieuse.

L'Enquêteur commence à ourdir son scénario, et se dit que ça doit être une rencontre de préparation des meurtres, qu'ils s'échangent des consignes, débattent du rôle exact que chacun tiendra dans la mise à mort, de qui fera quoi pour arranger le cadavre, du plus commode moyen de déposer le corps. Ils doivent se retrouver régulièrement dans cette brasserie tous publics où personne n'irait supposer qu'ont lieu des préparatifs d'assassinats symboliques gerbatoires. Nul doute que les journaux qui aiment l'adjectif unique punaisé pleine page parleront de « paroxysme de l'horreur » quand ils raconteront que « le trio maléfique préparait ses orgies macabres dans l'anonymat d'un *Pour-vous-servir*, utilisant les cris des petits-enfants qui jouaient autour d'eux pour tremper leur détermination à tuer ».

Pour le moment cependant, ce n'est qu'une réunion de famille, et ils peuvent très bien planifier le prochain déjeuner chez tata Glaé. C'est un moment où Fénimore roule ce qu'il va faire et où il se sent comme un gamin qui s'est promis d'embrasser Machine aujourd'hui, qui a laissé passer la fin du film, le pot d'après ciné, le retour en bus, et qui se retrouve devant la maison parentale en suppliant le destin de lui ordonner de tenter l'aventure.

L'Enquêteur Garamande veut en avoir le cœur net. Il a vu que ce que Lambertine a déposé tout à l'heure sur la table y est encore. Il faut qu'il sache. Il se redresse. Puis se laisse aussitôt choir. S'il se fait capter, qu'est-ce qu'il pourra faire ensuite ? Estelle va finir par le remarquer, c'est sûr, et… Il se met finalement debout au milieu de ses phrases décourageantes. Il est déjà dans la travée. À leur hauteur, il voit une carte plastifiée et y saisit. ἡδονῇ. Puis il accélère jusqu'aux toilettes où il sort son téléphone. Il étouffe un cri d'enthousiasme en cherchant le numéro dans la mémoire. Puis il appuie. Puis il chuchote, pour parer à on ne sait quelle menace :

— Casilde, il faut que tu me rejoignes. Oui, tout de suite. Tout de suite, tu m'entends !

Vendredi 15 décembre

L'avion de Jérémie Chassesplain s'était posé à peine une heure avant, et déjà c'était la course dans le studio de CN4, la maquilleuse empressée à lui réduire les cernes, Gilles Dalade qui plaisantait à côté de lui pour essayer de le dissiper, le jeune journaliste à col ouvert très digne-et-décontracte, certifié belle image du sport. Les projecteurs étaient sur le match, c'est ce que s'obstinait à ne pas comprendre Sgabardane. On pouvait faire de la géopolitique rugbystique foireuse, Marlimbes et Késidon, aux yeux du pays, ce n'était pas Capitale. Déjà qu'ils concentraient les grandes administrations, les plus fameux théâtres et les plus réputés musées, déjà que tous les touristes rêvaient un jour de s'y promener, il fallait ajouter une réussite rugbystique triomphe-et-lauriers, avec quatre titres les cinq dernières années, série interrompue l'an passé par Garamène, ce qui ne rendait que plus belliqueux cette saison le XV des Valeureux. Alors, à une semaine de Noël, tandis que la neige qui tombait dru depuis deux jours promettait un spectacle dantesque entre deux prétendants évidents au titre, à deux matchs de la deuxième partie du championnat, quand Capitale était invaincue et première depuis la première journée et Volmeneur quatrième, l'affiche avait de quoi sauter aux yeux du passant.

Et c'était lui qui allait devoir défendre les vues minuscules de son chef-entraîneur sur ce plateau de télévision. Parce que, finalement, Sgabardane avait bel et bien lésiné sur les stars.

Un caméraman gueula le silence, et on entendit vrombir le générique. Le présentateur commença sa ritournelle d'épithètes sur images rythmées à l'électrocution. À un moment Chassesplain l'entendit dire à propos du promu Késidon : « David à la fronde de foudre. » Pas peur du ridicule. Dalade lui toucha le bras pour se joindre à la raillerie tacite. Jérémie Chassesplain savait que ces mines camarades avaient pour but de l'empaqueter, et que dans un instant il lui cognerait dessus avec l'entrain d'un pilier qui a chopé son vis-à-vis loin du regard de l'arbitre. C'était à eux.

— Monsieur Chassesplain, c'est un match que tout le monde attend, alors on a envie de vous poser la question : pourquoi ne pas aligner votre meilleure équipe ?

— D'abord, permettez-moi de saluer l'esprit du rugby qui permet à deux présidents de club lancés dans une compétition aussi tendue de se retrouver à vingt-quatre heures d'un match en toute cordialité. Maintenant, pour vous répondre, qui vous a dit qu'on n'aligne pas notre meilleure équipe ?

— Tout de même, monsieur Chassesplain, dans le XV que vous annoncez, il manque tous les grands noms, les Cramarin, les Galfatasse, les Jolssin…

— Vous savez, le championnat est long et difficile et il met les organismes à l'épreuve. Les joueurs dont vous parlez sont indisponibles, et Volmeneur a beau être une équipe fondée sur la foi de sa ville, on ne sait pas encore faire de guérisons miraculeuses.

— C'est donc une équipe par défaut, une équipe de crise ?

— Attendez, Théovitte, Darssin, Valdafin, Galbond…

— Parlons-en de Galbond. Il est aligné à l'ouverture, alors qu'on sait que son poste de prédilection est premier centre, quant à votre spécialiste, Trinque-taille, il n'est même pas remplaçant. Sinon, la pre-mière ligne est inédite et très, disons, milieu de gamme. Bref, ça sent un peu la feuille de match pour s'excuser de perdre, vous ne trouvez pas ?

— Écoutez, ne sifflez pas la fin de la rencontre avant qu'elle n'ait commencé. Beaucoup de prési-dents aimeraient pouvoir s'appuyer sur une telle « feuille de match pour s'excuser de perdre ». Nous avons pour tradition de faire jouer tous nos joueurs sous contrat et nous avons un groupe à gérer, des talents à confirmer, des blessures à éviter, nous fai-sons donc au mieux avec ce que nous avons.

— Qu'en pensez-vous, monsieur Dalade, ça vous rassure ce Volmeneur bis ?

— Ce n'est pas un Volmeneur bis !

— Monsieur Dalade ?

— Eh bien, non, ça ne me rassure pas. Parce qu'il va de toute façon y avoir du combat. On connaît Vol-meneur. Pas exactement des acrobates. Contre nos joueurs, qui aiment faire le spectacle, ça peut tou-jours faire des dégâts.

— Ce n'est pas honnête de nous stigmatiser comme ça, monsieur Dalade.

— Eh bien, on sent qu'il y aura au moins une grande bataille demain : celle des dirigeants. D'ailleurs, on a préparé un petit sujet pour vous mettre d'accord, une analyse des styles des deux équipes, et vous allez voir que les artistes ne sont pas forcément où on croit. Regardez bien ça, messieurs, vous nous direz ce que vous en pensez.

Quand l'écran lui annonça qu'ils étaient hors antenne, Jérémie Chassesplain murmura à Gilles Dalade :

— T'as toujours été un enfoiré.

*
* *

Il était 19 heures et ils étaient postés depuis le matin dans cet appartement, en face des fenêtres d'Hector Lambertine et d'Astarté Varde. Mettre les habitants du lieu dans un hôtel, c'était tout ce qu'ils avaient pu obtenir de Glazère, qui était d'accord avec eux que le mot grec sur la carte constituait une preuve, mais qui ne pouvait pas rappeler les grands moyens dans de si brefs délais.

Ça faisait une bonne heure que le couple était sorti. Les Agents Ferde et Titin les avaient suivis en voiture, et les Enquêteurs Provinciaux Binasse et Garamande se contentaient d'attendre leur retour, après avoir commencé la filature d'Estelle Varde et avoir laissé tomber quand on s'était aperçu que les trois suspects s'étaient rejoints. Le repli avait été décidé, sur la foi qu'une voiture de chasse, c'est plus discret que deux ; Fénimore avait bien rétorqué que deux chances valaient mieux qu'une, mais devant les arguments des Agents qui connaissaient mieux le terrain, il avait capitulé. C'était pour ça qu'il regardait dehors à s'en liquéfier le cerveau, et que Casilde paressait sur le canapé.

La télé était allumée, mais aucun signe ne certifiait que l'Enquêtrice Binasse la regardât. Elle s'en tenait à ses yeux dans le vague, et à cet air boudeur qui ne la quittait plus depuis quelque temps, et que Fénimore savait accordé à la mauvaise conscience qu'il éprouvait, même s'il ne lui semblait pas qu'un nouvel élément fût survenu, qui justifiât ce redoublement de froideur. Ils se parlaient par monosyllabes, par considérations balbutiées sur la pingrerie de Glazère, par des « Tu crois qu'ils vont pas tarder ? » et des « Où tu crois qu'ils en sont ? »

L'Enquêteur Garamande était triste de voir sa collègue porter aussi peu d'intérêt à ce moment crucial de leur enquête. Elle lui semblait à la dérive. Il savait que c'était lui qui l'avait blessée, comme il savait que s'il est possible à un homme de ne pas perdre d'âme, il est impossible de ne jamais en meurtrir. Il détestait être coupable d'un chagrin. Il n'était pas fait pour ça. Il était expert en ses propres douleurs et ses propres déceptions, il était un complet amateur pour rattraper celles qu'il provoquait. Difficile pourtant d'avancer en arborant sa triste figure sans jamais rencontrer d'amour auquel on ne peut pas répondre. Si seulement cela avait pu être un peu de la faute de Casilde. Mais non. C'était lui. C'était toute cette histoire. Sa tendance au tragique, ses grands départs d'insulté pur et dur, ça l'avait empêché d'écouter la part qu'il n'arracherait pas de sitôt à Adélaïde. Maintenant, il avait été aspiré par deux peaux. Deux espoirs auxquels il ne pouvait pas répondre, parce qu'un cœur ne se joue pas à pile ou face.

Et tout cela était glacial et mou, car l'absurde ne fait pas pleurer. Il songea à Vladimir pour rester debout.

Du canapé émana un long soupir. Fénimore regarda, en supposant un reflux de rancœur venu d'on ne savait quelle idée dans le mouron muet de Casilde Binasse. En entendant ensuite les applaudissements et les rires convulsifs de l'émission, il se rassura. C'était un coup de l'aérien esprit télévisuel.

*
* *

Le téléphone finit par sonner à la fin du journal de 20 heures. Titin les prévenait que le couple avait pris congé d'Estelle et avait troqué sa voiture contre une camionnette blanche. Intéressant. Il allait falloir se remettre à observer les tremblements du rideau pour supposer le crime ou le néant. Bon.

Bientôt la camionnette apparut au bout de la rue. Hector Lambertine et Astarté Varde en sortirent sans histoire. Un instant après, ce fut la lumière aux fenêtres de l'autre côté de la rue, puis, une demi-heure plus tard, ils éteignirent. Les jumelles infra-rouges leur indiquèrent qu'ils n'étaient plus dans le salon. Ils devaient être allés se coucher.

Les Enquêteurs Binasse et Garamande attendirent une grosse heure avant d'aller dans la rue voir ce que le camion avait dans le ventre. Casilde crocheta la serrure sans peine. En dégageant les portières, ils s'attendaient au pire, du sang qui dégouline, une odeur de mort, une tête scotchée contre la paroi. Mais il n'y avait rien. À l'exception, pour être précis, d'une vieille bâche poussiéreuse au sol.

Aux alentours de minuit, de retour au poste d'observation, Casilde et Fénimore furent d'accord pour dire que, s'ils ne cachaient pas un corps dans un fourgon qu'ils avaient d'ailleurs garé en pleine rue, celui-ci ne pouvait que leur servir à en récupérer un demain. Pour le conduire à l'endroit où le cadavre prendrait le sens qu'ils avaient décrété.

*
* *

— On fait comment pour dormir ?

Une de ces questions qui méritent le reproche rien que d'avoir été posée. Fénimore se retourna et demeura interdit du regard que Casilde lui lançait, il s'était tout à fait désarmé : il brillait. Fénimore sut à cet instant que leur proximité avait joué les évidences pour elle. Il n'en était pas là. De toute façon, ils devai-ent se relayer pour monter la garde. Il voulut sa voix neutre quand il articula :

— Va dans la chambre, je prends le canapé.

Elle baissa les yeux comme si quelqu'un l'avait giflée. Fénimore en fut désolé. Il chercha quelque chose pour le lui dire.

— Si tu veux, je ne te réveille qu'à 4 heures.

— Je vais me brosser les dents.

Coulait entre eux ce vide liquide, ce poison de la possibilité sexuelle étranglée par tout le mal qu'ils s'étaient fait. Dans chaque pièce, il y avait leur séparation qui flottait. C'était comme camper dans une rupture.

Pour en secouer un peu le froid, Fénimore appela Titin qui était en planque avec Ferde dans une voiture.

— Allô, Titin ?

— Non, c'est Ferde.

— Rien de nouveau chez Estelle ?

— Non. Pas à vue de nez.

— Vous nous appelez dès qu'il se passe quelque chose ?

— Vous avez pas de souci à vous faire.

— Bonne nuit.

— C'est ça.

L'Enquêteur Garamande entendit la porte de la chambre se fermer. Il plongea le regard dans la rue et se consola de l'ambiance en songeant à Vladimir, que sa mère gardait exceptionnellement ce soir, et Fénimore songea au cadeau de Noël qu'il allait lui acheter. Quand sa banquière qui le harcelait depuis quatre jours aurait retiré le piège à loup de sa carte de crédit.

Samedi 16 décembre

— T'as vu le discours ? Pas mal, hein ?

— Bravo.

— Merci. Tu viens me voir quand tu les as eus ?

— Entendu.

La sono du Stade de la République crachait déjà des flammes de guitare quand Jérémie Chassesplain quitta l'intendant Louis Trabin et la loge pour prendre place dans la tribune d'honneur. À son approche, Gilles Dalade se leva avec un sourire aussi contrefait que ses dents, dont le blanchiment devait être un sujet classique de thèse de dentiste. Il lui indiqua une place à côté de lui, et à droite du Prévôt de Capitale Janonquière, grand espoir de la Coalition de la Loi, Ministre de la Sécurité et probable futur Premier Ministre. Ils se saluèrent avec les banalités d'usage, avant que le Président du XV de Capitale lui glisse à l'oreille :

— Vous allez voir, on vous a soigné pour la réception d'après-match.

— Et nul doute que vous allez nous soigner avant.

Ils se sourirent en hiérarques qui connaissent la musique. De longs hourras saluèrent l'entrée des équipes côte à côte. C'était comme cela qu'on faisait ici. Et il fallait reconnaître que cela ne manquait pas de courtoisie. Dans un stade comble de cent mille places, des armées de drapeaux orange s'agitèrent. La

562

couleur des Valeureux. À peine devinait-on çà et là quelques bannières noires au DONEC NOX.

Les équipes étaient disposées sur le terrain quand Dalade lui octroya un perfide : « Bonne chance », auquel Jérémie Chassesplain ne manqua pas de répondre : « Pareillement. » Mais ils ne furent pas longtemps à s'apercevoir que les politesses resteraient entre eux et, dès l'engagement, la partie fut épineuse.

Chassesplain s'en voulut rapidement d'avoir battu froid Sgabardane. L'équipe qui portait le maillot outrenoir se battait avec des arguments solides. Le chef-entraîneur avait eu le nez moins creux sur Valdafin, qui, pour fatigué qu'il fût, livrait une prestation que la presse ne manquerait pas de qualifier de « récital ». Galbond tenait son rôle et Darssin était héroïque, comme d'habitude.

Ce fut lui qui fit se lever et hurler le président Chassesplain quand il conclut une sortie de touche par une percée et un essai. Dalade adressa un sourire d'homme mûr qui sait ce que valent les emportements de la jeunesse à son homologue. Chassesplain se persuada que ses garçons allaient lui faire rentrer sa suffisance dans la gorge et la lui enfoncer jusqu'à la garde.

La partie qui s'installa donnait du relief à cet exploit, car ce fut ensuite une empoignade austère de défenses, où chaque équipe qui ébauchait une attaque se retrouvait hachée, et où n'émergeaient que des plaquages qui soulevaient de loin en loin ces rumeurs jouissives qui dramatisent la douleur supposée des acteurs.

Chassesplain se préparait à déguster son verre de champagne à la mi-temps d'un estomac correct quand, sur une sortie de mêlée, il se produisit de quoi faire revenir l'angoisse dans ses tripes. Voulant montrer l'exemple à ses gros, Valdafin était parti seul pour essayer de se faufiler dans une brèche. Malheureusement, leur troisième ligne centre lui transmit un conseil de prudence en l'éclatant littéralement contre le gazon. Le demi de mêlée était prévenu, mais ne pourrait guère en profiter. Puisque le kiné fit clairement signe qu'il devait sortir. Chassesplain se retourna pour regarder Sgabardane. Dans sa cage de verre derrière les tribunes, le chef-entraîneur hurlait.

*
* *

Ils avaient attendu toute la journée du samedi sans que rien n'arrive, mais là, on y était, filant dans la nuit à deux voitures dans la filature de la fourgonnette blanche, partie à vingt-deux heures onze de la rue où elle était garée la veille au soir.

Les Enquêteurs avaient lâché à l'entrée de la Zone des docks, Ferde et Titin avaient pris le relais. On avait sorti les pare-balles et Fénimore avait la main sur son revolver dans l'étui.

L'Enquêteur se joua la scène. Les suspects allaient sortir le cadavre d'un conteneur frigorifique où il devait dormir tout préparé. La chose s'était probablement passée dans la nuit de jeudi après la scène de la brasserie, quand Casilde avait traîné, et qu'on avait perdu leurs traces.

On y était. À deux secondes du flagrant délit. La radio crachota :

— Ils se sont arrêtés sur le quai 24, devant le conteneur jaune, le troisième à droite.

C'était aux Enquêteurs de conclure. Les Agents étaient passés devant sans s'arrêter.

*
* *

Il reste cinq minutes à jouer, et ça en fait dix qu'on subit leurs assauts. Volmeneur s'envoie en défense comme s'ils protégeaient le berceau d'un nouveau-né contre une meute de croque-mitaines. À un moment, Capitale a amorcé un maul. Le pack de Volmeneur s'est regroupé. Leur troisième ligne s'est engouffré. Jérémie Chassesplain n'étouffe pas un petit cri.

*

* *

Fénimore et Casilde se sont garés et se sont postés à un angle, cachés par une pile de caisses. C'est Fénimore qui tient les jumelles.

— Tu les vois ?

Il ne répond pas. La camionnette attend, portières ouvertes, moteur en marche, et personne n'a encore émergé de la boîte dont les battants se font chahuter par le vent. Casilde murmure dans son talkie :

— Vous êtes au bout de l'allée ?

Elle a reçu la réponse des Agents dans son oreillette et levé le pouce en l'air. Puis Fénimore murmure :

— Ça y est.

*

* *

Le troisième ligne s'est fait retourner par Darssin, mais il a réussi à faire une passe. Crispé est un mot qu'on a beaucoup trop employé pour qu'il raconte l'état de Chassessplain à ce moment où il sait qu'il est à deux minutes de remporter une victoire historique sur le terrain de Capitale et d'enfoncer son poing dans la gueule de ce connard de Dalade. On mène d'un point. Toute faute est interdite. Chassesplain retient son souffle quand leur demi de mêlée tente une nouvelle offensive au près.

*

* *

Alors, Fénimore court de toutes ses forces, l'arme tendue devant lui et en gueulant :

— Justice de la République !

Les trois formes qui s'affairaient à charrier quelque chose de lourd dans une bâche blanche se dispersent en un clin d'œil. Casilde tire une balle, puis c'est la musique des deux pétards des Enquêteurs. Mais la fourgonnette démarre dans un grand bruit de pneu, ses portes mastiquant furieusement l'air glacial. Avant qu'elle disparaisse au bout de l'allée, Fénimore est certain d'avoir vu une de ses balles traverser la vitre qui protège l'habitacle. Et quelque chose de rouge y gicler.

*
* *

Le temps réglementaire est terminé. C'est un scandale que l'arbitre ne siffle pas. À la botte de ce connard de Dalade, comme toujours. Un deuxième ligne de Capitale déboule. Il est plaqué dur. Il va faire un en-avant. Mais juste quand tout le monde est sûr que la messe est dite, l'ailier de Capitale reçoit la balle.

*
* *

— Agent Ferde, vous m'entendez ? Agent Ferde, est-ce que vous les avez arrêtés ?

— Négatif. Ils ont réussi à passer. On les a pris en chasse. Ils sont sortis des Docks.

— Faites un appel à toutes les voitures.

— C'est déjà fait.

Casilde continue à massacrer l'accélérateur pendant que Fénimore gère la radio. Au train où elle conduit, on devrait dépasser Ferde et Titin dans deux secondes.

566

— On a une meilleure voiture, on vous relaie.

— On va les perdre.

Ils arrivent au bout de la longue avenue qui mène à la voie rapide, et Fénimore hurle :

— Ils sont là.

Alors, dans le hurlement de son gyrophare, Casilde grille le feu à une intersection. Puis ce sont les façades qui se mélangent d'être si vite dépassées, puis la bretelle qui est à dix mètres, puis la camionnette qui y monte, puis un grand crissement. La voiture est partie en dérapage. Un choc. Tonnerre de verre éclaté. Deux coussins gonflables dans le tableau de bord qui jaillissent. La tête de Fénimore qui brise la vitre de sa portière.

Des sirènes hurlent au loin.

La neige entre dans la voiture.

*
* *

Sur le quai est restée une bâche.

Livide dans la nuit.

Livide sur le sol craquelé de givre.

Livide sous le bruit têtu de la mer.

Y saigne un cadavre de femme coupé en deux dans sa longueur.

Et agrafée à une pliure de la bâche, il y a une carte plastifiée.

Où on peut lire :

χαλεπὸν θυμῷ μάχεσθα· ψυχῆς γὰρ ὠνεῖται.

IL EST DIFFICILE DE COMBATTRE L'ARDEUR, CAR ELLE L'EMPORTE AU PRIX DE L'ÂME.

Et :

χαλεπώτερον ἡδονῇ μάχεσθαι ἤ θυμῷ.

IL EST PLUS DIFFICILE DE SE BATTRE CONTRE LE PLAISIR QUE CONTRE L'ARDEUR.

CAPITALE – VOLMENEUR

22   16

VOLMENEUR EST QUATRIÈME DU CHAMPIONNAT

Douzième journée :
Volmeneur – Jeanzombes

M

Ê

L

É

E

1
pilier
gauche
Kétil
LAMARSINEINBA

2
talonneur
Macaire
DAQUIN

3
pilier
droit
Damase
FÉVRIALDIN

4
deuxième
ligne
Sébald
LESCARBORDE

5
deuxième
ligne
Désiré
CALFIN

6
troisième
ligne aile
Sixte
DARSSIN

8
troisième
ligne centre
Iker
DELAVENTIN

7
troisième
ligne aile
Yann
HURLAR

CHARNIÈRE

9
demi
de mêlée
Corentin
DIMBIEL

10
demi
d'ouverture
Abderrahmane
TRINQUETAILLE

TROIS-QUARTS

11
ailier
gauche
Nazaire
MARLIN

12
centre
Zacharie
HAOUSSELINE

13
centre
Ulysse
NINON

14
ailier droit; capitaine
Foulques
BODOMBIN

15
arrière
Pépin
PÉRÉGRIN

REMPLAÇANTS

16. Vaast DRAGOULÉMANE
17. Baruch KLÉDINSTEIN
18. Pamphile ZALIN

19. Ysis PARLEDAUQUIN
20. Malloy GRUVALD
21. Judicaël GALBOND

22. Constant-Baptiste FAURE

LA PRISE

Lundi 18 décembre

Par touches de ténèbres, la chaîne des Herses se dessinait au fond du pare-brise. Après deux bonnes heures de route, on touchait au but, du moins à l'endroit où la camionnette avait été retrouvée la veille, vidée de ses passagers. On y avait gagné de confirmer que Fénimore avait touché un des suspects : une balle avait traversé la vitre de l'habitacle côté passagers, et du sang sur les sièges et le sol du fourgon indiquait qu'elle avait blessé quelqu'un. En l'absence de matière grise, il était difficile de déterminer si le coup avait été fatal, il était tout à fait possible par exemple que le suspect ait été touché à la main ou au bras. La Scientifique avait croisé le sang avec l'A.D.N. d'Astarté Varde. Négatif. Ce devait donc être celui d'Estelle, Fénimore étant certain que c'était Hector Lambertine qui était au volant. Pour le reste, le rapport expliquait que Casilde avait déchiqueté le pare-chocs arrière en essayant de crever les pneus. Leur tentative d'arrestation valait le bêtisier, et pour leur performance de tireurs, et pour s'être précipité sur les meurtriers sans renfort.

— Qu'est-ce qui vous empêchait de prévenir une unité des FEPR pendant que vous étiez en filature, vous pouvez me le dire ?

Ils avaient bredouillé à Glazère que ça semblait impossible sur le moment de mêler à une poursuite une brigade d'intervention aussi discrète dans ses déplacements qu'une colonne de chars. Mais ils l'avaient fermé assez vite et ils avaient dégluti la remontrance l'œil rivé à la godasse, parce que courir tout seul, arme au poing, en gueulant : « Justice de la République » pour arrêter trois individus motorisés était une tactique explicitement déconseillée par les Écoles de Police Républicaines.

Les assassins avaient eu un boulevard pour fuir. Des patrouilles d'Agents avaient bien tenté d'assurer la chasse, mais on les avait perdus assez vite. On avait donné le signalement et la plaque d'immatriculation, monté quelques barrages, placé des flics à la surveillance de tous les péages, diffusé un appel à témoins et promis de fortes récompenses et, au matin, on avait retrouvé la guimbarde criblée de plombs à la sortie du village de Verlombre, au pied de la montagne.

Maintenant, Hector et les deux sœurs devaient chercher un passage à travers les cols vers la Volsquie. Ils n'y gagneraient pas grand-chose puisque les Policiers Volsques étaient eux aussi en état d'alerte. Il n'avait pas cessé de neiger depuis hier et la température s'amusait avec les moins dix, ce qui pouvait aussi bien favoriser qu'interdire leur cavale. On pensait qu'ils avaient trouvé refuge dans on ne savait quelle cabane cachée par les zébrures de flocons, qui interdisaient de voir à cinq mètres depuis trois jours.

En tout cas, les Agents de la Territoriale et un détachement respectable des Guetteurs et Patrouilleurs d'Altitude organisaient la traque. Et c'était pour rejoindre cette battue sur les immenses crêtes des Herses que les Enquêteurs Provinciaux Casilde Binasse et Fénimore Garamande faisaient voiture commune, après s'être réveillés à l'hôpital et avoir fait constater la légèreté de leurs traumatismes, Casilde s'en sortant avec une gêne au poignet que le médecin avait qualifiée de foulure, et la dureté de la tête de Fénimore ayant donné lieu à de multiples plaisanteries de bon aloi, principalement de la part de Caterina Glazère, qui en avait fait le préambule de son engueulade, prononcée directement au chevet du maladroit.

Par prudence médicale, les Enquêteurs n'avaient été autorisés à reprendre le service que ce matin. Ils avaient confié aux Agents Ferde et Titin l'identification du corps retrouvé sur les Docks et l'enquête sur sa personnalité, ce qui les avait fait maugréer qu'ils n'étaient pour rien dans le fiasco de samedi et que c'était donc pas forcément à eux d'être écartés de l'action. Fénimore avait laissé glisser la remarque avec son flegme dictatorial habituel, et c'était sans remords qu'il regardait au loin la nuit se diluer de gris et le mauvais jour d'hiver effleurer les à-pics où retentissait la silhouette sévère des Herses.

*
* *

Les chiens avançaient à vue de nez. Dans l'inquiétante frénésie de leur odorat, ils définissaient une géographie qu'ils étaient seuls à lire, quand la neige avait effacé pour les Policiers de la Brigade Canine d'Altitude, pour Fénimore et Casilde qui les escortaient embarrassés par leurs raquettes et leurs grossiers vêtements d'hiver, toutes les traces dont l'homme a besoin pour s'y retrouver.

Fénimore était fasciné par ces animaux qui les guidaient vers les fugitifs. Il pensa à Vladimir et à leur vieux chien Diomède, à la façon qu'ils avaient de jouer ensemble quand il était bébé et de se connaître au toucher quand Adélaïde et lui avaient eu besoin de potasser des pédopsychiatres pour le comprendre à peu près. Ces formes d'être, reliées aux muettes sources de vivre, cet éclair étranger capté par l'œil d'un chat, cette unité sous le tout révélée quand se déchirent les abris sur parole. L'unique famille d'exister, ce trait du vivant à travers toute créature, malgré le brouillamini des signes. Communauté de battre, naïveté d'être, pauvreté de finir. Et les chiens les escortaient dans la presque tempête sous les hauteurs à face de poignard.

Une fois de temps en temps, l'Agent Boldamin encourageait avec des : « Malar, bien » ou gueulait des : « Laisse, Anchise, laisse », et cela forçait l'admiration de Fénimore pour cet homme capable de déchiffrer dans ces fourrures semblables et ces gueules de presque loups le minuscule grain distinctif, la goutte d'une identité. Et ils avançaient dans la raillerie des échos, guidés vers les enfers par la meute à l'écoute des plis du sol. Troupe de sorciers qui s'étaient sortis indemnes des temps où on supprimait tout ce qui interrogeait ces langages qui débordent de l'enclos, du cultivé, de la prière ; ces langages qui ne nous protègent pas du mal.

*
* *

Multiplier les clopes, multiplier les verres, et se retrouver au bord du claquage des poumons, du cœur, ce qu'on voudra. Parce que trente-cinq ans n'est pas vingt, et qu'on a beau se vivre encore du côté brouillon, s'affirmer que le bonheur est à venir, se penser sur le versant d'ascension, le corps a ses raisons qui t'emmerdent ouvertement. Faut dire. Cavaler après des clébards au milieu du néant, au milieu du blizzard, au milieu de la montagne, au milieu de la surchauffe de ses globules rouges, c'était pas de la parodie de casse-couilles grand siècle ? Et l'Enquêteur Garamande, à peine arrivé, se demandait quand ce serait, la trêve, puis le moment de plonger les panards dans la marmite d'eau bouillante, et de roupiller. Malgré tout, après deux bonnes heures de marche, les chiens ont fini par les emmener devant quelque chose qui dédommageait du calvaire. Ils ont commencé à hurler après une cabane posée à flanc au milieu de nulle part. Et dont la cheminée fumait.

L'Agent Boldamin eut vite fait de ramener ses troupes à la discrétion. Et ce fut Fénimore qui arma son talkie :

— Demandons troupes d'élites en renfort immédiatement, je répète, demandons troupes d'élite immédiatement. Nous avons repéré un site où les suspects peuvent se cacher. Coordonnées G.P.S…

Alors des chiffres en longitude et latitude ; pointillés sur monde.

— Équipe la plus proche à une demi-heure, à vous.

— On fera avec.

— Brigade en route. À vous.

— Terminé.

L'Agent Boldamin jeta un coup d'œil à son comparse Melzar avant de donner cet avis :

— Honnêtement, Enquêteur Garamande, on devrait tenter le coup. Vous êtes deux Officiers entraînés, nous on est deux aussi et on est armés, ça fait quatre contre trois. Et puis, il y a les chiens.

L'opinion était de bon sens. Mais l'Agent Boldamin ignorait ce qu'il en avait coûté à l'Enquêteur Garamande d'avoir fait deux jours plus tôt démonstration de vigueur glandulaire.

— Je ne veux courir aucun risque dans cette affaire. On va attendre l'arrivée des renforts en surveillant chacun son angle de la cabane.

Et c'est pour cela que les quatre Policiers poireautèrent sous la brise aiguisée, les rares centimètres de leurs joues à l'air libre comme si on cherchait à arracher leur visage par-derrière. Casilde et Fénimore attendaient, l'arme à la main, du côté où se trouvait la porte, les Agents de la Brigade Canine avaient pris l'arrière de la maison et le flanc de montagne et tenaient leur position comme ils pouvaient sur une mauvaise éminence rocheuse, non sans dédier un coin de l'œil à leurs chiens. Ils se répétaient en sourdine que c'était une stratégie à la con, quand il aurait suffi d'envoyer la lourde au fond de la cahute d'un grand coup de lattes et de lâcher les clebs pour plaquer les enfoirés au sol. Et puis les deux Agents, qui connaissaient la musique, savaient ce que pouvait signifier une demi-heure dans le langage des Patrouilleurs. Les Enquêteurs auraient au moins pu leur donner le terrain le moins absurde pour y tenir une meute. De toute façon, c'était obligé que les suspects sachent qu'ils étaient là. Ils devaient être maintenant postés le pétard en main, et on allait rigoler quand on rentrerait là-dedans. Cet Enquêteur Provincial Garamande avait dû apprendre le métier dans un jeu vidéo.

*
* *

Ils ont fini par arriver, la mitraillette se détachant bien de l'uniforme blanc, une dizaine d'hommes aux gueules en tranchant, rappelant les sommets où elles avaient dû se tailler. On ne fit pas dans les présentations. Les Patrouilleurs d'Altitude s'organisèrent rapidement autour de la maison, avant que l'un d'eux sorte un bélier d'une longue housse qu'il portait sur le dos. Il y eut trente secondes au mieux entre le moment où les spécialistes se ruèrent à l'intérieur et le moment où ils ressortirent. À un rythme beaucoup plus posé, et leurs regards sautant au-dessus des formes de politesse pour exprimer la consternation d'avoir skié à toute blinde par ce temps pour trouver ça à l'arrivée. Un charmant refuge, impeccablement vide et scrupuleusement inhabité.

*
* *

Les Patrouilles n'avaient pas demandé à rester et les quatre membres de l'équipe de recherche eurent tout loisir d'examiner la cabane pour comprendre ce qui s'était passé.

— La cheminée fumait, il y a encore du feu, ça prouve qu'ils étaient là il y a pas longtemps. Ils ont certainement entendu les chiens arriver et se sont enfuis avant qu'on soit sur place.

— C'était peut-être pas eux.

Les deux Agents du coin appuyaient sur le fiasco.

— Dites-moi, je suis pas spécialiste, mais si vos chiens ont aboyé, c'est bien qu'ils ont reconnu leur odeur. Ils doivent être tout près. Il faut se remettre en route.

— Attends, Fénimore. Regarde.

Dans la main de Casilde, un pansement sanguinolent.

— T'as trouvé ça où ?

— Sur l'évier, là-bas.

— Maintenant c'est sûr, c'était eux. Allez, en route.

*
* *

C'était peut-être parce qu'ils étaient fatigués, comme le prétendit Melzar, peut-être que les trois assassins avaient trouvé le moyen de s'évaporer, en tout cas les chiens avaient passé deux heures à changer de direction, et à les faire tourner en rond dans un environnement qu'un fou poursuivi par ses hallucinations n'aurait pas choisi pour cadre. La tache de jour, là-bas, sous les nuages, avait fini par se retirer derrière les sommets qui poursuivaient au-dessus d'eux leur tentative d'intimidation. Le froid s'était piqué d'un nouveau poison. Se laisser piéger par la nuit, c'était tout simplement mourir.

Alors, on a mis une bonne heure à retrouver la langue de goudron qui serpentait entre les précipices en se faisant appeler route. On eut ensuite le bonheur de marcher, avec pour seule lumière le confetti des lampes-torches, accompagné d'une troupe de roquets au bord d'un sentier où un homme seul ne pouvait pas marcher sans mordre sur la chaussée. On manqua dix fois de se faire écraser, on se fit klaxonner vingt, reçut trente fois cette électrocution de peur qui suffit largement à pourrir la meilleure humeur du monde. Une grosse heure après et deux kilomètres plus bas, on vit dansoter les feux de Verlombre.

C'était une de ces bourgades qui vivotent en contrebas des stations. On ne pouvait pas dire que l'endroit était riant. Ce fut pour faire front à ce cafard aggloméré que Casilde et Fénimore se mirent d'accord pour dîner plutôt dans une des stations au-dessus, après qu'ils se seraient accordés un bain tropical.

*
* *

Une salle compressée de gros piliers de bois, une musique du coin posant en boucle le décor, le chauffage jouant à l'étuve comme dans toutes les régions qui connaissent le blizzard. Parmi la rare clientèle à peau marron et orbites de ratons laveurs, Casilde, les cheveux bruns jouant le halo, dans une jolie robe rouge, le grain de beauté rieur en bord de lèvre se faisait mater à la limite du légal. Une bougie entre eux aggravant le malentendu, les Enquêteurs Provinciaux Binasse et Garamande luttaient contre leur fatigue pour aller chercher à coups prudents de fourchette des bouchées dans le capharnaüm de sauce, de restes de cochon et de patates non épluchées qui composait la spécialité locale dans la préparation duquel l'établissement disait exceller sans repartie. Ils n'avaient trouvé que ce restaurant d'ouvert dans

Marchaunoir 1900, où ils étaient arrivés après vingt minutes d'ascension automobile et à demi morts. Le patelin était exactement ce que le nom promettait : un gros pâté de béton démoulé à flanc de vallon, créé pour servir de terminus aux remontées mécaniques. Tout cela était parfaitement laid et déprimant si on n'avait pas sa famille calée dans les lits superposés et l'ébriété classique de celui qui veut profiter à plein de ses congés.

Pendant le repas, Casilde et Fénimore ne surent pas trop quoi se dire. À part que l'altitude, ça fatiguait nettement son homme. Qu'on allait bien dormir, pas de doute. Que, non, Fénimore n'était jamais venu par ici, qu'il avait fait un peu de ski du temps de ses parents, mais qu'il était plutôt allé du côté de Crazié. Casilde en digne Volméenne avait prétendu que c'était quand même plus joli et sympa ici, d'autant que le domaine skiable était plus grand, le forfait moins cher et les paysages plus enchanteurs ; un vrai dépliant touristique signé Binasse.

Puis ils avaient tout de même fini leurs assiettes et refusé un dessert. Casilde se forgeait déjà un caractère à affronter sa chambre à papier peint malveillant, sa télévision avec trois chaînes parasitées, le bruit de deux ou trois voitures dans la nuit pour souligner l'ennui, cette solitude des lieux inconnus, fouettée aux jointures par l'idée que l'homme qu'elle aimait et qui ne voulait pas d'elle dormait avec tout son corps, toute son odeur, toute sa belle gueule juste derrière la cloison mince comme la différence entre aimer et souffrir. Quand le garçon posa un mauvais chiffon en guise d'addition survint un miracle.

— Dis donc, on n'a pas passé les trois jours les plus sympas du siècle. Ça te dit pas de goûter un peu leur fameux tord-boyaux ? Et puis peut-être fumer des clopes en rigolant des vannes qu'on réussira à extraire de ce merdier ? Qu'est-ce que t'en dis ? De se retrouver un peu ? Je sais. On n'est pas au mieux ces derniers temps. Mais on dirait que ça ne nous porte pas chance. Allez, il est encore incroyablement tôt, et regarder le débat du lundi dans ma chambre sinistre, c'est au-dessus de mes forces.

Casilde se leva. Les yeux brillants de larmes légitimes, croisant la honte dans le front baissé de son adversaire, triomphant de ce salaud par toute sa noblesse de victime en articulant un dominé :

— Trop tard, pauvre con.

Puis, elle s'en fut.

Du moins dans la rêverie malheureuse qu'elle se servit en éclair. En vérité, elle trembla un :

— Avec plaisir.

Et ils burent jusqu'autour de minuit. Et ils rentrèrent en manquant de voler dans le décor une bonne dizaine de fois. Et en saluant, chaque fois, la frayeur d'un fou rire.

Mardi 19 décembre

Sur la terrasse du chalet, Fénimore accueillait le lever du jour dans un plaisir qui contrastait avec son je-m'en-foutisme citadin à l'endroit de la plupart des phénomènes naturels. Dans le restaurant d'altitude où les Patrouilleurs avaient établi leur quartier général, il était 9 heures, et la vaste salle du restaurant s'emplissait des cliquetis et froissis des préparatifs des hommes d'élite. Casilde avait bien profité de la longue exposition de la veille. Comme elle était jolie, avec ses yeux bleus claquant hors le hâle, ses vêtements moulants d'hiver – le pantalon très près du cul, le haut aux vertus isolantes et rebondissantes, tout cela offert au regard avant que ces merveilles ne soient ensevelies au moment de sortir sous un gros pull et un blouson écrase-merde.

Elle aussi respirait l'autour. À côté de Fénimore. Il sentait sa présence. Et il se disait qu'on aurait été si heureux, au même endroit, en vacances, d'avaler la petite gloire de cette aurore dans un long baiser. Comme elle était jolie ! Et comme il apportait des nouveautés heureuses, ce matin dégagé. Comme si la poursuite des tueurs avait été une excursion réjouissante durant laquelle il ne pouvait y avoir mieux à faire que de laisser le jour filer à un train de surprise. Casilde demanda, tout à fait comme une fiancée qui s'enquiert du programme :

— Qu'est-ce que t'en penses ? Qui on suit ce matin ?

Et il lui répondit que, pour utiles qu'ils fussent, les chiens ne l'avaient pas convaincu de l'agrément de leur compagnie.

— On peut monter dans le camion des Patrouilleurs d'Altitude...

— Et zoner toute la journée avec eux ? J'ai eu ma dose de pied de grue ces dernières semaines.

— Alors quoi, on reste ici ?

— Ben, ça me paraît pas mal. Il y a du soleil, une terrasse, ils acceptent de nous servir à boire. Franchement, ça ne nous coûte rien d'en profiter avant le déjeuner. On ira jouer aux trappeurs après, si tu veux. Et s'il se passe quelque chose avant, on s'embarquera avec les renforts.

— On n'est pas en vacances, Fénimore...

— Non. Mais j'avoue que je ne cracherais pas sur un peu de répit.

Oui, cette conversation avait des relents de romance. Chaque intonation disait un « oui », chaque syllabe trop longue trahissait l'envie de se débarrasser des mots sous les convulsions qui envoient les culottes à l'angle des chambres. Fénimore se sentit empoigné au ventre par cette nudité qui s'installait entre eux. Quelque chose disait qu'il n'y avait plus qu'à se rendre, que, bientôt, ils se rejoindraient par dévorations de chair et gémissements de bonheur. Et Fénimore s'éloigna là où son pantalon de montagne ne pouvait le trahir.

*
* *

Les heures se traînèrent à écouter les hommes en armes fureter dans les griffures qui divisaient le silence blanc. De temps en temps un espoir grésillait. Et il s'agissait de la douane volsque qui allumait un

583

espoir en déclarant tenir trois jeunes gens correspondant au signalement. Mais la photo était vite envoyée et l'enthousiasme claquait. Comme le son se perd démultiplié de gorge en gorge, toutes les pistes évoquées se dégonflaient dans un grand pet de vide.

Fénimore pensa à Adonis. Il avait eu le temps la nuit avant leur départ de faire des recherches sur les corps tranchés en deux dans la mythologie, et il en avait conclu que c'était à Aphrodite et plus précisément à cet épisode de son règne que les assassins avaient voulu faire référence. Une sombre histoire.

Une jeune fille dont le père prétend qu'elle est plus belle qu'Aphrodite. Sacrilège, vengeance de la déesse par l'aveuglement du père et de la fille qui s'éprennent et couchent. Le père qui se rend compte de son crime et poursuit sa fille. Celle-ci, métamorphosée en arbre par Aphrodite, repentante, est malgré tout éventrée par l'épée du roi-son-père en furie. En sort Adonis, enfant de la trop belle, résultat de la cauchemardesque coucherie. Après, Perséphone qui règne avec Hadès sur les enfers et Aphrodite, pas gonflée, qui préside aux beautés et naissances de ce monde qui s'amourachent chacune du jeune homme. Un partage équitable est décrété. Adonis passera une moitié de l'année sous terre avec Perséphone, et le reste à la surface avec Aphrodite. Depuis, le monde est coupé en deux entre l'hiver et l'été ; entre ses chants et ses retraits.

Sous le voile de la mort des choses devaient aujourd'hui se glisser les trois tueurs.

Ils devaient passer un défilé, glisser sur une arête.

Ils devaient être épuisés.

Prêts à laisser se refermer sur eux le froid comme une colonne de mort.

Fénimore et Casilde se contentaient de déambuler au milieu des tables où des Policiers somnolents notaient les rapports de patrouille. Un Capitaine les rassura : « Tout le secteur est maillé à peut-être deux cents kilomètres à la ronde. Ils ne doivent pas avoir beaucoup de vivres, on va finir par les avoir. » Un autre Capitaine vint immédiatement le contredire : « Ils ont très bien pu tomber dans un ravin, être enterrés par une avalanche, alors on pourra bien continuer à tourner en rond, on les retrouvera pas avant le printemps ou bien la Saint-Glinglin. »

Le temps qu'Adonis revienne révéler ce qui est caché sous la mort blanche.

*
* *

Des heures et puis des heures à s'écorcher aux branches, entendre les chiens, ou loin, ou proches.

Tenir, respirer, marcher vite, se cacher, s'effacer.

Estelle mal en point. Sa main gonflée qui la fait pleurer. C'est Astarté qui l'engueule. De l'admiration pour sa vacherie. Cette limite. Qui attire. Ça, entre elle et moi. Depuis toujours. Pour toujours.

C'est la forêt qui siffle sur notre passage, c'est le sol qui se dérange, et qui ne promet pas de nous porter. Voilà. La vérité. Tout ce qu'on croit acquis. Ici ou sur la mer, quand les tempêtes le décident, envolé. Arraché comme le toit des maisons. En dessous, on dit : du vide. Non, en dessous, une loi. Cette loi qu'on oublie pour se croire puissants. Ce qu'avant on connaissait. Ce qu'on révérait. Mais maintenant. Plus rien. Du fric. Des gens qu'on broie. Qui se font trucider et disparaissent. Et leur mort, c'est si dégueulasse, sert juste à faire gonfler l'endroit inavoué du vice par la passion des faits-divers.

Un cadavre, sans bruit autour, ça ne veut rien dire. Pas la compassion qui fascine dans un meurtre. C'est le mal. On tue et on met en scène. Pas de valeur à la vie sans histoire. Et les histoires se préparent avec des ingrédients malsains. Même dans la religion.

Dans le rugby, surtout, leur spectacle, brutal et inhumain pour celui qui y joue.

« L'homme croit, etc. » L'Enquêteur Garamande. Sur la dernière, j'aurais dit : « L'homme croit admirer, mais enterre. »

Il ne nous aura pas. C'est fini. Nous avançons vers la mort. Et notre tâche est faite. On pourrait tout de suite se précipiter dans le vide. Mais ce n'est pas comme ça que mouraient les anciens. Ceux qui voyaient les dieux dans le monde.

Tout faire pour donner, en mourant, à l'ensemble de ses jours le sens qu'on a choisi.

Deux jours de marche avec Estelle qui ne cesse plus de geindre et Astarté qui ne va pas tarder à lui donner le coup de grâce pour lui reprocher d'être si faible. Il va bien falloir que ça s'arrête.

L'essentiel, c'est de trouver le mince espace où se touche la liberté et où, à l'intérieur de tout ce qui est fatal, il reste un choix.

Une forme à se donner.

Oui.

On cherche une grotte, une crevasse, quelque chose dans ce genre, et on laisse le froid et la faim nous recouvrir.

Le sens de tout ce qu'on a fait, c'est de rappeler qu'il existe une puissance, qui était le compagnon de chaque homme avant que tout se défigure. Avant que des filles comme Juliette puissent disparaître et que personne n'en ait rien à foutre.

Personne ne nous aurait écoutés sans les crimes.

Nous avons vécu notre colère.

Nous choisissons notre mort.

*

* *

Ils sont rentrés à l'hôtel. Il n'y avait plus la grâce du matin, plus cette merveille de sourire parce qu'on

586

sent l'autre sourire, de désirer parce qu'on sent l'autre désirer, ce miroir qui ne mène pas au labyrinthe du moi.

Et ce n'était pas non plus un drame que cette fatigue envahissant les membres comme l'eau dans un naufrage. Il y avait cette idée qu'on avait le temps. Qu'on pouvait se faire la politesse de chercher le moment où on pourrait profiter de chaque caresse et de chaque soupir. Quoi de plus heureux qu'un bonheur qu'on sait devoir venir, et dont la promesse donne à tout son goût ? Son espérance.

Alors, il y eut cette nuit. Où ils purent attendre. Où ils s'endormirent dans la paix des retrouvailles certaines. La solitude était vaincue, les raisons de la peur et les morales du malheur étaient détruites, à la place, il y avait un repos sans rêve, la joie, la simple joie à nouveau retentie.

Et cette certitude qu'on aura demain la confiance de se donner le plaisir, la tendresse et le rire. Pour que vibre le prix de vivre et de mourir.

*
* *

Le temps qui passe au goutte-à-goutte de la glace qui fond dans le noir de cette crevasse où on a décidé de finir.

Cela, peut-être, cela, sans doute, une vie.

Un sablier caché par le destin.

L'empoigner, le briser de son propre chef contre le mur qu'on se sera choisi.

C'est une idée de mourir.

Ce n'est jamais une idée de mourir.

Toujours subi, toujours l'instinct de survie qui s'explique avec la souffrance, le non terrible du corps à ce que la pensée demande.

Et c'est une chose, cette idée de prononcer contre soi cette peine de mort qu'on nous promet.

587

C'en est certes une autre que bleuir et trembler. De ne plus sentir ses pieds, croire que ses os vont se fendre, la chamaillerie du ventre qui se scandalise de la faim, les mains qui s'écaillent, et les idées, les idées, qui se mettent à tourner, et à rebondir, à quand même crier que ça n'en valait pas la peine.

Alors cet espoir qu'ils nous trouvent, malgré tout, même si on ne veut pas se rendre, cette envie qui rue, qui va où elle veut.

Pensées qui se tortillent comme un câble qui a lâché, images qui tressautent et qui se moquent.

Partout la nuit, autour la nuit, la nuit comme on ne la connaît plus, la nuit sans aménagement de lampadaires, sans ville qui dort, la nuit parfaitement adversaire, où l'animal guette, les choses poussent ; loin de nous, contre nous, les étoiles qui nous plantent tous les kilomètres de l'intervalle.

Cette haine tranquille des êtres partout autour.

Cette nouvelle, avant la fin, qu'on nous portera en terre pour retourner à l'ennemi.

Mercredi 20 décembre

La journée s'était passée dans les remarques murmurées, puis les rouspétances, puis les franches engueulades. Le festival de flics qui avait investi les Herses ne rencontrait pas franchement le succès. Et ils s'en voulaient tous de tourner comme des cons, avec des chiens, des appareils d'écoute téléphoniques, des micros à super portée, tout ça pour ausculter les flocons.

Ç'avait d'abord été une exagération de la pire des guignes, et ça commençait à devenir une conviction. Il était impossible que les trois fugitifs aient survécu trois jours comme ça, dans la montagne. Ils étaient forcément ailleurs, sortis de la zone de recherche par Dieu sait quel moyen. Parce que la possibilité qu'ils soient morts ne prenait pas. On avait trop retourné le secteur, trop remué de neige dès qu'un clébard aboyait, trop fouillé de caves, trop dérangé de vaches dans les étables pour imaginer qu'un cadavre pût pourrir aux alentours sans avoir été découvert.

Les gradés commençaient à gueuler da capo. Il était impossible qu'on mobilise autant d'hommes et de moyens beaucoup plus longtemps.

Et puis les touristes allaient déclencher la caravane infernale dès vendredi soir. Il y aurait alors besoin que les Patrouilleurs d'Altitude lâchent la chasse à l'homme pour aller porter secours aux skieurs à jambe cassée. Un appel radio a fini par répandre la décision tutélaire dans toutes les casernes montagnardes : dès vendredi matin, on réduisait les unités de recherche à la Brigade Canine, à un détachement de Patrouilleurs d'Altitude et aux Enquêteurs Provinciaux.

Ils ne s'étaient rien dit, et tout leur plaisir tenait à cette certitude d'attendre la même chose à la fin du repas, de placer la même fébrilité dans cette main qui porte le verre aux lèvres, d'avoir la même raison de fumer trop de cigarettes, de laisser s'installer des silences où vibre ce langage d'évidence où deux êtres s'impriment l'un en l'autre. Après s'être tant effleurés, après avoir joui de la distance d'un sourire, des humours qui se frôlent, des opinions qui aiment à se séparer, puis à se rejoindre, après ce réaménagement ensemble du reste de la vie, du passé même qu'on donnerait entier pour cette minute de présent.

Il y avait autour d'eux ce flottement qui reconnaît ce qui se trame, cette discrétion chez les serveurs, cette impression que pend déjà au bouton de la porte le carton qui dit de ne pas déranger. Il y avait leurs yeux qui répandent autour, comme un peintre le ciel au-dessus de sa scène, la teinte de sa robe, la couleur de sa chemise, cet éclat particulier que donne ce soir son rouge à lèvres à la peau de Casilde, cette mise en valeur de toutes les expressions de Fénimore par son bronzage.

Quand ils retrouvèrent le froid, quand ils recroisèrent les devantures qui proclamaient cinquante pour cent de rabais pour la location de quatre paires de skis, ils étaient dans cette hésitation piquée de joie de ne pas encore s'être dit ce qu'ils voulaient. Et ils montèrent dans la voiture sans savoir où allait la nuit.

Jeudi 21 décembre

Toutes ces visions, quand le témoin est transporté par le dieu pour que le caché se révèle.

Le voile est déchiré.

Le monde en chaque chose est temple, un trou par lequel voir.

Il y a, derrière, une contrée de justice, un domaine.

On ne sait pas prier.

Pour ça qu'on a voulu devenir héros.

Ça voulait dire alors courir avec un ballon à la main.

Le jour s'est levé et on s'est réveillés.

Dans le froid encore et les gémissements.

Quelque chose comme les plaintes incessantes de l'endroit où s'ouvre la terre, où le monde plonge vers l'enfer.

La glace presque à mort, qui n'en finit plus de tuer.

Tournent et tournent autour ces nouvelles de l'après, ces royaumes surgis du fond même.

De l'âme. Du sol. De la Terre Noire.

Comme les Grecs la pensent.

Qui aspire l'univers vers la nuit, le Tartare, le règne obscur, à jamais cherchant à avaler l'ici.

Ici, on l'entend distinctement travailler pour le néant.

Le râle de chaque goutte avalée de sang, de chaque fleur qui tombe en poussière.

Elle règne, la terre noire.

Sous l'entourloupe de la neige.

Elle est un monstre sans visage et sans bruit.

Un monstre qui n'a même pas de membre où le frapper.

Ces cols et ces aiguilles qui servent à fixer la limite de notre ciel, tout ça a jailli de ses grands charniers.

On sait qu'on est entouré de tout ce qui a pourri.

On pourrait penser qu'on perd la raison.

Aller chercher le froid, la faim, la fatigue pour expliquer.

Rien à expliquer.

On a vu.

J'ai bien appris de lire tout ça.

Ça m'est resté dans la tête.

Ça ne quitte plus ma tête.

Le monde des petites choses bariolées qui s'agitent, en dessous que ça a lieu.

Héraclite l'a su.

φύσις κρύπτεθαι φιλεῖ.

La nature ne se montre pas.

Ce qu'elle envoie, les signes ; des panneaux.

Pour contempler ce qui se terre, il faut aller là où ça se révèle.

Il faut la mort.

On a fouillé dans la mort.

On a demandé aux dieux de revenir, de se montrer, de sortir de la Terre Noire.

On a repris les sacrifices.

On a tué comme ils ont tué.

Il faut donner aux dieux ce qu'ils veulent.

Si ça ne saigne pas, où reviendraient-ils ?

On l'a fait.

Et peut-être que, maintenant, on va avoir la récompense.

On va voir l'autre côté.

Mais elle est lente, la barque sur les eaux de ténèbres.

Il faut que toute la peau, les os, les jointures, les articulations se déchirent pour que le rideau se lève.

*

* *

C'était le dernier jour de plein effectif et on avait pris la décision dans un esprit de tout pour le tout. Après calcul du kilométrage moyen que pouvait faire un groupe affaibli dans ces conditions météo, après recoupements par l'emplacement des principaux barrages, on s'était décidé pour cette grande battue, un groupe par flanc de montagne, sur le Pic des Orgues. On avait défini un secteur partant de mille mètres pour monter jusqu'à deux mille cinq cents mètres. Deux cents chiens, presque autant d'hommes qui allaient prendre en tenaille la pente arme au poing.

Alors, dès le matin, commença cette cacophonie d'aboiements, d'appels et de sifflets, se déroula la large bande de conquérants embarrassés par la poudreuse qui avançaient de conserve pour réduire aux abois trois assassins en fuite, trois animaux au dire des plus virulents politiciens et des plus croisés flics, dont on eût aimé qu'ils laissent sur la neige la trace du sang qu'ils avaient répandu.

Il faisait beau temps et Fénimore se félicitait d'être obligé de s'exposer ainsi au soleil et au sport ; il ne s'en trouverait que plus beau et musclé ce soir. Moins génial lui parut cette décision de séparer les Enquêteurs, ce qui signifiait que Casilde se trouvait en ce moment en train de remonter les pistes entourée de Policiers et Militaires plus bronzés et abdominés les uns que les autres, et parmi lesquels se trouvait une proportion de femmes de pur quota. Il y avait tout de même cette idée, grandiose, d'avancer l'un vers l'autre à travers l'austère immensité, dans la puissance martiale de ces régiments en marche pour l'anéantissement du mal. Mais Fénimore se sentait quand même étranger à tout cela.

Après l'arrestation manquée, il avait fallu que les sentiments le déportent loin de cette lucidité où il eût profité un peu de l'événement, et de ce rôle d'Enquêteur dont la sagacité et l'imagination les avaient amenés là. Il est vrai que sa nullité opérationnelle était aussi pour quelque chose dans cette chasse à l'homme.

Au vrai, il ne se souvenait guère de moments où il eût été parfaitement cohérent avec ce qu'il faisait. Les enquêtes avaient souvent épicé ses romances, les romances lui inspiraient des pistes, et tel ou tel souvenir de film avait été le nerf intérieur de tête-à-tête succulents. Pour être un peu là, Fénimore décida de se rejouer la belle silhouette de l'Inspecteur O'Flan dans cet épisode où il démantelait un gang dans une station de ski ; il se crut aussi Hannibal de Carthage à l'avant-poste de ses nuées d'éléphants qui fondaient sur l'injustice et la morgue de Rome. Il fallait toujours qu'il s'imagine être un autre pour que la réalité lui vienne.

*
* *

Toute cette présence de la mort dans la vie.

Toutes ces choses qui font vibrer jusqu'ici la rive intouchable.

Corbeaux, arbres qui se frottent aux tombes.

Dans les jours d'été sans abris, cette présence d'ombre.

Est-ce qu'ils sont contents, ceux qui ont demandé ?

Ceux qui ont donné la mission ?

Les puissants, ceux-là qui savent.

Qui ont décrété.

Les voix.

On a obéi.

Maintenant, c'est le goût de mourir.

C'est quelque chose d'offert par les dieux, cette difficulté, toutes ces horribles langues inconnues, révélées avant de passer.

La souffrance est leur voix, elle arrive quand ils commencent à parler.

Et le cheval noir qui avance, chaque pas un battement de cœur, il va vers là où on ne voit plus. Et pour donner le signal aux portes de s'ouvrir, sur son cou en sueur palpite sa crinière noire.

*
* *

Casilde aimerait bien qu'on lui dise ce qu'on fait au juste. Pas de doute, les crapahutes avec tout l'attirail, le style grande manœuvre, ça fait plaisir aux hommes. Ils arrêtent pas d'envoyer des éclairs avec les yeux, genre prenez-moi en photo c'est mon heure. Mignons dans un sens. L'impression d'être invitée dans un jeu de ses grands frères où normalement tout le plaisir est de lui interdire de venir. De petites différences. Ils ne peuvent s'empêcher de lui coller les yeux aux fesses. Surtout les plus jeunes, ceux qu'ont encore l'âge ingrat scotché à l'épiderme. Un peu long tout ça, décidément. Et puis, on ne voit pas par quelle ouverture de l'espace-temps tout ce ramdam pourrait mener aux trois tueurs attendant les bras croisés qu'on leur passe les menottes.

— Attendez !

Le bras tendu du Colonel, cette expression de fin du monde, s'il n'avait fait le coup une bonne quinzaine de fois, ça pourrait être excitant. Une légère tendance à aimer en faire des caisses, le Colonel. Mais à chaque fois, au talkie, c'est rien qu'un Patrouilleur qui annonce qu'il a encore une crevasse à vérifier. Décourageant. Et avec cette exposition au soleil, elle aura la gueule pelée ce soir. Ce serait dommage. Pas le moment de ressembler à une clémentine pourrie. Hier encore, on avait décidé d'attendre. Mais ce soir il fallait que ça naisse enfin, ce nous qui s'imposait à eux.

Qu'est-ce qu'il est en train de faire, Fénimore ?

Doit se prendre pour un Indien sur le sentier de la guerre.

Casilde n'aurait pas été autrement étonnée de le surprendre un jour en train de courir d'un bout à l'autre d'un jardin avec un ballon en mousse en se faisant les acclamations de la foule et les commentaires télé d'une finale de Coupe du monde. Un grand enfant planqué dans un coffre d'adulte torturé et bordélique. Elle aimait ça. Ce mélange de virilité et de naïveté. Ce côté pas tout à fait fini. Ce côté qui l'attendait.

*
* *

Et puis les troupes se rejoignirent et firent halte. Se posa sur les groupes un silence de pure abstention. Personne ne voulait être responsable des conclusions qui s'imposaient. On se regardait en y mêlant de la fatigue, les clignements du soleil, l'absurdité d'avoir fait tout ça pour rien. Le Colonel a fini par lâcher :

— Merci à tous.

Et s'amorça une lente et précautionneuse descente vers la station où les camions des différents corps attendaient de remonter ou redescendre les hommes et femmes dans leurs quartiers. Fénimore et Casilde finirent par se retrouver dans la masse. Ils s'approchèrent, leurs corps dansotant la tentation de se toucher, et s'ils avaient eu ce sens de l'observation qu'interdisent les sentiments, nul doute qu'ils se fussent étreints alors sans sommation. Pour l'heure, ils s'aimantaient sans oser lancer entre leurs planètes venues à se graviter la fusée d'un baiser.

Elle a mis une ceinture large sur sa robe rouge. Elle a mis des collants noirs. Et puis des escarpins qui soulignent sa cheville d'un trait de cuir. Elle a sur elle le charme cruel des objets, cette impassibilité qui écarte l'appropriation, talismans qui resteront muets et vigilants au sol, quand le corps échappera à leur garde sévère.

Ils ont décidé de rester au village. Ça lui a permis de se débarrasser de ses chaussures de montagne. De s'habiller. Elle y a vu un signe aussi. Elle voit partout des signes. Ils sont tout près de l'hôtel. Quand ils rentreront, il ne sera pas tard et ils ne seront pas assez fatigués pour aller se coucher chacun de son côté, alors ils se regarderont et finiront par rentrer ensemble dans une chambre.

Chaque mot se faufile en eux comme une décharge. Elle sent qu'elle l'impressionne ce soir. Que peut-être même elle lui fait peur. Cela lui donne ce petit haussement de menton, cette fraîcheur de se sentir puissante. Casilde se dit que la version d'elle en femme éplorée vient d'éclater dans les yeux de Fénimore comme un verre sous les pieds du marié. Elle a pensé à la lettre et elle boit une gorgée de vin pour la chasser. Il doit avoir ses raisons de ne pas en parler. Il faut parfois laisser aux gens leurs raisons. Il est si beau ce soir. Elle décide de ne pas être saoule. Elle décide de sentir clairement la gorgée de risque qui montera à la tête, légère, limpide. Elle avance le mollet et fait jouer sa jambe contre la cuisse de Fénimore.

Il ne reste pas le nez dans son assiette. Il n'a pas ces yeux ronds stupides de la surprise. Il lui sourit. Avec défi. Il joue. S'il en avait l'idée, il pourrait lire sur sa peau à elle le bien qu'elle pense de sa réaction, sous forme de gouttes paralysées d'envie. Puis il détourne les yeux. Comme elle l'a vu cent fois l'essayer sans succès, il a réussi à faire venir le serveur par cette seule invite.

— Monsieur ?

— L'addition, s'il vous plaît.

— Quelque chose qui ne va pas ?

— Un imprévu.

— Je reviens.

— Et ce serait possible de vous prendre une bouteille de vin, à emporter ?

— Je pense que ça peut se faire.

Et puis, il y a ces quelques mètres sous la neige jusqu'à l'hôtel, une bouteille débouchée à la main et deux verres au bout des doigts. Il y a cet accord pour ne pas se toucher, pour laisser sa violence à l'exact moment de se réunir.

Il y a l'escalier, le couloir, la porte qui s'ouvre, la lumière qui est faite, le vin posé sur une table.

Et il y a enfin cet effondrement de l'un sur l'autre, cette suffocation, ce combat pour jeter tout ce qui sépare, cet effort pour s'avaler, se tordre, se nouer l'un à l'autre, et puis ce trouble de toucher la nudité, ce saisissement de tout l'être par ce contact, par ce parfum, ce chuchotement qui trouve dans le creux de l'oreille le plus plié du corps.

Et ce moment, entre tous, où chaque caresse retentit dans les veines.

Respirations qui s'atteignent, bras qui s'agrippent pour se protéger de redevenir des autres, reprises de soif, déchaînement de la danse.

Et la pudeur entre eux, échangée par toutes les audaces, et le rouge qui monte aux joues.

Il y a ensuite cette tendresse particulière du silence alentour, quand on est deux pour qu'y vibre cette buée de salive qui reste au coin de la lèvre, l'odeur complice, ce pluriel, à la première personne.

Un espoir qui se métamorphose en grâce. Et en eux désormais existe une déchirure qui commande à leurs corps de se rejoindre.

Vendredi 22 décembre

— Tu te rends compte que tu ne l'as pas vu depuis deux semaines ?

— Adélaïde, nous sommes en train de poursuivre trois assassins, je suis à deux doigts de clore l'affaire la plus importante de ma carrière, tu peux quand même comprendre, non ?

— Mouais. Et on fait comment pour Noël ? Je te rappelle que c'est dans deux jours.

— Tu ne devais pas emmener Vladimir chez tes parents ?

— Ça, c'est pour le jour de Noël, tu devais t'en occuper le soir du réveillon.

— Eh bien, il est tout à fait possible que je sois rentré...

— « Tout à fait possible » ? Dis-moi, tu te souviens de ce que ça veut dire, Noël, pour un enfant ? C'est pas exactement un truc qu'on peut décommander comme un dîner avec je ne sais quelle pouffiasse.

— Mais qu'est-ce que tu veux que je te dise ? Il est prévu que je rentre demain à Volmeneur. Mais si on les retrouve le 24 en Volsquie, il faudra que j'y aille, je n'y peux rien.

— En attendant, je fais quoi ? Je prépare quelque chose ou pas ?

— Eh bien... Oui. Ça me paraît une très bonne solution.

— Non, mais, tu t'écoutes ? Vas-y boniche, montre-nous tes talents ? Je ne sais pas ce qui t'arrive, Fénimore, mais si t'avais été aussi con ne serait-ce qu'une fois ces dernières années, ça ferait longtemps qu'on se disputerait plus.

— Écoute, je te tiens au courant. Sauf événement, je serai à Volmeneur dimanche soir et je m'occuperai de Vladimir. Tu viendras le chercher le matin, et tout ira bien.

— Tu as son cadeau ?

— Il veut quoi comme cadeau ?

— Je te l'ai déjà dit, il commence à s'intéresser au rugby.

— C'est vague.

— Démerde-toi.

— Sinon, il aime encore les livres, non ?

— Si. Mais là, il est en pleine phase rugby.

— Tu lui offres quoi, toi ?

— Une équipe en jouets.

— Laquelle ?

— On s'en fout, non ?

— C'est pour harmoniser, si je trouve d'autres trucs dans le genre.

— Volmeneur.

— Drôle de choix.

— J'ai pensé que ça l'aiderait à s'acclimater. Tu sais, c'est pas exactement évident pour lui de changer de monde, d'école, de copains…

— Tu ne préfères pas aborder les sujets profonds ailleurs qu'au téléphone ?

— De toute façon, on ne sait plus quand te parler. Et on ne sait plus à qui on parle.

— Hum. Tu as autre chose à me dire ou je peux y aller ?

— Je lui ai promis que tu l'emmènerais à la messe de minuit.

— Il est pas un peu jeune pour qu'on le fasse veiller jusqu'à cette heure-là ?

— C'est Noël.

— Hum.

— Il veut aller à Notre-Dame-au-Péril-de-la-Mer, l'Archevêque, les grandes orgues et tout ça. Il a un de ses nouveaux copains qui y va, et il arrête pas d'en parler.

— Va pour la messe de l'Archevêque. C'est à minuit pile ?

— Oui. Mais on m'a dit que tu avais intérêt à y aller au moins une heure en avance.

— Galère.

— Tu veux qu'on compare tes galères et les miennes ? Juste pour s'amuser.

— Soit. Et ça va, toi ?

— Comment ça, « et ça va, moi » ?

— Oui, tu as l'air à cran. Je te demande comment tu vas, rien d'exceptionnel.

— Écoute, gros malin, cette année a été, disons, spéciale, et, tu vois, la période des fêtes, ça a le chic pour t'aider à faire des bilans, alors je n'ai aucune envie de fraterniser avec celui qui m'a mis le fer dans la plaie.

— Je voulais simplement prendre de tes nouvelles. J'ai rien contre toi, tu sais…

— Là j'ai ma dose. Tiens-moi au courant pour dimanche. Salut.

Et l'écran du téléphone annonça que la conversation avait pris fin unilatéralement.

*
* *

Le type le regarda comme s'il lui avait demandé de lui servir un morceau de sa grand-mère.

— Pardon ?

— Des accessoires sur l'équipe de Volmeneur, en jouets, vous en avez ?

À en juger par les petits bruits qui s'échappaient de la barrière de ses dents, Casilde s'amusait comme une petite folle.

— Écoutez, je sais pas d'où vous venez, mais ici, on serait plutôt pour Pitiébourg. Je dirai même qu'on est pour Pitiébourg, à la vie, à la mort. Et contre Volmeneur, à la vie, à la mort.

— Ah. Et donc, c'est tout ce que vous avez comme articles ?

— C'est tout.

— Bon, eh bien, merci.

Devant lui, que de l'estampillé Pitiébourg, le stade en jouet, l'équipe en jouets, et puis des maillots taille enfant, des petits fanions, des posters.

— Tu n'as qu'à lui offrir l'équipe d'ici, comme ça il pourra faire des matchs contre son XV de Volmeneur.

— Ce serait un peu sinistre de lui offrir l'ennemi.

— Quel âge a ton fils, déjà ?

— Cinq ans.

— Attends-moi une seconde.

Casilde s'évanouit dans le grand supermarché où elle l'avait conduit pour qu'il puisse rattraper sa négligence paternelle, et pour qu'il cesse d'être aussi agité et ailleurs. Ils avaient décidé de s'accorder quelques heures de liberté. Fénimore et Casilde n'avaient pas été franchement utiles aux opérations jusqu'alors, alors ils avaient décidé d'en prendre ce parti. Pendant ce temps, les patrouilles canines continuaient leur absurde traque sur un autre col, on verrait bien si ça donnait quelque chose.

— On passera chez mon frère en rentrant dimanche. Il aura pour toi un maillot outrenoir en cinq ans, tout beau, tout neuf et frappé du numéro 15, une valeur sûre. Tu lui devras trente RECS.

Fénimore ne sut mieux faire alors que lui rouler une pelle juvénile.

602

C'était un jour calme. Un jour à eux, élargi par les musiques religieuses de fond, les odeurs de sapin et de clémentine, les décorations qui parlaient d'un consensus général et temporaire autour de choses bonhommes et glorieuses.

*
* *

Gratte la gorge, le froid À en crever Ça gratte, ça gratte, partout le monde Gratte, le tout autour Gratte, le râle qu'on entend Gratte, le ventre Gratte, les jambes Gratte, tout froid en dedans Gratte, gratte-ciel, gratte-sol, gratte-vie, les animaux, les murmures, les dieux qui parlent maintenant Gratte C'est la fin On le sait On va enfin se noyer En dedans En nous Plus rien de demain Gratte Gratte le sol la pelle qui enterre Gratte les gouttes contre la paroi La glace qui prend la vie Gratte Derrière, là, derrière le gros bouclier blanc, plus de lumière c'est la nuit Grattera pas contre la porte Enfermés S'interrompra pas, la mort. C'est fini On en est là où on voulait On a laissé la Terre Noire nous ensevelir Ce sera le bruit de l'âme maintenant, pour toujours Gratte toutes les harmonies enfin en soi, sans toi, sans on, sans moi Aux dimensions du total Plus d'effort Passifs Enfin passifs Et plus jouets dans la main des dieux Retrouvés, rangés, mis auprès, avec, en eux Non, plus rien qui Gratte Tout qui enlève sans le choc du toucher C'est fini Le cri de victoire Le seul cri de victoire C'est fini Ça Gratte encore Sans doute, on ne verra pas le matin On ne verra plus le matin Plus que la nuit égale et sans déception Sans froid Plus que le haut silence sans rien qui chuinte Sans rien qui Gratte

Samedi 23 décembre

Le vent et ce cordon de blouson qu'il n'avait pas coincé claquaient violemment son visage. Pas le temps de le remettre. Pas le temps de s'arrêter. Il se pencha en avant pour atténuer l'effet de la bosse. Il arrivait dans le secteur où il fallait ramer, il prit un maximum de vitesse. L'autour commença de siffler. L'élan qu'il avait pris fut presque suffisant, il n'eut que quatre ou cinq mouvements de planter-de-bâtons à faire pour parvenir au haut de la piste noire. Là, il fallait skier intelligemment. Ni s'amuser à godiller chaque bosse, ni se laisser aller au schuss et se retrouver les spatules en l'air. Il connaissait bien l'endroit et il aurait aimé que quelqu'un soit là pour voir avec quel style il avait maîtrisé le mur. Après, il y avait encore la jonction des pistes en dessous du restaurant d'altitude, puis la grande bleue, et ce serait la station et son petit Commissariat. Il aurait pu appeler, mais il trouvait qu'il y avait un côté cinématographique à y aller à skis. Comme un messager dans les films qui tombe de ses étriers avant même que le cheval se soit complètement arrêté, tellement la nouvelle est cruciale.

Il se félicita une nouvelle fois de ne pas avoir mis l'explosif. D'avoir commencé à dégager à la pelle la neige qui s'était engouffrée jusque profond dans le trou. Juste le petit coup de lampe de poche pour apercevoir. Juste de quoi être celui qui ramasserait la récompense. C'était vrai que c'était surtout pour ça qu'il avait fait ni une, ni deux, qu'il avait chaussé et prévenu au talkie qu'il quittait son poste pour une urgence. Pour que personne lui crame l'exclusivité et la prime.

Casse-patte, mine de rien, cette fin de bleue.

Il y avait moyen d'arriver au pied du Commissariat sans déchausser, il connaissait le coup et se remit en position. Il espéra qu'ils seraient ouverts. Comme on commençait le damage des pistes et les préventions-avalanche à 6 heures, ça pouvait ne pas être le cas. Franchement, s'il devait attendre au café en face, il deviendrait dingue. Il était quand même à deux doigts d'un beau paquet de fric. En dérapant pour freiner, il se décréta des félicitations pour être arrivé chez les flics et parce qu'il y avait de la lumière à l'intérieur. Il s'éjecta de ses fixations et se rua dans le bâtiment tout dégoulinant.

— Dites-moi, je crois que j'ai localisé les trois zigues que vous cherchez.

*
* *

La motoneige s'arrêta tout près de l'endroit désigné. On apercevait déjà les Patrouilleurs d'Altitude postés, avec leurs vareuses blanches et leurs fusils mitrailleurs. La mise en place du dispositif avait pris une heure. On avait réquisitionné des Sauveteurs Militaires de Montagne, avec trois brancards à patins. Fénimore et Casilde avaient chacun suivi un flic du coin sur son destrier mécanique. Ça avait fait vingt bonnes minutes d'excursion sur des pistes déjà fréquentées en ce premier jour des vacances. Heureusement pour la réussite et la discrétion de l'opération, la cache se situait à l'écart.

Le Capitaine salua leur arrivée d'une réglementaire main au front militaire.

— Madame et monsieur les Enquêteurs Provinciaux, nous attendons vos ordres.

Casilde fut la plus prompte, sans doute parce qu'elle aimait plus que Fénimore ces moments où elle pouvait jouer au soldat :

— Vous avez repéré les lieux ?

— Affirmatif.

— Qu'est-ce que vous proposez ?

— Sur ce type de terrain, on utilise une charge d'explosif pour dégager la voie, puis les trois spécialistes s'engouffrent, puis les renforts. On a aussi posté des tireurs d'élite au-dessus de la grotte et face à l'entrée. Ça me paraît imparable.

— Il n'y a pas de risque que la charge blesse les occupants ?

Question de Fénimore.

— Non, on connaît les dosages.

— Bien. On n'a pas de temps à perdre. Ils doivent déjà être dans un sale état.

Les deux Enquêteurs sortirent leur arme. Ils se placèrent au milieu du cordon d'hommes qui entourait la sortie. Ce serait à eux, dès que les Patrouilleurs le leur diraient, de prononcer l'arrestation.

Deux types commencèrent à s'affairer. Ils placèrent un bâton de dynamite au cœur du tas de neige, puis ils revinrent à côté du Capitaine, qui dirigeait la manœuvre derrière le gros des troupes. Fénimore se tourna pour les voir assujettir à un boîtier le fil relié à l'explosif. Il vit les deux Artificiers se faire un oui de la tête, puis répéter le geste au Capitaine. Et il entendit le Capitaine faire sortir de sa bouche comme une balle fine et droite :

— Feu.

L'explosion ne fut pas spectaculaire, mais elle déflagra par tous les échos du coin. Il y eut alors ce moment étrange où des hommes se ruèrent, fusil devant, sans faire plus de bruit que les grincements de leurs semelles sur les flocons. Plus rien, puis, très vite, un cri :

— Enquêteurs !

Casilde et Fénimore se glissèrent dans le repaire. Fénimore reconnut tout de suite les Varde et Lambertine. Mais très changés. La peau bleue, la glace accrochée aux cheveux, les paupières violettes. Fénimore gueula :

— Secouristes !

Et les six militaires de surgir, avec leurs couvertures de survie déployées à bout de bras. Après une ou deux palpations, un brancardier sur Hector dit :

— J'ai un pouls. Il est faible, mais c'est là.

Puis la jeune femme qui inspectait la jugulaire d'Astarté dit :

— Ici aussi.

Et un troisième : « Pareil » scella le sort d'Estelle. Alors, tandis que les Sauveteurs apportaient les brancards, tandis qu'on sortait les perfusions et les poches chauffées, l'Enquêteur Provincial Fénimore Garamande dit d'une voix claire :

— Mademoiselle Astarté Varde, au nom du Peuple, Justice de la République, vous êtes en état d'arrestation pour onze meurtres aggravés. Mademoiselle Estelle Varde, au nom du Peuple, Justice de la République, vous êtes en état d'arrestation pour onze meurtres aggravés. Monsieur Hector Lambertine, au nom du Peuple, Justice de la République, vous êtes en état d'arrestation pour onze meurtres aggravés.

Les assassins furent couchés sur un brancard, chacun accroché à l'arrière d'une motoneige. Bientôt, l'escorte démarra, Casilde et Fénimore ouvrant la marche et les Patrouilleurs d'Altitude skiant autour.

Il y avait ce côté tragique, et même triste qui entoure l'arrestation des coupables. Le crime et les souffrances qu'il a entraînées, tout cet absolu de colère qui prend visage humain.

C'était sans doute de les avoir attrapés dans un si sale état.

Il s'agissait maintenant de jeter dans un cachot des corps pulvérisés par leurs limites. Trois de plus.

Fénimore songea que cette fin faisait d'eux les héros qu'ils avaient voulu être. Pour point final, leur sacrifice. À des dieux qui ne demandaient à chaque homme que la prière de sa mort, afin qu'elle ajoute une mesure à leur arrogante et inutile éternité.

*
* *

Six heures après l'arrestation, le médecin du poste avait donné son feu vert au transfert vers l'Hôpital Central de Volmeneur.

— Ils ne sont pas sortis d'affaire, loin de là. Mais on a fait tout ce qu'on pouvait faire ici. Ils sont bien alimentés. Les transporter ne représente pas de risque particulier. On pourra mieux s'occuper d'eux là-bas.

Il fallait un Enquêteur à bord et ce fut Fénimore, incapable de conduire pour rentrer, qui prit place dans l'hélicoptère médicalisé de l'armée qui attendait, pales tournantes. Au fond de la cabine, les trois civières étaient calées et les moniteurs en marche. Avant le grand assourdissement, il entendit ses adversaires ne plus exister que sous la forme humiliée de bips inquiets.

Fénimore regarda sa montre. Seize heures douze. L'hélicoptère décolla. Et ce fut la démonstration de l'inventivité de la nature. Les murs de roches, les défilés criblés de jour, les ravins à mâchoires de néant. Puis, tout à coup, la mer.

Quoi qu'il arrive, les Varde et Lambertine ne nuiraient plus. L'Enquêteur Garamande avait fait son travail. Maintien de la paix. C'était aux juges de donner la mort, et il était ravi de la leur laisser. Lui, ce qu'il voulait maintenant, c'était mener des interrogatoires, saisir le comment, le pourquoi ; surtout, fouiller ces âmes, si elles survivaient, avoir fait ce qu'il fallait pour ne pas les perdre, parce que peut-être, tant qu'il reste un souffle de vie, il y a moyen d'arranger sa cause devant le tribunal dont on parle dans l'après. Fénimore n'aurait pu jurer sur *La Bible* ne jamais douter de l'existence de cet après. Mais être un homme, pour lui, ça voulait dire essayer d'être à la hauteur de l'hypothèse, comme prévenu ou comme avocat.

Dans le casque qu'il avait enfilé crachotaient des informations byzantines. À un moment, il entendit clairement :

— Encore un essai, les gars ! On est en train de leur mettre une branlée.

Incorrigible passion du rugby. Fénimore ne s'y attarda pas. Il préférait regarder se dessiner Volmeneur, si vaste vue d'ici, si puissante avec son escorte de phares et ses doigts de quais écrasés de navires. Il se fit cette réflexion qu'il commençait à se sentir bien dans cette ville. Une joie afflua en lui qui lui dit qu'il avait à cela une raison qui s'appelait Casilde.

La moisson de carrefours, d'intersections, de toits, d'immeubles se fit plus lente. Dans son dos, il sentit de nouveau la présence des trois balancés entre vie et trépas. On vit grossir la plateforme de l'Hôpital Central. Et se précisa une silhouette droite et élégante. Qui ne bougea pas d'un pas quand l'hélicoptère la froissa entière. Et les roues avaient à peine frôlé la piste que Fénimore vit s'avancer le châtiment de la République, sous les traits de la Procureure Caterina Glazère.

VOLMENEUR – JEANZOMBES
44   11
VOLMENEUR EST TROISIÈME DU CHAMPIONNAT

Dimanche 24 décembre – lundi 1er janvier

Trêve de Noël

Souligné dans le calepin de l'Enquêteur Provincial
Fénimore Garamande :

TU TE DOIS UNE ÂME

Dimanche 24 décembre

Le décès d'Astarté Varde avait été prononcé ce matin. Puisque la mort d'Estelle avait été constatée deux heures après leur arrivée à l'Hôpital Central, il ne restait plus que Lambertine de vivant. Et son diagnostic vital était, comme on dit, réservé. L'Enquêteur Garamande savait que, pour le public et les médias, la disparition des assassins serait la conclusion idéalement vengeresse de cette affaire ; pour lui, elle le priverait de ce qui constituait l'essentiel de son travail : comprendre.

Fénimore tenait son fils par la main au sortir du cinéma. Ils y avaient passé deux heures parfaitement incompréhensibles à son goût, de scènes répétitives en rebondissements dont l'élasticité prêtait franchement à controverse, et il constata pour la centième fois peut-être que raconter des histoires aux enfants était de la sorcellerie pure et simple.

Quand Fénimore et Vladimir furent dehors, les cloches froissaient déjà la profondeur du soir. Il était 8 heures, et les veillées commençaient derrière ces fenêtres qui distribuaient à la rue le maigre jour de leurs ambiances, bougies aux rebords et ampoules clignotantes ; une ville en lanterne sourde. Ils devaient prendre le bus pour rejoindre l'appartement paternel et les cadeaux au pied de l'arbre que Fénimore avait réussi à mettre quand Vladimir promenait Diomède. Fénimore songea que ça n'avait pas dû empêcher le vieux clébard de laisser des poils partout. C'était Adélaïde qui avait insisté pour que leur petit garçon puisse au moins compter sur la compagnie de sa sale bête pour le réveillon.

Les transports assuraient ce soir un service symbolique. C'est pourquoi ils attendirent longtemps dans le froid, sous la neige, qu'un autobus bondé s'arrête devant eux. Pendant ce temps-là, le fils avait entrepris d'informer son père de tout ce qu'il avait raté du film, et s'était enfoncé dans un pêle-mêle assez usant des saillies qu'il avait retenues, sous la forme de « Et t'as vu que…? ». Poussant des « Oui », des « C'est vrai », et des « C'était rigolo, ça, Vladimir », Fénimore sentit peser sur lui ce premier Noël de séparé, et cette soirée qu'ils allaient passer, selon l'enjolivement classique, « tous les deux comme des grands ». Il pensa à appeler Adélaïde. Après tout, elle ne devait rien avoir ce soir. Une tendresse, suave de pitié, monta en lui ; qui lui interdit la magnanimité facile de la faire venir. Il était avec Casilde, il eût été particulièrement égoïste de nettoyer ce point de culpabilité et de dissiper la morosité de ce réveillon en enjôlant Adélaïde de leur paix familiale pour quelques heures, avant de lui demander de s'en retourner aux gémonies de leur rupture.

Le bus a fini par les laisser au bout de leur rue, et Vladimir faisait dans la litanie interrogative.

— Et est-ce que le Père Noël il passe après le cinéma ?

Ce genre de choses.

Puis Fénimore ouvrit la porte. Diomède eut la bonne idée de leur faire la fête quand Vladimir déboula, son petit manteau à capuche encore sur les épaules, ses gros gants jetés au petit bonheur, poussant les exclamations de son impatience libérée. Fénimore ramassa les gants en souriant, puis le manteau qui avait fini par engourdir la quête de Vladimir au pied du sapin. Un « Super ! » tonitruant salua la première prise.

*

* *

Entre deux parades dans son maillot de Volmeneur, Vladimir grignotait un plat surgelé que Fénimore avait arraché ce matin à l'apocalypse des retardataires du dernier jour. La piètre imitation de dîner achevée, Fénimore refit le numéro. Toujours rien. Il était déjà 10 heures et demie. Ça devenait préoccupant. Ce fut naturellement quand il se leva pour aller aux toilettes que son portable se décida à sonner. Tout à son inquiétude, il décrocha sans regarder le numéro.

— Allô, Enquêteur Garamande ?

Peu probable que la compagnie de taxis à laquelle il avait laissé trois messages le gratifie de son titre avec la voix de Caterina Glazère.

— Procureure Glazère à l'appareil. Joyeux Noël !

— Joyeux Noël à vous.

— Bon, je ne vais pas vous mentir, je vous appelle pour une mauvaise nouvelle. L'Hôpital vient de m'appeler. Hector Lambertine est mort peu avant 22 heures.

— Ah.

— Je voulais juste vous prévenir. Nous reparlerons des conséquences mardi.

— Bien, je vous remercie.

— Je vous en prie, Fénimore. Vous pourriez prévenir Casilde ?

— Entendu. Dites…

— Oui ?

— Vous allez trouver ça étrange, mais c'est le premier Noël que je passe à Volmeneur, je suis tout seul avec mon fils et il tient à ce que je l'emmène à la messe de l'Archevêque. Je n'arrive pas à commander

616

de taxi, et il n'y a apparemment pas de service de bus ce soir. Vous ne connaîtriez pas une astuce pour trouver un véhicule, par hasard ?

— Vous n'avez pas de voiture ?

— ( )

— Vous voulez aller à la messe de minuit à Notre-Dame ?

— C'est ça.

— Attendez un instant.

Le bruit d'un téléphone qu'on pose et une attente d'une grosse minute.

— Oui, c'est bon, Fénimore, nous passons vous chercher.

— Pardon ?

— Nous y allons avec mon mari et mes filles, et il nous reste de la place. Disons, dans vingt minutes en bas de chez vous ? Vous êtes où, d'ailleurs, exactement ?

Et Fénimore donna son adresse, sans avoir le temps de penser à ce qu'avait d'incongru le fait d'être accompagné à l'église par la patronne du Parquet du Marchaunoir.

*
* *

Le mari était cordial et les deux filles, Antoinette et Margot, si Fénimore avait bien suivi, étaient ravies de jouer à la maman avec un petit garçon aussi conciliant que Vladimir.

Dans l'immense nef drapée de colonnes, traversée par les drapeaux des principales paroisses du Marchaunoir, ils avaient fini par trouver de la place tout au fond. Fénimore avait pris le bout de l'allée, à côté de Vladimir. Un petit orchestre préludait et deux ou trois paroissiens bien habillés venaient de temps à autre lire un Psaume ou un passage d'Isaïe. La chorale chanta des Noëls peu connus. On attendrait la grand-messe pour le répertoire éternel, destiné à être toujours entonné dans une haleine de volaille et de vin vieux.

Puis un grand fracas d'orgue s'envola dans l'air et le portail s'ouvrit sous la mitraille d'une fugue.

Alors la croix apparut, dressée dans la nuit, griffée de neige, brandie par un enfant en ornements de fête.

Les victimes sont mortes.

Les coupables sont morts.

Fénimore.

Tu n'as pas touché la justice.

Tu n'es pas redevenu un père.

Tu dois une âme à ceux qui t'ont croisé.

Un pourquoi aux victimes.

Un parce que aux tueurs.

Fénimore, tu te dois une âme.

Seigneur.

Ta parole ne claque pas comme un fouet sur l'épaule du peuple qui te demande.

Tu passes dans une seconde de courage et de force.

Voix d'absence, voix de soif, voix procédant par foudres.

Ton silence est ta prière, Seigneur.

Ô Seigneur, fais-moi habiter.

Ce monde et cette ville.

Je les vois maintenant que tu avances à bout de bras.

Que dure ce regard.

Sur Vladimir et sur Casilde, sur Adélaïde et les Agents, sur la Procureure et sa famille, sur les miens.

Seigneur, que dure ce moment où tu nais.

Que chaque corps se relève sous la décharge de ton premier cri.

Que nous atteigne la tendresse.

Dieu donne, Dieu se retire.

Et le poing de Fénimore se rouvrit.

Demain, il prêterait à l'alcool cet appel dans sa chair.

Lundi 25 décembre

Dehors, il avait cessé de neiger et un ciel gris de lendemain inutile écrabouillait Volmeneur. Casilde lui avait appris qu'elle serait en banquet familial toute la journée et qu'elle ne pourrait pas le voir avant ce soir. Il lui restait deux jours avant de partir voir ses parents à Capitale. Il était réduit à attendre que le jour passe.

Il devait s'avouer que l'enquête, qui aurait dû lui prouver son utilité au monde, s'était résolue sans lui. Bon, il avait trouvé la piste des Varde-Lambertine. Mais par un train de coïncidences qui ne l'aurait pas une seconde convaincu s'il l'avait trouvée dans un film. Et puis, ensuite ? Trois quasi-cadavres sortis d'une grotte comme n'importe quels randonneurs piégés par une avalanche.

Fénimore voulait savoir ce que ça faisait aux gens. C'est pour cela qu'il alluma son ordinateur et alla sur Internet chercher des réactions à l'annonce de la mort des trois « tueurs de l'Olympe », que les journaux ne se privaient pas de ressasser en ce jour de Noël où ils n'avaient pas beaucoup plus à raconter que des stratégies de cuisson de dindes ou des initiatives de curés pour donner du lustre au seul jour où leur église était pleine.

Il avait besoin de réfléchir. Il sentait ce matin battre sa frustration. De n'avoir pu leur parler. De ne plus pouvoir suivre au mot le mot le fil auquel ils avaient fini par se pendre. Du moins une voix, une façon de penser, une haine sur tous ces cadavres. C'était sa quête profonde, se convaincre que personne n'agit sans s'échafauder de bonnes raisons. Qu'il n'y a pas que l'absurde rencontre d'une cruauté et d'un hasard. Pas qu'un trou noir et sans fond de haine et de refus.

Par ces trois morts, les quatorze dieux de l'Olympe avaient tous été priés ; Hadès, dieu des Enfers par le froid meurtrier ; Hestia, par le feu qui avait manqué ; Héra, femme de Zeus, protectrice, trônait enfin sur ces crimes, elle qui venge les injures faites à la vie. Boucle bouclée, sans qu'Héraclite ait pu persifler cette fois l'illusion de connaître la noire science du cosmos. Sans le secours d'un « pourquoi ». Oui, il avait besoin d'écouter le sens qu'en tirait le monde avant de s'enfermer dans ses hypothèses.

Évariste Janonquière, Ministre de la Sécurité Intérieure et de la Protection des Citoyens, Prévôt de Capitale (Coalition de la Loi) :

« Pour le Gouvernement, ce drame confirme l'efficacité de sa méthode de lutte contre le crime. C'est grâce à l'action d'une équipe spécialisée, mise en place d'après nos récentes directives, que les assassins ont pu être identifiés et tomber ensuite dans leur propre piège. Le Gouvernement déplore que la Justice n'ait pas à connaître de leurs logiques pour établir la gravité exacte de leurs actes, et pour soutenir les familles des victimes dans leur travail de deuil. C'est d'abord à elles que le Gouvernement pense aujourd'hui. Mais également aux leçons que nous pouvons déjà tirer de cette horrible affaire. Nous devons avancer vers une Justice de l'intention plutôt que du fait, nous voyons bien ici que c'est le mode de pensée sadique qui a causé les morts et expliqué la barbarie de leur agonie. C'est la seule façon d'éduquer contre le mal. Cette tragédie constitue en outre un cas d'école pour la mesure que nous défendrons dès le mois de janvier, à savoir la possibilité de tenir un procès d'assises contre des accusés

620

décédés, contrairement à une vieille logique qui voudrait que la mort nous acquitte de toutes nos obligations. On voit bien ici l'utilité d'une telle mesure. »

C'était la seule réaction sur le site de la chaîne de télévision CN4. Fénimore constata sans surprise que le Ministre profitait de l'affaire pour pousser sa cause, bien que les tueurs aient eu essentiellement pour mobile de dénoncer l'inefficacité de cette politique et de contester qu'il demeurât en leur monde une valeur à la vie humaine, valeur qu'il est de la mission de toutes les Polices et de toutes les Justices de défendre. L'Enquêteur Garamande espéra aussi que les Sénateurs pèseraient sérieusement les conséquences d'une « Justice de l'intention », et de procès tenus par des vivants contre des morts. Il n'était pas contre une procédure policière qui tînt meilleur compte aux motivations qui inspiraient un meurtre, c'était même son obsession attitrée. Mais il pensait que les Lois doivent penser les excès qui les transformeraient en maux, porter en elles l'antidote de leur violence.

Abrégeant le débat, il ouvrit un document dans son traitement de texte et décida de réfléchir tout haut aux tenants et aboutissants de ce merdier. Il ferma les yeux pour attraper la pelote hérissée de faits, d'images effroyables et de circonstances non élucidées dans laquelle ils s'étaient laissés enrouler ces derniers mois. Il allait avoir besoin de son carnet. Commencer par le commencement. Le premier crime. Sur son calepin, il retrouva la liste qu'il avait établie au lendemain du premier meurtre :

VICTIME
CIRCONSTANCES
MOBILE
MODE OPÉRATOIRE
AUTEUR

à laquelle il ajouta les rubriques :

PANTHÉON
MATCH

À la première ligne, il répondit :

Majda Benour (strip-teaseuse) ; à la deuxième : enlevée, tuée on ne sait comment, puis découpée et brûlée rituellement. Ses restes ont été cachés dans un conteneur sur les docks, puis transportés dans un sac jusqu'au stade du Brise-Lames, et plus exactement au casier de Félix Valdafin, demi de mêlée du XV de Volmeneur.

Remarque : si la cache a été identifiée à l'occasion du dernier meurtre, le lieu où les victimes sont mortes et où elles ont été préparées ne l'a pas été. Peut-être également dans un conteneur ? Le temps que prend une telle préparation de corps et le bruit qu'elle peut faire rendent improbable cette hypothèse. En ce qui concerne Majda Bénour, Astarté Varde s'est sans doute introduite dans le système de surveillance du stade et a diffusé sur les écrans de contrôle, à la place du vestiaire en direct, un enregistrement de celui-ci, vide, ce qui a permis à Estelle Varde de descendre pendant le match pour poser le sac. Elle devait être en possession du code pour rentrer, obtenu soit par piratage informatique, soit grâce à une complicité intérieure.

Fénimore s'arrêta et nota dans son calepin :

Garder en tête qu'il peut y avoir une complicité intérieure non encore identifiée.

Il revint à son récapitulatif :

Pour le mobile, c'est le même que pour tous les autres meurtres : vengeance de la disparition de Juliette Varde visant à établir que la vie humaine n'a plus aucune valeur, croisée avec le contentieux d'Hector Lambertine avec ceux qui écartent les joueurs de rugby du droit chemin. Dans la mesure où

Majda Benour travaillait dans un établissement fréquenté par des rugbymen les soirs de fête, et vu que Lambertine rend apparemment ses noces responsables de sa chute, il apparaît donc que la stripteaseuse est la première victime d'une revanche paranoïaque. À l'appui de cette thèse, la concordance constatée, au moins pour les premiers meurtres, entre les tués et les présents aux dîners de « la feuille de match » qui consacrent les titulaires et remplaçants de Volmeneur pour le samedi, et qui semblent une occasion de débauche. Ce lien établi par les tueurs durant les premiers matchs confirme un autre mobile : le ressentiment de n'avoir pas su faire partie de cette élite. Le fait de frapper en marge de rencontres de championnat tend aussi à prouver cette motivation. Comme si Lambertine voulait jouer son championnat à lui. La volonté de déstabiliser le club ne fait en tout cas pas de doute. Le tout nous dit pourquoi les tueurs ont eux-mêmes décrypté leurs meurtres, d'abord par les cartes en plastique, ensuite en informant directement les médias : les assassins voulaient ainsi se venger de leur histoire en racontant une autre histoire, effroyable et humiliante pour le club, la Justice, la Société, etc.

MODE OPÉRATOIRE : assassinat dont on ignore le détail, puis préparation rituelle.

AUTEURS : l'exécuteur doit probablement être Lambertine, Estelle et Astarté Varde étant plutôt chargées de supprimer les indices et de déposer les restes.

PANTHÉON : l'incendie du corps faisant référence à l'épisode mythologique de la mort de Sémélé tuée accidentellement par Zeus, et selon l'hypothèse que le dieu auquel les meurtres font référence l'est en tant qu'auteur lui-même d'un meurtre semblable, il semble bien que ce premier crime soit dédié à Zeus.

MATCH : Volmeneur – Laédicée.

Fénimore s'amusa de ce style de rapport officiel qu'il s'imposait pour synthétiser sa pensée. Bref, avancer. Deuxième meurtre. Il s'arrêta. Sa liste ne fonctionnait pas tout à fait. Dans le mouvement de la déduction présente : « Circonstances » et « Mode opératoire », c'était tout un. Les regrouper. Voilà. Deuxième meurtre.

VICTIME : Léo Ranin dit l'Ouvert (prostitué).

CIRCONSTANCES/MODE OPÉRATOIRE : enlevé, tué, avant d'être décapité au moyen d'une scie. Sans doute caché dans un conteneur. Avant que sa tête ne soit posée le vendredi dans la salle de visionnage de l'Académie, dont le système de surveillance a été muselé.

MOBILE : il est possible qu'Hector Lambertine ait été jadis subjugué par un homme du genre de Léo Ranin, mais l'hypothèse est un peu loufoque. Plus probablement, l'idée était d'atteindre un de ces profiteurs, qui séduisent les joueurs pour vivre sur leur dos. Lambertine doit imputer à une relation de cet ordre son échec personnel. Il réalise un coup double en nuisant à un jeune joueur prometteur (Pamphile Zalin, amant de la victime et donc suspect automatique), réserve de l'Académie comme le fut Hector Lambertine, mais plus chanceux. Acte de jalousie et/ou dénonciation de l'inégalité des chances. Relation aux dîners de la feuille de match avérée, puisque Ranin a été serveur dans le restaurant où ils se tenaient. En ce qui concerne les Varde, poursuite du prêche sur l'insoutenable gratuité de vivre.

AUTEURS : Lambertine exécuteur et cerveau, les Varde auxiliaires et rabatteuses.

PANTHÉON : Dionysos (dont les servantes, les Ménades, ont assassiné Orphée par décapitation).

MATCH : Lillebord – Volmeneur.

Remarque : là aussi, une complicité à l'intérieur du club expliquerait bien des choses. Comme précédemment, le lieu du meurtre proprement dit reste inconnu.

On continue. Troisième meurtre.

VICTIME : Serge Fondre (vigile).

CIRCONSTANCES/MODE OPÉRATOIRE : Enlevé, tué et découpé en morceaux disposés ensuite dans un plat à terrine. Dépôt ensuite sur le buffet d'une réception au Stade du Brise-Lames où Estelle faisait le service.

MOBILE : Après enquête, il apparaît que Serge Fondre a été réserve en même temps qu'Hector Lambertine. Il s'agit donc soit de détruire un homme qui a le tort d'avoir subi le même revers que lui, et donc volonté de faire disparaître son reflet, soit d'un différend entre les deux hommes jadis, comme une blessure causée ou un remplacement effectué par Fondre auquel la carrière de Lambertine n'a pas résisté. Les Varde continuent de régler leurs sacrifices sur les intérêts de Lambertine.

AUTEURS : voir plus haut.

PANTHÉON : Arès (l'histoire de la jarre et des Aloades).

MATCH : Volmeneur – Pitiébourg.

Remarque : enquêter auprès d'anciens pour confirmer ou infirmer la thèse du mauvais tour joué par Fondre à Lambertine jadis.

Et de trois.

VICTIME : Pierre Flaure (cadre de la société Bienmange).

CIRCONSTANCES/MODE OPÉRATOIRE : Enlevé, puis étripé et placé dans un sac retrouvé dans le car du club au retour du déplacement à Garamène.

Fénimore s'arrêta. Il chercha dans son carnet une circonstance oubliée. C'est ça, le car attendait à l'aéroport, et ce n'est qu'une fois à l'Académie et après que tous les joueurs furent descendus du bus, après qu'ils eurent sorti de la soute leur propre bagage, qu'on s'était aperçu de la cargaison. La question était : quand et où le sac avait-il été déposé ? Si ç'avait été au garage, avant que le car ne parte à la rencontre des joueurs, il devait y avoir une bande de caméra à vérifier. Si ç'avait été à l'aéroport, dans l'hypothèse où le chauffeur du car se fût absenté en les attendant, il y avait encore plus de chance, pour que la surveillance du parking montre qui avait déposé ce cadavre. Si, du moins, Astarté n'avait pas fait parler une fois de plus ses dons d'effaceuse. Improbable, tout de même, vu les technologies employées à la protection des aérodromes.

L'Enquêteur Garamande regarda ce qu'il avait souligné pour cette semaine-là. « Anticiper des scénarios. » Il sentit la catastrophe le presser au fer rouge à chaque tempe. Il se souvint de ce qu'il avait fait. Il avait été visiter des Professeurs, pendant que Casilde et Hubert s'étaient concentrés sur l'emploi du temps de la victime. Après, ils avaient foncé tête baissée sur la fausse piste Eudoxie Cramarin. Personne n'avait songé à vérifier les circonstances du dépôt du sac. Avec cette disposition élémentaire, et dans l'hypothèse où les caméras de l'aéroport aient effectivement capté quelque chose, on aurait peut-être évité huit morts. On n'avait pas été foutus d'y penser. À force de simagrées mythologico-théoriques et de tentatives obsessionnelles pour faire un lien entre les victimes, on avait regardé l'éléphant passer dans la ruelle sans sourciller. La honte.

Une autre idée lui vint. Si la fausse piste de Jolssin avait justement eu pour but de détourner leur attention ? Si c'était un but médité des tueurs de les enfumer, parce qu'ils savaient très bien qu'ils avaient été filmés en train de déposer le sac ?

C'est une idée, Fénimore, pas une excuse. Reste qu'on avait été intoxiqués par la première énigme de la chambre close, et que, convaincus que les tueurs ne feraient aucune erreur dans le domaine, on n'avait pas été foutus de procéder à des vérifications élémentaires.

Il se promit d'aller regarder ça de plus près. Ça leur ferait, *post mortem*, une preuve de plus.

MOBILE : Vu que Flaure travaillait pour un sponsor important dans le milieu du rugby, Bienmange, on peut supposer sans mal que Lambertine voulait dénoncer l'importance du marketing et de la publicité dans le sport, qui pousse à starifier certains joueurs sans vergogne, et à en laisser d'autres dans l'anonymat pour répondre à des critères davantage cosmétiques qu'athlétiques. Les Varde laissent Lambertine choisir et alourdissent leur charnier par goût du point sur les i.

AUTEURS : Mêmes joueurs jouent encore.

PANTHÉON : Déméter.

MATCH : Garamène – Volmeneur.

Fénimore se disait qu'il en avait fini avec Flaure, le bourreau des cœurs, quand ce sobriquet l'arrêta, justement. Bien sûr que les tueurs les avaient orientés vers les Jolssin. Le fait que la prénommée Eudoxie poursuivait depuis des mois avec le cadre une correspondance équivoque ne pouvait être un hasard. Au point où on en était, imaginer Astarté Varde espionner les boîtes mails pour reluquer les fantasmes de la trentenaire volage n'avait rien d'audacieux. Tout de même. Il était bizarre qu'elle ait justement décidé d'épier cette femme-là. Ou alors elle avait vu l'anguille filer sous la roche ? Peut-être Estelle Varde l'avait-elle remarquée au cours d'une réception l'an dernier, quand son mari Thalalé jouait à Capitale et qu'il était venu jouer à Volmeneur ? Ce qui signifiait que Flaure et Eudoxie avaient accompagné le déplacement de Jolssin au Brise-Lames. Un peu ambitieux. Et, dans l'hypothèse, ça ne disait pas pourquoi ils voulaient s'en prendre à eux sur la foi de cette simple indiscrétion. Et puis cela supposait une planification sur plusieurs mois ; elle signifiait que les assassins

627

avaient littéralement tout prévu. Ça cadrait mal avec l'amateurisme de l'Agent Arne et ces simagrées d'intimidations de Glazère, qui avaient quand même été leur commencement de la fin. Ou alors, le grain d'imprévu inévitable, la bévue dans le crime parfait ? Mais pourquoi avoir couru ce risque ? Pourquoi avoir demandé à ce flic dont la connerie se voyait comme le nez au milieu de la figure de poser la carte compromettante, tout ça pour faire une frayeur à une Procureure ? Là aussi, il y avait encore beaucoup à comprendre.

Il écrivit sa remarque sur les Jolssin en gras et par forts caractères pour ne pas oublier de débrouiller ce bordel. Il décida aussi de s'octroyer une pause, parce que ses dernières cogitations méritaient une clope. Malgré ses promesses de penser un instant à autre chose, il se retrouva assez vite sur le site de CN4. Où une autre déclaration officielle venait de tomber.

Alcide Grabure, Sénateur (Président du Parti de la Réforme) : « *La déclaration du Ministre Janonquière résume bien la stratégie du présent Gouvernement, qui consiste à manipuler la peur pour régner. On ne légifère pas pour se draper dans un drame, on légifère pour l'éviter. Il est également préoccupant d'entendre la Coalition de la Loi, par la voix d'un de ses membres les plus en vue, se réjouir d'avoir mis en place une sorte de Police de la Pensée, certes cantonnée aux assassins, mais ouvrant un champ d'investigation qui constitue un inquiétant précédent. Pour ne rien dire du résultat. Onze cadavres ne constituent apparemment pas pour l'État un échec cinglant. Je ne veux pas en dire plus, par égard pour les familles éprouvées par ces horreurs. Mais je veux affirmer aujourd'hui que nous continuerons d'œuvrer pour que la République sache prévenir ces atrocités, et nous nous opposerons à la mise en place d'une politique étroitement répressive. Telle sera notre façon de nous incliner devant ce consternant massacre.* »

Fénimore eut un sourire amer. Chacun voulait planter son drapeau dans les cadavres ; sur ce carnage, faire claquer sa cause ; et, au passage, les traiter assez légitimement de nuls. À toi de répondre. Il écrasa sa pause dans le cendrier et retourna s'enfoncer dans son inventaire.

VICTIME : Roger Lantrin (épicier).

CIRCONSTANCES/MODE OPÉRATOIRE : Gradation probable dans la souffrance infligée à la victime, qui a été tuée d'un coup de hache en plein crâne. Sinon, enlèvement, méthode usuelle, puis dépôt du corps devant le domicile des Jolssin après neutralisation du système de vidéosurveillance du quartier, cette fois-ci non par un piratage mais par un bidouillage des câbles de la rue.

MOBILE : Coup double pour Hector Lambertine. L'épicier était à la fois un pourvoyeur d'alcool tard dans la nuit et un dirigeant de club de supporters. Sont accusés ceux qui se font de l'argent sur l'alcoolisme (Lambertine s'est peut-être fusillé la carrière aux alcools), et les supporters qui clouent les joueurs au pilori à la première contre-performance. Les Varde continuent à servir les intérêts de Lambertine, en poursuivant leur collection.

AUTEURS : rien de nouveau.

PANTHÉON : Athéna.

MATCH : Volmeneur – Crazié.

Remarque : la manœuvre qui consiste à déposer le corps devant chez les Jolssin confirme la volonté de les utiliser comme leurres pour tromper la Police. Deux secondes de réflexion permettent de voir que les Jolssin peuvent difficilement avoir trempé dans ces meurtres, ils ne se seraient pas amusés à se désigner comme coupables en laissant le malheureux pourrir dans leur allée.

Un instant pour s'avouer qu'il lui avait fallu un peu plus de deux secondes de réflexion pour parvenir à cette conclusion élémentaire. Casilde appréciera.

Il semble plutôt qu'il y ait eu une volonté d'intimidation de ces derniers. Il doit de toute façon exister un lien avec les Jolssin. Lien encore indéfini. Il faudra creuser. Noter aussi la façon dont le rituel qui consistait à maquiller symboliquement des morts tend à devenir la façon même de tuer. Faute de mieux, on peut imaginer une animosité particulière à l'endroit de Lantrin. À approfondir aussi.

Affaire suivante.

VICTIME : Béniate Boulfin (dealer).

CIRCONSTANCES/MODE OPÉRATOIRE : Attaque par des chiens, puis assassinat d'une flèche en plein cœur. Confirmation de la gradation dans la violence. La Scientifique avait précisé que les morsures de chiens indiquent des animaux de races différentes. Il semble donc probable que Lambertine et les Varde aient donné le corps à dévorer à des cabots errants. On peut relever une prise de risque maximale (sauf à supposer que les clébards ont sévi dans une propriété ou à l'écart de la ville). En tout cas, là aussi, la cruauté de la mise en scène tend à indiquer une animosité personnelle.

MOBILE : la victime était un dealer, ce qui pourrait nous dire qu'Hector Lambertine a sombré dans la drogue quand il était réserve et qu'il a une haine spéciale envers ceux qui en font commerce. Là aussi, il faut confirmer par une enquête auprès de ses anciens collègues. Pour les filles, la noirceur morale de la victime peut avoir surexcité leur envie d'assassiner à tout-va, en rappelant que même des hommes sans valeur ont une vie sans valeur.

Par ailleurs, c'est ici que les liens tissés précédemment entre le club et les victimes se perdent. En effet, alors que les assassins faisaient de leur mieux pour établir un rapport direct entre le club et le mort (dîner des vingt-deux, remise de ballon), il n'y en a à partir de là plus trace, du moins identifiée. Pourquoi avoir tant voulu rapprocher les crimes du club dans un premier temps, et se contenter à présent de spécimens de malfaisants sans relation évidente aux Outrenoirs ? Cela reste en suspens et doit être examiné.

AUTEURS : encore eux.

PANTHÉON : Artémis.

MATCH : Arméville – Volmeneur.

Au suivant.

VICTIME : le surnommé Risk (indic drogué).

CIRCONSTANCES/MODE OPÉRATOIRE : Le meurtre a été commis dans l'urgence pour répondre à des fins utilitaires. Risk a succombé à un coup de trident dans le dos. La symbolique mythologique semble avoir été plaquée à la va-vite sur un assassinat qui avait pour unique but de ralentir l'enquête. Il semble que la victime aurait pu délivrer des informations importantes sur les Varde et Lambertine. Cette exécution prouve que les assassins nous observaient (sans doute grâce à Astarté Varde qui avait accès au Commissariat). Cette stratégie d'espionnage et de déstabilisation a culminé lors de l'épisode de la liste parodiée et des menaces contre la Procureure Glazère, dont on sait qu'elles finirent par nous mettre sur la piste des tueurs.

Une remarque : il est étrange qu'ainsi informés de nos actions, les Varde et Lambertine ne se soient pas arrêtés de tuer. Certes, nous n'étions pas sur leur piste à ce moment-là et ils n'ont pas pu savoir que nous commencions à nous approcher d'eux, puisque nous avons installé un système de protection assez sophistiqué pour faire échec à leurs tentatives. D'un autre côté, si Risk était dangereux pour eux, ils auraient dû comprendre que nous n'étions plus loin et se calmer. Pourquoi continuer et prendre des risques ? Peut-être l'obsession de la tâche à finir. Ce qui confirmerait le caractère suicidaire de leur démarche, les Varde et Lambertine voulant clore leur invocation des dieux de l'Olympe par leur propre mort. Mais comment être certains que nous ne les attraperions pas avant ? Cela reste indécis, et devrait être examiné plus à fond.

MOBILE : contrecarrer l'enquête pour mener le projet meurtrier au bout.

AUTEUR : toujours les mêmes.

PANTHÉON : Poséidon.

MATCH : Volmeneur – Hépyria.

Remarque : on peut penser en outre que les tueurs avaient en tête la liste complète des victimes et établi leur modus operandi dès le départ. Or, le meurtre de Risk coïncide avec une soudaine intuition de Casilde. Les tueurs semblent donc avoir laissé tomber la proie désignée pour parer au plus pressé. Ce qui est étrange. Si onze meurtres étaient programmés, si leur suicide faisait partie du plan, ces onze crimes répondaient très certainement à une sélection précise. Comment se fait-il qu'on ait ainsi fait sauter l'un d'eux pour le remplacer par l'indic ? Autre problème : comme précédemment, le lien avec le XV est indécis.

Ça ne se simplifiait pas. Au huitième.

VICTIME : Azaëlle Dombe (demi-mondaine).

CIRCONSTANCES/MODE OPÉRATOIRE : après enlèvement et mise à mort, la peau du visage de la victime a été découpée, et son corps a été exposé nu dans un filet, le tout dans un musée de la mine dans lequel il n'a pas dû être trop difficile de s'introduire. Si le meurtre ne semble pas avoir été d'une cruauté particulière, il ne fait guère de doute que la façon dont le cadavre a été arrangé visait à humilier cette femme très belle. Là aussi, on peut imaginer sans peine que la mise en scène sert une rancœur personnelle à l'encontre de la victime.

MOBILE : bien des hypothèses sont ouvertes, puisque Azaëlle Dombe était célèbre pour son pouvoir de séduction. On ne voit pas pourquoi elle se serait interdit les beaux et riches joueurs du XV, et ceux de la réserve. Il est possible que Lambertine ait voulu se venger d'une peine de cœur passée. La cible symbolique est la version féminine de celle qu'incarnait Ranin : les profiteuses qui sont prêtes à vider des jeunes gens de leurs talents pour se gargariser de leurs charmes ; type de victimes qu'on imagine les Varde sacrifier sans haut-le-cœur.

AUTEURS : on se répète, non ?

PANTHÉON : Héphaïstos.

MATCH : Késidon – Volmeneur.

Remarque : la possibilité d'une liaison passée doit être vérifiée par une enquête auprès de ses anciens camarades de la réserve.

Féminore se leva, s'étira, fuma une cigarette, rêva un peu. Puis se dit qu'il ne fallait pas dilapider sa concentration et se mit prestement à l'examen du neuvième meurtre. Il consulta son carnet, puis passa trois ou quatre coups de fil voués à l'échec. Puis se remit à sa prose après un gros soupir.

VICTIME : j'ai oublié de demander de qui il s'agit et je n'arrive pas à avoir un des deux Agents le jour de Noël.

CIRCONSTANCES/MODE OPÉRATOIRE : corps trouvé sur une plage de la Zone des Plaisances. Le rituel le plus dépouillé. Un jeune homme nu, seulement blessé d'une flèche, trempée néanmoins dans le poison. Aucun raffinement. Le corps a dû être amené à la faveur de la nuit.

MOBILE : je ne m'étendrai pas, vu que je ne sais pas qui est le mort, mais on sent presque du respect pour lui dans son assassinat, de l'admiration dans le fait de lui avoir décerné Apollon pour divinité.

AUTEUR : voir plus haut.

PANTHÉON : Apollon.

MATCH : Sordre – Volmeneur.

Plus que deux.

VICTIME : non identifiée.

CIRCONSTANCES/MODE OPÉRATOIRE : corps coupé en morceaux, puis congelé pendant plusieurs jours et enfin déposé dans la chapelle princière du château de Volmeneur. Enlèvement. Cause de la mort inconnue.

MOBILE : dans la mesure où il est impossible d'identifier le corps, dans la mesure aussi où aucun test A.D.N entre la dépouille et des familles ayant porté disparu un proche ne s'est révélé concluant, il est difficile de savoir pourquoi le malheureux ou la malheureuse a subi un tel sort. La charge symbolique du meurtre tend à dénoncer soit la société marchande, soit une aseptisation des combats via le sport face à un vrai guerrier, le Prince Noir (?). Recensement moral meurtrier des Varde toujours à l'œuvre. Liens indécis avec le club.

Remarque : comme la mine et le Stade du Brise-Lames, le château est un lieu qui fascine les Volméens et les touristes. Les Varde et Lambertine ont sans doute eu dans l'esprit en choisissant ces sites connus de frapper particulièrement les esprits pour ces trois meurtres-là.

AUTEURS : da capo.

PANTHÉON : Hermès.

MATCH : Volmeneur – Flammerange.

Et enfin :

VICTIME : n'ai pas pu prendre connaissance d'une éventuelle identification.

CIRCONSTANCES/MODE OPÉRATOIRE : corps coupé en deux de bas en haut, caché dans un conteneur puis laissé sur place après la fuite. Des photos que m'ont transmises les Agents montrent qu'il s'agissait d'une femme très jeune et d'une grande beauté. Là aussi, un acharnement manifeste à détruire ce qui faisait l'être de la victime. De la haine sur mesure.

MOBILE : toujours du côté de la séduction, mais l'âge de la victime, qui ne devait pas avoir douze ans quand Lambertine était réserve il y a une décennie, laisse présumer une dénonciation au second degré, à savoir la stigmatisation d'un type que Lambertine a subi jadis et qui sévit encore aujourd'hui. Les Varde montrent que cette vie n'est pas mieux défendue que les autres. Confirmation par l'accumulation.

AUTEURS : pour la dernière fois, Astarté Varde, Estelle Varde et Hector Lambertine.

PANTHÉON : Aphrodite – l'histoire du partage d'Adonis qui coupe le monde en deux entre l'hiver et l'été.

MATCH : Capitale – Volmeneur.

CONCLUSIONS POUR LA SUITE : examiner de possibles complicités au sein du club, enquêter dans le détail sur les années de Lambertine à l'Académie, chercher à établir les liens manquants entre les victimes et le XV, identifier les cadavres qui ne l'ont pas été et, surtout, et d'abord, vérifier les bandes des caméras de surveillance de l'aéroport le samedi 28 octobre entre minuit et une heure du matin.

Dès qu'il eut posé son point final, il essaya d'appeler Casilde Messagerie.

— Salut, c'est Fénimore. Dis-moi, tu pourrais me rappeler assez vite ? C'est un peu urgent. Ah, oui, j'espère que ça se passe bien, ton Noël, et que tu es en pleine forme. T'embrasse.

Il n'était pas loin de 14 heures, et il se dit qu'il avait faim. Il ouvrit son frigo en quête de restes et choisit les moins dangereux. Il se dit qu'il avait quand même été d'un manque de conséquence étonnant en ne profitant pas du long séjour dans les Herses pour demander à Casilde des détails sur les dernières victimes identifiées. Il s'aperçut qu'il n'avait jamais prêté un grand intérêt à cet aspect. Il avait préféré se gargariser de mythologies. Pour le vrai travail de flic, il se serait donné un zéro sans remords. Le ronflement grésillard du portable sur le bureau.

— Allô, mon Féni, hop, j'ai trouvé une chambre calme pour te parler.

— Dis donc, je sens pas ton haleine par téléphone, mais on dirait qu'il a été fêté, le divin enfant !

— Tout juste ! Alors, c'est quoi l'urgence ? J'espère que c'est coquin...

— Euh... Pas exactement. Tu te souviens des deux dernières victimes identifiables ? Tu sais, celui d'Apollon, et la dernière, deux semaines après, celle d'Aphrodite ?

— Ils t'ont pas dit, Ferde et Titin ? C'était un couple. Marié. Vingt-deux ou vingt-trois ans tous les deux. Lui apprenti bijoutier, elle étudiante.

— Ah. Et le lien avec le club ?

Elle répondit par un jeu de lèvres qui servait aussi bien à signaler l'ignorance qu'à imiter le moins noble des vents corporels.

— Bon. Merci beaucoup.

— Dis donc, tu t'éclates, toi, à Noël !

— J'avais besoin de repenser à l'enquête.

— Dis, Fénimore, est-ce que tu pourras laisser tomber tout ça d'ici une heure et me faire l'amour chez toi ?

— À condition que tu me dédommages en m'achetant des clopes sur le chemin...

— J'y crois pas, le blasé. Fénimore, est-ce que tu me feras très plaisir ?

— Hum, hum.

— T'as du champagne chez toi ?

— Hum, hum.

— Alors je vais pas tarder.

Et elle raccrocha. Laissant l'Enquêteur Garamande ajouter à son rapport les informations qu'elle avait extirpées de sa jolie petite cuite.

*
* *

Quand on a les pieds d'une femme réfugiés sous ses cuisses, ses bras qui vous agrippent quand elle est prise d'émotion, ses baisers qui ponctuent les moments forts du film, voilà ce qui arrive : la larme qui tombe de l'œil juste au moment prévu au montage, le cœur en charpie pour un soulignement nul de basse dans une mélodie facile, l'intelligence en lambeaux qui se laisse fléchir par cette rime élémentaire style « Aimer, c'est manquer. »

— Ah, ah, tu vois, qu'est-ce que je te disais ?

Casilde en sautillait sur le canapé. Elle lui avait imposé ce DVD estampillé « pour filles ». Il avait reniflé. Pris au piège.

— Bon, tu l'avoues que c'était bien ?

— Hum, hum.

— Tu ne dis que ça depuis tout à l'heure, « hum, hum »...

— Désolé, je pense encore à l'enquête.

— Le 25 décembre au soir, et avec moi contre toi ? Remarque, il est sexy, ton côté « hum, hum ».

— Hum, hum.

— Espèce d'escroc !

Ses yeux brillaient de gourmandise.

— Est-ce qu'un jour tu seras un gros con, comme le notaire, là, qui plaque la fille ?

— Disons que je me suis identifié.

— Crétin.

— Pour te servir.

— Pas pour dire, mais on lui donnerait pas quatre étoiles au service ! Où est mon verre rempli de champagne bien frais ?

— Il arrive.

Elle le laissa revenir et interpréta la rombière déçue par la prestation :

— Pas trop tôt.

— Si madame est mécontente, madame peut toujours aller se faire foutre.

— Rô, un pourboire d'envolé !

— Madame n'a pas l'air de se rendre compte que ce n'est pas elle qui paie l'addition.

— Vieux radin, va !

— Va dire ça à ma banquière.

— Dis, on peut laisser ta banquière se débrouiller... c'est chiant.

— À tes ordres.

— T'as pas plutôt une anecdote salace sur une de tes ex, le genre tu te retrouves piégé avec une perverse, elle t'attache aux montants du lit, elle met un disque de cris d'animaux, elle te demande de lui parler géographie pendant l'amour, elle exige que tu récites tes tables de multiplication en pleine extase, tu vois, ce genre de trucs ?

— Elle fait un peu froid dans le dos, ton imagination. Non, tout ce que je pourrais faire dans ce genre, c'est, si j'étais avec une autre, lui parler de toi.

— Il est content tout plein, le roi du chapiteau ! Moi qui embrasse comme une enfant.

— Te le fais pas dire.

— T'es gonflé ! Fénimore, si tu t'occupes pas de moi très vite, je vais piquer une crise.

— Pour changer.

— Dis donc, je me trouve plutôt douce et compréhensive comme fille.

— Disons qu'il peut t'arriver de t'enfermer dans un mutisme assez soudain et inexpliqué.

— Tu parles comme un décret-loi !

— Je te remercie.

— En tout cas, tu te fous bien de moi avec ton « inexpliqué. » T'as quand même fait l'ordure en répondant pas à ma lettre.

— Oui, oui, oui... Quelle lettre ?

— Ma relance, ma déclaration – je parle comme les impôts –, ma lettre d'il y a trois semaines, quoi.

— Jamais reçu de lettre.

— Tout à fait plausible comme explication. Tiens, attends, j'ai trouvé : elle a dû se faire intercepter par un des sept nains !

— Je te jure que je n'ai rien reçu. Regarde, je le mets là, mon courrier.

Alors, expédition jusqu'au plan de travail de la cuisine, exploration du tas, désoccultation du cas, explication du coi. Elle qui le poursuit en le suppliant de ne pas lire, lui qui déchiffre à voix haute en lui échappant. Et puis, à force de poursuite, des assauts plus tendres.

Et puis chute.

Et puis chut.

Mardi 26 décembre

Fénimore décida d'y aller à pied. Il avait envie de remuer ces rues sales des fêtes qui se sont retirées, de se remplir de Volmeneur enlaidi par le retrait du soleil et par l'hiver. Demain, il partirait pour quelques jours. Retour à Capitale, ses parents, deux ou trois potes qui commenceraient par l'engueuler d'avoir disparu. Qui lui feraient la morale sur Adélaïde. Parce qu'ils ignoraient les cruautés d'alcôve, les mots qui ne viennent plus, les secrets qui se fendillent et découvrent un corps qui a décidé de détruire. Ils ne verraient qu'un couple qui allait bien ensemble, sa tocade de mec qui n'a jamais su être simple, ce qu'ils appelleraient sa crise de la quarantaine précoce, puisque l'arsenal de tout-fait psychologique des journaux évite les inquiétudes et les vérités plus froides. S'il était un peu franc avec lui-même, il s'avouait cependant que lui aussi ne s'aimait qu'à peine d'être cet homme qui quitte une femme pour une autre. Il s'en voulait franchement s'il songeait à Vladimir. Mais il revivait d'être aimé sans tromperie probable, sans reproche glacé sous les gestes. Fénimore ne pouvait pas partager la vie de quelqu'un qu'il n'estimait pas. Et, c'était comme ça, Fénimore manquait d'estime pour les séductrices sèches comme des balais à chiotte hors d'usage, qui n'aiment en fait jamais que l'effet qu'elles font. Adélaïde ignorait qu'il y a un monde entre le désir et l'amour. Ou plutôt elle le savait très bien. Et elle préférait le désir à l'amour. Douter de lui sans relâche, être jaloux, malheureux, tout ça pour ne pas froisser l'égoïsme de madame, c'était fini. Il avait décidé de vivre tout seul s'il le fallait, mais de ne plus laisser broyer ses mythes et ses confiances. Il aimait les gens gentils, voilà, généreux, cucul-la-praloche, touchés par les autres et capables de bonté, bordel de merde. Ceux qui jouissaient un brin que les émotions se retrouvent, qu'en échangeant des rires et des coups dans le nez on puisse vivre sa joie.

Partout, à la place, l'emmerdement dix-carats ; les concurrences, les je-te-pique ton jouet, je te traite comme une merde, je te dis pas bonjour ou je te parle comme à un voiturier. On ne parle pas comme ça à un voiturier ! Pourquoi pas, à la place, prendre un tout petit peu quelqu'un, arrêter de le menacer toutes les cinq minutes de trouver mieux, ne plus feindre l'orgasme à l'apparition du premier beau mec à la télé, cesser de tout cramer, surtout le cœur qui s'est vidé pour soi, pour une nuit au motel avec Sa Majesté Grosse-Bite.

Alors, voilà, au revoir, les cons, je te laisse Vladimir, parce que je ne veux pas que tu dises que je t'ai volé ta vie, mais j'ai eu une révélation : il existe des femmes qui osent se donner assez pour être blessées, qui font de leur mieux pour comprendre, partager, à qui ça arrive même d'être reconnaissantes qu'on leur donne quelque chose d'imprudent et de fort, et à qui, c'est incroyable, il peut éventuellement arriver de dire merci. Qui savent ressentir, savent souffrir, savent rire. Qui ont compris qu'elles avaient envie d'être prises, sans chercher dans l'exercice la note artistique.

Fénimore s'arrêta.

Sa colère était montée d'un coup. Il savait ce que cela signifiait. Qu'il avait encore besoin de s'expliquer avec Adélaïde. Qu'il n'était pas encore pleinement avec Casilde.

Et puis, non, il ne s'agissait pas d'Adélaïde. Il s'agissait de sa déception. À propos de lui-même, de son boulot, de tout. Fénimore repensa aux Varde, à Hector Lambertine, au rapport d'enquête qu'il avait envoyé à Glazère. Il pensa à ses déductions sur les assassins, à cette âme-robot qu'il cherchait en eux pour les comprendre ; ces secrets cachés dans chaque homme qui tissent les actes les plus étranges ; une vie avec ses volontés, ses peurs, ses échecs que seule peut toucher une histoire.

Il devait se raconter l'histoire de ces meurtres. Et il avait peur d'y être parvenu. Parce que le récit qu'il en avait tiré était décevant. Foutus morts de froid. Foutus silences. Toutes les histoires, tous les mondes se jouent sur qui parle et qui se tait, qui on fait parler et qui on fait taire. Ce qu'on montre et ce qu'on cache. Et au-dessus, de toute façon, le grand silence. Troué par un millier de pages censées répondre à tout, pour ceux qui lisent *La Bible*. Mais tout de même, le persistant silence. C'est ça, sans doute, qu'ils étaient allés chercher. Par ça qu'ils avaient voulu étrangler tous ceux qui s'épateraient de leurs crimes. Prouver que tous nos gestes là-dessus glissent. Qu'on a beau dire, faire et comprendre, il reste le noir du pourquoi. La chaîne se rompt des causes et des effets. Le mythe à la place. Parce que au fond, quand il ne s'agit pas de mettre le doigt dans un engrenage quelconque de la nature pour en sortir sa nourriture toute prête, tout le monde s'en fout de la preuve, de la démonstration, du sûr et certain. Même les procès, passé le strict nécessaire pour établir que le mec dans le box est le salopard en question, à raconter servent une histoire, à en tirer une morale, à permettre aux gens d'éprouver ce qu'Aristote donnait comme mission au théâtre de provoquer, de l'effroi et de la pitié.

Ce ne sont pas les réactions en chaîne que maîtrisent les ingénieurs qu'on vit, c'est l'harmonie des choses quand elles deviennent une histoire. Là que nous sommes concernés. *Don Quichotte.* Nous ne voulons pas voir les choses comme elles sont. Nous voulons vivre comme nous croyons voir.

L'âme du monde, face au caché, ce sont les histoires.

Qui protègent les têtes du silence au-dessus.

Même Dieu, si on suit les croyants, qui a voulu nous ouvrir ses bras sur un il-était-une-fois, continué par chaque témoin au relais de l'alliance.

Mais il manquait à Fénimore la seule vérité à portée qui était la confrontation de sa fiction à celle des assassins.

Les grandes lignes, la vengeance d'une disparue, la revanche sur une carrière foutue, le bizarre catéchisme païen, il les avait cernés.

Mais ces raisons n'étaient pas du tout à la hauteur de l'horreur déchaînée, et ces mobiles manquaient franchement de subtilité.

Parce que c'était quand même bien nul, cette fable de cousines malheureuses et de carrière loupée pour justifier une dégueulasserie de cette trempe. Il régnait trop d'ombre sur ce qui avait pu se produire dans ces âmes. La ligne était trop droite entre le ressentiment et le meurtre de sang-froid d'un autre être humain, puis la profanation, cas de le dire, de son cadavre. Tout ça était d'un seul morceau. Ça manquait de vérité.

Peut-être en était-il malgré tout ainsi. Peut-être la force de l'art réside-t-elle dans l'enjolivement des histoires bâclées par le réel, écrites à dix mille mains par la foule des sans-imagination ou sans-finesse. La vie impose ses personnages. Parfois d'une plume à désespérer. Si ce n'était pas le cas, pourquoi Fénimore aimerait-il tant s'échapper de son monde dans ses livres et ses séries ?

Il continuait à marcher dans Volmeneur qu'il sentait étrangement vide. C'était sans doute à cause des familles parties skier, de cette torpeur de l'après-Noël. Mais il lui sembla bien qu'il y avait autre chose. Il ne sentait plus dans la ville la présence de son ennemi. Plus de tueur qui se cache, dont on sait qu'il respire quelque part, prépare son mauvais coup. Plus de poursuite. C'était terrible à dire, mais la mort des Varde et de Lambertine créait un manque. Un deuil bizarre. Il y avait cette idée qu'ils avaient fait si peu et si mal de la vie qu'ils quittaient. Oui, il y avait dans l'air cette résonance. Cette absence. Il y avait Volmeneur qui attendait de prendre dans ses plis une nouvelle légende, dans ses vieux quartiers qui suggéraient le cordage et l'abordage, dans ses immeubles fonctionnels qui soulignaient par contraste la mollesse de son nouvel essor, dans ses magasins qui prenaient plus qu'ailleurs un air de conne près de ses sous. Il ferait de son mieux pour la lui apporter, cette légende. Il irait interroger ceux qui les avaient connus. Mais il ne saurait jamais. Ce ne serait que des hypothèses, de l'analyse. Ce ne serait que choisir parmi tous leurs possibles les haines dérisoires qui les avaient mené là. Sous l'influence desquelles ils avaient ôté la vie à onze personnes et détruit la leur. Choisir. Malgré tous les savoirs et toutes les expériences, on en venait toujours là. Prendre une route sans avoir mis le doigt sur un il-faut.

Ô Casilde et, ô, malgré tout, malgré nous, Adélaïde. Il connaissait ces deux âmes. C'était une saloperie du destin de lui demander d'en admettre une, de rejeter l'autre. Oh, il pouvait bien se formuler les choses à la manière d'un test de psychologie. Questions listées, cases cochées, vérité établie comme une somme. Ça n'effacerait rien.

De quelle âme était-il amoureux ? Avait-il fait autre chose que construire leurs personnages avec des bribes de dialogue, un goût partagé, un bon souvenir ? Notre propension à la fiction est si profonde que le plus proche même est construit au bric et broc des chimères. Début, milieu, fin. D'abord une héroïne, ensuite une fiancée, enfin une humaine. Les traits se précisent à mesure qu'ils vieillissent ; on se sait par cœur après s'être créé. Mais il demeure toujours une part d'écriture. Il y aura toujours de quoi laisser le livre tomber par agacement. Ne tranche que cette décision entre deux âmes de demeurer l'une à l'autre, pour suivre les rebondissements, accepter les longueurs, repousser le point final qui ne peut que venir, et sera malheureux.

Une évidence s'invita en Fénimore.

Suivre la pente.

Aller là où est demain ; tenter la chance de Casilde.

Totalement.

Répudier Adélaïde de ses espoirs.

S'exposer enfin à être heureux.

Il vit enfin se dessiner les hauts murs au bout de l'avenue. Le cimetière principal de Volmeneur. Derrière, il y avait une ligne noire qui se disait la mer. Il s'extasia d'être arrivé ici sans se perdre.

Il voyait quelques groupes parler à demi-mot, grelotter à demi-souffle en attendant l'arrivée des cendres. Et il se dit qu'il était difficile de mourir plus bas. Coupable avéré. Non jugé. Non condamné. Pour lequel on ne sait pas bien si la tombe est un châtiment ou une planque. Avec la gravité d'une faute pour unique mémoire.

Il aperçut Caterina Glazère, dans sa robe rouge de Procureure et toutes décorations pendantes. C'était la première fois qu'il la voyait ainsi. Et elle triomphait d'un accoutrement qui avait plutôt tendance à laminer les beautés.

Elle avait tout mis dans la balance. Son autorité, sa fonction, son intelligence. Elle avait multiplié les notes de service, les mails à tout le Commissariat, et ils étaient presque tous là, malgré le 26 décembre, en grand uniforme pour les Agents, en costards ou tailleurs pour les Enquêteurs. Fénimore trouvait d'ailleurs déplaisant le grattement de sa cravate, et se disait qu'il avait bien raison de ne jamais en mettre.

Il vit enfin Casilde. Qu'elle était belle, mon Dieu, dans ce manteau noir. Il se mit à côté d'elle, en retrait du gros des troupes. Ils ne se dirent rien. Personne n'osait dire grand-chose. Il faut dire qu'ils se seraient tous trouvé une excuse pour ne pas venir si une Procureure de la République n'en avait décidé autrement.

Couacs de derniers soupirs. Tout cela sonnait creux.

Le fourgon finit par arriver, et il y eut quelque chose de grotesque à ce que ce soit un minuscule vase de cuivre qui en émerge, porté à deux mains par un croque-mort à casquette. Là-dedans il y avait des restes qu'on avait autorisé la famille à inhumer après l'autopsie. Il n'y eut pas de bénédiction. Seulement l'enfouissement dans le silence et la gêne. Difficile de trouver quelque chose d'intelligent à faire devant un mort en dehors des sentiers battus de la religion.

Fénimore jeta un coup d'œil autour. Le Commissaire Justin Lambertine était digne. À ses côtés, la Procureure Glazère se tenait droite. Elle se dispensait de gestes de compassion qui eussent pu humilier davantage son ami le jour de l'enterrement de son criminel de fils. Mais elle avait fait venir aux obsèques tous les collègues et toutes les autorités qui s'y fussent rendus en d'autres circonstances.

Glazère avait refusé que la peine de cet homme soit alourdie par le mépris de ceux qui ne comprenaient pas que, malgré les crimes atroces, il ne restait que les vivants ; dont un père qui avait besoin que ses confrères, que ses amis l'unissent en ce moment à ce qui lui restait de lui-même.

Fénimore sut profondément gré à Glazère d'avoir fait cela, parce que d'être là, de se hisser au-dessus de l'horreur pour comprendre une douleur, cela les libérait tous de quelque chose. Cela leur permettait d'enfin répondre par un geste maigre à tous ces cadavres, tous ces rituels, ces unes, tout ce sensationnalisme de la poussière. Cela ravivait une émotion dont on se rendait compte qu'on avait manqué. Cela ne changeait rien à ce qui s'était passé. Ce n'était pas à proprement parler dans le langage de la réalité. Et l'Enquêteur Provincial Garamande mit un mot sur ce qu'ils retrouvaient à respecter la dépouille d'un assassin par égard pour la douleur de son père. L'honneur.

Samedi 6 janvier

Treizième journée :
Marlimbes – Volmeneur

M

1
pilier
gauche
Kétil
LAMARSINEINBA

2
talonneur
Macaire
DAQUIN

3
pilier
droit
Gabar de
GALFATASSE

Ê

L

4
deuxième
ligne
Sébald
LESCARBORDE

5
deuxième
ligne
Désiré
CALFIN

É

6
troisième
ligne aile
Sixte
DARSSIN

8
troisième
ligne centre
Pamphile
ZALIN

7
troisième
ligne aile
Yann
HURLAR

E

C
H
A
R
N
I
È
R
E

9
demi
de mêlée
Corentin
DIMBIEL

10
demi
d'ouverture
Abderrahmane
TRINQUETAILLE

T
R
O
I
S

11
ailier
gauche
Nazaire
MARLIN

12
centre
Zacharie
HAOUSSELINE

13
centre
Ulysse
NINON

Q
U
A
R
T
S

15
arrière;
capitaine
Athanase
CRAMARIN

14
ailier droit
Foulques
BODOMBIN

REMPLAÇANTS

16. Heldrad VOERS

17. Mahmoud MEFULAA

18. Baruch KLÉDINSTEIN

19. Jacob THÉOVITTE

20. Iker DELAVENTIN

21. Pépin PÉRÉGRIN

22. Malloy GRUVALD

FOUILLER LES FAILLES

Mardi 2 janvier

Rien à branler. Pas son problème, ces conneries de pronostics sur qui deviendra une star cet été sous le maillot de la République. Un truc pour les journalistes qui n'ont rien de mieux à raconter, et puis une distribution de quarts d'heure de gloire à des mecs qu'on connaît déjà par cœur ou à trois petits jeunes qui sentent plus du coup leurs pieds sur la planète. Et fallait pas croire qu'il le vivait comme ça parce qu'il était pas sur la liste de mi-saison du sélectionneur Boufard. « Où se dessine déjà le XV de la République qui disputera le Tournoi des Trois-Territoires cette année. » À trente et un ans, se faire remarquer, ça aurait tenu du canular et il en avait vraiment rien à foutre de se taper trois matchs après la fin de saison, tout ça pour un trophée de merde. C'était pas lui qui décrocherait des pubs pour du yaourt. Pas avec sa tronche, sculptée à la première ligne. N'empêche que le rugby, c'était ça. Une affaire de gars qui ose foutre la gueule là où il y a des poings qui tombent. La ménagère pouvait remplir son Caddie comme elle voulait et se faire mettre à la douceur, ça ne la regardait pas comment on gagne un match.

Le talonneur Macaire Daquin ne ressemblerait jamais à son beau-frère et il en était très content. Il aimait les trucs sans concession. Pour ça d'ailleurs qu'il avait les mêmes chances d'être dans le XV de la République qu'un boxeur d'être révélation féminine de l'année. Il leur avait dit mille fois aux pontes de la Fédération, qu'il les emmerdait. Qu'ils y connaissaient rien. Que lui, il jouait pour une certaine idée du sport qui a son centre de gravité au milieu du calbute. Son club, le Marchaunoir, du combat, de la vacherie, des trucs dont on ne parle pas avec des petites larmes dans les yeux, mais que les connaisseurs reconnaissent d'un regard fier. Le rugby, l'authentique. Intérêt à préférer celui-là sur un terrain, après dix mêlées et en face de mabouls du coup fourré. Bien gentils les commentateurs, avec leurs images gréco-romaines. La vérité, c'était boum, dans le nez, et tiens, je te rends la politesse pour que la prochaine fois tu me fasses plus chier, je t'éclate la tronche, et c'est pour ça qu'à la fin, c'est moi qui ai le poing levé. Dessus, l'équipe, la complicité à la vie à la mort du triumvirat, numéros 1-2-3, les vrais de vrais, c'était ça son trip. Et puis, la réflexion, la bonne option stratégique aussi. Il aimait déclencher la gagne d'une bonne introduction en touche, ou d'un bon choix de pilonnage. Que le cerveau jaillisse de la graisse et que ça les sidère.

Il faisait froid comme dans un bain de neige carbonique, ses cuisses nues étaient rôties et les bouts de doigts au sortir des mitaines se violaçaient, mais dans un sens, ça lui faisait plaisir. Ça racontait aux petits marrants les réalités de la burne. C'était bienvenue chez les adultes. À suivre : entraînement, liaisons et poussées, le bonheur. Macaire Daquin ne doutait pas d'être titulaire face à Marlimbes. Il avait assuré comme un gladiateur contre Jeanzombes, et puis Baruch était mal en point. D'ailleurs, Baruch, c'était un talonneur pour intellos, pas le genre à savoir calmer ces bœufs d'Intraitables et à mettre le coup de boule au bon moment pour corriger leur style, traditionnellement saturé d'hémoglobine.

Il espérait que Sgabardane allait arrêter définitivement ses manigances de début de saison et se mettre dans le crâne qu'à Volmeneur, le meilleur talonneur s'appelait Macaire Daquin. Il espérait aussi qu'il allait se calmer sur la chaise musicale généralisée et qu'il allait pouvoir bosser cette semaine avec les deux gars qui joueraient effectivement, parce que ce serait pas du luxe de fignoler une phalange, vu ce qu'on connaissait du pilier droit de Marlimbes, et de sa tendance à dévier sa poussée en mêlée pour péter les côtes du talonneur une à une. La seule parade, c'était d'être assez soudés pour que débileman puisse pas lui chercher les flottantes. Fallait donc bosser.

Ça faisait déjà deux minutes que Macaire était sur le terrain, et on était loin d'être au complet. Pas à dire, ils étaient ailleurs. Pourtant, le seul truc marrant à faire ici, c'était bien l'entraînement. Parce que à son âge, et après dix ans en pro, ces stages de quatre jours dans le château Chassesplain, ça le faisait vraiment chier. L'idée, c'était de purger un peu les excès des fêtes et de ressouder l'effectif à mi-parcours. Bon, c'était un tout petit peu foireux, puisqu'il restait un match aller, et que si on jouait les phases finales, y avait quand même plus de rencontres à venir que dans le rétroviseur. Mais vu que la trêve de Noël tombait toujours une semaine avant le milieu du championnat régulier et qu'on enchaînait le dernier match aller avec le premier match retour, c'était comme ça. Au programme du samedi pour clôturer le début de saison : se meuler le cul au bord de la mer des Hémisphères, dans la merdique Province du Sourefuge.

Pour l'heure, on était à quelques bornes de Volmeneur, dans la cambrousse. Coupés du monde. Trois nuits à vivre dans une colo et à végéter comme des ados punis. Il fallait du rugby pour faire passer le calvaire. Macaire constata avec soulagement que l'entraîneur des avants Béno Biffin avait déclenché la savate pour radiner les bavards qui commentaient la présélection dans les vestiaires. On allait enfin pouvoir affronter le joug.

Quand Fénimore poussa la porte de la Brigade des Crimes Aggravés après une grosse semaine de vacances, Casilde à son bureau lui lança un regard qui demandait un baiser de retrouvailles, baiser qui allait devoir attendre à cause des deux Agents fidèles au poste.

Une réalité s'imposa d'emblée à l'Enquêteur Provincial Fénimore Garamande : en fait de rentrée, il découvrait un concours de mains dans les poches. Il flottait dans l'air une oisiveté qui ressemblait à s'y méprendre à de l'emmerdement ; le danger du « tueur de l'Olympe » écarté, rien n'attendait visiblement le quatuor de spécialistes. Après les salutations, les vœux de santé, d'amour, d'argent et de même acabit, l'Enquêteur Garamande baptisa réunion le monologue qu'il leur tint. Où il revint sur le profit qu'on pouvait tirer de vérifier ce qu'avaient filmé les caméras de surveillance de l'Aéroport Volmeneur-Marchaunoir, le samedi 28 octobre de minuit à une heure du matin. Pour, malgré la mort des coupables et l'arrêt des poursuites, en avoir le cœur net, puisqu'il apparaissait clair qu'on n'avait pas mieux à faire que comprendre exactement ce qui les avait baisés tous les quatre si fort et si longtemps.

Il s'était un peu joué de l'orgue de barbarie, parce que l'entraînement, finalement, ça le faisait autant chier que le reste. La connerie des jeunes, les caractères à odeur de pieds des vieux, au moins, ça ne froissait pas le dos, torturait pas l'ensemble, puis coupait pas le souffle. Il n'était plus jeune. Il aurait bien dit : « Et alors ? je vous emmerde », mais il était obligé de constater que c'est lui qui se faisait avoir dans cette histoire. C'était peut-être à cause de la bonne bordée du réveillon. Binouzes, beuh, baise, la totale et bonne année. Pourtant, il était, comme on dit, connu pour ses excès. Et ça ne le handicapait pas comme ça avant. Alors ?

Il lui restait qu'une vie, comme dans les jeux de karaté-combats-spatiaux-débarquement-militaire débiles auxquels ses coéquipiers jouaient. Et est-ce qu'il allait falloir choisir entre faire la fête et jouer au rugby, avec ce crédit-là ? Le dilemme de merde. Parce que Macaire aimait jouer pour pouvoir après faire décemment fêter ça, et il prenait son pied dans les noubas parce qu'il était le champion avec qui on fait gaffe au ton employé.

Sous la douche, y en a qu'ont commencé à se bastonner. Une guerre avants-trois-quarts des familles se préparait, comme chaque fois qu'on se retrouvait un peu ensemble non-stop. Ça aussi, ça flottait avec l'âge, l'envie de se marrer en foutant des tartes et des coups de serviette mouillée aux prétentieux de la chevauchée. Quand même, il était qui, s'il savait pas mettre un pain pour le plaisir ? Ça qui fait un avant. Trouver la force et la violence en soi quand la tête tourne, qu'on a le nez en patate et qu'on ne voit plus que d'une paupière. Faut aller se chercher. On n'a pas le droit de se laisser moisir. C'est comme s'échapper dans le combat. Interdit. Macaire envoya donc une grande claque dans le dos de Faure qui passait par là. Par principe, Faure essaya de répliquer, assuré de se prendre une branlée, mais déterminé à imiter l'homme du mieux qu'il pouvait. Pas ça qui a empêché Macaire de lui laisser un bon gros bleu sur l'épaule, et puis en rigolant bien. Quand on sait se battre, les bagarres, c'est un peu ce qu'on fait de plus rigolo dans la vie. Surtout bourré, avec un type qu'a pas dit pardon après avoir fait tomber le gin-tonic qu'on vient de commander. Boum, coup de boule, interdiction de boîte, mais le droit de promener autour de soi une barrière anti-cons.

Après le petit chahut, ça avait été un coup de vidéo tout à fait dans la ligne de Sgabardane : c'est long, c'est chiant et ça sert à rien. Puis le repas tous ensemble : pâtes, crudités, eau minérale, récits invraisemblables de jambes en l'air au pied du sapin, puis après, quartier libre, coups de téléphone aux familles, tables de belote, concours de consoles vidéo, autismes casque sur les oreilles.

C'était là que Macaire déprimait. Être célibataire, être parqué comme un veau, être sur le déclin, c'était lourd, déjà. Mais subir en plus les naseries des tout juste postpubères, alors qu'on avait quand même trimé pour mettre une décennie entre soi et l'âge con, c'était l'apogée du pénible.

Alors, très vite, la piaule avec Gabar. Sympa, Gabar, grand joueur, grand type. Mais aussi grand ronfleur. Et avec ça, l'éloquence d'un muet en plein orgasme.

Alors, très vite, extinction des feux. Et puis les quatre heures à chercher le sommeil en se demandant s'il y aurait pas moyen de revoir la petite du réveillon.

*
* *

Les écrans de surveillance de l'aéroport n'avaient pas montré ce que l'homme déposait dans la soute à l'heure et au jour fatidiques, mais il montrait claire- ment que cet homme était Hector Lambertine.

Dans la voiture du retour, l'ambiance était maus- sade. À la honte de n'avoir pas opéré une vérification aussi élémentaire s'ajoutait pour l'équipe l'impres- sion d'être un peu responsable de la mort des huit personnes qui avaient été assassinées après cet épisode. Il dut s'avouer qu'il espérait au fond de lui que cette enquête rebondirait encore ; que la bande leur dirait qu'ils n'avaient pas trouvé le fin mot. Fénimore ruminait son herbe à lui, parfumée à la déception. Au lieu de cela, il était forcé d'accepter cette rude et nue réalité sans pouvoir donner à cette histoire une autre gueule. C'était la conclusion. Triste et grise comme cette scène mal cadrée dans un parking.

Quand ils arrivèrent au Commissariat, Fénimore alla se fumer une cigarette mélancolique. Casilde vint le trouver et bouder sous son nez, parce qu'il ne s'était pas montré très tendre depuis qu'il était rentré. Il laissa finalement échapper de son air songeur :

— Viens dormir ce soir. J'ai envie et besoin de toi, Casilde.

Et elle le remercia d'un baiser.

Mercredi 3 janvier

— Fénimore, je sais que ça devient une espèce de rituel pour vous, mais, pour ce qui me concerne, j'en ai assez de devoir jouer la proviseure une fois par semaine. C'est touchant, je le reconnais, cette confiance que vous placez en moi, et puis aussi cet air penaud que vous savez si bien prendre quand vous dégringolez de votre nuage. Mais vous devez comprendre qu'une Procureure de la République a des journées chargées, et peut trouver fastidieux de devoir en employer une part non négligeable à vous sermonner. Je sais, vous avez vu plein de films, lu plein de livres, et vous adorez cette idée du flic qui traque le passé tout seul, contre toutes les vérités établies et les versions officielles. Mais, Fénimore, vous êtes au service de la Justice de la République. Écoutez-moi. Moi aussi, je trouve cet épilogue d'une tristesse à pleurer, mais la vie décide à notre place. Et il n'y a pas moyen de changer la fin, à moins de l'inventer. Mais alors, c'est du roman. Et ce n'est pas notre travail.

*
* *

— Bon, les gars, il reste quatorze rencontres dans la saison régulière et, si tout va bien, deux de plus pour arriver à la consécration. Un relâchement, une décon-

659

centration, un manque de volonté, et ce sera la défaite. Et je vous répète qu'il ne nous en faudra que deux ou trois pour dire adieu aux demis. Je vois mal les Volméens nous pardonner d'être fidèles à la malédiction cette année. Alors, je voulais que vous vous mettiez quelque chose bien en tête : la gagne, la gagne, la gagne. Pour ça, j'ai fait venir Alban Bernin, le golfeur que vous connaissez tous. Il va vous expliquer ce que c'est que d'avoir un état d'esprit gagnant, c'est bien ça, Alban ?

— Merci, coach Sgabardane, bonjour à tous. Eh bien, oui, c'est ça. Gagner, c'est un état d'esprit. Je vais parler de mon sport : si jamais vous envisagez, ne serait-ce qu'une seconde, que votre geste peut rater, vous êtes certain d'envoyer la balle dans les arbres. Si, au contraire, vous restez concentrés, si vous calez votre esprit sur le bon tempo, si vous oubliez la possibilité d'échouer, alors là, la balle s'envole, et elle tombe plus loin que prévu, c'est la réussite.

Macaire fignolait la pose bras croisés du mec qui s'emmerde. Parce qu'il était certain que ça allait être long.

*
* *

Et, en effet, ce fut interminablement chiant, cette merde d'enfilades de clichés style devinette de boîte de céréales et de proverbes pour dire que vivre, c'est plus sympa que mourir. Macaire trouvait que, tant qu'à se convaincre qu'on avait aiguisé leur fameux « mental », on aurait pu choisir un bon vieux film où le héros s'en sort à la fin, en même temps que le monde entier. Parce que la morale du golfeur se résumait comme ces navets aux gentils pleins de maîtrise qui vont gagner et aux méchants trop nerveux qui vont perdre. Macaire connaissait les limites du raisonnement. Il n'avait jamais gagné que par nerveuse et pure méchanceté.

Jeudi 4 janvier

Malgré les bons conseils de la Procureure Glazère, l'Enquêteur Garamande n'était pas remis de sa déprime. Son boulot. Du vide, après de la merde. Au mieux, arriver trop tard et sortir le filet à dingos. Alors, quoi ? Combler avec l'alcool, se refaire des marathons de séries comme des piqûres de sens ? Les fictions, les shoots de signification dans le grand absurde. Dans la grande vérité en tout cas que c'est bien nous qui décidons de mettre de l'ordre sur le n'importe quoi. Au moment où ça se relâche, on se prend la main dans le sac à construire le décor. Fénimore pensait que c'était pas pour ça que c'était faux. Mais que les choses étaient telles qu'il n'y avait aucune preuve, que quoi que ce soit se situe ailleurs, au fond, que dans l'imagination.

Allons, Fénimore, regarde. Casilde est en train de prendre un café dans le salon. Oh, ça ne répond à rien. Là est l'astuce. Il faut se laisser porter par les moments qui ne répondent à rien. À la place de deux mains dans le grand maquillage, on allait en mettre quatre. Sortie de solitude.

Pourquoi celle-là plutôt qu'une autre ?

Certainement en nous, l'animal discret, le corps qui ne demande rien à personne et décrète qui et quoi.

Heureusement dans un sens.

Une amarre dans le tournis enchanté. Et elle finit toujours par se cogner contre le corps, l'interrogation des causes, le tri du bien et du mal.

Casilde, c'est toi, c'est ton odeur, tes bêtises, tes mauvaises humeurs que j'ai dans la peau.

Tu n'es pas sûre de savoir pourquoi, et tu m'en veux un peu.

Parce que tu profiterais bien de l'occasion pour progresser face à ton miroir.

Tirer des arguments pour t'aimer comme tu es.

Mais ce n'est pas ça qui se passe.

C'est le sans-raison qui nous remplit.

Ça humilie bien tous les efforts qu'on avait faits pour mériter.

Après, c'est la pulsion de s'amalgamer, de ne plus se quitter.

S'installer dans l'ensemble.

Parce que, pour une fois, quelque chose de vivant ne laisse pas le choix.

Nous colle au monde.

*
* *

Dans la Brigade des Crimes Aggravés, les petits papiers de couleurs et les inventaires de tous ordres étaient maintenant condamnés à la poubelle, comme les noms qui s'y étalaient à la pierre tombale. Qu'est-ce qu'on allait bien pouvoir faire ? Attendre que les flics réguliers appellent à la rescousse. Au fond, avec un peu de bonne volonté, à peu près tout peut devenir un crime « aggravé ». Telle méthode de cambriolage, tel sadisme dans la séquestration pouvait justifier qu'on ait recours aux spécialistes. Mais les moues de mépris vexé qui les saluaient dans les couloirs ne laissaient pas présager beaucoup d'appels à la rescousse.

Casilde était repassée chez elle. Elle n'avait pas compris quelle mouche piquait Fénimore d'aller au boulot si tôt. Lui non plus ne comprenait pas. L'illusion que le mouvement crée l'action, peut-être. Bref, il était tout seul. À 9 heures passées, l'horizon s'assombrissait d'un jour qui serait sans neige et sans soleil. Pas de secours de ce côté-là. Il ouvrit la fenêtre de la coursive. Pour une fois, pas pour s'allumer une cigarette. Il avait envie de sentir l'air glacé, de jeter un coup d'œil à la mer qui poursuivait son ramdam. S'installer, encore et toujours. Exister sans électrocution d'événements. Sans grand frisson. Sortir des crises de larmes ou des malaises d'insuffisance pour juste être là.

Finalement, ce jour-là, on s'est amusés pour bilan à regarder les prestations des uns et des autres ces derniers mois dans les reportages de la télé, les bribes d'interviews, les Agents au second plan, et ainsi de suite. Comme toujours dans ce genre de cas, blagues sur ce qu'on avait dû faire la veille, remarques sur la coiffure la plus seyante entre aujourd'hui et alors, photogénie refusée ou concédée. Fénimore avait ensuite eu le temps de valider une des six heures qu'il devait au stand de tir. Se servir un peu de son corps lui avait fait du bien. Il comprit mieux ce qui faisait courir tous ces types en caleçon long qu'il croisait dans leur semi-marathon sous la neige. Comme il n'avait pas particulièrement besoin de s'épater, il s'était contenté pour sa part de vider ses chargeurs réglementaires. Le résultat était assez pitoyable. Sans être un mauvais tireur, il devait s'avouer qu'il ne devait pas son grade à ses prouesses en la matière. Comme l'avait prouvé la fusillade contre les Varde et Lambertine où il n'était pas parvenu à toucher un suspect, ni penser à viser les pneus, ce qui en disait long sur son instinct de flic.

Une fois remonté dans leur camp retranché, il avait constaté que l'après-midi n'en était même pas à son milieu. Comme il ne faut jamais désespérer, Casilde finit par lui fournir un sujet de réflexion et une occasion de terreur. Le premier lui venait de cette nouvelle : Glazère les convoquait demain pour leur donner leur évaluation de fin d'année, ce qui avait fait rêver l'Enquêteur Garamande à ce qu'elle pourrait bien leur dire, et à la façon dont elle concilierait les mauvaises notes qu'ils méritaient et le fait qu'ils avaient malgré tout réussi à mettre fin à une crise qui s'était attirée un trémolo national. Pour l'effroi, il se déclencha après ce qui était à peine une information et ressemblait trait pour trait à une mise en demeure :

— Fénimore, je veux que tu rencontres mes amies, alors, samedi, c'est décidé, on sort avec elles.

Il ne savait pas si ce qui le pétrifiait le plus était de se retrouver plongé dans les dînettes des couples officiels ou de découvrir les amies en question. On sait que l'amour rend aveugle, disons que Fénimore savait d'expérience que l'amitié rend peu difficile.

*
* *

Sgabardane avait eu une idée très conne pour ouvrir l'annonce des vingt-deux joueurs qui auraient le privilège d'aller lancer des cacahuètes au public rugueux et à l'équipe rustique de Marlimbes : boire un verre de champagne pour se réjouir officiellement de la fin des meurtres autour du club. Un carnage salué au mousseux. Consternant. Surtout après le mutisme nul dont on avait fait preuve. Remarque, qu'est-ce qu'on aurait pu dire d'intelligent ? Rien. Mais on aurait au moins pu s'abstenir de faire tchin-tchin après un truc aussi sordide.

Comme il s'en doutait, il était titulaire au talon. Sinon, bonne première ligne, agressive et connaisseuse, avec Kétil à gauche pour monter la garde contre leur fondu de pilier droit d'en face, et Gabar à droite pour régler les soucis hormonaux des adversaires. Petite pensée pour Vaast, obligé de se reposer, parce qu'il était en délicatesse, comme on dit, avec à peu près les trois-quarts de son corps. Pour l'épine dorsale 2-8-9-10-15, le fil électrifié du ballon, le quatuor stratégique, ça donnait lui, Zalin, Dimbiel, Trinquetaille, Cramarin. Contraste assuré : la queue de mêlée était un minot qui n'avait jamais joué à ce poste, mais qu'on avait mis là parce qu'on avait cru comprendre qu'il pouvait assommer un buffle d'un coup d'épaule, Dimbiel était un 9 sérieux, un peu plus courageux, mais un peu moins fluide que Valdafin, on ne présentait plus Trinquetaille, quant à Cramarin, c'était ce qui se faisait de mieux, capable de remonter un score sur une intuition et trois gestes parfaits sans demander l'avis de personne. Tout pour rendre l'affaire intéressante, en résumé. Des garanties, de la fraîcheur, du génie et de l'inattendu.

Macaire avait été torturé depuis mardi par la petite musique qui lui signalait qu'il en avait marre. Il en avait un peu parlé à Jolssin, qui lui avait dit de reprendre de la conviction à chaque match, qu'à leur âge, c'était à ça que servaient les rencontres. Thalalé avait bien raison. Et Macaire avait hâte d'expulser ce que cette putain de mise au vert chiante lui avait inspiré. De répondre à la connerie les armes à la main.

Plus qu'une nuit à tirer ici. En profiter pour roupiller profond, prendre des forces avant le voyage. Putain, ils allaient encore dormir à l'hôtel. Après la nuit avec la petite, vu qu'on avait clôturé le réveillon dans son plumard, ça allait faire une semaine qu'il avait pas vu son lit. Une semaine qu'il avait pas pu toucher à sa gratte, une semaine qu'il s'était pas posé sur son canapé, comme il aimait, pour rien foutre, devant le truc le plus débile qui passait à la télé, une bière à la main, et en attendant que les copains se pointent pour critiquer le lifting du présentateur. Sa vie. Qui allait bientôt manquer franchement d'un but.

Il aurait aimé avoir une petite pas loin à qui penser. Peut-être investir dans un resto de montagne près de son Pitiébourg natal. Où il y aurait tout ce qu'il aime : de la fumée, de l'alcool, des blagues, des gars qui apprécient le contact viril et les jolis culs. Il se mettrait au centre de tout ça, et laisserait admirer ses blessures de guerre.

Vendredi 5 janvier

— Asseyez-vous, Enquêteur Garamande. Vous avez croisé Casilde ? Très bien. Pour vous éviter le « t'as eu quelle note », je vais vous dire ce que je lui ai dit. Je l'ai trouvée sérieuse, et solide. Un peu trop à la traîne de vos intuitions, mais si elle avait eu un peu plus confiance en ses méthodes, je pense qu'on aurait pu éviter une procédure de flagrant délit qui débouche sur un accident de la circulation et une semaine de traque dont le coût pour les Polices Républicaines et Volsques frise le délire, sans oublier la mort des trois assassins. Je sais ce que vous allez rétorquer. Casilde n'a rien fait pour éviter le fiasco, et puis elle n'a pas su comprendre ce que vous avez compris. C'est là que je vais devoir me faire un peu claire, Enquêteur Provincial Garamande. Vos amours avec l'Enquêtrice Binasse sont aussi discrètes que la gestation des pachydermes, alors, ne m'en veuillez pas d'inclure à ma réflexion cet élément. Casilde Binasse est dingue de vous comme une adolescente à journal intime mauve d'une rock star qui lui aurait adressé la parole. Vous me paraissez un peu plus maître de vous. Ça doit être l'effet du chromosome Y. Cependant, je pense que c'était à vous de réparer les failles dans vos calculs puisque Casilde était trop occupée à vous les regarder faire. Mais vous étiez trop content de pouvoir faire danser les autres à votre rythme. Le problème, c'est que vous avez des talents de compositeur, mais pas exactement de plomb dans la cervelle. Vous donnez l'impression d'être paralysé dès qu'il s'agit de la réalité. C'est embêtant, car c'est l'endroit où vous croisez les créatures que nous sommes et les enquêtes que nous vous confions. Comprenez-moi, Fénimore. Vous évaluer, c'est un peu comme faire le portrait du vent. Comment voulez-vous qu'on s'y retrouve ? On a l'impression que vous avancez complètement à vue, en espérant qu'une association d'idée vous mènera par miracle à la solution. C'est embêtant, Fénimore, on ne comprend absolument pas comment vous vous y prenez. Est-ce que vous savez vous-même comment vous vous y prenez ? Regardez cette histoire de vidéo-surveillance à l'aéroport, ça ne vous paraît pas monstrueux de n'y avoir même pas pensé sur le moment ? Est-ce que vous vous rendez compte qu'en faisant trois vérifications de routine vous auriez évité quelque chose comme huit morts ? Bon, je reconnais que vous savez revenir sur vos erreurs, et que votre rapport est intéressant, à la fois lucide, honnête et fouillé. Mais pourquoi avoir attendu Noël pour commencer à réfléchir sérieusement ? Il y avait quand même un carnage en cours, un carnage que vous aviez mission de faire cesser. Vous êtes intelligent, Fénimore, cultivé. Mais vous n'êtes pas travailleur. Ou alors, si. Quand il s'agit de racler la poussière de vieux grimoires abscons ou de jouer au papy-raconte-moi-la-mythologie. Mais c'est tout ce que vous avez fait ces derniers mois. Et je ne parle pas de vos tracas personnels, de vos absences, et de vos relations avec les Agents qui sont un modèle de nullité humaine. Vous me trouvez sans doute trop dure. Si vous voulez. Mais moi, j'ai une Brigade des Crimes Aggravés à justifier. Je suis Procureure dans un lieu pourri par les gangs, et hanté par des timbrés qui considèrent le sang comme le principal excitant sexuel. Je ne vous ai pas fait venir par hasard. Vous étiez réputé pour votre sérieux à Capitale. J'ai compris de mes entretiens avec vos chefs que vous aviez ce petit grain à vous, ce petit plus d'imagination, mais que vous saviez à l'époque le domestiquer par la rigueur et que, du coup, vous avez en effet réalisé deux ou trois prouesses policières. Ici, vous êtes en roue libre. Je sais que vous n'avez pas quitté Capitale comme quelqu'un qui choisit de donner un coup de fouet à sa carrière. Vous avez fui vos problèmes. C'est votre droit. Mais je suis obligée de constater que ces problèmes vous perturbent encore. Vous êtes sans doute un flic doué, mais vous n'êtes plus un bon flic. Je veux que vous le redeveniez. Je ne dis pas : sinon, je vous vire. Je vous dis que l'utilité des nouvelles Brigades spécialisées sera réévaluée cet été. Il faut que nous fassions un bien meilleur travail si nous voulons que cette unité survive. C'est pour ça que je vous envoie dans deux semaines faire un stage de procédures policières. Je sais ce que vous allez penser : ces stages, c'est fait pour les flics trop alcooliques pour se pointer au travail le matin, c'est pas fait pour l'homme qui a attrapé les « tueurs de l'Olympe ». Mais vous en avez besoin. Pour revenir jouer avec nous dans la même dimension. Vous pouvez refuser et m'obliger à mettre en place une contrainte disciplinaire, mais vous allez être malin. Vous savez que je fais ça pour vous. Que vous vous en sortirez mieux après. Et puis, vous ne voulez pas d'une injonction du Parquet. Ça aurait tendance à compliquer vos affectations futures. Réfléchissez, ça va vous permettre de tourner la page. Parce que – écoutez-moi bien, Fénimore – il est hors de question que vous mettiez à exécution vos menaces de reprendre l'enquête. Je vous rappelle que Janonquière n'a pas encore réussi à faire juger les morts, alors vous allez laisser tomber ça et attendre qu'une autre affaire vous tombe dessus. À laquelle vous vous arrimerez cette fois-ci avec compétence et maestria. Je veux votre signature sur la demande de stage lundi matin. Maintenant, je dois vous laisser. Ah, oui, j'oubliais la tradition. C'est toujours comme ça qu'on clôt les évaluations par ici. Je vous souhaite donc la meilleure des années, Enquêteur Garamande.

*
*   *

De retour de l'inutile entraînement du capitaine, Macaire constata que Marlimbes était triste, surtout avec ce froid. Un port de pêche, quelque chose comme trente mille habitants, dix mille supporters dans leur petit stade, le reste des amateurs de rugby de la Province étant aspiré par la capitale du Sourefuge, l'autrement grand et baisant Jeanzombes. Ici, c'était le trip : on est petit, mais on en veut. Ce bord d'une mer trop froide pour qu'on vienne la voir de plus près l'été, ce rivage trop difficile d'accès pour la marine marchande, Marlimbes, c'était Volmeneur sans la taille, sans l'industrie, sans la légende. Une bourgade sans fric où la vie était pénible, et le rugby un pugilat sous prétexte de ballon. Les joueurs en violet n'en finissaient pas de s'accrocher à l'élite, et leur présence dans les quatorze grands ne datait pas d'hier. Abonnés au milieu de tableau, jamais prétendant à un titre, juste des mecs qui n'ont trouvé que ça pour se dorer l'orgueil. Le match de demain serait violent, comme d'habitude. On allait jouer un jeu d'homme à homme à qui s'évanouit le premier. Tant mieux.

Ce soir, on créchait dans un hôtel sans classe, et il n'y avait pas besoin de les surveiller pour les dissuader de s'offrir une virée dans les petites rues vieillottes et les bars où le premier pêchou qui comprendrait qui ils étaient s'amuserait à leur taper sur la gueule. Le dîner se fit sous l'œil ému des serveurs. Un repas conçu pour faire honneur aux spécialités du coin, à savoir soupe de sacs-poubelle, ragoût d'arêtes et rouille de chalutier. Après, ce fut belote. Et puis ça a été la chambre, Gabar qui bat les bruits de la route à côté avec deux narines, une gorge et un sommeil. Macaire a mis pas mal de temps à s'endormir.

Samedi 6 janvier

Ils étaient tous liés en cercle. Au milieu, c'était Sgabardane qui avait pris place. Le costard maltraité et la cravate colérique.

— Alors, maintenant, les gars, vous y allez. C'est le pied du mur, l'assaut, l'omnibus direction gloire. Match après match, victoire après victoire, bordel de merde, victoire après victoire. Chez nous, à l'extérieur, contre les vedettes, les rustiques, les gentlemen du sport ou les bons assassins, on les prend tous, vous m'entendez, on les prend tous ! Je veux du combat et de la haine. Je veux voir la coupe briller dans les yeux en larmes de vos adversaires. À chaque fois. Et, aujourd'hui, vous me les maltraitez. On les emmerde, les rois du filet, les virtuoses du kérosène, les fiers-à-bras de la criée et les divas du poisson qui pue ! Intraitables, mon cul ! Ils font chier chaque année qu'on n'a pas leurs valeurs, qu'on n'est rien qu'un club de gosses de riches. Je veux qu'ils crachent leurs omoplates, pour qu'ils voient si on est des gosses de riches ! Aujourd'hui, vous gagnez ou rien. J'en ai rien à foutre. C'est important. Il nous faut une dynamique. Si vous gagnez pas, je mets le XV d'aujourd'hui en entier sur le banc la semaine prochaine. Marre d'avoir les trois-quarts les moins lucides du monde et les avants les plus tendres du circuit. Vous y allez maintenant. Merde !

Athanase qui remplace le coach dans le cercle.

— Pour nous, pour la ville, Volmeneur !

— Donec Nox !

Macaire Daquin se retrouva troisième dans la file qui sortit du vestiaire. Il se maltraitait les épaules à coups de paumes et il faisait la toupie avec son cou. Il allait pas falloir le lui dire deux fois qu'il était un tendre. Ça allait barder dans la gueule des violets, chier dans le bac à sole meunière, ça allait faire mal certifié sport. Il en avait déjà la vue toute brouillée de ce qui montait en lui.

Macaire saisit le maillot de Kétil devant lui. Juste après il sentit la main de Gabar dans son dos. On se les tordait fort. La première ligne est chaude, les gars.

Après, ça a été la bonne douche de huées et de « Quinquinquins », puis tout de suite les bravos délirants pour l'arrivée de Marlimbes.

Les autres avaient l'engagement et Macaire s'est mis en place pour soutenir Désiré préposé à la réception. Coup de sifflet. La balle qui s'élève et Désiré a bien chopé en l'air, mais à la retombée, y a un gars qui est venu d'on ne sait où le défoncer d'un coup d'épaule. Macaire est allé tout de suite au contact. Il a mis direct un coup de tronche dans le foie de l'adversaire à portée. Le poing que l'autre lui a mis dans la tronche en réponse avait le mérite de dire ce qu'il en pensait avec concision. Macaire s'est préparé à lui redresser la mâchoire, mais ça a sifflé. Un coup à s'offrir l'opinion de l'arbitre.

Alors qu'il allait se relever, Macaire a pris au passage un bon coup de genou à la tempe. Il attendrait plus tard pour identifier le mec au pilon, mais pour le pain dans la gueule, il a eu aucune peine à l'attribuer à son copain le pilier droit.

L'arbitre a filé une pénalité à Marlimbes. Paraît qu'on avait retenu la balle au sol. Macaire pouvait pas être coupable vu ce qu'il s'était inquiété de la gonfle. Leur 10 a décidé de faire un dégagement. Du coup, y avait touche pour eux à peut-être sept mètres. Ça commençait moyen, cette histoire.

C'était le moment d'être des vrais avant à l'ancienne, défense de feu, barbelés à la strychnine, pignes et châtiments. Sgabardane leur avait dit qu'en première mi-temps, près de la ligne d'essai adverse, ils faisaient toujours leurs touches en milieu d'alignement-sortie-en-maul. C'est ce qu'on allait voir. Si le lancer était sans mystère, on pourrait peut-être même le choper.

Macaire se mit à sa place, entre la ligne et les siens pour verrouiller le couloir. L'autre con l'a balancée, et là, miracle, fulguration dans leurs culs, Désiré a pris la balle au vol. La seconde où Macaire pense à se replier pour protéger la prise lui suffit à déchanter. Parce qu'il a clairement vu leur pilier droit charger en bélier sur la jambe délicate de Calfin, alors qu'il s'était retourné pour transmettre. Il a compris que l'autre enfoiré a armé son assaut pour défoncer le Volméen aux straps. Le type visait aux blessures. Calfin avait lâché la balle. En-avant. Mêlée pour eux.

Sur ce coup-là, ils avaient joué franchement avec le revolver de papa, parce que faire exprès d'atteindre un joueur à une blessure pour qu'il sorte et que sa saison soit foutue, c'était pas le genre de prouesses que Macaire se repassait au ralenti avec du sanglot dans la gorge. Ça en plus du poing de tout à l'heure, ça méritait une attention spéciale pour ce connard de 3 violet. C'était la première mêlée. En plus, elle était à cinq mètres de notre ligne, sur leur introduction. La classique, la moindre des choses et le sommet, bref, la cuisson ? Saignante. L'arbitre avait marqué l'endroit, et Macaire prit un pilier dans chacun de ses bras.

— FLEXION !

Le talonneur s'est assis sur les épaules des deux deuxième ligne qui avaient pris place derrière lui. Il a bien senti sa position. On était prêt pour le numéro de l'homme canon.

— STOP !

Il a pris soin de regarder son vis-à-vis. Tu vas aimer mieux me connaître.

— TOUCHEZ !

On va leur baiser l'impact.

— ENTREZ !

Propulsion et plongée, Macaire sent la barbe du con en face lui irriter la joue, puis va le chercher très loin sur le plexus. Macaire a réussi à passer sous lui, il va le soulever pour l'empêcher de pousser. Ils sont morts. Macaire ouvre les yeux. Il voit la balle, alors il envoie son pied en n'osant pas y croire. Il sent le cuir sous son crampon. Il leur a piqué la balle ! Il replie la jambe comme un couteau dans son manche et la deuxième ligne l'envoie vers le camp de Volmeneur. On les a baisés classé X.

Macaire sait très bien ce qui va se passer après. Jouer à envoyer le pied contre un talonneur sur son introduction a un prix. Et, juste avant que la mêlée s'effondre, il voit leur deuxième latte jaillir entre ses piliers. Puis c'est une grosse douleur, puis c'est ce qu'on appelle une pluie de phalanges sur son crâne. Où il est certain de reconnaître la pogne du pilier droit.

*
* *

À mille lieues de là, plus tôt dans la soirée, l'Enquêteur Garamande regardait l'épaule de Casilde briller dans la salle de bains. Dans le cœur de Fénimore monta cette volupté. Elle se préparait pour les yeux du monde. Glis+32sée dans son corps, il y avait cette touche de cruauté qui pique la tendresse. Elle lui échappait. Il la ressaisissait reine. Comme elle serait dans le demi-jour du restaurant, dans l'œil des célibataires et des mal-mariés qui la regarderaient entrer. Son apparition, qui lui transmit son frisson quand il posa une main sur sa nuque. Elle sourit et traça la ligne de crayon sous la paupière comme une plaisanterie. Elle était gaie d'être vue, gaie de le sentir à nouveau conquis. Il ne dit rien, elle ne dit rien. Il sortit et fut repris par l'admiration qu'elle lui avait inspirée hier, assise sur les talons de ses bottes à deviser sérieusement avec Vladimir. Et son petit garçon était venu plus tard poser la tête sur les genoux de Casilde. Et il s'était endormi. Fénimore s'était dit qu'on s'installait. Il n'y avait décidément qu'à se laisser vivre, en laissant sa mort un peu tranquille. Dans l'amour toujours nouveau qui ne s'envolera pas aujourd'hui.

Fénimore s'alluma une cigarette, puis mit un disque dont le bonheur à chaque corde lui cisaillait d'habitude le moral, mais qui semblait à ce moment parfaitement accordé. Il se laissa porter. Il serait bien resté là à profiter de son extase. Il nourrissait les plus grands soupçons à l'égard du bon moment putatif. Il savait d'expérience que l'amitié et l'amour sont deux langages bien différents, qui, lorsqu'ils se frappent, trouvent rarement de traducteur.

Il se fit une promesse de bonne figure. Et il ne douta pas d'avoir les maxillaires douloureuses tout à l'heure à force de sourire en jouant le type sans menace. Pour que Casilde soit contente. Il lui devait bien ça.

Lorsqu'elle sortit, il fut saisi par tout ce qui nous fait être sans nous demander notre avis, tout ce qui nous porte contre nos attentes, malgré nos mérites. Lorsque Casilde sortit de la salle de bains, Fénimore mesura sa chance.

*
* *

676

Macaire avisa le regroupement en sachant très bien ce qui se passait à l'intérieur. Il ne se faisait pas avoir par ces dos tordus par l'effort, par cette impression de groupe qui avance ; là-dessous, on s'expliquait sérieux. Et il se projeta de toutes ses forces dans le bordel. Dès qu'il réussit à enfoncer la tête, il prit des griffures. Ça ne l'empêcha pas d'essayer d'arracher la balle au mec de Marlimbes qui se cachait dans le cœur du maul. En rouvrant les yeux pour voir où était le ballon, il reconnut le pilier droit dans le porteur de balle. Il avait pas trop d'amplitude, il allait agir à bout portant. Il envoya son poing droit dans le nez du connard.

*
* *

Ils avaient décidé d'y aller à pied. Ce n'était pas très loin, ça leur ferait du bien, le froid c'est vivifiant, ce genre de chose. Sur un trottinement de fines et jolies chaussures qui donnaient du swing au rebord de sa jupe, Casilde tira de nouveau le portrait des quatre cruciales amies qui allaient lui être présentées. Pour la troisième ou quatrième fois depuis hier, et comme les trois ou quatre dernières fois, Fénimore ne retint absolument rien. C'étaient des : « Aime beaucoup ses enfants, mais pas toujours heureuse avec son mari qui travaille beaucoup », des : « Elle tient à son indépendance, elle est un peu bizarre, à chaque fois qu'on a l'impression que ça se passe bien, elle laisse tomber pour un détail stupide », ou encore : « C'est une marrante, si tu savais le nombre de virées qu'on a faites ensemble. »

Pour masquer sa distraction, afin de ne pas gâcher ses manigances pour rendre le moment aussi excitant qu'elle se l'était promis, Fénimore prenait la mine du chevalier servant, qui écoute, mutique, la tête un peu penchée, et une virgule de sourire posé au coin des lèvres.

Casilde marchait une main appuyée sur son bras, et on devait avoir une fière allure d'amoureux.

À un moment, elle remarqua qu'elle aimait bien comme il était habillé. Il faut dire qu'il avait mis veste et chemise, passé le râteau dans sa tignasse et commis l'imprudence d'une giclée de parfum. Il y avait dans leur démarche le flotté particulier des couples sur qui murmure la peau toute proche, le désir agité tantôt, mal encore refermé. La soirée entrait en eux comme la première haleine de printemps. On profitait du nous.

*
* *

Courir, plaquer, lancer en touche, gueuler à Félix qu'il vaut mieux jouer au près, la tête qui prend un immeuble, se relever, remettre la tronche en pleine guerre, gicler dans le bide du mariole, et puis, clac, se martyriser les ligaments dans un regroupement, et puis se prendre la charge d'un camion en pleine face, se relever, recourir, reproposer, comme ils disaient, sa solution, hop, passe, pivot, pas le droit de laisser le bourdonnement s'emparer de la tronche, surtout, ne pas laisser le cœur redescendre, ne pas relâcher sa rage, sinon l'épuisement. C'est eux qui sont à l'attaque. Du coup, on est toujours à la ramasse et c'est contre nous que ça siffle. Ils nous ont mis deux pénalités et nous rien. 6-0. Faudrait faire quelque chose, mais le premier qui tente un coup se fait envoyer dans la tribune. Ça reste au ras. Au combat. C'est ce qu'on appelle un match fermé.

*
* *

Une poignée de trentenaires, du pas mal du tout à l'assez vilain. Si tant est que Fénimore ait bien suivi, c'est la plus jolie qui est célibataire et les moins inspirantes qui brandissent des marmots.

L'une, à lunettes marquées, signale que l'ingénuité ne l'impressionne pas d'un pli de la lèvre, l'autre parle comme si elle piquait un sprint à chaque phrase, celle-ci est toute douceur, joue sur la main, la dernière fait tomber ses sentiments sur un coup de menton et une phrase bien sentie.

Casilde a scotché un prénom à chacune de ces physionomies, mais Fénimore les appellera « tu » toute la soirée, trop certain d'être pris en défaut s'il essaie de baptiser, et convaincu qu'elles en feront un drame. La maman aux opinions sans appel ne lui fera d'ailleurs pas faute de souligner son état civil chaque fois qu'il aura l'imprudence de dire quelque chose qu'elle pourra croire lui être adressé. Elle y gagnera de rester dans la mémoire de Fénimore sous le nom de « Béatrice », pas forcément rangée dans les grands souvenirs. Il a aussi compris qu'elle était prof, ce qui ne change pas sa perception de l'espace-temps.

Il entend ronfler sans discontinuer la machine à évaluer. Il se doute que son ventre d'amoureux des godets, son gras au menton qui poisse son visage, ses yeux rentrés, ses rides naissantes le rangent dans les « on ne sait pas ce qu'elle lui trouve ». Il ne se doute donc pas que le bilan peu flatteur que lui tire son miroir est assez loin de ce que les femmes attrapent de lui et qui tient dans une impression de force bizarrement troublée de gentillesse, une détermination virile, qui laisse çà et là apparaître une tête dans la lune. Il se tient en tout cas à sa règle de retrait, et les filles croiront à une timidité qu'elles ne détestent pas.

La soirée va son train dans ce joli petit restaurant, dont on lui a appris qu'il était le repaire de la bande. Très fière de sa propriété sur l'endroit, Béatrice lui a dit :

— Tu sais, Fénimore, c'est un vrai privilège de dîner ici avec nous.

Puis il entend grincer des chenilles de char dans le ton qu'elle emploie d'un coup :

— Tu sais s'il y a beaucoup de Fénimore ?

L'Enquêteur Garamande comprend qu'il vaut mieux s'abstenir de répondre : « Je connais au moins Fénimore Cooper », parce qu'il est certain qu'elle le prendra comme une attaque, surtout qu'il la croit bien capable d'enseigner les lettres. Lui revient, avant de dire : « Non » que Casilde a désigné la peau de vache comme sa meilleure amie, « la plus cool », « la plus sympa », « vraiment très marrante ».

— Non, parce que j'ai une nouvelle collègue, Adélaïde, qui m'a parlé d'un Fénimore. Ça te dit quelque chose ?

Le topo : la copine qui veut protéger sa pure colombe de l'aigle salopard et lui balance un caillou bien en vue de celle qu'il aime. Il va falloir du répondant à rapière pour remettre cette emmerdeuse à sa place sans lui découper trop la tronche, Casilde oblige. Fénimore dit alors, sur un ton qui clôt le sujet :

— Je n'ai jamais eu l'indiscrétion de demander à Adélaïde ce qu'elle raconte à ses amies.

Fénimore ne se décerne pas de félicitations pour cette réplique, franchement moyenne.

*
* *

Il reste peut-être une minute à jouer, et Marlimbes mène. 12 à 9. Macaire ne voit pas par quel putain de miracle on pourrait gagner ce match. C'est comme ça : on va perdre comme des brêles, par quatre pénalités à trois.

L'arbitre vient d'accorder une mêlée, mais on est assez loin.

Surtout, ça fait cinq fois qu'on essaie de les enfoncer et qu'on n'y arrive pas.

Sont cons, sont nuls, mais sont quand même pas assez demeurés pour pas savoir conserver le résultat si près du but. Sgabardane va nous découper à la scie-sauteuse.

Pour l'instant, c'est Valdafin qui hurle :

— Allez, vous me les défoncez ! On peut encore gagner ! Flotonnerre-marche, allez, Flotonnerre-marche !

On se lie. Gabar dit :

— Merde, maintenant, fait chier !

L'arbitre lui réplique :

— FLEXION ! STOP ! TOUCHEZ ! ENTREZ !

L'impact est sans bavure et Valdafin a pas traîné pour introduire. Macaire a juste le temps d'envoyer le pied. Le boulot est fait, on a la balle. Mais les autres ont poussé vers le haut d'un coup.

C'est pour ça qu'on s'est relevé dans un grand craquement de fractures.

Et c'est grâce à ce redressement douloureux que Macaire voit le ballon que Trinquetaille vient de frapper s'élever dans les airs. Geste comme un coup de dés, geste qui confie le verdict à la volonté croisée du ciel, de l'ovale et du sol.

Bien tapé. Elle va tomber tout près de leur ligne d'essai, sur une aile où Marlimbes n'a pas de défenseur.

Sur ce côté, c'est à Bodombin de jouer.

Il n'est pas assez près pour l'avoir au vol. Alors ça va dépendre du rebond.

Si tout se passe comme dans la grâce, il n'aura qu'à récupérer pour planter l'essai.

Tout va dépendre de la façon dont le ballon va rire en retombant.

*
* *

Les fourchettes grattent la consternation quand un portable sonne. Fénimore s'excuse en regardant l'écran de son téléphone. Il voit Béatrice lever les yeux au ciel. Mais elle n'a pas le temps de dire :

— On éteint son portable quand on est au restaurant,

parce que Fénimore articule :

— Allô ?

— Allô, Enquêteur Garamande ?

— Oui.

— Justin Lambertine à l'appareil. Désolé de vous déranger.

*
* *

Et c'est une plaisanterie qui s'élève dans l'air, c'est le ballon qui saute bien droit après avoir touché l'herbe, c'est Foulques qui, souple et limpide, reçoit la balle sans bavure, court quelques foulées, et dépose sans sourciller le cuir en terre promise. Et il continue sa course sans poing levé rageur. Il n'a pas de regard pour la petite tribune devant laquelle il vient de planter la victoire.

*
* *

— Voilà. Je suis chez la Procureure Glazère. Elle m'a demandé de vous appeler. Elle ne peut pas vous parler. Elle est bouleversée. Voilà. On vient de retrouver un corps au milieu de son salon. Nu. Sans vie. Portant plusieurs morsures. Il y a quatre serpents morts sur la dépouille. Et puis une petite carte attachée à la queue de l'un d'eux. Je vous la lis ?

— Qu'est-ce que c'est, Fénimore ?

— Attends. Allez-y, monsieur le Commissaire.

— Ça commence par de l'alphabet grec. Après, y a ça :

L'HOMME DANS LA NUIT S'ALLUME UNE LUMIÈRE ; IL EST MORT POUR LUI-MÊME, LES YEUX FERMÉS. BIEN QUE VIVANT, IL TOUCHE, LES YEUX FERMÉS ET ENDORMI, À CE QUI EST MORT ; BIEN QU'ÉVEILLÉ, IL TOUCHE À CE QUI DORT.

*

* *

L'Enquêteur Garamande raccroche. À cet instant, un grand hurlement s'élève dans la rue. Trois ou quatre types avinés à la sortie du bar d'en face gueulent des choses comme : « Trop fort. On vous aime, les gars, on vous aime ! »

Fénimore comprend qu'ils fêtent une performance des Outrenoirs. Et un commentaire se détache de son étourdissement. Il ne sait pas comment il peut penser une chose pareille à un moment pareil, mais la phrase retentit nettement en lui. L'amour n'est pas une réussite.

MARLIMBES –VOLMENEUR

12   16

VOLMENEUR EST TROISIÈME
DU CHAMPIONNAT

À SUIVRE

Ceci dit pour les lecteurs d'*Amende honorable*, l'action du présent livre se déroule neuf années *avant* la mort du Sénateur Grabure, donc un peu plus de vingt-quatre ans *avant* le dénouement de nos dernières aventures.

Dettes

Je tiens d'abord à signaler que, pour ne pas faire d'erreurs et m'éviter une foule de calculs pour lesquels je n'ai aucune aptitude, je me suis servi, à deux ou trois exceptions près, des résultats du Biarritz Olympique durant la saison 2006 – 2007 pour les matchs de Volmeneur. Toutefois, le déroulement précis des rencontres, la personnalité des joueurs, leur aspect, tout comme la vie quotidienne et l'âme du club décrit dans ces pages, sont, bien entendu, de mon fait. Les adversaires du XV de Volmeneur, tout comme les villes qu'ils représentent, sont également des vues de ma fantaisie, détachées de toute références.

Je veux ensuite rendre hommage à tous ceux que j'ai pillés pour essayer d'évoquer dignement un sport que j'aime de toutes mes tripes. Je veux citer, pour la presse, le *Midi Olympique*, feu l'hebdomadaire *Rugby hebdo* et *L'Équipe*, bien sûr. J'ai aussi beaucoup écouté le *Moscato show*, *Viril, mais correct*, *À vos marques* sur RMC Info, la défunte émission *Mêlée ouverte* sur Europe 1, *Rugby et compagnie* sur Sud-Radio, ainsi que *Le Rugby ou le mystère de la balle ovale* de Marion Thiba. Pour la télévision, l'excellent documentaire réalisé par Canal + pour la diffusion de son 500e match du championnat de France de rugby a été pour moi une mine d'ambiances et de vérité.

En ce qui concerne les livres, voici les principaux : aux éditions Prolongations, *La Mêlée* de Serge Simon ; aux éditions Midi-Olympique, *L'Arrière* et *Le Pilier* ; chez Amphira *Rugby, Formation, préparation et entraînement*, de Lionel Girardi ; chez Plon, *Le Dictionnaire amoureux du rugby*, du grand Daniel Herrero ; chez Panama, *La France du rugby*, de Pierre Ballester et Pascal Maistre ; chez Minerva, *La Fabuleuse Histoire du rugby*, d'Henri Garcia ; chez Calmann-Lévy, le très réussi *Après la mêlée*, de Jean-Christophe Colin ; aux éditions Privat, *Top 14, Confessions d'un mercenaire kiwi*, de John Daniell ; aux éditions Général First, *Le Rugby pour les nuls*, de François Duboisset et Frédéric Viard ; enfin aux éditions de la Table Ronde, *Petits bruits de couloir*, de Philippe Guillard ; *Le Rugby, c'est un monde*, de Jean Lacouture, *La Peau des Springboks*, de Denis Lalanne, *Légendes d'ovalie*, de Benoît Campistrous et Jean Lapoujade. Enfin, j'ai attrapé de fières chandelles tapées par les sites Internet www.itsrugby.fr, www.rugbyrama.fr et www.bo-pb.com.

Ce roman dans sa globalité doit énormément au *Jeu comme symbole du monde* d'Eugen Fink, dans la traduction de Hans Hildenbrand et Alex Lindenberg, aux Éditions de minuit.

En ce qui concerne la mythologie, je me serai rapporté continuellement aux *Mythes grecs* de Robert Graves, publiés, par la Librairie Fayard, sans toutefois m'inspirer de ses conclusions anthropologiques. Par ailleurs, *L'Univers, les dieux, les hommes*, de Jean-Pierre Vernant, aura été une lecture fondatrice.

Quittant les rayons de ma bibliothèque, je veux dire mon affection extrême et ma gratitude à ceux qui ont eu le courage de lire le premier jet de ce livre, et qui m'ont aidé par leurs remarques à l'améliorer. Il s'agit de Marie-Annick et Yves Capron, de Christian Pouillon, de Louise et Louis Vilain, de Mehdi Koudjeti. Grands annotateurs, inflexibles impatients quand je leur ai donné la version suivante, Mélanie Cornière et Édouard Pasquelin ont grandi ce roman.

Pour Cécile Reyboz, impossible de plier dans un merci la force que m'a donnée notre partage, la chance d'avoir rencontré l'intelligence et la générosité de son exigence sur ce travail – mais justement, pas que sur ce travail. À défaut, je vais m'offrir le luxe de conseiller vigoureusement à mon lecteur de la lire. Il saura qu'on peut rendre sa peau à tout un monde ; quand on sait recueillir et offrir la minute de vivre.

Chez Flammarion, je voudrais exprimer une fois de plus ma gratitude à Alice d'Andigné. Sa foi a porté mon premier roman. Sa confiance, sa gentillesse, son talent, son soutien m'ont offert sur celui-ci l'inestimable : la liberté de suivre en joie tous mes rebonds. Je salue en outre une nouvelle fois Bernard Lortholary : sa lecture et son approbation sont pour moi plus qu'un plaisir, un honneur. Et toute ma reconnaissance à Marie-Christine Prud'homme dont l'œil avisé de correctrice m'aura évité bien des repentirs.

Je veux ensuite exprimer une très vive et heureuse reconnaissance à ceux qui ont dépensé leur compétence pour donner à ce livre la forme de mon rêve. Nathalie Duval à la fabrication, qui a si bien su donner un visage à mes idées, Grégory Dehooghe à la composition, qui recevra, je l'espère, mes excuses pour chaque cheveu perdu dans l'affaire, Nicolas Wiel enfin, qui, dans le blason du club et la carte de la République, m'a offert l'émotion de voir saisi en deux images cet univers où j'ai tant aimé courir, une balle à la main. Je veux avoir un mot aussi pour Sébastien Fumaroli, attaché de presse d'*Amende honorable*, et qui, au moment où je sortais les caisses pour y ranger des espérances un peu trop vite déballées, a su me dire de ces mots qui rappellent à l'essentiel : écrire, comme si c'était interdit.

Ma dernière dette est, bien entendu, pour le lecteur consciencieux qui va jusqu'au post-scriptum ! Je l'en remercie chaleureusement. En espérant qu'il me fera l'immense plaisir d'être, très bientôt, à la retombée du ballon, lorsque le rideau se lèvera sur la suite de nos aventures.

P.S. : Pour l'édition de poche, je tiens à remercier chez J'ai lu Florence Lottin pour son enthousiasme, sa gentillesse et son excellent travail, ainsi que François Durkheim, dont la création sur la couverture m'a profondément séduit, et honoré.

Œuvres citées

Toutes les citations d'Héraclite d'Éphèse sont données dans la traduction, parfois légèrement simplifiée, établie par Jean-François Pradeau dans son livre *Héraclite, Fragments (citations et témoignages)*, Paris, GF Flammarion, Deuxième édition corrigée, 2004. Pour les fragments :

Page 97 : DK B90/M 54 ; Page 103 : DK B79/M92 ; Page 146 : DK B53/M 29 ; Page 189 : DK B123/M8 ; Page 247 : DK B32/M 84 ; Page 269 : DK B48/M39 ; Page 283 : DK B61/M 35 ; Page 395 : DK B93/M 14 et DKB 62/M 47 ; Page 432 : DK B72/M 4 ; Page 441 : DK B113/ non retenu par M ; Page 462 : DK B85/M 70, l'autre fragment est considéré comme une variante sous les mêmes cotes ; Page 557 : DK B26/M48 ; page 354 : DKB124, M107.

Pages 130-133 : *Psaume CXLVII*, paraphrase de l'auteur, d'après la traduction d'André Chouraqui dans *La Bible*, Paris, Desclée de Brouwer, 2001 (quatrième édition).

Pages 220 et 221 : Fragments du *Chant du Fantassin lyonnais*, dans sa version simplifiée.

Page 328 : Eschyle, *Les Suppliantes*, vers 229-231, dans la traduction de Victor-Henry Debidour, Paris, De Fallois, 1999.

www.baquet.rep[1]

XV DE VOLMENEUR

DONEC NOX

---

1. Extraits du site officiel du Baquet, tribune reine et impitoyable kop du XV de Volmeneur, tels qu'ils se trouvaient en ligne au début de la saison.

LES POSTES DU RUGBY

VALEURS DES ACTIONS

ESSAI : 5 Points
TRANSFORMATION : 2 Points
BUT DE PÉNALITÉ : 3 Points
DROP-GOAL : 3 Points

L'OBTENTION DES POINTS
DANS LE CHAMPIONNAT

MATCH GAGNÉ : 4 Points
MATCH NUL : 2 Points
MATCH PERDU : 0 Point

Un bonus d'un point est attribué en cas de victoire par au moins trois essais de plus que l'adversaire.

Un bonus d'un point est attribué en cas de défaite par 7 Points ou moins que le score obtenu par l'adversaire

DÉROULEMENT DU CHAMPIONNAT

Les quatorze équipes engagées se rencontrent toutes deux fois, lors de matchs aller-retour répartis en deux moitiés de saison.

À l'issue de ces rencontres, les quatre premières équipes sont qualifiées pour les demi-finales du classement qui opposent le premier du classement au troisième et le deuxième au quatrième. Les vainqueurs de ces deux matchs s'affrontent en finale. Lors de ces phases finales, il n'y a pas de match retour.

Les deux derniers des quatorze équipes descendent en championnat inférieur.

L'ÉQUIPE

LES AVANTS OU PACK

On désigne sous ce terme les huit joueurs qui prennent directement part à la mêlée et aux touches. Hommes forts, béliers et murailles d'une équipe, ils sont à la fois responsables de la conquête du ballon et premiers défenseurs quand celui-ci est perdu.

Mensurations impressionnantes, mental de héros toujours prêts aux sacrifices, bienvenue dans le monde des « gros », comme on les appelle, avec affection, et déférence. On parle en général de « huit de devant », mais également de « cinq de devant », quand on veut mettre l'accent sur ces spécialistes de la mêlée fermée que sont les hommes des deux première ligne.

La première ligne – numéros 1, 2, 3

La première ligne est constituée du pilier gauche (numéro 1), du talonneur (numéro 2) et du pilier droit (numéro 3).

En mêlée, c'est la première ligne qui affronte au corps à corps l'adversaire. Elle pousse, tout comme elle reçoit la force de son propre pack pour la diriger, un peu comme les arcs-boutants dans un ouvrage architectural, d'où le terme « pilier de mêlée », avec cette nuance que le pilier droit essaie de démantibuler le ciment adverse, quand le pilier gauche tente de contrecarrer cette tentative du côté de l'adversaire et de protéger la solidarité de sa ligne. Au milieu des deux piliers le talonneur est chargé de réceptionner la balle introduite au sol par son demi de mêlée et de l'expulser vers l'arrière du pack avec son talon – d'où son nom.

En touche, le talonneur lance la balle, tandis que les piliers sont en général chargés de soulever les sauteurs.

Dans le cours du jeu, la première ligne va à l'impact, arrête les premières incursions, pousse dans tous les regroupements spontanés et nettoie, c'est-à-dire protège le coéquipier plaqué en l'enjambant et en repoussant les adversaires qui essaient de contester le ballon.

En constant replacement pour être disponible partout où on a besoin de lui, spécialiste du combat, le joueur de première ligne se définit par sa force et son abnégation.

Les piliers - numéros 1 et 3

Vaast DRAGOULÉMANE
Âge : 31 ans
Taille : 1 mètre 95
Poids : 127 kilos
Nationalité : Borderien
Statut : ANCIEN – 5 saisons

LE COLOSSE DE BORDERIE

C'est officiel depuis la remise des prix du journal *Compétition* pour la saison dernière : Vaast est le meilleur pilier gauche du continent. Arrivé depuis cinq ans au club, quand il fuyait la Révolution Pourpre de Borderie, il n'a pas plus avalé que ses coéquipiers la lourde défaite en finale de la République la saison passée, et il veut rendre hommage à sa ville adoptive par une ribambelle de victoires et un titre cette année. Amoureux d'une Volméenne, juste marié, juste papa, Vaast n'envisage pas de quitter les Côtes de la mer de Courseglobe avant des siècles. À 31 ans, il devrait avoir encore deux ou trois belles saisons devant lui. Deux ou trois ans où nous pourrons profiter du sang-froid avec lequel il démolit les lignes adverses, et la langue républicaine.

Mahmoud MEFULAA
Âge : 29 ans
Taille : 1 mètre 92
Poids : 130 kilos
Nationalité : Républicain
Statut : ANCIEN – 10 saisons

UN CŒUR ET UN CLUB

Les propositions ont eu beau pleuvoir, Mahmoud a décidé de rempiler à Volmeneur, malgré son statut

696

de remplaçant perpétuel. Venu du Faubourg-du-Quai, une identité qu'il porte haut et clair, il commente ainsi son refus de jouer pour d'autres équipes : « *Je suis ici depuis que je suis gamin. On sait tous que Volmeneur est plus qu'un club. On lutte pour une ville en faisant partie des Gardiens. Moi, c'est une identité que j'ai dans le sang. Je veux me battre pour ça et pour rien d'autre.* » Des propos qui iront droit au cœur de toute la ville.

Kétil LAMARSINEINBA
Âge : 31 ans
Taille : 1 mètre 80
Poids : 117 kilos
Nationalité : Alizéen
Statut : ANCIEN – 1 saison

LE CHOC VENU DES ÎLES

Partout, Kétil aurait été un titulaire indiscutable, voire la star de l'équipe. Partout, mais pas à Volmeneur, où les Outrenoirs sont si bien pourvus qu'un grand joueur comme lui peut se retrouver remplaçant d'un Vaast Dragoulémane, une position qu'il admet sans mal « *pour faire partie d'un grand club qui n'a encore rien gagné* ». Après son acclimatation l'an passé, il parle à peu près notre langue, atout qu'il emploie à répandre sa vision de la vie résolument « relaxe » – son mot préféré. Père d'une famille nombreuse, qu'il a préféré laisser sous le ciel clément qui l'a vu naître, Kétil est un grand doux et un pousseur de sérénades alizéennes. Sauf en mêlée, où personne ne l'a entendu chanter, mais où nombreux sont ceux qu'il a fait déchanter !

Irénée HORDRE
Âge : 20 ans
Taille : 1 mètre 87
Poids : 107 kilos

Nationalité : Républicain
Statut : RECRUE – issu de l'Académie

L'ENFANT TERRIBLE

Légende, Irénée ne l'est pas encore… si ce n'est dans les couloirs de l'Académie. Spécialiste des lits en portefeuille et des chambres à coucher déménagées sur les terrains d'entraînement, Irénée n'a cependant pas été retenu au club pour la popularité que lui ont apportée ses frasques. Pilier de caractère, transportant sa science de la plaisanterie jusque sous la poussée des équipes les plus impressionnantes, il est connu pour ses répliques dans le feu de l'action, qui ont le don d'énerver ses adversaires… jusqu'à l'égarement. Convaincant lors de son année de réserve l'an passé, le voici dans le groupe professionnel. Fidèle à son humour, il est venu à la conférence de presse de rentrée avec un banc sous le bras et ce commentaire : « *On fait connaissance. On ne se quittera pas cette année !* »

Marcolin CAGELLAN
Âge : 18 ans
Taille : 1 mètre 85
Poids : 108 kilos
Nationalité : Républicain
Statut : Réserve de l'Académie

LE TEMPS AU TEMPS

Élève appliqué, gros nounours sympathique, Marcolin sait qu'il représente la relève d'un club où son père a marqué les esprits au même poste. Champion du Continent avec la Sélection Républicaine des moins de 20 ans, loué pour sa bravoure et son bon esprit, Marcolin se dit honoré d'être la réserve des piliers gauches cette année. Écoutons-le : « *Je prends cette année comme une chance. J'ai encore le droit à l'erreur. Il faut savoir profiter de ces périodes de test et laisser le temps au temps.* » La sagesse n'attend donc pas le nombre des années !

3 Gabar de Galfatasse

Âge : 29 ans
Taille : 1 mètre 90
Poids : 122 kilos
Nationalité : Républicain
Statut : ANCIEN – 9 saisons

GENTILHOMME DE FORTUNE

Il refuse de s'exprimer en public. Pourtant, sa légende est bavarde. On dit de lui qu'il vous plie à l'impact sans pousser un soupir. Combattant sans peur et sans scrupule, cet enfant de Volmeneur rentré à l'Académie à sept ans est le dernier d'une lignée de capitaines de vaisseau et de spécialistes de l'abordage qui ont envoyé par le fond d'innombrables navires. Mystérieux, appréciant ce rôle d'homme de l'ombre tenu par le pilier, il est réputé comme un des meilleurs joueurs de rugby de la planète, tout en ayant toujours refusé ses sélections dans le XV de la République, pour des raisons idéologiques. Une chose est sûre : il relève le défi que ses ancêtres lui ont lancé.

Heldrad VOERS
Âge : 32 ans
Taille : 1 mètre 86
Poids : 116 kilos
Nationalité : Brabandézien
Statut : RECRUE

UNE ÉTOILE PARMI NOUS

Les dirigeants nous avaient promis du lourd pour le recrutement, et ils nous ont ramené une perle. Champion du monde avec le XV de Brabandézie, capitaine de la sélection qui a remporté les deux dernières Coupes des Trois-Détroits, Heldrad a décidé de venir poser ses crampons à Volmeneur pour ce qui devrait être sa dernière saison « *avec impatience et enthousiasme* ». Réputé pour son ardeur à la tâche et ses qualités de meneur d'hommes, le moins qu'on puisse dire est que son statut de remplaçant de Gabar de Galfatasse n'est pas gravé dans le marbre. Une rivalité farouche s'annonce-t-elle pour la titularisation du pilier droit ? Allons, abondance de biens ne nuit pas.

Damase FÉVRIALDIN
Âge : 35 ans
Taille : 1 mètre 77
Poids : 110 kilos
Nationalité : Républicain
Statut : ANCIEN – 13 saisons

L'ANCIEN SE PORTE BIEN

Ne lui parlez pas de son âge… il en rirait avec vous. L'enfant du pays est devenu un père de six enfants, et il est heureux. Connaissant tout du club, Damase est fier d'avoir donné l'ensemble de sa carrière aux Outrenoirs. Premier à dispenser ses conseils aux jeunes, premier aussi à se familiariser avec les nouvelles technologies « *pour fiche leur pâtée aux mioches* », il se dit certain d'avoir encore de belles choses à offrir sur le terrain. Une foi qu'il résume dans cette formule : « Il y a deux ou trois piliers adverses qui vont entendre parler de ma pension vieillesse ! »

Olivier MALENCE
Âge : 18 ans
Taille : 1 mètre 82
Poids : 125 kilos
Nationalité : Républicain
Statut : Réserve de l'Académie

AU RÉGIME !

Rencontré, comme tous ses copains de la réserve, lors de la conférence de presse de rentrée, cet avant nous a surtout fait penser aux petits gros des cours de récréation, qui font, comme chacun sait, de mauvais athlètes. Gavé au pain au chocolat depuis sa tendre enfance, ce jeune homme devra souffrir sous les haltères pour espérer se tenir debout dans une rencontre professionnelle. Et puis sa bouille souriante et sa façon d'exprimer sa joie de passer semi-pro : « *Je fais ça pour ma mère, elle va être si fière* » – nous ont paru un peu décalées par rapport au rôle d'assassin systématique que doit assumer le pilier droit. On verra si La-Claque saura tirer de ce gabarit effarant des arguments pour servir Volmeneur.

Les talonneurs - numéro 2

2 Macaire Daquin
Âge : 31 ans
Taille : 1 mètre 83
Poids : 106 kilos
Nationalité : Républicain
Statut : ANCIEN – 3 saisons

FORT EN GUEULE

Jamais content, il le dit haut et fort : « *C'est mon heure.* » Une belle détermination chez ce très grand joueur, venu de l'ennemi. Formé en effet à Pitiébourg et pièce maîtresse de « l'autre XV de la Province du Marchaunoir » pendant des années, Macaire ne s'est pas encore imposé de façon indiscutable depuis qu'il est arrivé ici il y a trois ans. On n'a pas le temps de résumer ici ses coups de gueule, ses bagarres et ses virées. Disons qu'on ne doute pas qu'il fera cette année encore parler sa virulence.

Baruch Klédinstein
Âge : 27 ans

Taille : 1 mètre 82
Poids : 107 kilos
Nationalité : Républicain
Statut : ANCIEN – 3 saisons

HOMME DE FOI

On le sait, il l'a dit, le rugby est pour lui une parenthèse dans une vie qu'il destine à Dieu, bien décidé qu'il est à devenir rabbin à l'issue de sa carrière. Il lui en aura fallu, de la volonté et de la méditation pour décider de devenir professionnel, ce qui revient à rompre le sabbat neuf mois par an. Rencontre déterminante : celle de son maître spirituel libéral, qui lui a fait accepter l'idée de servir sa foi sur les pelouses et de suspendre quelques années l'observance stricte de sa religion. Joueur ultradoué, son exemple a inspiré d'autres joueurs de la communauté juive. Qui ont trouvé en lui un précurseur et un maître.

Auxence DAMVEAU
Âge : 19 ans
Taille : 1 mètre 73
Poids : 107 kilos
Nationalité : Républicain
Statut : Réserve de l'Académie

UN MODESTE AMBITIEUX

Au niveau, Auxence a conscience de ne pas y être encore. Talonneur sérieux, il ne possède pas pour l'instant ce brillant qui amène les sélectionneurs nationaux à vous appeler « espoir ». Mais sa désignation à la réserve le ravit. « *Je sais que je peux acquérir ce talent qu'on prétend inné. Laissez-moi au contact des grands, et vous verrez.* » Une promesse qui a parfois été tenue, mais qui a le plus souvent sombré dans l'anonymat des prodiges annoncés, très vite recyclés en modestes praticiens du dimanche.

La deuxième ligne – numéros 4 et 5

Si les premières lignes sont les piliers de l'édifice mêlée, les deuxièmes lignes en sont les poutres, au sens où ils assurent une grande partie de la poussée. Géants placés juste derrière la première ligne en mêlée, ils donnent la force nécessaire pour avancer ou ne pas reculer. Plaqueurs dans les phases de jeu et grands soutiens dans les points de fixation, ils sont primordiaux en touche, où ils sont chargés de faire parler leur détente pour attraper le ballon dans les airs. Nantis du même rôle sur les renvois et le jeu aérien, les deuxième ligne doivent donc savoir aller haut, mais aussi faire parler leur instinct pour que les adversaires ne puissent pas anticiper sur leurs interventions aériennes décisives.

4 / 5

Jacob THÉOVITTE
Âge : 30 ans
Taille : 1 mètre 99
Poids : 115 kILOS
Nationalité : Républicain
Statut : ANCIEN – 3 saisons

L'HOMME EN FORME

Ne serait-ce que pour Jacob, on ne remerciera jamais assez Baruch Klédinstein d'avoir drainé derrière lui les « Feujs » de Volmeneur. Arrivé il y a trois ans avec son coreligionnaire, Jacob est depuis resté vissé à la deuxième ligne, tant chez les Outrenoirs qu'au sein du XV Républicain. Que dire, sinon qu'il n'a jamais déçu, et qu'il nous émerveille ? Blessé l'an passé au moment de la finale, on pense que son absence fut pour beaucoup dans la défaite… Une seule solution pour survoler ce géant, lui laisser la parole : « *Mon but est de gagner enfin le championnat, après ces dix finales perdues dans l'histoire du club. Pour la ville, et pour ce magnifique public qui nous donne son espoir et sa foi.* » On te les confie en toute confiance, Jacob.

Désiré CALFIN
Âge : 32 ans
Taille : 2 mètres 02
Poids : 113 kilos
Nationalité : Républicain
Statut : ANCIEN – 10 saisons

CÔTE À CÔTE

Entre Jacob et Désiré, cela va au-delà de la complicité, au-delà de l'amitié même. Quand il a vu arriver ce grand et solide génie qui prit la place de son ancien complice Drevard, Désiré s'est mis en tête de l'adopter à la deuxième ligne, plus que de l'accueillir. Depuis, ils forment la paire la plus soudée du championnat. Pas toujours sélectionné pour la République, Désiré n'oublie jamais d'adresser à son comparse un peu plus doué ses encouragements et sa chaleur. Un chic type, doublé d'un combattant hors pair, qui a encaissé sans broncher les accusations de n'avoir pas été à la hauteur de son siamois lors de la finale, et qui aura sans doute à cœur de prouver sa valeur tout au long de cette saison.

Sébald LESCARBORDE
Âge : 29 ans
Taille : 2 mètres
Poids : 118 kilos
Nationalité : Volsquin
Statut : RECRUE

BIENVENUE, MONSIEUR L'ENNEMI

En voilà un qui arrive avec une réputation d'assassin pas piquée des vers. Bourreau de la République avec la Sélection de Volsquie lors des matchs du Tournoi des Trois-Territoires, Sébald Lescarborde est parti de son pays escorté par les huées de son peuple pour retrouver à Volmeneur celles qu'a toujours inspirées son style de jeu, plutôt rugueux sur l'homme quand il affrontait le XV national. Mais populaires, les héros ne le sont pas toujours, et force est de constater que le « metteur au poing » volsquin a plus apporté aux équipes dans lesquelles il a joué qu'il n'a retirées, au fameux « esprit du rugby ». On est en tout cas satisfait de le compter dans nos rangs. Le brigand est de ces hommes qu'il vaut mieux avoir pour soi que contre soi.

Sulpice PONNDA
Âge : 21 ans
Taille : 1 mètre 97
Poids : 114 kilos
Nationalité : Volsquin
Statut : RECRUE

LA VOIE DE SON MAÎTRE

Imposé par M. Lescarborde soi-même, qui n'a accepté de signer qu'à condition qu'on recrute avec lui son comparse, on sait très peu de chose à propos de ce joueur qui était, paraît-il, un des espoirs du club phare de Volsquie, Brigondia. Après l'opération procédurale agaçante de son mentor, Sulpice est attendu de pied ferme. Et non sans humeur.

Terce HACHETTE
Âge : 29 ans
Taille : 1 mètre 99
Poids : 112 kilos
Nationalité : Brabandézien
Statut : RECRUE

COMME UN ROC

Ne le dites pas tranchant, il ne verrait pas le jeu de mots. Fermier de son état – ça ne s'invente pas – en

Brabandézie, Terce ne connaît pas encore notre langue. Mais il arrive chargé des meilleures intentions, pour lesquelles plaident ses nombreuses sélections avec le XV brabandézien, mais aussi sa réputation d'inlassable abatteur de gros œuvre dans son ancien club de Liner. Voici un homme qui veut profiter de notre air marin, de notre rude climat et de notre grand club pour se relancer à 29 ans. Que sa réussite soit la nôtre.

Ysis PARLEDAUQUIN
Âge : 19 ans
Taille : 2 mètres 02
Poids : 118 kilos
Nationalité : Républicain
Statut : Réserve de l'Académie

UN PIED SUR LA PELOUSE
À un poste où les blessures sont nombreuses, Ysis a conscience d'être dans une réserve dont il sortira vite. Ravi de ce statut privilégié de jeune qui a des chances de jouer en première, il présente un front fier à cette saison. Une habitude pour ce fils de patron de pêche, qui aimerait tâter du filet après le rugby. Pour être digne de ces deux rêves, il sait qu'il lui faudra faire preuve de courage toujours et, dès aujourd'hui, de culot.

Pamphile ZALIN
Âge : 19 ans
Taille : 2 mètres 02
Poids : 95 kilos
Nationalité : Républicain
Statut : Réserve de l'Académie

TOUR DE CONTRÔLE TOUS AZIMUTS
Quand on lui demande son poste de prédilection, le jeune homme laisse la perplexité s'installer sur sa grande face à l'immense sourire. Lui, il saute haut et

il est puissant. Voilà ce qu'on lui a dit, voilà ce qu'il sait. « *Le coach m'a annoncé que j'aurais peut-être des chances de me distinguer en deuxième ligne, ou en troisième ligne, je ne sais plus.* » Une polyvalence qui dit à elle seule les dons exceptionnels de cet espoir natif du Faubourg-de-la-Criée. Il pique un fard quand on le flatte. « *Si je joue, il faudra surtout que je fasse gaffe à ne pas être ridicule.* »

La troisième ligne – numéros 6, 7 et 8

Répartis en troisième ligne aile (6 à gauche de la mêlée ; 7 à droite) et troisième ligne centre (8), ces postes sont certainement les plus exigeants et les plus complets du rugby. Possédant des qualités de pousseurs en mêlée (dont le troisième ligne centre est un peu la tour de contrôle et dans laquelle il est la plupart du temps responsable de la sortie du ballon) et de sauteurs ou soutiens en touche, chargés de suivre le ballon partout où il ira pour être les premiers relayeurs d'une offensive en tant que franchisseurs principaux, voire pour en poser le point final, cisailleurs des attaquants adverses en défense, l'entraîneur ne pardonnera pas à ses troisième ligne de ne pas être les premiers sur une action. Arpentant le terrain pour n'être jamais pris en défaut, on les appelle parfois les « essuie-glaces ». Des athlètes accomplis.

6 Sixte DARSSIN
Âge : 33 ans
Taille : 1 mètre 82
Poids : 92 kilos
Nationalité : Républicain
Statut : ANCIEN – 14 saisons

LE GUERRIER REMET L'ARMISTICE À PLUS TARD
Il inspire la peur, puis tout de suite après le coup de sifflet final, le respect. Plaqueur infatigable, écu-

meur des terrains et canonnier impitoyable des incursions d'en face, marathonien de l'attaque, Sixte est une star, un des plus grands joueurs que la République ait vu naître. Légende de son Faubourg-du-Bagne natal, orgueil de la formation de Volmeneur – pourtant une des plus grandes académies rugbystiques du monde –, cet homme qui prêche d'exemple a tout gagné : la Coupe du monde, la Coupe du Continent, les Trois-Territoires plus de quatre fois, « *tout sauf le championnat républicain* », dit-il dans un rictus qui empêcherait ses adversaires de dormir. « *Et je vous préviens, je ne raccrocherai que lorsque je pourrai ajouter le titre à mon palmarès.* » Nous voici déchirés : entre l'espoir d'enfin s'imposer dans la République après dix finales malheureuses et la douleur de te voir partir. Gagne, va. On saura te retenir.

Myrtil PAHONTAS
Âge : 23 ans
Taille : 2 mètres 01
Poids : 114 kilos
Nationalité : VOLSQUIN
Statut : ANCIEN – 1 saison

EN QUÊTE DE RACHAT

Beaucoup moins en vue que son compatriote Lescarborde, jamais titularisé avec la Volsquie, il faut bien dire que Pahontas a rendu lors de la finale une des copies les plus crasseuses qu'on ait vues en championnat. Difficile de nier sa responsabilité dans la déroute – sa prestation en touche tenait du scandale ; non moins difficile cependant de prétendre qu'un match peut se perdre seul. Reste que le recrutement cette saison en troisième ligne est un message clair de la part du staff : on le voulait dehors. Mais il s'accroche. « *Je ne suis pas du genre à me résigner. Et j'ai un contrat.* » Il reste donc des nôtres. Et peut être certain que le Baquet ne lui fera pas de cadeau. Bon courage, monsieur Pahontas.

Xante LEBERNIN
Âge : 19 ans
Taille : 1 mètre 90
Poids : 88 kilos
Nationalité : Républicain
Statut : Réserve de l'Académie

PHILOSOPHE

« *Vous devriez lire mes compositions, à peine le niveau coloriage !* », rigole-t-il quand on lui lance l'adjectif. Et pourtant, philosophe, c'est bien ce qu'est Xante, qui dit : « *Vu les talents qu'il y a au club à mon poste, je jouerai peut-être dans une vingtaine de saisons !* » Digne des stoïciens, ce solide garçon prend donc son mal en patience et refuse l'idée d'aller voir ailleurs s'il y a plus d'espoir. « *Avant d'être le premier dans son village ou le deuxième à Rome, il faut accepter d'apprendre en étant le dixième dans son immeuble.* » Philosophe, décidément !

7 Yann HURLAR
Âge : 24 ans
Taille : 1 mètre 90
Poids : 95 kilos
Nationalité : Républicain
Statut : ANCIEN – 3 saisons

RESPECT

Crinière de lion, courage qui ne rougit pas de la comparaison, pistard de malhonnêtes infiltrés, Yann, comme il dit, « déchire grave ». Avec son pote du Faubourg-du-Quai, Mahmoud Mefulaa, il incarne l'école rugbystique des banlieusards affamés. Pourtant opposé aux plus grands pour conquérir sa place, le voilà titulaire à presque tous les matchs. Grand dévideur de basse, fou de rap, Yann vit la réussite à laquelle aspirent les jeunes les plus irréalistes.

Barnabé BENDARKI
Âge : 25 ans
Taille : 1 mètre 93
Poids : 103 kilos
Nationalité : Ostarien
Statut : RECRUE

L'HOMME DE NULLE PART

Une aventure pas banale. Ce jour-là, Barnabé se fait plaisir avec l'équipe de son village, au fin fond de l'Ostarie. Généreux, enchaînant les beaux gestes comme seuls peuvent le faire ceux qui jouent pour humecter des yeux doux, il ignore qu'un Volméeen en vacances assiste à ses plaisanteries, savoir notre La-Claque, qui clame depuis des années : « *On manque de troisième ligne fluides !* » Subjugué, le patron de l'Académie remue ciel et terre. Devant son insistance et les services rendus, on accepte de prendre le gaillard à l'essai. Qui nous arrive donc de nulle part défier le haut niveau, avec bagages et famille. Taillé pour le conte de fées, l'inconnu nous promet un de ces scénarios dont nous raffolons. Où l'homme qui sort de l'ombre rentre dans la lumière comme un seigneur.

Sidon MING
Âge : 18 ans
Taille : 1 mètre 92
Poids : 111 kilos
Nationalité : Républicain
Statut : Réserve de l'Académie

MORAL DE VÉTÉRAN

« *Si La-Claque était pas si bon, je serais déjà dans le train.* » L'espoir du Faubourg-des-Terres est catégorique : sans le génial patron de l'Académie, il tenterait sa chance ailleurs. « *J'ai conscience d'avoir encore à apprendre, et ici, vous avez tout simplement le meilleur prof.* » Honoré d'être désigné réserve pour le numéro 7, il ne se fait pas d'illusions. « *C'est un honneur, une sorte de médaille, mais ça veut aussi dire que je vais servir de déco, parce qu'à Volmeneur, en troisième ligne, on n'a pas besoin de novices.* » Ce serait si drôle de prendre cette modestie au (faux) rebond…

8 Iker DELAVENTIN
Âge : 27 ans
Taille : 1 mètre 92
Poids : 105 kilos
Nationalité : Républicain
Statut : ANCIEN – 7 saisons

PROPHÈTE EN SON PAYS

On l'aime. Il est le symbole du Marchaunoir dans toute la République. Issu une famille d'amoureux de Volmeneur, fils d'universitaire qui a le bon sens d'enseigner que sa Province est tout simplement la plus belle qui soit, Iker incarne plus que tout autre – dans ce XV qui compte un grand nombre de « régionaux » dans ses rangs –, la terre, le foyer. Est-ce pour cela, est-ce pour mieux porter cette nuit contre laquelle nous ne cesserons jamais de nous révolter qu'il est parfois indiscipliné, rebelle toujours ? Espoir de la Sélection Républicaine, chéri de Volmeneur, on attend de lui, enfin, une saison incontestable. Alors Iker, le Marchaunoir sera à tes pieds.

Thalalé JOLSSIN
Âge : 34 ans
Taille : 1 mètre 88
Poids : 110 kilos
Nationalité : Républicain
Statut : RECRUE

Gloire de Crazié au temps de ses années studieuses, ancien capitaine du Garamène des trois titres, ancien capitaine du Capitale qui a été champion de la République quatre fois ces cinq dernières années, capitaine de la Sélection républicaine de tous les succès où il côtoya Sixte Darssin, Thalalé Jolssin arrive à Volmeneur comme un saint dans son village. Originaire du Marchaunoir, mais fils de militaire, il a grandi à l'étranger, et fait finalement profiter d'autres Provinces de sa grandeur d'âme et de son talent. Athlète accompli, c'est aussi une grosse tête qui a fait de brillantes études à la fameuse Université de Crazié et qui veut devenir Professeur de Philosophie quand il aura raccroché les crampons. Pourquoi ne pas faire la nique aux érudits des montagnes et venir partager sa science dans la fameuse Académie de Volmeneur ? Il ne dit pas non. Pour l'heure, il indique que, marié à une Marchoise, une Volméenne même, il a consenti à ce retour au pays « *pour elle. Mais aussi pour faire partie de la légende. Celle qui me faisait écarquiller les yeux quand j'étais enfant et que mon père nous racontait le phare, le* Donec nox *et les Gardiens. Je suis devenu rugbyman par admiration pour Volmeneur, le plus grand club de rugby que je connaisse, malgré l'absence de titres. Alors, avoir la chance d'y jouer pour la fin de ma carrière, c'est tout simplement un rêve qui devient réalité.* » Et pour nous un honneur, la vertu que nous préférons.

Hector FU-NI-SHUE
Âge : 18 ans
Taille : 1 mètre 95
Poids : 101 kilos
Nationalité : Républicain
Statut : Réserve de l'Académie

Comme son pote Ming, du Faubourg-des-Terres, Hector se doute qu'il ne jouera qu'en espoir, mais contrairement à lui, il en a les yeux qui brillent : « *Je vais porter le maillot outrenoir, je vais partager quelques entrainements avec des types comme Darssin et avec le héros de mon poste, Jolssin. Non, mais, vous avez vu l'effectif ? Et puis, moi et ma famille, on n'est pas peu fier, parce qu'on aime cette ville et toutes les histoires qu'on raconte sur elle.* » Avec ce genre de discours, Hector, on te trouvera une place au bout de la table ou de la mêlée ; un jour ou l'autre.

LES TROIS-QUARTS

La charnière

On les appelle aussi les demis, en référence aux deux intitulés de leurs postes et parce qu'ils sont à la fois dans et hors de leurs lignes, parties prenantes, et au-dessus de la mêlée. Responsables de la liaison entre les avants et les arrières, ils sont les grands organisateurs, les décideurs, les interprètes et chefs de la ligne d'attaque. Techniques et physiques, ils sont surtout des lecteurs du jeu, des meneurs d'hommes aussi, puisque le demi de mêlée est considéré comme le patron des avants, et le demi d'ouverture, comme celui des arrières.

Le demi de mêlée – numéro 9

Petit caporal, crieur d'ordres, stratège des touches et des mêlées, le demi de mêlée est un homme d'autorité et de faconde, qui se distingue souvent par son petit gabarit, car il est aussi le coquin qui passe dans des trous de souris. Souvent chargé de plaquer juste derrière ses gros, harcelant son vis-à-vis chaque fois qu'il le peut, toujours en déplacement pour se porter partout où la balle peut sortir et être exploitée, le demi de mêlée fait partie de la fameuse colonne vertébrale d'une équipe (2, 8, 9, 10, 15), et, de ces vertèbres, il est sans doute la plus proche du cerveau.

9 Félix VALDAFIN
Âge : 27 ans
Taille : 1 mètre 78
Poids : 80 kilos
Nationalité : Républicain
Statut : ANCIEN – 7 saisons

UN GRAND, TOUT SIMPLEMENT

Le type à qui on ne sait jamais quoi offrir, parce qu'il a déjà tout ! Nerfs imprenables, œil de lynx, machine à recadrer les avants avec record de décibels à la clef, il est le cerveau retors et l'athlète qu'on idéalise à son poste. Supplié par tous les clubs de la planète, il est resté fidèle au XV qui l'a formé. Parce que c'est un homme droit. Sans fioriture, il promet : « *Cette année, on sera champions.* »

Corentin DIMBIEL
Âge : 24 ans
Taille : 1 mètre 82
Poids : 82 kilos
Nationalité : Républicain
Statut : ANCIEN – 4 saisons

DOUBLURE EN SOIE

À Volmeneur, quand il n'y a plus de caviar, on se rabat sur le foie gras ! Vous adorez Valdafin ? Alors vous aimerez Dimbiel, la seule doublure du championnat qui soit systématiquement appelée en XV de la République : un joueur tellement doué qu'on soupçonne le coach de chauvinisme quand il préfère Valdafin à ce grand stratège ! Monstre de talent et d'humilité, Dimbiel n'a jamais menacé de partir, mal-

714

gré son statut d'« immigré » de l'Académie de Garamène. Pourquoi rester ? « *Parce que, lorsqu'on a la
chance de jouer pour une telle ville, on se fout de l'étiquette de titulaire ou de remplaçant qu'on colle à cette
chance. Et puis Félix est un si bon joueur...* » Autant
dire que Corentin sait rester à sa place. Celle du
prince.

Isidore VALDAFIN
Âge : 18 ans
Taille : 1 mètre 80
Poids : 75 kilos
Nationalité : Républicain
Statut : Réserve de l'Académie

CADET SANS SOUCI

Vachards, ses copains l'ont surnommé « Valdafin
le petit », un surnom qui a fini en le « Petit », tout
court, tant la gentillesse du bonhomme, et son talent
ont dissuadé les plus bêtes de le comparer cruellement à son frère. N'empêche, son statut de réserve
est une reconnaissance qui ne doit rien au favori-
tisme. Isidore a beau avoir de la famille, il est doué.
Quand on lui demande de parler du frangin, il lâche :
« *Il sera de bon conseil quand il voudra. Je vais essayer
de ne pas le gêner.* » On félicite les parents.

Le demi d'ouverture – numéro 10

Ce que le demi de mêlée est aux avants, le demi
d'ouverture l'est aux trois-quarts. Surveillant le pla-
cement en attaque et en défense de sa ligne arrière,
il est aussi celui qui évalue les rideaux défensifs
adverses pour décider s'il vaut mieux tenter de les
percer à la main en déployant le jeu, ou décocher
un coup de pied pour prendre la défense à revers.
Roi de la vista, capable d'apercevoir le trou qui se
créera dans un millième de seconde, il peut dégager

son camp sous pression, trouver la touche quand on ne l'attendait plus, tenter le drop quand il sent que son précieux coup de pied a ses chances. À ce titre, il fait l'objet de l'attention soutenue des troisième ligne et de son vis-à-vis. Victime désignée des premiers plaquages, il se doit au sang-froid, surtout lorsqu'il tente une pénalité ou une transformation – car le rôle de buteur qui fait en général partie de ses attributions.

10 Abderrahmane Trinquetaille
Âge : 26 ans
Taille : 1 mètre 88
Poids : 86 kilos
Nationalité : Républicain
Statut : ANCIEN – 7 saisons

OUVERT, AUX QUATRE VEINES

C'est *le* demi d'ouverture, la clef, l'homme de confiance du XV. Beau comme un dieu, inspiré, technique, rapide, il est de ces joueurs dont l'élégance et le style sont des redéfinitions de leur sport en art. Haut en exploits plutôt que haut en couleurs, adepte d'une introspection qui lui permet de descendre en profondeur dans les arcanes de l'Ovale, il est l'indispensable, le presque jamais remplacé. Pas trop fatigué ? « *Quand on a l'honneur de servir des copains comme ça et une ville comme ça, on se dit que ça vaut le coup de remettre le repos à plus tard.* » Oui. Au plus tard possible.

Zachée Barnold
Âge : 23 ans
Taille : 1 mètre 85
Poids : 92 kilos
Nationalité : Antalagnais
Statut : ANCIEN – 1 saison

On ne les aime pas, on ne les aimera jamais. Ils nous ont trop grugés dans les Tournois, trop trahis et trop volés. On ne les aime pas, mais celui-là est bon. Auréolé de son statut d'international chez lui, mais pas encore titulaire chez nous, Zachée Barnold jure ses grands dieux que le Marchaunoir, c'est sa nouvelle patrie, et Volmeneur son Eden terminus. Arrivé l'an passé et auteur de belles performances au centre et à l'ouverture, il devra nous convaincre que cette histoire de mariage avec une Volméenne n'est pas une couverture. En tout cas, on ne se privera pas de l'observer. Pour savoir comment l'étouffer à la prochaine rencontre contre les bandits héréditaires.

Taka NAKAMAKA
Âge : 20 ans
Taille : 1 mètre 77
Poids : 85 kilos
Nationalité : Républicain
Statut : Réserve de l'Académie

SANS UN ACCROC ?

Autre minot du Faubourg-des-Terres, Taka est un joueur léger, rapide, véloce, fin, enfin bref, un expert de la dentelle. Mais les troisième ligne adverses ne font pas dans l'escarmouche et les poètes ne sont pas immunisés contre les crampons. Nous verrons donc si Taka saura obtenir une densité physique assez grande pour devenir plus qu'un artiste, un rugbyman.

LIGNES ARRIÈRE

Les trois-quarts centre – numéros 12 et 13

Attaquant sans peur, le trois-quarts centre doit aussi être un défenseur sans reproche. Chargé de faire des passes rapides et précises pour créer des décalages, il doit être capable de péter au contact, ou, mieux, de repérer un trou pour s'infiltrer. Plus que n'importe quel trois-quarts, il doit surtout être à même de stopper un attaquant… quel que soit son gabarit. Physique, puissant, il permet à toute son équipe d'accélérer l'offensive ou endigue les marées d'en face pour lui donner le temps de se replacer. De tous les trois quarts, le plus friand de combats.

12 Judicaël GALBOND
Âge : 28 ans
Taille : 1 mètre 94
Poids : 96 kilos
Nationalité : Républicain
Statut : ANCIEN – 8 saisons

CENTRAL

Il est la terreur des dictionnaires de synonymes, l'empêcheur de lancer des adjectifs laudatifs en rond. Artilleur qui doit s'économiser pour envoyer la balle à moins de cent mètres, capable d'enfoncer un mur défensif sans élan, incisif dans la passe, infatigable au plaquage, medium pour repérer les intervalles, Judicaël est grand. Pourtant, il n'a qu'un mot à la bouche : progresser. « *Être toujours meilleur, c'est à ça que ça rime, la vie.* » Responsable des pénalités de loin, il se trouverait aussi bien dans la peau du tacticien. Utilisé d'ailleurs une ou deux fois comme ouvreur la saison dernière, il fera sans nul doute parler sa polyvalence cette année encore. Présent depuis l'Académie, un des hommes dont on peut dire, malgré une histoire plus que centenaire, qu'ils ont fait le club.

Ulysse NINON
Âge : 24 ans
Taille : 1 mètre 87
Poids : 95 kilos

Nationalité : Républicain
Statut : RECRUE

BILLE EN TÊTE

Il l'a dit et redit : il n'oubliera jamais la descente de son équipe de toujours, Fouldre, la saison dernière. « *Une plaie dont la douleur m'empêchera longtemps de dormir sur mes deux oreilles* », assure ce centre perforateur puissant et d'un gabarit sérieux, tellement sérieux qu'on lui a déjà demandé de dépanner en troisième ligne. Une expérience pénible : « *Les gros sont capables de trucs qui dépassent l'être humain.* » On ignore si le staff de Volmeneur lui fera ce coup-là. En tout cas, trop bon pour qu'on le laisse jouer dans la Division d'Attente, Ulysse Ninon promet sa hargne, sa course et sa parfaite défense sur l'homme à Volmeneur, un club à qui il aimerait offrir le titre d'entrée de jeu. « *Quand d'autres attendent depuis des décennies, le faire dès ma première année, ce serait un hold-up marrant.* » On en rit déjà.

Silvère JDOUL
Âge : 18 ans
Taille : 1 mètre 90
Poids : 90 kilos
Nationalité : Républicain
Statut : Réserve de l'Académie

COPIE CONFORME

C'est un truc qu'on a souvent remarqué chez les réserves : ils ne peuvent pas s'empêcher de jouer aux sosies des joueurs qu'ils voudraient être. De là chez ce joueur long et grand cette tentative de mèches à la Galbond, de casquette indéboulonnable à la Galbond, de sourires à la Galbond. Devant cette naïve imitation, on se contente d'espérer que, dans le jeu aussi, le fan saura reproduire le talent de l'idole. Un vœu que n'a pas encouragé sa prestation à la conférence de presse. Occupé à faire des blagues, le gosse a été pris d'un fou rire qui l'a empêché de nous dire quoi que ce soit. Des gamineries rafraîchissantes qui risquent de partir en méchantes fumées si ce novice fait un jour face aux joueurs du Championnat Républicain, peu habitués à taquiner la plaisanterie.

13 Malloy GRUVALD
Âge : 28 ans
Taille : 1 mètre 78
Poids : 98 kilos
Nationalité : Républicain
Statut : RECRUE – 2 saisons au club il y a six ans

DE PIED FERME

« *Cette ville de cons où les poissons dans les filets sont plus intelligents que ceux qui les pêchent, je l'emmerde de tout mon cœur.* » Des paroles qui font mal, et qu'on ne peut pas oublier. Elles ont été proférées par Malloy Gruvald il y a huit ans soit, deux ans après sa sortie de l'Académie de Volmeneur et cinq minutes après une des dix finales perdues, et sous un harcèlement de sifflets, il est vrai tonitruant. Autant dire que l'ami, mercenaire de cinq clubs en cinq saisons – dont notre bourreau Garamène l'an passé –, est attendu de pied ferme. Sachant déjà qu'il jouerait chez nous cette saison, Malloy a corsé son ardoise par les deux essais marqués à notre barbe durant la finale noire de ce printemps. Le coach assure que ces vieilles histoires seront effacées par le talent de cette vraie-fausse recrue. On conseille néanmoins à Gruvald de calmer son arrogance. Ou il se prépare des soirées difficiles.

Zacharie HAOUSSELINE
Âge : 23 ans
Taille : 1 mètre 85
Poids : 91 kilos

Nationalité : Républicain
Statut : ANCIEN – 2 saisons

FORTE TÊTE À CLAQUES

Seul membre des lignes arrières affilié à la bande des « Feujs », Zacharie est l'archétype du joueur fantasque, qui dit merde à peu près à tout et à tout le monde. Collectionnant les engueulades derrière la porte des vestiaires – de la part du coach ou des coéquipiers à parts égales –, il sait marquer un essai impossible comme rater un plaquage sur un plateau. Le genre de types qui manquent quand ils partent, et quand ils sont là. Deux ans après sa sortie de l'Académie, où il a frotté sa tête contre La-Claque de toutes les manières possibles, on ne sait pas encore s'il est un médiocre emmerdeur ou un champion. Pour cette année, pas de fioritures. Une réponse.

Casimir ALABADIN
Âge : 18 ans
Taille : 1 mètre 79
Poids : 89 kilos
Nationalité : Républicain
Statut : Réserve de l'Académie

À MAINS ARMÉES

Comme son copain Bakomako, Casimir brille en conférence de presse par son éloquence d'ado qui ramène l'univers à des aliens dézingués à la cybermitraillette. La-Claque, qui le dit génial, a beau tenter de nous faire l'article, un homme du Baquet sait flairer les arnaques. On parie sur le dégonflement immédiat de la baudruche et le statut de réserve à perpétuité.

Les trois-quarts ailes, ou ailiers – numéros 11 et 14

Des jambes, des jambes, des jambes, que l'ailier soit ce dernier attaquant qu'il rêve d'être pour conclure d'un crochet et d'une accélération foudroyante un mouvement offensif par un essai, ou qu'il fasse des allers-retours entre le ras des actions et l'arrière du terrain pour jouer son rôle en défense, il doit savoir courir vite, surprendre par ses changements de vitesse, propulser le vis-à-vis infiltré en touche. Dernier joueur sur la largeur du terrain, il a le devoir de ne laisser personne emprunter impunément son couloir.

11 Constant – Baptiste FAURE
Âge : 25 ans
Taille : 1 mètre 96
Poids : 108 kilos
Nationalité : Républicain
Statut : ANCIEN – 2 saisons

SUR LA VAGUE

Il est arrivé il y a trois ans sur le port pour s'occuper d'un magasin de glisse. Estivant dans l'âme, tâtant du cuir « pour le fun », comme il dit, il a passé un essai au club après un pari avec ses copains. Depuis, il est un des tout meilleurs ailiers du Championnat, apprenant aux défenses que le vertige ne demande pas de regarder en bas et qu'une pneumonie peut s'attraper aussi sûrement sur le pré qu'en montagne. Amoureux de l'extrême, fasciné par le risque, il est une tête brûlée des relances et un joueur né pour le spectacle. Une star qui fait mal par où il passe. Sa devise : « *Où il y a de la gêne, y a pas de plaisir.* »

Nazaire MARLIN
Âge : 27 ans
Taille : 1 mètre 80
Poids : 85 kilos
Nationalité : Républicain
Statut : ANCIEN – 7 saisons

COQUIN DE SORT
On le disait imbattable, mais le destin sourit des pronostics. Après deux belles saisons, où on pensait le fruit prêt à donner sa pleine saveur, la star en devenir de l'Académie a enchaîné les blessures. L'avis médical pour cette année est enfin élogieux. On verra maintenant si la tête saura tenir en respect un corps qui a appris la peur sur les gazons des faucheurs et les billards des chirurgiens. Il clame : « *Qu'on se le dise, je suis de retour.* » On t'attendait.

Hermin BALFAR
Âge : 19 ans
Taille : 1 mètre 93
Poids : 99 kilos
Nationalité : Républicain
Statut : Réserve de l'Académie

MACHIN BLAFARD
Autant le dire, ce grand machin costaud ne nous a pas fait grande impression à la conférence de presse de rentrée. Aussi inintéressant que le gros de ses acolytes de réserve, il apporte à l'ennui une petite touche spéciale par son allure de calamar incapable de cracher son encre. La-Claque a bien essayé de nous bourrer le mou en reprenant le micro : « *C'est un as du crochet, un ailier pur, vous verrez.* » On veut bien. Mais pour être un bon ailier, il faut quand même un minimum de vivacité intellectuelle, histoire de voir le danger, d'imaginer l'estocade, d'anticiper sur l'infiltré. À la question « *Qu'est-ce que ça fait d'être*

réserve? », notre livide a répondu « *Plaisir.* » Fin de transmission. Nous, ça nous a fait prédire un festival d'en-avants et de cadeaux à l'adversaire de la part de ce joueur, promis à la confidentialité.

14 Foulques BODOMBIN
Âge : 29 ans
Taille : 1 mètre 78
Poids : 85 kilos
Nationalité : Républicain
Statut : ANCIEN – 9 saisons

CLASSIQUE ET PUR

L'antithèse du crâneur faux-jeton ou du chéri de ses dames, Bodombin n'est pas une gravure de mode, il ne parle pas comme un magnat du marché de l'art, et personne ne lui confierait la vente de son camion d'occasion. Mais ce gaucher est un enfant du Marchaunoir typique, fils d'hommes de peine et de mer, qui fait le travail sans se plaindre, sans attendre de félicitations, et sans s'y attarder quand elles viennent. Le genre de classe ignorée par les pacotilles du temps. On ne citera pas une de ses rares déclarations. Car la parole d'un roi ne se commente pas. Elle s'observe.

Ibor BAKOMAKO
Âge : 19 ans
Taille : 1 mètre 81
Poids : 98 kilos
Nationalité : Républicain
Statut : Réserve de l'Académie

LE SCHPOUNTZ

On dit de lui qu'il est fort comme un bœuf et rapide comme un pur-sang. Mais on a dit ça de tant d'autres que lui, qui n'ont même pas eu la chance d'être avant d'avoir été. D'autant que le jeune homme du Faubourg-du-Bagne n'a pas le charisme étincelant. Virtuose du dodelinement de tête sous basses saturées, sa rencontre avec la presse a été un modèle d'insignifiance. Décidément, les ailiers de l'Académie sont cette année bien peu ragoûtants. On ne voit pas d'ici le génie débouler. Sauf, peut-être, en sourdine, dans les écouteurs de l'ami. Quand il saura choisir sa musique.

L'arrière – numéro 15

Chevalier errant, cow-boy solitaire, l'arrière est une personnalité à part et majeure d'un XV. Placé toujours en retrait, il voit tout ce qui se trame et est chargé de se trouver au bon endroit pour réceptionner les missiles envoyés au pied par l'attaque adverse comme de plaquer en dernière instance sur l'ennemi. Devant faire preuve de bravoure et de calme pour récupérer le traître ovale aérien quand toute une équipe lui fonce dessus, il a aussi pour mission après réception de décider ce qu'il faut en faire. Gestionnaire avisé, quand il envoie de ses pieds forcément performants la balle en touche ou dans les rideaux de l'autre équipe, il peut être aussi le téméraire qui sonne la révolte d'une grande course ballon en main et panache au vent. Très souvent, il quitte sa retraite pour s'intercaler dans la ligne d'attaque afin de récupérer la balle en pleine course. Mettant ainsi en panique les défenses qui n'attendaient pas cette percée à cet endroit, il est souvent celui par qui la victoire arrive. Dernier défenseur, premier attaquant ; essentiel, tout simplement.

15 Athanase CRAMARIN
Âge : 31 ans
Taille : 1 mètre 89
Poids : 81 kilos
Nationalité : Républicain
Statut : ANCIEN – 15 saisons

Non, vous ne rêvez pas. Cet immense joueur, ce capitaine incontestable du XV de Volmeneur a porté pour la première fois la tunique noire il y a quinze saisons, quand il avait seize ans, et qu'il a marqué dès son premier match deux essais aux lourdauds incrédules qui voulurent d'abord tenter de lui presser le nez pour voir quel liquide en sortait. International, de ceux qui représentent un pays à la face du monde, créateur inlassable de jeu, relanceur intrépide, il est le héros de cette lignée presque disparue qui croit que la terre entière, et au passage un essai, peut être issu d'un crochet, d'une audace, d'un coup de pied qu'on s'adresse à soi-même, de ce qui fait le rythme incompréhensible aux mortels d'une grande musique ou d'une grande pensée. Avec cela, bon mec, capitaine courageux et chef de guerre ; notre maître, notre exemple, notre preuve que la grandeur existe, malgré une rarissime contre-performance en finale l'an passé, voici donc Athanase, qui nous annonce : « *Ce sera ma meilleure saison. Comme toujours.* »

Pépin PÉRÉGRIN
Âge : 20 ans
Taille : 1 mètre 80
Poids : 83 kilos
Nationalité : Républicain
Statut : RECRUE, issue de l'Académie

L'ENFANT PRODIGE

On sait que Volmeneur admire le beau jeu, les grandes envolées de lignes arrières, mais là, cela tient du délire. La-Claque l'a dit : « *Je sais pas où on va mettre ce génie, à la mêlée, à l'ouverture, à l'arrière, mais s'il n'est pas sur le terrain, je mets mon pied au cul à toute la ville !* » Alors, est-il possible que nous voyions se lever après Cramarin un nouvel arrière héroïque ? L'avenir le dira, d'autant que, réserve l'an passé, il n'a joué aucun match du Championnat, aux grandes vociférations de La-Claque. Néanmoins, son essai magnifique en finale du Mondial des moins de 20 ans et sa classe apparente au cours des entraînements font de nos espoirs de simples déductions.

Waccar BOLDEZESKI
Âge : 18 ans
Taille : 1 mètre 85
Poids : 92 kilos
Nationalité : Frimaldion
Statut : Réserve de l'Académie

L'ARDEUR VENUE DU FROID

Plus qu'une révélation, un spécimen. On ne savait pas qu'on jouait au rugby en Frimaldie, et voici qu'on nous déniche un arrière dans ces régions glacées qui est en plus, paraît-il, doué. Il nous dit qu'il est tombé amoureux du Marchaunoir en entendant parler des gardiens dans sa contrée natale. Intégré à l'Académie l'an passé... il a désintégré ses adversaires. Propulsé en réserve un an à peine après son arrivée, on l'attend avec impatience sur la pelouse, même si la place d'un Cramarin n'est pas franchement chose à prendre, et même si Pérégrin incarne déjà une concurrence épique.

RÉSULTAT DES PHASES FINALES
DU CHAMPIONNAT DE LA RÉPUBLIQUE
LA SAISON DERNIÉRE

À L'ISSUE DE LA DERNIÈRE JOURNÉE :

DEMI-FINALES :

VOLMENEUR – FLAMMERANGE
12   9

CAPITALE – GARAMÈNE
9   12

FINALE :

VOLMENEUR – GARAMÈNE
13   40

9487

Composition
NORD COMPO

Achevé d'imprimer en Espagne
par ROSÉS
le 5 décembre 2010. EAN 9782290023037

Dépôt légal décembre 2010.

ÉDITIONS J'AI LU
87, quai Panhard-et-Levassor, 75013 Paris

Diffusion France et étranger : Flammarion